El primer cancionero impreso y un pliego poético incunable

Josep Lluís Martos

MEDIEVALIA HISPANICA

Fundador y director Maxim Kerkhof

Vol. 37

El primer cancionero impreso y un pliego poético incunable

Josep Lluís Martos

Iberoamericana • Vervuert • 2023

Esta publicación es parte del proyecto de I+D+i FFI2017-86313-P, financiado por MCIN/
AEI/10.13039/501100011033/ y «FEDER Una manera de hacer Europa».

Amor de Dios, 1 – E-28014 Madrid
Tel.: +34 91 429 35 22 - Fax: +34 91 429 53 97

Elisabethenstr. 3-9 – D-60594 Frankfurt am Main
Tel.: +49 69 597 46 17 - Fax: +49 69 597 87 43

info@iberoamericanalibros.com
www.iberoamericana-vervuert.es

978-84-9192-332-9 (Iberoamericana)
978-3-96869-394-1 (Vervuert)
978-3-96869-395-8 (e-book)

Depósito Legal: M-127-2023

Diseño de cubierta: Rubén Salgueiros

Impreso en España
The paper on which this book is printed meets the requirements of ISO 9706

Índice

1. Introducción

La bibliografía ha valorado históricamente la singularidad y el carácter temprano del incunable de *Les trobes en lahors de la Verge Maria*, más allá de su pretendida consideración como primer libro impreso en España. El hecho de no contener o conservar un colofón, unido a su antigüedad, han dado protagonismo en la historia bibliográfica a la reconstrucción de su pie de imprenta: unánimemente aceptado como valenciano, por su carácter circunstancial, que también justifica que se haya impreso en 1474, aunque su atribución al taller de Lambert Palmart ha generado mayor debate. Hoy, en cualquier caso, es la más extendida y aceptada de las hipótesis, lo que tiene claro fundamento tipográfico, sin duda, pero también socioliterario: no podemos olvidar el protagonismo de este impresor en la edición de productos bibliográficos valencianos, especialmente los derivados de certámenes. Los tres dedicados a la Inmaculada Concepción y patrocinados por Ferran Dies en 1486, 1487 y 1488 dan lugar a tres incunables impresos por Lambert Palmart y esto, quizás, más allá de otras cuestiones que se aducirán a lo largo de esta monografía, no sea un argumento suficiente, pero, desde luego, no es una casualidad. No lo es e incide en las conclusiones derivadas de criterios tipográficos, unos argumentos que la tradición bibliográfica atribuye a Konrad Haebler, pero que aquí se demuestra que determinó, al menos en su parte técnica y a sugerencia del primero, José Enrique Serrano y Morales.

Es, precisamente, este bibliógrafo quien evidencia las limitaciones de la historia del libro impreso, que multiplica y perpetúa ciertos errores que van pasando de un repertorio a otro: «Las erratas de imprenta en descripciones bibliográficas suelen ser causa de equivocaciones que, aceptadas como ciertos hechos, pasan á veces de una á otra generación y no son fáciles de rectificar» (Serrano y Morales 1898-1899: 73). Esta práctica ha llegado, incluso, hasta nuestros días y detrás de ellas están los numerosos gazapos de alguno(s) de los repertorios más recientes sobre bibliografía hispánica, que se resuelven en este trabajo al respecto de los incunables tratados. En el caso de *Les trobes*, además, nos encontramos con mucha bibliografía que las menciona y poca que la estudia *de facto* o con criterio científico, por lo que se puede decir que, a pesar de su fama bibliográfica, era un ejemplar incunable tan desconocido que, ni siquiera, se habían analizado sus filigranas más que en un trabajo del siglo XIX, que las limitaba a dos diseños, frente a los establecidos en esta monografía, que los cuadruplica. De hecho, son el punto de partida para una de sus conclusiones más novedosas, como es el carácter mútilo del ejemplar y la apuesta decidida por la existencia de un colofón en la edición de *Les trobes*, siguiendo el modelo de las primeras impresiones de Palmart y como demuestra también la bibliografía valenciana de los siglos XVII y XVIII.

A partir de esto, también se determina su extensión y su estructura material, que presenta sorprendentes y amplias discrepancias entre los diferentes repertorios bibliográficos, así como se valora la tan recurrente calidad del proceso de impresión, aún por medios pliegos. De los contextos y materialidad del ejemplar se reconstruyen, por tanto, aspectos que afectan a la propia edición, bien conocida por los bibliófilos a través de los numerosos facsímiles de que ha sido objeto, a cuyo estudio se dedica aquí también un subepígrafe específico, en tanto que funcionaron y funcionan como mediación.

Les trobes, sin embargo, han recibido atención y han interesado, sobre todo, por ser uno de los primeros impresos hispánicos, por su entidad tipográfica y bibliográfica, considerado como el primer incunable hispánico, valenciano o literario. Ninguno de estos títulos le corresponde, pero sí el de primer incunable poético, como *rara auis* en el panorama tipográfico español: se avanza en ocho años a los impresos poéticos castellanos de Antón de Centenera (1482) y hasta en trece a los otros incunables de poesía catalana, de Palma y Valencia (1487). A sus contenidos poéticos le prestaron atención Francisco Martí Grajales (1894), Manuel Sanchis Guarner (1974 y 1979) y Antoni Ferrando Francés (1983), que lo estudiaron y editaron sus textos, desde la bibliografía o desde la filología valenciana. Sin ellos, este estudio habría sido mucho más complejo y, sin duda, diferente. Dutton (1990-1991) lo incorporó a su catálogo de la poesía castellana hasta 1520, en tanto que presentaba cuatro poemas en esta lengua, sin una atención especial, pero sí con la virtud de enmarcarlo en un contexto general de transmisión poética manuscrita e impresa, de la misma manera que lo hizo, muchas décadas antes, Jaume Massó i Torrents (1913-1914 y 1932), para la poesía antigua en lengua catalana. Sin embargo, sus contenidos no han recibido atención como *cancionero* estricto que es y no, exclusivamente, un impreso poético, a pesar de que se le llega a referir como tal en tres ocasiones (Martí Grajales 1894: 13; Guarner 1974a: 17; Sanchis Guarner 1974: XXXVII). Del análisis de su estructura y contenidos, se deduce, en este sentido, que todo apunta a un cancionero impreso que no es, necesariamente, una antología, al menos como objetivo último de su compilador, a diferencia del resto de incunables derivados de certámenes valencianos.

Es por ello que otra de las grandes novedades de esta monografía es su estudio interno como cancionero impreso, en tanto que antología organizada con unos criterios determinados, que no debieron de corresponder, necesariamente, a su *performance* o puesta en escena. Es a partir, por tanto, del impreso y de su *mise en page*, o de la textualidad de los poemas y rúbricas, que se reconstruyen cuestiones que afectan al propio desarrollo del certamen poético, en un camino de ida y vuelta, que acaba repercutiendo en un mejor conocimiento de este primer cancionero incunable.

La segunda gran sección de esta monografía se dedica a un pliego poético de solo cuatro páginas, que se había datado tradicionalmente como post-incunable y aquí se demuestra, sin embargo, que es un impreso incunable, a partir de un estudio tipográfico que lo relaciona de manera inequívoca con un taller determinado. Se reconstruye la historia del ejemplar y su contexto bibliográfico más directo, en tanto que se incorpora al *Nazareno*, un tomo facticio de varios impresos, la mayoría de ellos únicos y poéticos, de difícil delimitación y cierto desorden. Precisamente por esta razón, se llegó a cuestionar la integridad del pliego como impreso, así como por el hecho de que su título explicativo o rúbrica inicial lo contextualiza, en realidad, en un producto bibliográfico más amplio. Se demuestra que, en efecto, se trata de una unidad tipográfica independiente, el primero de los pliegos sueltos exclusivamente poético que se documenta en la imprenta valenciana. Y se relacionan sus contenidos no solo con el certamen de 1474, del que debió de formar parte esta *Salve Regina* de Pere Vilaspinosa, sino, incluso, con la propia *editio princeps* de *Les trobes*, en tanto que se conserva un único ejemplar mútilo del que podrían llegar a faltar textos, si no es que el pliego en cuestión es la prueba de la existencia de una edición en gótica de este primer cancionero incunable de Lambert Palmart, hoy perdida. Sea como fuere, ambos impresos están relacionados, directa o indirectamente, y en este estudio se avanza no solo en ello, sino en el conocimiento material, interno y socioliterario de cada uno de estos incunables poéticos, así como de los que se tratan en relación a ellos.

Esta monografía se gesta sobre mi experiencia en el estudio de los otros dos cancioneros incunables valencianos derivados de certámenes poéticos, así como de otros impresos producidos por Palmart o salidos de las prensas de esa ciudad. A las fuentes de poesía impresa, desde época incunable hasta mediados del siglo XVI, se han dedicado, de hecho, los cinco proyectos de investigación del grupo CIM, de los que he sido o soy investigador principal, de uno de los cuales (FFI2017-86313-P, AEI-FEDER/UE) es parte esta publicación. La perspectiva de análisis que combina filología material y literatura perdida ha dado como resultado, en estos mismos contextos de financiación, la recuperación de incunables perdidos y/o de textos literarios desconocidos. En esta línea de investigación sobre literatura perdida, de la que debo tanto a Alan Deyermond, que insistió en que la transitara, se enmarca también esta investigación y es la base sobre la que se construye la coherencia de esta monografía. De la bibliografía material he aprendido todo lo que he sido capaz, como lo hice en su día de la codicología, como instrumentos para mi investigación filológica. Maestros al respecto he tenido muchos y, entre ellos, amigos entrañables unos cuantos, generosos todos y todas, a los que no hay que atribuir los vicios de esta investigación, pero sí una parte importante de sus virtudes. Agradezco, finalmente, a la Biblioteca Històrica de la Universitat de València, a cuyo fondo pertenecen los incunables de *Les trobes* y de la *Salve Regina*, su permiso para la reproducción de imágenes y las facilidades para mi investigación, desde su directora, hasta todas las bibliotecarias y bibliotecarios que, con tanta implicación en su trabajo, me han atendido en mis diferentes visitas a este fondo y en tantas otras consultas.

2. *Les trobes en lahors de la Verge Maria*

2.1. El primer incunable poético

La antigüedad del incunable de *Les trobes en lahors de la Verge Maria* ha quedado patente desde los bibliógrafos ilustrados (Nicolás Antonio 1788², II: 305-306, nº 650; Rodríguez 1747: 81-82; Ximeno 1747-1749, I: 59; Cerdá y Rico 1778: 318; Villarroya 1796: 51-67), pero no es hasta Justo Pastor Fuster que se llegó a considerar «el primer libro impreso en España» (Fuster 1827: 52) y así se mantuvo en la bibliografía posterior durante más de un siglo y medio. Dionisio Hidalgo añadió el dato en su actualización de la *Tipografía Española* de Méndez (1861²: 321)[1] y José María Torres Belda (1874: 44-50) desarrolló un artículo titulado «El primer libro impreso en España» para contextualizar los actos por el IV Centenario de la Imprenta Hispánica previstos por el Ateneo Científico, Artístico y Literario de Valencia.[2] Esta conmemoración decimonónica se proyectó[3] sobre este incunable poético y su certamen

1 «Es opinion, generalmente admitida, que el primer libro que se imprimió en España es el *Certamen poetich* que Bernardo Fenollar, secretario de la junta, y uno de los que disputaron el premio, recopiló é hizo imprimir en Valencia en 1474» (Méndez 1861²: 321).

2 «Cúmplese en el presente año 1874 el cuarto siglo de la introduccion de la imprenta [...] y el Ateneo, que simboliza hoy el movimiento artístico y científico de nuestra ciudad, ha tomado la iniciativa para que se conmemore, como es debido, ese centenario de las letras. La festividad secular que se proyecta será, sin duda, digna del objeto que la motiva, y no creemos incurrir en ese error vaticinando que los venideros tiempos verán reproducirse esa fiesta cada vez que se cumpla un nuevo siglo de la introducción de la imprenta en nuestro pais» (Torres Belda 1874: 44). Con este artículo, «anunciaven la reproducció d'aquella obra medieval i hi adjuntaven una breu introducció de l'obra medieval gràcies a Josep Maria Torres, aleshores bibliotecari de la Universitat de València, que hauria ajudat i assessorat en el projecte de reproduir l'obra» (Pastor Bañuls 2017: 423). Para esta sociedad valenciana, instituida en 1870, véase Roig Condomina (1995) y, para la figura de Torres Belda y otras actuaciones de recuperación del legado literario medieval, remito a Martos 2012.

3 «L'afer de 1874 no s'hauria esdevingut sense la iniciativa del poeta i literat Vicent W. Querol (1837-1889). Aquell any havia estat nomenat president de l'Ateneu valencià

original, con idea de reproducir ambos, si bien solo fue adelante la celebración de unos *jocs florals* a imagen de los que, cuatro siglo antes, habían dado lugar a este impreso.[4] Sí que conocemos, sin embargo, las características que había de tener la reimpresión del ejemplar único de este incunable, cuya pretendida fidelidad al original no debemos entender como una edición facsímil.[5] El proyecto no fructificó entonces, pero siguió vivo, hasta que, a partir de

---

des d'on va desenvolupar una important activitat cultural. Així ho constata, doncs, l'epistolari entre el valencià i l'erudit mallorquí Marià Aguiló (Biblioteca de Catalunya, Fons Marià Aguiló. BC, FMA). El 25 de desembre de 1873 Querol anuncià a Aguiló que havia estat elegit president dels ateneistes i li comunicà les primeres notícies sobre el certamen commemoratiu: "Cumplense en 1874 los cuatro siglos justos de la introduccion de la Imprenta y estamos obligados los valencianos á una fiesta secular que recuerde en España nuestra orgullosa primogenitura. He suscitado la idea en el Ateneo: ha sido acogida con entusiasmo y cae sobre mi en gran parte la pesadumbre de realizarla". Aquest primer fragment ens fa percebre —des de l'òptica de Querol— qui fou el promotor de la celebració del certamen de 1874. A més, l'epístola ens aporta informació sobre els actes programats a realitzar, com ara un certamen literari sobre el mateix tema que la justa poètica de 1474, una exposició dels treballs tipogràfics de la impremta de l'època i una exposició retrospectiva de documents impresos des de la introducció de la impremta» (Pastor Bañuls 2017: 422).

4 Para este certamen conmemorativo de 1874, que sería el germen de los *jocs florals* que, posteriormente, desarrolló Lo Rat Penat, remito a Pastor Banyuls 2017, quien documenta el proyecto de reedición y su posterior anulación: «De la mateixa manera, val a dir que en aquests actes Querol i els ateneistes pretenien reimprimir les *Obres o trobes en lahors de la Verge Maria*. Així ho fa saber el president de l'Ateneu a Aguiló en aquesta tramesa de 1873: "Y por ultimo (y aqui es donde principalmente necesito del auxilio y consejos de V.), reproduccion tan fidelisima y parecida como posible sea del libro primero que la Universidad conserva como inestimable joya". Mesos després, però, va desistir-hi i confessava a Aguiló: "Las dificultades que estorban la prosecucion de las publicaciones que V. tiene emprendidas son mayores aun en Valencia, asi que, mi proyecto de reimprimir *Les trobes á la Verge Maria* corre riesgo de no realizarse"» (Pastor Bañuls 2017: 422-423). Albert Rossich, en este sentido, precisamente, advierte que «els certàmens també són importats com a punt de referència constant per a tota la tradició posterior. Sense aquell *pedigree*, potser no hauria sorgit la Renaixença. Si més no, una Renaixença com la que va, tenir, brotada de la gran plataforma de promoció i de cohesió que van ser els Jocs Florals de Barcelona de 1859» (Rossich 2006: 71).

5 «Un solo egemplar queda (si no fué acaso el único que se imprimió) de la primer obra dada á la estampa en Valencia, y guardálo la biblioteca de nuestra Universidad Literaria, como la más rica y codiciada de sus numerosas joyas. Cualquier accidente desgraciado pudiera privarnos de tan inestimable tesoro, y por eso el Ateneo ha creido que de ningun modo podía celebrar mejor el cuarto siglo de la imprenta en Valencia, que reproduciendo ese libro único, pero con tan cuidadoso esmero, que la reimpresion imite cuanto sea posible el papel, los tipos y el gusto tipográfico del original, hasta confundirse con él si dable fuera» (Torres Belda 1874: 44).

una copia realizada por Manuel Rubio y Borrás, sobre la cual trabajó Rafael Blasco Moreno,[6] Pascual Aguilar tomó el testigo y decidió publicar veinte años después, en 1894, lo que hoy entenderíamos como una edición paleográfica, con la introducción de Francisco Martí Grajales (1894) correspondiente al ensayo con el que ganó el premio de los *jocs florals* de Lo Rat Penat de 1893, que incluye un estudio biográfico sobre los poetas participantes en el certamen.[7]

Konrad Haebler «le atribuye el primer lugar entre los impresos de España» (1903-1917, I: 231, nº 488) y, aunque Jaume Massó i Torrents aún consideraba que este incunable poético «es el primer llibre imprès a Espanya» (1913-1914: 238), matizaba ligeramente su afirmación años después: «Es creu que és el primer llibre imprès a Espanya» (1932: 47). Quizás lo hacía por un afán general de prevención, si no por tener noticia de la entrada de Hain (1826-1838, IV: 358, nº 15044) sobre el *Sinodal* de Segovia (*c.* 1472) o de la que Haebler (1903-1917, I: 302, nº 630), con muchas dudas, incorpora a su *Bibliografía ibérica*, al no conocerse ejemplar y provenir la noticia de una referencia, más o menos ambigua, recogida

6 «Se acordó editar el libro y al efecto lo transcribió el archivero Manuel Rubio Borràs. Pero la edición no fue llevada a cabo hasta 1894, y a costa del librero Pascual Aguilar, quien se basó en otra transcripción del texto hecha por Rafael Blasco Moreno, según ha hecho observar Vidal Corella» (Sanchis Guarner 1979: 113).

7 «El pensamiento de reproducir *Les Trobes en lahors de la Verge María*, primer libro impreso en Espâña, fué iniciado hace veinte años por el Ateneo científico literario y artístico de Valencia, con motivo de celebrarse en aquella época el Cuarto centenario de la inroducción de la Imprenta en nuestra patria, pero no se llevó á efecto aquel laudable propósito, como era el deseo de aquella Corporación. En este estado, el Sr. D. Manuel Rubio y Borrás, individuo del Cuerpo facultativo de Archiveros y Bibliotecarios, hizo suyo aquel proyecto y al efecto sacó una copia del único ejemplar que se conserva en la Biblioteca Universitaria de esta Ciudad. Cuando se estaban realizando los trabajos, fué trasladado dicho señor á otro punto y con este motivo adquirimos la propiedad de la reproducción, que hemos continuado hasta su feliz término. [...] El trabajo de copia realizado por el Sr. Rubio, fielmente compulsado luego, ha debido su complemento á una feliz coincidencia que hemos creído conveniente utilizar. En el pasado año 1893, el Excmo. é Illmo. Sr. D. Ciriaco María Sancha, Arzobispo de Valencia, ofreció, para los Juegos Florales celebrados por Lo Rat Penat, un premio á la memoria que diese más noticias biográficas acerca de los poetas que intervenieron en la Justa poética de 1474, que dió motivo a la publicación del primer libro: obtuvo aquel premio D. Francisco Martí Grajales y esta monografía es la que sirve de Introducción á *Les Trobes*, completándose de esta suerte nuestro primitivo intento, reducido al de la reimpresión del famoso libro, ya que nuestro móvil al emprender esta empresa no era otro que contribuir de algún modo á enaltecer y perpetuar uno de los monumentos más preciados de la abundante y rica literatura valenciana» (Aguilar 1894: 7-8).

en un libro del siglo XVII.[8] Sin embargo, décadas después y solo dos años antes del segundo repertorio de Massó i Torrents, se localiza y da noticia de un ejemplar del *Sinodal* en la catedral de Segovia (Valverde 1930: 268-272, nº 466), que se debió de imprimir dos años antes que *Les trobes en lahors de la Verge Maria*, con lo cual le arrebataría la consideración de ser el primer libro impreso en tierras hispánicas: «no me parece atrevido afirmar que el sinodal en cuestión es un año, a lo más, posterior a la fecha de celebración del Sínodo, siendo quizá el impreso y desde luego el libro más antiguo de cuantos, hasta hoy, se conocen en España» (Valverde 1930: 271, nº 466).

Tal vez por la guerra y la dura primera década de posguerra, no es hasta 1951 que llega esta noticia a los grandes repertorios y, por ello, aún en 1945 se mantiene la consideración de ser *Les trobes* el primer libro impreso en el contexto hispánico. Así lo recoge el título mismo del monográfico, *Noticias sobre la impresión del primer incunable español* (Ibarra 1945),[9] que, a manera de introducción, acompaña a la primera y más lujosa edición facsímil de este incunable poético, al cuidado de Vicente Escrivà (*Trobes* 1945). En esta fecha, por tanto, es ya un error afirmar que «El ejemplar de *Les Trobes* sigue siendo el glorioso adelantado de los libros españoles» (Ibarra 1945: 29).

Francisco Vindel (1951: 3-7, nº 1) incorpora a su repertorio la entrada al *Sinodal* segoviano,[10] remitiendo, por primera vez, al catálogo del padre

8 «En su Historia de Segovia pretende Colmenares, que las actas del sínodo que en enero ó junio de 1472 celebró en la iglesia de Aquilafuente de esta ciudad su obispo Juan Arias Dávila se imprimieron "luego", y fundándose en este "luego" algunos autores han afirmado la existencia de una imprenta en dicha ciudad en el año de 1472. Es cierto que hay algunos sinodales como el de Ávila impresos pocos años después de la introducción de la imprenta en España, y es por tanto muy verosímil que al poco tiempo de la celebración del sínodo de dicho año 1472 se imprimieran los de Segovia; pero debió ser por algun tipógrafo ambulante, no pudiendo servir nunca de base la noticia vaga de Colmenares, para atribuir á Segovia la primera imprenta de España. Si realmente existe el tal sinodal es de esperar que algun día aparecerá un ejemplar ó á lo menos un trozo, y con esto no sería difícil averiguar si se imprimió por un tipógrafo conocido ó si es producción de una oficina ambulante. Pero hasta tanto, aunque no se niego la posibilidad de su existencia, en forma judicial no vale tal sinodal en favor de la primacía de Segovia» (Haebler 1903-1917, I: 302, nº 630).

9 En realidad, no matiza siquiera que se trate del primer libro incunable, sino del primer impreso, una diferencia esencial que Valverde (1930: 271, nº 466) sí que tenía en cuenta.

10 Para este incunable, véase también García Craviotto 1989-1990, I: 272, nº 1749; Reyes Gómez 1996, I: nº 1; GW M43438; ISTC is00753500.

Valverde[11] y manteniendo su propuesta de datación en 1472 o, a lo sumo, 1473.[12] Es muy probable que llegue a través de él a la monografía de Pere Bohigas sobre el libro español, con un amplio epígrafe sobre la introducción de la tipografía en España (1962: 77-98), en el que ya se matiza que «El impreso más antiguo de las prensas de Valencia son las *Obres e trobes en lahors de la Verge Maria*» (1962: 83-84). Es esta, de hecho, la misma consideración que da Vindel (1946: 3-4, nº 1) al incunable de *Les trobes*, con el que abre su repertorio valenciano, reservando para otros el simbólico honor de ser el primer incunable hispánico.[13]

De Pere Bohigas pasa la noticia a Martí de Riquer,[14] que dos años después inicia el epígrafe *Les trobes del 1474* de su *Història de la literatura catalana* de la manera que sigue: «Durant molt de temps fou considerat com el primer llibre imprès a Espanya [...] encara que això no es pot mantenir actualment» (1964: 372). Sin lugar a dudas, este es el catalizador bibliográfico por el que se difunde tal noticia en la tradición crítica valenciana sobre este incunable.

Sorprende, sin embargo, que en el título de la edición facsímil para el Instituto Nacional del Libro Español (*Trobes* 1974c), continúe anunciándose, siguiendo la estela de la edición de Hemeroscopea (*Trobes* 1945), como *El primer incunable español*, porque, además, su estudio introductorio, de Luis Guarner (1974b: XI), comienza, precisamente, reconociendo a Segovia y al *Sinodal* de Aguilafuente tal circunstancia. De hecho, en su introducción a la otra edición facsímil, publicada meses antes por Espasa-Calpe (*Trobes*

11 «El primero que dió noticia de esta obra fué el historiador segoviano Diego de Colmenares en su *Historia de Segovia*, Madrid, 1639, donde dice, de forma concluyente, que en 1472 se celebró sínodo en Aquilafuente, que se *imprimió luego, y que es de las primeras cosas que se imprimieron en España*. Posteriormente, y a partir del P. Méndez, en 1793 (*sic*), todos los bibliógrafos han negado la veracidad de esta cita, incluso el Dr. Haebler, hasta que en 1930, el muy Rvdo. P. Valverde del Barrio, Bibliotecario de la Catedral de Segovia, publica el *Catálogo de los incunables* que se conservan en dicho archivo, y bajo el núm. 446 describe un ejemplar en perfecto estado de conservación» (Vindel 1951: 7, nº 1).

12 «*Sin indicaciones tipográficas, pero en Castilla, hacia 1472-73*» (Vindel 1951: 3, nº 1).

13 «Casi todos los bibliógrafos consideran que la fecha de la introducción de la Imprenta en Valencia fué en 1474, con la estampación de *Les Obres en trobes en lahors de la Verge Maria*, como consecuencia del certamen que se celebró en los primeros meses de dicho año en Valencia, y que lógicamente se debió de imprimir acto seguido, pues era el momento de su actualidad. No discrepo en este punto, e incluso catalogo esta obra como la más antigua, pero sí quiero establecer más sólidamente la fecha de introducción de la imprenta en el año 1474 con pruebas más decisivas» (Vindel 1946: XII).

14 Sin duda, porque remite a él para esta cuestión: «Veg. un bon resum del debatut problema dels primers llibres impresos a Espanya a P. Bohigas, *El libro español (ensayo histórico)*, Barcelona, 1962, pàgs. 80-91» (Riquer 1964: 372, n. 10).

1974a), ya hablaba *in extenso* de esta cuestión, para concluir, con rotundidad, que «hemos de aceptar que el Sinodal de Segovia fue impreso en 1472, lo que le da rango de edición príncipe entre las españolas» (Guarner 1974a: 17). Precisamente por ello, avanza hacia su consideración como *El primer libro literario impreso en España (Valencia, 1474)*, como titula su prólogo a esta edición, que reproduce como opúsculo independiente, en el que, a pesar de mantener esta cita de arriba (Guarner 1974c: 13) y toda la argumentación al respecto, vuelve a subtitularlo como *Primer Incunable Español*. Sin lugar a dudas, las razones son de propaganda editorial y respondería a la consciente necesidad de justificar una publicación como esta por el Instituto Nacional del Libro Español y por el Patronato Nacional del V Centenario de la Imprenta, un centenario —y una importante inversión, no lo olvidemos— que no tendría sentido si nos retrotraemos a 1472.

Manuel Sanchis Guarner, en esas mismas circunstancias de conmemoración del centenario de la imprenta hispánica, retoma el argumento más acertado de Luis Guarner para salvar los fastos conmemorativos y justificar, así, su edición facsímil, transcripción y edición de *Les trobes en lahors de la Verge Maria* (*Trobes* 1974b),[15] no como *primer libro* incunable, sino como *primer libro literario* salido de unas prensas hispánicas: «El *Synodal* segovià no és, doncs, de cap manera, un llibre destinat al públic en general, amb textos literaris, com és el cas del valencià les *Trobes en llaors de la Verge Maria*» (Sanchis Guarner 1974: XLV-XLVI y 1979: 55).[16] Así lo asume Antoni

15 Que, en cualquier caso, lo estaría, por conmemorar los cinco siglos de su impresión, pero ya no asociados al inicio de la imprenta hispánica.

16 «Tal imprès segovià de 1472, el qual per les seues característiques bibliogràfiques seria això que avui anomenem un opuscle o fullet, no és pròpiament un llibre, sinó la impressió d'un text legislatiu eclesiàstic, dirigit per a la seua execució a les autoritats municipals de la diòcesi segoviana. El propi Romero de Lecea, l'editor del *Synodal*, ho reconeix notablement i objectiva: "Trátase de lo que hoy denominaríamos una edición privada, no comercial, qe va destinada al público, y que se distribuye directamente a determinadas personas o entidades. No trasciende del círculo interno de quienes integran un grupo definido: las corporaciones de la provincia eclesiástica de Segovia"» (Sanchis Guarner 1974: XLV y 1979: 55). El esfuerzo e intensidad de la justificación es destacable, pero no comparto todos los argumentos que se aducen: Romero de Lecea también aduce para el incunable valenciano «el carácter de edición decidida a fines privados» (1974: 93), un concepto que no acabo de tener claro ni para un impreso ni para el otro; y tampoco me parece fundamentado intentar relegar el *Sinodal* a un opúsculo por tener 45 hojas y considerar *Les trobes*, con 58 hojas impresas, como un libro, porque la diferencia material no es significativa. Sí está clara, sin embargo, y habría sido suficiente recurrir a la diferencia de contenidos para avalar el matiz que introducen Luis Guarner y Manuel Sanchis Guarner al considerar les *Trobes en llaors de la Verge Maria* como primer libro literario, frente al *Sinodal* segoviano.

Ferrando en su monografía sobre los certámenes valencianos, reproduciendo el argumentario de Sanchis y considerándolo, por tanto, *el primer llibre literari imprés a Espanya*.[17]

A pesar de ello, por aquellas mismas fechas, se llega a identificar todavía como el «Primer libro impreso en España» (Palanca Pons y Gómez Gómez 1981: 111, nº 240), aunque la razón es evidente: se trata del catálogo de incunables de la Universitat de València, publicado por esta misma entidad, con lo que tal referencia ennoblece, así, su fondo bibliográfico, a pesar de que Palanca Pons (1962: 8) había negado dos décadas antes tal preeminencia de *Les trobes*.[18]

Manuel Bas Carbonell, que asume la antigüedad del *Sinodal* de Segovia, concluye la cuestión quitando hierro al debate, que no deja de ser circunstancial y que, en realidad, responde a una cierta reivindicación de la erudición local:[19] «Desde entonces mucha tinta ha corrido en defensa de una u otra ciudad como pionera tipográfica, sin que tenga mayor importancia lo que no deja de ser una pura anécdota» (1992: 16). Martí de Riquer fue, incluso, más conciliador, sin restar un ápice de valor a este impreso, al considerar que «es tracta d'un dels més preats incunables» (1964: 372).

Les trobes en lahors de la Verge Maria no son, por tanto, el más antiguo de los libros impresos en los talleres hispánicos del siglo XV y esta es una conclusión generalizada y aceptada por la crítica filológica y por la incunabilística, que, sobre todo en el ámbito valenciano y por razones más sentimentales y/o pragmáticas que científicas, ha querido restituirle un mérito similar al considerarlo el primer libro literario en España. Ahora bien, no solo se le ha disputado su primacía hispánica frente a imprentas de otras ciudades, sino que también se le ha llegado a cuestionar su carácter prístino en la propia imprenta

17 «Avui hom admet que el primer llibre imprés a Espanya foy el *Synodal* de Segovia, estampat segurament abans del 10-XII-1472. Però per les seues característiques bibliogràfiques, l'opuscle segovià no és pròpiament un llibre, sinó la impressió d'unes ordinacions eclesiàstiques dirigides per a la seua execució a les autoritats municipals de la diòcesi segoviana, com bé ha reconegut el seu editor actual Carlos Romero de Lecea. *Les Trobes* sí que és un llibre destinat al públic en general, amb textos literaris, i, per tant, el primer llibre literari imprés a Espanya» (Ferrando Francés 1983: 163).

18 No tiene justificación científica, sin embargo, que la edición de Emili Miedes i Bisbal lo defina aún, en el siglo XXI, como *Primer libro impreso en España* en su portada (*Trobes* 2002).

19 El espíritu conciliador de Manuel Bas lo avala, de hecho, porque atribuye a un valenciano la datación anterior del incunable segoviano: «Fue un valenciano de Oliva uno de los primeros en datar el *Sinodal* en 1472, el erudito Gregorio Mayans Siscar, en carta de 10 de mayo de 1758 al bibliógrafo Meerman» (Bas Carbonell 1992: 16).

valenciana, por parte, primero, de Carlos Romero de Lecea[20] y, después, de Manuel Bas Carbonell,[21] lo que es coherente también con el catálogo de Diego Romero Lucas (2005a, II: 25, nº 6), que, en este orden, le antepone cinco incunables:[22] el *Datus*, el *pseudo-Falaris*, la *Historia de duobus amantibus*, el *Esopo* y el *Aristóteles*. Con esto, ni siquiera podría mantener la consideración de primer libro literario, si no es que lo restringimos aún más, para limitarlo a la lengua romance. Es cierto, en cualquier caso, que el carácter literario de algunas de estas obras está íntimamente relacionado con la formación escolar, como destaca José Luis Canet (2009a), de cuyo repertorio se evidencia, aún más, la singularidad del incunable de *Les trobes*, una *rara auis* en lengua vulgar en un momento tan temprano de la imprenta hispánica, lo que es buena muestra de la importancia socioliteraria del certamen poético que lo origina.

Lo que sí que está fuera de toda duda es, sin embargo, su singularidad como incunable poético, pues es el decano de todos ellos, el más antiguo y primitivo, con diferencia. Solo hace falta mirar el catálogo de Brian Dutton (1990-1991, V: 1-2) para comprobar en la sección de fuentes poéticas impresas que de 74*LV, que identifica el incunable de *Les trobes en lahors de la Verge Maria*, se pasa a 82*GM, 82IM, 82*IM y 82*JM.[23] O lo que es lo mismo, que desde el impreso valenciano de 1474 no encontramos otros incunables poéticos hispánicos hasta 1482, tres de ellos sin datación específica —y de ahí los asteriscos—, pero un cuarto con colofón completo (82IM): «¶Fecha en çamora a veynte y | çinco de henero año de lxxxij. | Centenera» (h. e7^{v}).[24] El incunable 82*GM también está impreso en Zamora por Antón de Centenera y, aunque no aporta el año, Dutton lo considera de 1482, probablemente porque ya se incorpora en el impreso 82*IM, que, como 82*JM, atribuye con interrogante a prensas zaragozanas.

Ocho años separan la impresión de *Les trobes en lahors de la Verge Maria* de los incunables poéticos de Centenera, pero en la imprenta valenciana tenemos que esperar aún más, hasta trece años, para documentar otro impreso

20 «Las primeras producciones tipográficas serían lógicamente más breves que *Les trobes* [...]. En 1473 y en 1474 se imprimen varios libros, pequeños libros, opúsculos y folletos: el *Datus*, el *Esopo*, el *Phalaris*» (Romero de Lecea 1974: 92).

21 «Anteriormente a *Les Trobes* es posible que se imprimieran en el taller de Palmart, como más tarde veremos, varias obras menores: *Datus, Esopo, Phalaris*» (Bas Carbonell 1992: 16).

22 Siguiendo, en cualquier caso, la datación propuesta en el catálogo de la Biblioteca Nacional de España.

23 Si es que este último es un impreso independiente y no forma parte, en realidad, de 82*IM, aunque de esto hablaré en otro contexto.

24 El ejemplar único que nos ha llegado se conserva en la Biblioteca Nacional de España, con signatura INC/2159.

poético: el 14 de abril de 1487, Lambert Palmart lleva a las prensas un incunable derivado también de un certamen valenciano,[25] una fuente que no recoge Dutton en su catálogo, a pesar de contener una composición en castellano de Juan Tallante (ID 6046),[26] por lo que, siguiendo su modelo de siglas, deberíamos incorporarla «quizás denominándola 87FD, por el año de impresión y las iniciales de su editor y responsable literario, Ferrando Díeç» (Martos 2018: 532). Solo unos meses antes, el 31 de enero de 1487, Nicolau Calafat imprime en Palma un incunable con ocho composiciones en catalán,[27] que, en la tradición bibliográfica propia, conocemos por Massó i Torrents (1932: 347-351) como impreso poético b^1, mientras que el incunable de Palmart de ese mismo año sería b^2 y el de 1474, objeto de este trabajo, se cataloga como *a*.[28] Es evidente, por tanto, la singularidad de *Les trobes en lahors de la Verge Maria*, un incunable poético que irrumpe de manera temprana en la imprenta hispánica sin generar, aparentemente, una tendencia editorial inmediata, quizás porque «los impresores no arriesgaban por un género venerable, pero incómodo y de difícil salida» (Infantes 2007^2: 166).

2.2. ¿Un impreso *sine notis*?

Aunque la presencia de colofones es temprana en la imprenta hispánica, también lo es su ausencia o falta de sistematicidad en muchos de estos primeros incunables, normalmente sin signaturas de cuaderno, lo que, como veremos, ha causado ciertos problemas en la delimitación de estos por lo que respecta a la edición de *Les trobes en lahors de la Verge Maria*. Así ha ocurrido también con su lugar, fecha e impresor, al no presentar colofón el ejemplar único conservado. Hasta el catálogo de Pedro Salvá no se indica, *sensu stricto*, que pueda tratarse de un impreso *sine notis* —«*S. l. ni a.*» (1872, I: 140)—, aunque es, probablemente, a través de Haebler —«sin indicaciones tipográficas»

25 Para la materialidad de este incunable y su estructura en relación al certamen original, véase Martos 2019a y 2019b, mientras que para el estudio de sus dos ejemplares remito a Martos 2019c.

26 Recogida en segundo lugar en el *Cancionero General* de 1511 y en todas sus ediciones posteriores.

27 Véase Forteza Oliver 2011: 37-52 y 96-97, nº 2 para la contextualización de este incunable en la imprenta del Reino de Mallorca.

28 En su *Bibliografia dels antics poetes catalans*, aún no conocía el impreso mallorquín de Caldentay y, por esta razón, identifica el de Palmart de ese mismo año simplemente como *b*. Remito, sin embargo, a este trabajo para la estructura interna de ambos incunables valencianos (Massó i Torrents 1913-1914: 238-244), que abrevia en su *Repertori* de 1932.

(1903-1917, I: 231, nº 488)— que se acepta y se explicita[29] que la ausencia de colofón era un rasgo de esta edición incunable.[30]

2.2.1. En Valencia, en 1474

Ya Nicolás Antonio atribuye el impreso a un taller de la ciudad de Valencia, aunque advierte que es una mera hipótesis —«Editio in 4º prodiit Valentiae, ut credimus» (1788², II: 305-306, nº 650)—, lo que podría evidenciar, por tanto, que bien no vio directamente el ejemplar y dependía de notas mediatizadas, bien no disponía de colofón originalmente o bien no lo conservaba. Centra su entrada[31] en el hecho de que los materiales proviniesen de un certamen poético y en ello debe de radicar su propuesta de adscripción a la imprenta de Valencia, por el carácter circunstancial del producto. Josep Rodríguez desarrolla esta cuestión[32] y, en este sentido, además, destaca que «todos los

29 De manera casi generalizada, porque no es el caso, sin embargo, de Concheff 1985: 73, nº 757 y BITECA manid 1448.

30 «Careix de puntuacio, peu d'emprenta, any y colofo» (Genovés y Olmos 1911-1914, I: 5); «No contiene lugar ni año de / impresión, y por tanto carece del colofón, donde generalmente constan uno y otro» (Ribelles Comín 1915: 243); «Sense lloc ni any, però València, per Lambert Palmart, 1474» (Massó i Torrents 1913-1914: 238 y 1932: 47). En otros repertorios se recurre a la convención de incorporar los datos entre corchetes, como indicador de esto mismo (Palanca Pons y Gómez Gómez 1981: 111, nº 240; García Craviotto 1989-1990, II: 25, nº 4158; Bas Carbonell 1992: 27, nº 1; Romero Lucas 2005a, II: 25, nº 6; GW M27366; ISTC im00270500).

31 «Vidimus quidem huiusmet anni MC[M]LXXIV. apud amicum nostrum nuper laudatum D. Hippolytum Samper *Poeticum certamen* olim Valentiae habitum hoc anno sub auspiciis D. Ludovici Despuig Montesiae Ordinis Magistri, regnique Pro-regis *De laudibus Mariae Deiparae Virginis*: in quo ei qui quavis lingua*m* ceteris melius designatorum iudicium sententia*m* fecisset satis argumento, ferici texti, quantum sufficeret conficiendo thoraci coloris nigri, dictum fuit praemium. Cuius certaminis exitus quidem ille fuit, ut ne ulli ex ad bravium currentibus fieret iniuria, Deiparae ipsi praemium, quae disertas fecerat linguas poetarum, decerneretur. Id quod propter antiquitatis venerationem, poeticaeque artis, etiamnum rudis, hoc genus velitationum posteris commendandam praetermittere noluimus» (Antonio 1788², II: 305-306, nº 650).

32 «*Certamen Poetich, en Lahor de la Concepciò*. Es su principio, desta manera: *Les Obres, ò Trobes, davall escrites, les quals tracten de Lahors de la Sacratisima Verge Maria; foren fetes, y ordenades, per los Trobadors de ius, è en cascuna de les dites Obres, Escrits, etc.* [...] Contiene Papeles (casi todos metros) de treinta y seys Poetas; y menos vn Poema, que ay en Toscano, y quatro en Castellano; los demás son en Lemosin; como dixe en Ausiàs March; y mas fastidiosa esta Leyenda, por las Abreviaturas. De nuestro Escritor, ay varios Poemas. Recopilòles todos, por aver sido Secretario, en dicho *Certamen*. Celebròse dia de la Encarnacion, 25.de Março, del año yà dicho 1474. dentro de la Iglesia, de la Real Cofradia, del invictissimo Patron, de los Reynos de esta Corona, San Jorge, Martyr; que estava, y oy persevera, en la

Poetas contenidos en èl, parecen Valencianos» (1747: 82). La diferencia entre Antonio y Rodríguez es el *ut credimus*, pues el segundo ofrece como ciertos la fecha y el lugar en que se imprimó este incunable poético —«En Valencia 1474» (1747: 81)— y, asimismo, asociándolo también al certamen del que provienen los textos,[33] lo indica Vicente Ximeno (1747-1749, I: 59); y, a partir de ellos, lo reproducen Cerdá y Rico,[34] Fuster[35] y Hain.[36] Nicolás Antonio, al final de su entrada de la *Bibliotheca Vetus*, explicita su hipótesis sobre la ciudad en que se imprime, mientras que la fecha está implícita en el inicio de esta, asociando el año del libro con el del certamen: «Vidimus quidem huiusmet anni MC[M]LXXIV. apud amicum nostrum nuper laudatum D. Hippolytum Samper *Poeticum certamen* olim Valentiae habitum hoc anno» (Antonio 1788², II: 305-306, nº 650). No obstante, Rodríguez y Ximeno eliminan todo rastro de reconstrucción hipotética de estos datos y añade el primero que

---

Parroquia de S. Andrès, Apostol; y dicho año le hizo imprimir, y dedicò al Excelentissimo Frey D. Luis Despuig, gran Maestre de Montesa; Virey, y Capitan General, de este Reyno; que assistiò, y honrò, con su presencia, el *Certamen*» (Rodríguez 1747: 81-82).

33 «*Obres, ó Trobes, les quals tracten de lahors de la Sacratissima Verge Maria*. En Valencia 1474. en 4. Este es el Certamen que dexamos citado, y citarèmos en algunos Escritores que intervenieron en èl, el qual se celebrò à 25. de Marzo del referido año en la Cofadria [*sic*] de San Jorge Martir, aora Colegio de la Orden de Montesa, à devocion de Don Luis Despuig, Maestre de la misma Orden, y Virey de este Reyno, siendo Secretario nuestro Escritor» (Ximeno 1747-1749, I: 59).

34 «*Obres e trobes, les qual tracten de lahors de la Sacratissima Verge Maria*: en Valencia, 1474. 4. Es un Certamen celebrado a 25. de Marzo del mismo año por varios Poetas de aquel tiempo en la cofradria [*sic*] de San Jorge Martyr, a devocion de D. Luis de Spuig Maestre de la Orden de Montesa, y Virrey de la misma ciudad, en el qual fue secretario nuestro poeta, y uno de los que mejor le desempeñaron» (Cerdá y Rico 1778: 318). Que sigue, casi literalmente, a Ximeno, porque él mismo, en carta a Gregorio Mayans de 17 de diciembre de 1779, reconoce que no ha podido consultar el ejemplar: «Si se hallara el *Certamen Poético* de *Fenollar*, celebrado en 25 de Marzo de 1474, podrían sacarse i ponerse en las *Adiciones* las poesías que hai allí de los poetas del *Canto de Turia*. En esta Real Biblioteca no hai esse libro» (Mayans y Siscar 2000: 279).

35 «La obra que cita Ximeno, número 1, que es: *Obres é Trobes, les quals tracten de lahors de la sacratissima Verge Maria*: Valencia 1474, en 4º (y es el primer libro impreso en España): es un certámen celebrado á 25 de Marzo de dicho año. Los poetas de quienes hay poesías y coplas de dicho certámen, son los siguientes, por el mismo órden en que están, y con los mismos nombres y linages que ellos prestaron» (Fuster 1827: 52).

36 Sin duda, a partir de Rodríguez por la identificación como certamen dedicado a la Inmaculada: «Certamen poetich, en lonor de la Concecio. (*Sunt carmina XXXVI variorum auctt., lingua castellana, limusina et italica concinnata, edita a Bern. Fenollar.*) En Valencia 1474. 4.» (Hain 1826-1838, I/2: 364, nº 6966).

«falta nombre de Impressor» (Rodríguez 1747: 81), lo que implicaría que esta edición incunable contenía una información, pero no la otra.

Así lo creyó José Villarroya (1796: 58-66), que, efectivamente, nos confirma que en el ejemplar no están esos datos en el momento en que lo consultó,[37] a finales del siglo XVIII, pero hace una defensa a ultranza de que ambos bibliógrafos no mintieron en cuanto a que se advertía en él que fue impreso en Valencia en 1474. Lo justifica porque, según él, «falta la ultima hoja donde estaba [...] el lugar y año de la impresion, que vieron Rodriguez y Ximeno» (Villarroya 1796: 62) y porque «despues del reconocimiento y examen de este exemplar, fue quando faltó, se traspapeló, ó quitó» (Villarroya 1796: 66). Para este bibliógrafo, por tanto, el colofón sí que habría formado parte de la edición original y su ausencia respondería a una pérdida o mutilación del ejemplar único conservado, supuestos ambos que parecen confirmarse en su estudio material, como veremos después.

Sin embargo, su razonamiento no convenció a Pedro Salvá y Mallén, quien consideraba que «la inexactitud, vaguedad y laconismo con que Rodriguez y Jimeno dan el titulo de la obra, me prueban lo poco que hai que fiar en que ellos sencillamente anoten *En Valencia, 1474*, advirtiendo ya el primero, *carece de nombre de impresor*» (Salvá 1872, I: 140-141), de manera que, si damos validez a sus palabras, sería, por tanto, la propia edición —y no el ejemplar— la que no habría contenido los datos de lugar, fecha e impresor. Y esta creencia es la que se consolida a partir de Salvá, pero no sus conclusiones, puesto que, como veremos después, llega a negar la existencia de incunables valencianos hasta 1475, con lo que ello implica para la datación de este impreso.

En cuanto a este último supuesto, José María Torres Belda se aleja de Salvá e insiste, precisamente por ello, en el carácter indudable de la datación el mismo año de celebración del certamen poético: «Carece de portada y colofon, no designando tampoco el nombre del impresor, ni la fecha en que se estampó, aun cuando no existe duda alguna de que fué en 1474» (1874: 45). José Enrique Serrano y Morales, que fundamenta su tratamiento del incunable de *Les trobes en lahors de la Verge Maria* en el trabajo de Torres Belda —reproducido literalmente para esta cuestión—, no lo discute, pero, como Haebler (1897: 5-8),[38] no establece una ciudad y fecha de impresión más que

37 «Falta el año y lugar de la impresion; pero esto no convence que no hubiese sido Valencia, y que se verificase en el de 1474» (Villarroya 1796: 57-58).

38 Haebler habla, en realidad, de una serie de incunables impresos con fecha de 1474 que son todos valencianos, pero el primero que contiene datación explícita es el *Comprehensorium*: «Indeed, the first books printed in Spain and bearing a date (1474) were really executed at Valencia, but by whom it has hitherto been impossible to ascertain» (1897: 5).

implícitamente. Tenemos que esperar a la *Bibliografía ibérica* para que así sea (Haebler 1903-1917, I: 231, nº 488).[39]

La adscripción a la imprenta de Valencia no se ha cuestionado en ningún momento desde la propuesta de Nicolás Antonio, por razones lógicas, al tratarse de una obra de circunstancias, como justifica explícitamente Francisco Vindel:[40]

> Casi todos los bibliógrafos consideran que la fecha de la introducción de la Imprenta en Valencia fué en 1474, con la estampación de *Les Obres en trobes en lahors de la Verge Maria*, como consecuencia del certamen que se celebró en los primeros meses de dicho año en Valencia, y que lógicamente se debió de imprimir acto seguido, pues era el momento de su actualidad. No discrepo en este punto, e incluso catalogo esta obra como la más antigua (1946: XII).

Advierte aquí mismo Vindel que la datación en 1474 es por parte de *casi todos los bibliógrafos*, entre los que no se encuentra, puesto que defiende *que lógicamente se debió de imprimir acto seguido*. En realidad, es quien más concreta su datación, porque no es lo mismo *acto seguido* que *después del 25 de marzo*, que es la fecha de la lectura de la *Sentència*, como hacen García Craviotto (1989-1990, II: 25, nº 4158), Romero Lucas (2005a, II: 25, nº 6), BITECA (manid 1548) y el ISTC (im00270500), puesto que esto implica, simplemente, un *terminus post quem*. Por otro lado, Haebler (1903-1917, I: 231, nº 488), Palanca Pons y Gómez Gómez (1981: 111, nº 240), Bas Carbonell (1992: 27, nº 1) y el GW (M27366) lo consideran *circa* 1474.[41] Tal prudencia por expresar el carácter aproximativo se aleja de la tradición bibliográfica más antigua, que se limitaba a datarla, simplemente, en 1474, un rasgo que encontramos aún de manera aislada en el siglo XX.[42] De una manera u otra, no se cuestiona una cierta inmediatez en la impresión de este incunable en 1474, tras la celebración del certamen. No se discute, al menos, explícitamente, como sí que hizo Salvá, por un exceso de celo en

39 «Es verdad que le faltan del todo las señas bibliográficas, y no contiene otra fecha que la del certamen expresada en la página de introducción. Pero esa fecha de 1474 es anterior á la de los libros fechados que Lamberto Palmart imprimió con los mismos caracteres tipográficos al año siguiente. Esto y el aspecto general del libro sirven de base al juicio que le atribuye el primer lugar entre los impresos de España» (Haebler 1903-1917, I: 231, nº 488).

40 Porque era la razón implícita de la adscripción a esta ciudad en los repertorios ilustrados.

41 Incluso podríamos incluir también a Brian Dutton (1990-1991, V: 1), desde el momento en que recurre al asterisco en la referencia 74*LV, que indica, según sus convenciones, que la fecha no está en el impreso y que, por tanto, es aproximada.

42 Como en el caso de Jaume Massó i Torrents (1913-1914: 238 y 1932: 47).

la necesidad de comprobación empírica de documentación estricta, en estos términos:

> Yo, aunque valenciano, no me atreveré hoi á suponer que existen ó hayan existido impresiones de mi pais con el año de 1474, por más que tenga una casi seguridad de que en 1473 se trabajaba ya en la impresion del *Comprehensorium*, volúmen gruesísimo en fólio, terminado el 23 de febrero de 1475.
> Quede, pues, sentado que este *Comprehensorium* es, hasta ahora, el primer libro de fecha fija é incuestionable dado á luz por las prensas españolas, y el segundo el Salustio del 16 de julio del mismo año (Salvá 1872, I: 141).

Su propuesta retrasaría, por tanto, la datación de *Les trobes en lahors de la Verge Maria*, lo que recoge Carlos Romero de Lecea para explicitarlo en 1475,[43] a partir, sin embargo, de un argumentario muy poco sólido, como se puede deducir de una de las razones aducidas: «en el siglo xv se celebran otras *Justas poéticas* en 1440, 1470, 1486, 1487 y 1488, y de ninguna de ellas, que nosotros sepamos, existen ediciones incunables» (Romero de Lecea 1974: 93). De los certámenes tempranos de 1440 y 1470, es lógico que no haya un impreso al no estar asentada la imprenta en Valencia y por el carácter circunstancial de estas ediciones poéticas, pero las justas de 1486[44] y 1487[45] y las dos 1488[46] sí que han dado lugar cada una de ellas a un incunable.

2.2.2. Por Lambert Palmart

Josep Rodríguez es el primero en advertir, como hemos visto, que «Falta nombre de Impressor» (1747: 81), lo que no vuelve a referir otro bibliógrafo hasta un siglo después[47] —«por Impresor anónimo» (Villarroya 1796: 51)— y tres cuartos de siglo más tendremos que esperar hasta que Salvá (1872: 141)

---

43 «Estas y otras consideraciones que harían interminable nuestro escrito, nos inducen a pensar que es solamente posible la fecha de 1474 para terminar de imprimir *Les trobes*, pero que la fecha más probable de su impresión sea la de ya entrado el año 1475» (Romero de Lecea 1974: 93).

44 El cancionero impreso 87FD, que recopila los poemas presentados al certamen poético inmaculista de 1486, publicado en 1487 (Martos 2019a, 2019b, 2019c y 2020a).

45 Es el impreso de 1488 derivado del certamen inmaculista en prosa en vulgar de 1487 (Martos 2015: 131 y, sobre todo, Martos 2021 y 2022a).

46 El incunable derivado del certamen poético de san Cristóbal, celebrado en 1488 y que se imprimió en 1489, aunque en el incunable indica 1498 (Martos 2016a y 2016b); y el certamen inmaculista en prosa latina, celebrado en 1488 e impreso al año siguiente, cuyo ejemplar único he recuperado recientemente (Martos 2019d y 2020b).

47 Porque Josep Rodríguez muere en 1703, por lo que su obra, más allá de la preparación e impresión de mediados de siglo, es anterior a tal circunstancia, lógicamente.

cite la primera de estas referencias. Sorprende, por tanto, esta desatención de la bibliografía de los siglos XVIII y XIX hacia la adscripción a un taller concreto de un libro de tal antigüedad. Si la mera falta del dato en cuestión prácticamente no se reporta, menos aún se dedica un espacio a identificar al impresor. En realidad, sí que se hace, pero por parte del bibliotecario del Convent de Predicadors de València,[48] fray Josep Sánchez, a través de una anotación manuscrita directamente ejecutada sobre el ejemplar único, en el recto de la hoja de guarda previa a la primera impresa:[49]

> La Bibliotheca Valentina pag. 82 supone haverse impreso este libro en Valencia el mismo año que se celebro este Certamen; esto es el 1474 Nicolas Antonio in Bibliotheca Veteri. tom. 2. lib. 10. cap. 12 fol. 200, num. 650 hace mencion de este Certamen sin nombrar por Autor á Mosen Bernardo Fenollar, tal vez atendiendo á que este fue Secretario del Certamen, i que la obra no es suya sino de los Poetas que concurrieron; pero concluye: *Editio in 4º prodiit Valentiae ut credimus*. Qual fuera el Ympresor no consta pero con bastante seguridad puede decirse que fue Jaime Villa. Este imprimio en Valencia año 1493 la *Ystoria de la Passio de Nostre S^r^. Jesuchrist* & del mismo Fenollar un tom. en 4. como refiere D^n^ Nicolas Antonio Bibliotheca Vet. tom. 2 lib. 10. cap. 15. pag. 220. num. 824. Si tuvieramos la fortuna de tener este libro, con la compulsacion de caracteres saldriamos de duda.
>
> Fr. Josef Sanchez

La nota es, por tanto, anterior, al menos, a 1836-1837 —con la desamortización de Mendizábal, que acaba desembocando en la llegada de este ejemplar a la Biblioteca de la Universitat de València—, si bien, por criterios paleográficos, debemos datarla aún en el siglo XVIII (Serrano y Morales 1898-1899: 436). El padre Sánchez cita la *Bibliotheca Vetus* de Nicolás Antonio, a la que se refiere para proponer, por primera vez, un posible impresor, Jacobo o Jaume de Vila, que, en realidad, es el editor de *Lo passi en cobles* impreso por Hagenbach y Hutz en 1493. Los bibliógrafos ilustrados y algunos del siglo XIX y principios del XX incorporan la referencia a este incunable en la entrada correspondiente al poeta Bernat Fenollar, aunque este no es el caso de Nicolás Antonio. Sin embargo, Francisco Pérez Bayer, en su anotación a esta obra, sí que relaciona el certamen y el correspondiente incunable con Fenollar y remite a su(s) entrada(s) —«Plura nos infrà de hoc *Poetico certamine* in *Bernardo Fenollario*» (Antonio 1788^2, II: 306, n. 1, nº 650)—,[50]

48 Como tradicionalmente se conocía el antiguo convento de Santo Domingo de esta ciudad, donde aún se conservaba el ejemplar.

49 El texto se inicia con una invocación simbólica en forma de cruz. La transcripción es mía.

50 Y desde estas devuelve la remisión a la entrada de *Les trobes en lahors de la Verge Maria* (Antonio 1788^2, II: 336-227, nº 824 y 352, nº 923).

en las que incorpora la referencia a la *Istòria de la Passió* (Antonio 1788², II: 336-227, nº 824) y a la *Contemplació* (Antonio 1788², II: 352, nº 923), en ambos casos advirtiendo como impresor a Jaume de Vila. Josep Sánchez solo refería la primera de ellas (nº 824),[51] que, por el autor y la temática de la obra, le hacen pensar en un mismo impresor. Deja constancia, además, de una voluntad frustrada de comparar tipos, lo que, en efecto, hubiese sido suficiente para descartar la arriesgada hipótesis, pues unos eran romanos y los otros góticos.

Torres Belda es el primero en referir esta nota inicial y rebatir la propuesta de Sánchez, quien atribuyó a Jaume de Vila este impreso «por llamarse así el que en 1493 dió á la estampa la *Istoria de la Passi o de Nostre Senyor Jhesucrist*, del mismo Fenollar, pero numerosas razones bibliográficas combaten la posibilidad de tal aserto» (1874: 50). Serrano y Morales, que transcribe por primera vez el texto del bibliotecario dominico,[52] se limita a decir, con el mismo laconismo de Torres, que «no hemos de detenernos á refutar ahora las equivocadas hipótesis del P. Sánchez» (Serrano y Morales 1898-1899: 437). Es José Ribelles Comín quien desarrolla algunos argumentos, entre los que se encuentra uno tan decisivo como las dos décadas que separan un impreso y otro, lo que, implícitamente, conlleva la sustitución de la tipografía romana por la gótica, unas cuestiones que no hacen sino incidir en las valoraciones vertidas hacia los limitados conocimientos bibliográficos del dominico:

> La conjetura de fray José Sánchez, que suscribe la anterior nota manuscrita, de que quizás fuera Jaime Vila el impresor del libro de *Les Trobes*, es completamente infundada, porque sólo se apoya en que dicho Vila imprimió en 1493, o sea, diecinueve años después, la *Istòria de la Passio de Nostre Sr. Jesuchrist* y los caracteres góticos en que está impreso este libro, nada tienen que ver con los venecianos del libro de *Les Trobes*. Además, no debía de andar el padre Sánchez muy enterado de los libros impresos en lengua valenciana, cuando sólo cita el impreso por Vila en 1493, pues hasta este año son en buen número los

51 Es muy probable, por todo lo explicado, que utilizase la edición anotada por Pérez Bayer, por lo que el año de 1788 sería un *terminus post quem* para su advertencia manuscrita sobre el ejemplar de *Les Trobes en lahors de la Verge Maria*.

52 Así lo creía Torres Belda (1874: 50), al menos: «El único egemplar que de esta obra existe, y que nuestra biblioteca provincial custodia, procede de la antigua y rica librería de Santo Domingo, cuyo bibliotecario Fray José Sanches, en una nota puesta en el mismo libro, espresó la conjetura de que el impresor fuese Jaime Villa» (1874: 50). Sin embargo, Luis Guarner cree que esta «debe ser la anotación de algún fraile —no muy ducho en bibliografía— que lo estudiara en la biblioteca del convento de Dominicos de Valencia, que llegó a poseer una gran riqueza de libros primitivos y documentación histórica manuscrita» (Guarner 1974a: 33-34).

que conocemos impresos y tenemos anotados en dicha lengua (Ribelles Comín 1915: 240).[53]

A partir de la constatación de que la *Tertia pars Summae Sancti Thomae* cuenta con un colofón, que, además, explicita que fue impreso en Valencia por Lambert Palmart en 1477, Konrad Haebler concluye que hay que adscribir a este impresor los primeros incunables valencianos sin colofón, pero con la misma tipografía romana, entre los que se encuentran *Les trobes en lahors de la Verge Maria*:

> Thus the long-disputed question about the first printer of Spain was answered at last. We have a group of four, or possibly five, books printed in Roman type, and apparently all of common origin; and as Lambert Palmart alone was undoubtedly the printer of the latest of them, we may suppose that they were all executed by him only. He afterwards entered into partnership with Alfonso Fernandez de Cordoba, but from that time printed no more in Roman, but only in Gothic type. The partnership with Fernandez seems to have been an event of no great importance in the life of Palmart; they printed only one book together, a Bible in Catalan (Haebler 1897: 6).

Serrano y Morales recogió inmediatamente esta propuesta de atribución exclusiva a Palmart de este incunable poético, fundamentada en una misma tipografía: «La comparación de los tipos con que se estampó este libro, indubitado de Palmart, con los de los otros tres, anónimos de impresor, acusa la más exacta identidad, y demuestra, á nuestro juicio de modo evidente, que á Lamberto corresponde el honor de haber sido el primero que ejerció en España el Arte tipográfico» (1898-1899: 433). Su decidida afección y/o inclinación por las conclusiones de Haebler tienen una razón de ser: en realidad, el bibliógrafo alemán se había puesto en contacto con el valenciano ante el descubrimiento del colofón de la *Tertia pars Summae Sancti Thomae* para solicitarle la comprobación de los tipos.

El archivo del *Gesamtkatalog der Wiegendrucke* contiene, entre otra documentación, una caja de tamaño folio, identificada como *Spanien | Korrespondez 1898-1902 | (Haebler mit span. Bibliotheken | Institutionen u Privatpersonen)*.[54] En ella, se conservan algo más de 300 cartas recibidas por Haebler organizadas y numeradas por orden alfabético del remitente, con

53 Sanchis Guarner, que depende para su descripción declaradamente de Ribelles Comín y Torres Belda, los sigue también en esta cuestión, ya avanzado el siglo XX y cuando no era más que una obviedad tipográfica: «És gratuïta l'atribució de la impressió del llibre de les *Trobes* a Jaume Vila, que fa el pare Josef Sánchez en aqueixa nota» (Sanchis Guarner 1979: 43).

54 Agradezco a Falk Eisermann, el director del *Gesamtkatalog der Wiegendrucke*, que me permitiera consultar este archivo en mi visita a Berlín en junio de 2017.

bibliógrafos y bibliotecarios del paso del siglo XIX al XX, entre las cuales destacan, para los intereses en la imprenta incunable valenciana, las 21 enviadas por José Enrique Serrano y Morales (nº 276-296), que se datan del 6 de enero de 1897 al 16 de noviembre de 1905.[55] La primera de ellas es, precisamente, la respuesta a la carta de 22 de diciembre de 1896 con la que Haebler inicia el contacto con este bibliógrafo a propósito de la identificación de los tipos de la *Tertia pars Summae Sancti Thomae*, en un espíritu de colaboración previa a la publicación de sus respectivos *The Early Printers of Spain and Portugal* y *Reseña histórica en forma de diccionario de las imprentas que han existido en Valencia desde la introducción del arte tipográfico en España*, como se deriva de las múltiples noticias que hace esta correspondencia al proceso editorial de ambas obras. Son cinco las cartas enviadas por Serrano y Morales a Haebler que tratan sobre la identificación de los tipos del incunable de 1477 (nº 276-280), fechadas entre el 6 de enero y el 16 de abril de 1897, en la tercera de las cuales, concluye lo siguiente:[56]

> Al fin contestó Mr. Delisle, incluyendome las fotografias deseadas de la *Tertia pars*, y por cierto que no dejan duda de que Palmart fué el impresor de las tres obras primeras estampadas <en Valencia> con letra veneciana. Los tipos de estos son los mismos que los usados en la *Tertia pars*, y he tenido una verdadera satisfaccion al compararlos y persuadirme de su identidad. Me parece que ya se vislumbran con bastante claridad los origenes de la imprenta valenciana, anterior seguramente á ninguna otra de España. Lo que convendría averiguar por documento fehaciente, es el lugar desde donde vino Palmart; pues aunque parece indudable que fué de Italia por los caracteres tipográficos que trajo, no tenemos noticia positiva de qué así fuera ni sabemos donde aprendió á imprimir (nº 278, 12 de febrero de 1897).[57]

Haebler depende, por tanto, de Serrano y Morales para esta atribución tipográfica, como también desarrolla la sugerencia de este sobre la

55 Cuya transcripción espero ofrecer en breve, con un estudio introductorio, en un próximo trabajo, que también recogerá las enviadas por Haebler, conservadas en la Biblioteca Serrano y Morales de Valencia. Las cuatro últimas cartas fechadas de Serrano y Morales (nº 292-295) se datan entre el 4 de junio de 1903 hasta el 16 de noviembre de 1905, por lo que el arco de la correspondencia es más extenso de lo que indica el tejuelo de la caja con la correspondencia de Haebler del archivo del GW.

56 A pesar de haber establecido sus dudas antes de recibir la respuesta y las fotografías de Léopold Delisle, a partir de la referencia a la *letra de tortis* que advierte para este incunable la historia de la imprenta inédita de Justo Pastor Fuster, en propiedad de Serrano y Morales (nº 277), el 22 de enero de 1897.

57 La transcripción es mía.

identificación de los orígenes de Palmart al final de su epígrafe sobre este impresor[58] e introduce la noticia de un ejemplar de la *Tertia Pars* en la Biblioteca de la Universitat de València, pero no en *The Early Printers of Spain and Portugal*, porque, al habérsela comunicado en una carta dos meses posterior,[59] no debió de llegarle a tiempo, de manera que no la incorpora hasta su *Bibliografía ibérica* (Haebler 1903-1917, I: 307, nº 637), a partir ya de la propia obra de Serrano y Morales (1898-1899: 432-433).

Aunque no lo explicita, el «group of four, or possibly five, books printed in Roman type» al que se refería Haebler para atribuirlo en su conjunto a Lambert Palmart, estaría formado por *Les trobes en lahors de la Verge Maria* (nº 488),[60] el *Comprehensorium* de Johannes (nº 339), las *Opera* de Salustio (nº 593), un volumen con obras de Aristóteles en latín (nº 33) y la *Tertia pars Summae Sancti Thomae* (nº 637), porque las *Fabulae* de Esopo (nº 3) y las *Elegantiolae* de Datus (nº 187 y 188) piensa que son ligeramente posteriores. Sería la primera atribución implícita a Palmart de *Les trobes en lahors de la Verge Maria*, que Serrano y Morales acepta sin dudar: «no vacilamos en atribuirle también, por las razones que más adelante expondremos, la impresión de *Les Trobes en lahors de la Verge*, el *Comprehensorium* y el *Salustio*; por más que las primeras carezcan en absoluto de señas de impresión, y en el colofón de los dos últimos libros sólo se diga que se imprimieron en Valencia en 23 de Febrero y 13 de Julio respectivamente del año 1475» (1898-1899: 432). Pero es la entrada correspondiente de la *Bibliografía ibérica* —«sin indicaciones tipográficas, pero en Valencia por Lamberto Palmart, ca. 1474» (Haebler 1903-1917, I: 231, nº 488)— la que funciona de catalizador y llega, prácticamente, a toda la bibliografía de los siglos XX y XXI (Palanca Pons y Gómez Gómez 1981: 111, nº 240; Concheff 1985: 73, nº 757; García Craviotto 1989-1990, II: 25, nº 4158; Bas Carbonell

58 «The name of Palmart (which perhaps is rather to be spelt Palmaert) suggests a Flemish origin, and we are reminded of one Lambert Laurenszoon, who was some time partner with Antonius Mathias, who has been believed to be Mathaeus Flander. But as Laurenszoon was a native of Delft in the Netherlands, and Palmaert is decidedly a Flemish name, there is no ground for identifying them. He never tells us from what country he came, but he constantly styles himself a German» (Haebler 1897: 7).

59 En carta de 16 de abril de 1897: «De otro hallazgo he de dar a V. noticias, y es: Un hermoso ejemplar de la *Tertia pars Suma S. Thome* de 1477, que estaba sin catalogar en esta Biblioteca Universitaria. En el de Paris, segun las fotografías que me remitió Mr. Delisle, faltan las capitales y los calderones que debian llenarse á mano despues de la impresion; y el ejemplar que aquí tenemos los lleva en tinta roja ó azul» (nº 280).

60 La numeración de los incunables corresponde, lógicamente, al repertorio de Haebler (1903-1917).

1992: 27, nº 1; Romero Lucas 2005a, II: 25, nº 6; BITECA manid 1548; GW M27366; ISTC im00270500).

Al identificar a Palmart como el impresor de *Les trobes en lahors de la Verge Maria* y del resto de incunables en tipografía redonda o romana, Serrano y Morales relega a Alfonso Fernández de Córdoba como aprendiz del taller de aquel,[61] una perspectiva que invierte Francisco Vindel, atribuyendo a este último los ocho primeros impresos valencianos en sus entradas correspondientes (1946: 3-23, nº 1-8) y argumentándolo *in extenso* en su introducción (Vindel 1946: XI-XVIII). Con ello, Vindel recuperaba, en última instancia, la superada hipótesis decimonónica de Charles Brunet,[62] que no había arraigado en la incunabilística internacional.[63] Años después, Pere Bohigas (1962: 83-85) opta por una solución intermedia, que era la atribución de estos impresos y, con ellos, de *Les trobes*, al taller de Jacobo Vizlant;[64] y así lo mantiene décadas más tarde (Bohigas y Soberanas 1976: 71-72, n. 1). Riquer (1964:

61 «Los primeros libros valencianos se estamparon en las prensas y con los tipos de Lamberto Palmart, en cuyo taller creemos que aprendió Fernández de Córdoba» (Serrano y Morales 1898-1899: 434).

62 «Brunet, in mentioning one of them, the *Sallustius* completed at Valencia, July 13th, 1475, states that it was printed by Lambert Palmart and Alfonso Fernández de Córdoba» (Haebler 1897: 7).

63 Del que solo se hace eco puntualmente, pero no por parte de tipógrafos ni bibliógrafos: «Actualment hom atribueix la seua impressió al jueu castellà Alfons Fernández de Córdova, establert a València devers el 1473» (Ferrando Francés 1983: 162).

64 «No cabe duda de que el taller de Jacob Vizlant, que tuvo que cerrarse por falta de papel, debía ser una imprenta. Ninguna otra industria hubiera necesitado tanta cantidad de este material para poder trabajar. Pero, además, el nombre de Felipe Vizlant, heredero de Jacobo, aparece como financiero de la edición, en el colofón de la *Biblia* valenciana de Bonifacio Ferrer, terminada de imprimir en marzo de 1478 por Alfonso Fernández de Córdoba, natural del reino de Castilla, y por Lamberto Palmart, "alamany, mestre en arts"). Esto demuestra que aquel comerciante alemán, establecido en Valencia, no era ajeno al negocio de libros. Asimismo, el número de impresos de Valencia por estas fechas es superior al de cualquier otra ciudad de España. Los tipos romanos de las *Obres e trobes* aparecen en un número de ediciones sin fecha, bastante elevado, que pueden datarse entre los años 1475 y 1477) y son empleados en la *Tertia pars summae* de Santo Tomás de Aquino, terminada por Lamberto Palmart en 18 de agosto de 1477. Con ellos habían sido compuestos anteriormente el *Comprehensorium* de Johannes, fechado en Valencia en 23 de febrero de 1475 —el más antiguo libro con fecha publicado en España—, y las *Opera* de Salustio, también de Valencia, terminadas en 13 de julio de 1475. A partir de esta fecha transcurrieron dos años sin tenerse noticia de ningún impreso valenciano fechado. En este intervalo debió de cerrarse el taller de los Vizlant y además Valencia estuvo afligida por una peste que duró desde julio de 1475 a marzo de 1476. Se comprende que, en circunstancias tan poco propicias, hubiera habido una dispersión de los maestros del taller de Vizlant» (Bohigas 1962: 84-85).

372-375) evita posicionarse y solo asume esta hipótesis Manuel Sanchis Guarner,[65] aunque BITECA (manid 1458) remite a ella de manera secundaria.

2.3. La materialidad del impreso

Del incunable de *Les trobes en lahors de la Verge Maria* se conserva un ejemplar en la Biblioteca Històrica de la Universitat de València (BHUV), con la signatura CF/1, sobre el cual, por tanto, se lleva a cabo esta descripción. Se trata de un impreso en papel doblado en 4º, como sabemos desde Nicolás Antonio (1788², II: 305-306, nº 650) y, efectivamente, lo confirma el análisis material, puesto que presenta corondeles horizontales,[66] que, cuando el folio tiene filigrana, están menos marcados. Nicolás Antonio, Josep Rodríguez y Vicente Ximeno se centran en aspectos internos del incunable y se limitan a destacar su plegado en 4º por lo que respecta a la materialidad, *sensu stricto*. Tenemos que esperar medio siglo más para que José Villarroya, aún en el xviii, aporte una atención mayor al impreso en cuestión y, en ella, avance en su conocimiento material.[67]

2.3.1. La tipografía

Es muy interesante la temprana aproximación tipográfica que nos proporciona Villarroya, en un modelo de descripción que, lógicamente, es mucho más precario que los datos derivados del método Proctor-Haebler, que aún tardaría en llegar un siglo:

> Se usa en ella de letras mayusculas, poniendose á veces donde no corresponde, y omitiendose á veces cuando son precisamente necesarias. No tiene puntos, y en lugar de ellos se pone una figura de cruz poco mayor que el punto, y rara vez en la conclusión de las cláusulas. Las comas no son al modo de las que en el dia se estilan, sino unas raitas (*sic*) mas largas que el ancho de las lineas. No tiene numeracion ni se encuentran mas numeros que los Romanos que se notan en el principio ó prólogo.

65 «Aqueixos tipògrafs que Vizlant hagués d'aviar o acomiadar per tancament del seu obrador a València el 1475, havien estat els que imprimiren les *Trobes*, i altres llibres valencians primerencs compostos en lletra romana, com els susdits *Ethica* d'Aristòtil, *Comprehensorium* de Johannes, i les traduccions llatines de *De duobus amantibus* de Brunus Aretinus, de les *Epistolae* del pseudo Phalaris, de les *Faules* d'Esop i les *Elegantiae* de Datus» (Sanchis Guarner 1979: 55-57).

66 Con una separación, más o menos regular, de unos 40-41 mm.

67 Así se lo reconoce ya Salvá: «Habiendo Villarroya descrito tan larga, minuciosa y exactamente este libro en su *Disertacion sobre el origen del arte tipográfico en Valencia*, no me estenderé en dar más detalles sobre su contenido» (1872, I: 140).

> La letra es redonda: los margenes muy anchos: y está bellamente impresa (Villarroya 1796: 52-53).

Es el primero en advertir que estamos ante una tipografía redonda o romana, y, sobre todo, el primero en señalar, en época tan temprana, una peculiaridad en cuanto al punto con forma de cruz aspada —a manera de punto alto, ligeramente por encima de la línea de escritura—, que caracterizaría esta letrería de los más tempranos incunables salidos del primer taller valenciano y que Witten (1959: 91-102) considera clave para su secuencia de datación:

> Cal remarcar el punt final en forma de creu aspada, que hi ha al final de la nota preliminar i de diversos poemes d'aquest recull. Aquest signe només apareix a les *Obres o Trobes* i a la novel·leta *De duobus amantibus* (Haebler, 633, Vindel, III, p. 16, 5), de Brunus Aretinus, entre les obres no datades del primer taller valencià. Apareix també a les tres obres datades compostes amb els mateixos tipus, una de les quals, com ja s'ha dit, porta el nom de Lambert Palmart. Les cinc obres restants d'aquest taller (*Aristòtil*, Haebler, 33, Vindel III, p. 9, núm. 4; *Phalaris*, Haebler, 546 (8), Vindel, III, p. 21, núm. 8; *Isop*, Haebler, 3, Vindel, III, p. 18, núm 6; *Elegantiolae* de Datus, Haebler, 187, Vindel, III, p. 20, núm. 7, i la butlla de Lutxent, Haebler, 92, Vindel, III, p. 29, 12), per comptes d'aquest signe porten un punt rodó. Per tal motiu L. Witten: *The Earliest Books Printed in Spain* («Papers of the Bibliographical Society of America», 53, 1959) considera aquests impresos anteriors als altres (Bohigas y Soberanas 1976: 72, nº 71).

De hecho, el punto aspado y una ejecución tipográfica de mayor regularidad son los argumentos de Pere Bohigas y Amadeu Soberanas para considerar los cinco incunables mencionados anteriormente como precedentes de *Les trobes*.[68] Su aparición es muy circunstancial y se limita a ciertos contextos, que no son exactamente los advertidos por ellos —primero, «per indicar el punt final del capítol o del llibre»; y, después, «al final de la nota preliminar i de diversos poemes» (Bohigas y Soberanas 1976: 14 y 72, nº 71)—, sino que lo encontramos al final del prólogo inicial, de alguna rúbrica, de algún verso y de alguna estrofa —no necesariamente final de poema, ni final de estrofa—, así como enmarcando las cifras romanas del primer texto o título explicativo:[69]

68 «Ara bé, abans del *Comprehensorium*, de Johannes, aquest taller ja havia publicat set altres impresos, cinc dels quals ho foren amb tota probabilitat abans de les *Obres o trobes*, per tal com són d'execució més irregular, fet que revela una manca d'experiència tipogràfica, i no usen un signe de puntuació en forma de creueta aspada, per indicar el punt final del capítol o del llibre» (Bohigas y Soberanas 1976: 14). Véase también Witten (1959) y, en cualquier caso, sobre la cruz aspada y el punto alto, precisamente, está trabajando en estos momentos Fermín de los Reyes, según me comunica, y a su investigación remito, por tanto.

69 Por su importancia, cuando se sitúa a final de rúbrica o de poema, lo incorporo a las respectivas transcripciones paleográficas de la tabla de obras que se ofrece en el

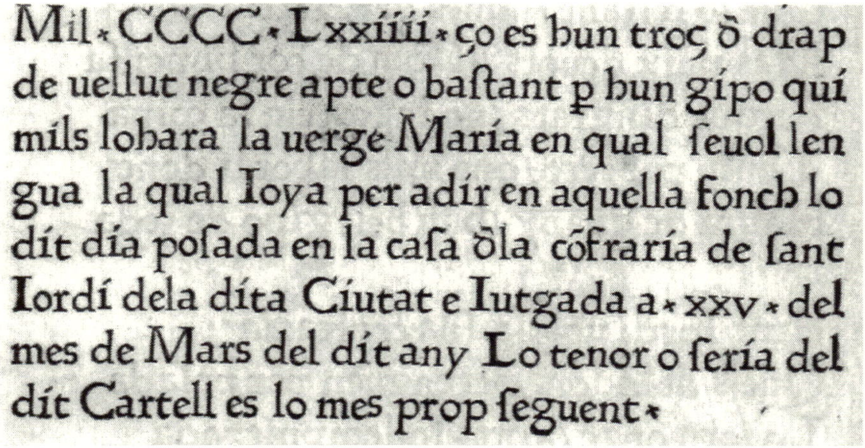

Mil · CCCC · Lxxíííí · ço es hun troç ō drap
de uellut negre apte o baſtant p hun gípo quí
mils lohara la uerge María en qual ſeuol len
gua la qual Ioya per adír en aquella fonch lo
dít día poſada en la caſa ōla cōfraría de ſant
Iordí dela díta Cíutat e Iutgada a · xxv · del
mes de Mars del dít any Lo tenor o ſería del
dít Cartell es lo mes prop ſeguent ·

BHUV, CF/1, h. 2r

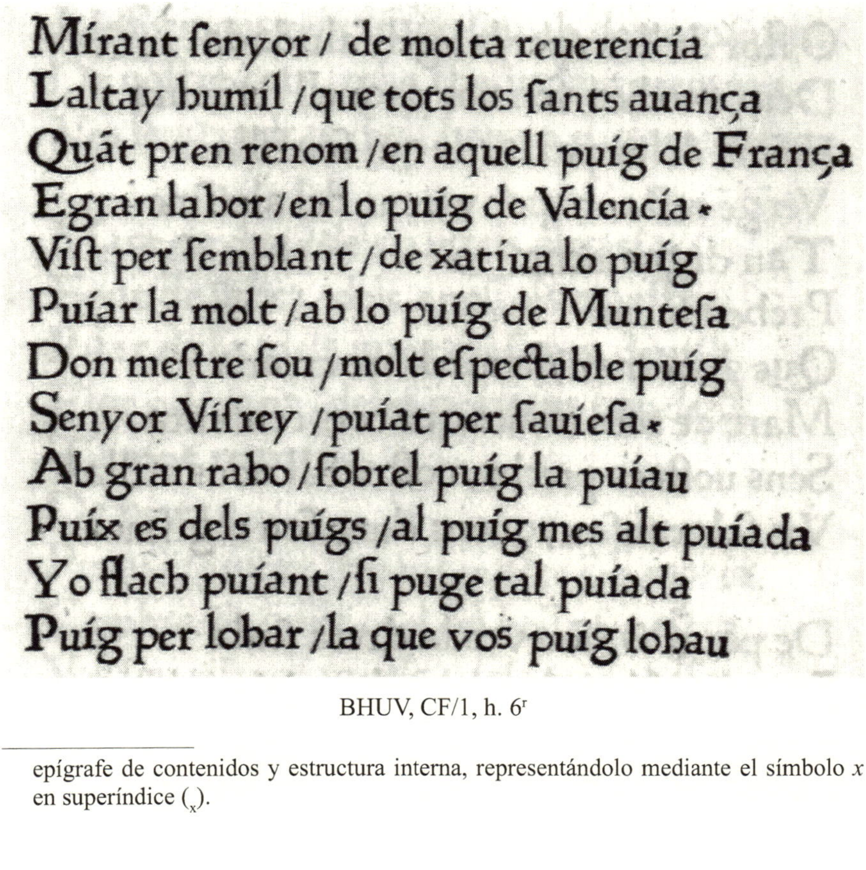

Mírant ſenyor / de molta reuerencía
Laltay humil / que tots los ſants auança
Quāt pren renom / en aquell puíg de França
E gran labor / en lo puíg de Valencía ·
Viſt per ſemblant / de xatíua lo puíg
Puíar la molt / ab lo puíg de Munteſa
Don meſtre ſou / molt eſpectable puíg
Senyor Viſrey / puíat per ſauíeſa ·
Ab gran rabo / ſobrel puíg la puíau
Puíx es dels puígs / al puíg mes alt puíada
Yo flach puíant / ſi puge tal puíada
Puíg per lohar / la que vos puíg lohau

BHUV, CF/1, h. 6r

---

epígrafe de contenidos y estructura interna, representándolo mediante el símbolo *x* en superíndice ($_x$).

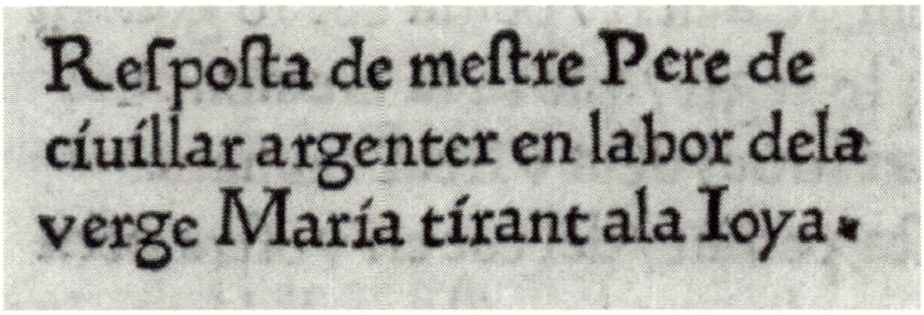
Reſpoſta de meſtre Pere de cíuíllar argenter en labor dela verge María tírant ala Ioya.

BHUV, CF/1, h. 32^{v}

Por tanto, no carece de puntuación, como se ha llegado a destacar,[70] puesto que, además, encontramos *virgulae*, bajo su variante de barra inclinada (/), para marcar las cesuras, pero también las pausas en muchas de las rúbricas, que, lógicamente, son en prosa.[71]

Alguno de estos incunables y la *Tertia pars* de la *Summa Theologica* de Santo Tomás, que presenta colofón completo, son precisamente el hilo del que tiró Haebler para iniciar el estudio de estos tipos y su atribución a Lambert Palmart, con la ayuda de Serrano y Morales (1898-1899: 433),[72] tal y como hemos visto en los epígrafes anteriores. Estos «caracteres venecianos,[73] cuya propiedad atribuimos a Palmart» (1898-1899: 434), los consideran Pere Bohigas y Amadeu Soberanas (1976: 14) de «influència napolitana».[74] Haebler añade que es una «letra romana de un solo tamaño» (1903-1917, I: 231, nº 488) y en ello incide Vindel: «Letra romana. Una sola tipografía» (1946: 3, nº 1).

Cuando Villarroya (1796: 52) advierte el uso de las mayúsculas, no siempre sistemático, se refiere a la misma tipografía en sí y no a la utilización de capitulares, respecto a las cuales Vindel es el primero en indicar que

70 «Careix de puntuacio», dice Genovés y Olmos (1911, I: 5) y en ello insiste Ribelles Comín (1915: 243): «Carece de puntuación». Luis Guarner (1974: 31) y Manuel Sanchis Guarner (1979: 39-40) dependen en su descripción material de la que dio en su día José Ribelles Comín, así como lo hace Antoni Ferrando (1983: 162). Es por eso que en los tres casos se incide en la cuestión, incluso destacando sus términos absolutos: «No n'hi ha puntuació de cap mena» (Ferrando Francés 1983: 162).

71 También las recojo en su transcripción paleográfica, al establecer la estructura interna del incunable.

72 Y como demuestran las cartas de este recibidas por Haebler, especialmente la nº 278, de 12 de febrero de 1897, conservada en el archivo del *Gesamtkatalog der Wiegendrucke*, dentro de la caja conocida como *Spanien | Korrespondez 1898-1902 | (Haebler mit span. Bibliotheken | Institutionen u Privatpersonen).*

73 Por ser una tipografía redonda o humanística.

74 Más ambiguo es Palanca Pons, que se limita a apuntar lo siguiente: «La opinión comúnmente admitida es que de París pasó a Italia y de allí se trajo el muestrario de letra romana o redonda, como también se llama [...]. Lo mismo pudo traer las cajas directamente de París que de Roma o algún lugar de Italia» (1962: 13-14).

«Carece de capitales ni huecos para ellas» (Vindel 1946: 3, nº 1)[75] y BITECA amplía a «sense cap mena de decoració» (manid 1448), ni menos aún —añado— ilustraciones.

El primero en atribuir explícitamente una referencia tipográfica concreta a *Les trobes* es Diego Romero Lucas, que la identifica como «Letra romana de un solo tamaño. Romana-1: 102R» (2005a, II: 25, nº 6). No se recoge el tipo concreto ni en BITECA (manid 1548), ni en ISTC (im00270500), ni en GW (M27366). En este último caso, como indica la letra *M* inicial de su referencia, no se ha desarrollado todavía la ficha de esta obra, ni se avanzado desde Haebler y las fichas originales del *Gesamtkatalog der Wiegendrucke*.[76] Ahora bien, partiendo de la identificación de los mismos tipos de *Les trobes* en otros incunables llevada a cabo por Haebler y por Serrano ya a finales del siglo XIX, atribuidos a Palmart de manera explícita en un colofón concreto, se puede considerar que el *Gesamtkatalog der Wiegendrucke* sí que delimita la tipografía de este cancionero impreso, al menos implícitamente, como tipo 1:103R, puesto que es la que atribuye a la bula de Lutxent (GW 00101), a las *Fabulae* de Esopo (GW 00318), a las *Opera* de Aristóteles (GW 02370), al *De duobus amantibus* (GW 05634) y a las *Elegantiolae* de Datus (GW 08049).

Son pocas las ocasiones en las que el incunable nos ofrece una caja con veinte líneas seguidas y sin espacios, aunque he podido comprobar los 103 mm de esta tipografía en la hoja 59ʳ del original, si bien la hoja 2ʳ proporciona unos datos ligeramente superiores, de 104/105 mm,[77] quizás por cuestiones meramente de conservación material, pero no he podido ratificar los 102 mm de la identificación de Diego Romero Lucas (2005a, II: 25, nº 6). El *Typenrepertorium der Wiegendrucke* cataloga esta tipografía, a partir de estos tres impresos incunables, como TW ma12185, que comparten un mismo modelo del dígrafo *Qu* enlazado, en el que la virgulilla inferior de la consonante mayúscula abraza la vocal por su parte inferior, cuyo modelo sería el catalogado como Qu|-G:[78]

75 Por lo tanto, el catálogo en línea de la Biblioteca de la Universitat de València, que, casualmente, recibe el nombre de *Trobes*, en honor a este temprano incunable conservado en su fondo, presenta un error en su descripción, al indicar que el impreso cuenta con «Capll. grav.» <https://trobes.uv.es> [consulta: 04/03/2021].

76 Es por esto que el único dato que aporta el GW es que el incunable es *in 4º*, a lo que se limita también el ISTC.

77 Exactamente, 145 mm, una diferencia de medida con la tipografía de la h. 59ʳ que puede depender de algún efecto del papel en esas primeras hojas del ejemplar, con más suciedad o desgaste que el resto del volumen.

78 Para las tablas de *M* y *Qu* del *Typenrepertorium der Wiegendrucke*, véase <https://tw.staatsbibliothek-berlin.de/html/type.xql>.

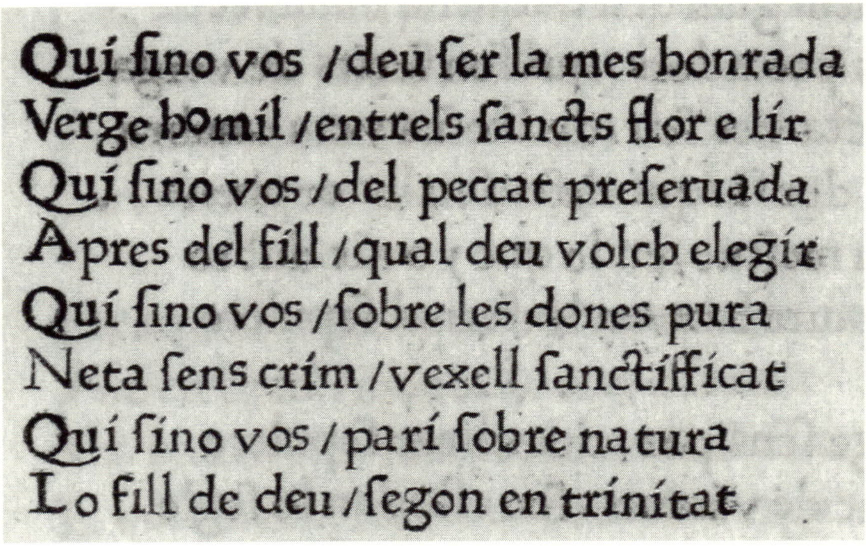
Qui ſino vos / deu ſer la mes bonrada
Verge homil / entrels ſancts flor e lir
Qui ſino vos / del peccat preſeruada
Apres del fill / qual deu volch elegir
Qui ſino vos / ſobre les dones pura
Neta ſens crim / vexell ſanctifficat
Qui ſino vos / pari ſobre natura
Lo fill de deu / ſegon en trinitat

BHUV, CF/1, h. 34^{r}

Ya Villarroya destacaba que «está bellamente impresa» (1796: 53) y en este sentido hay que interpretar la «experiència tipogràfica» que advertían Pere Bohigas y Amadeu Soberanas (1976: 14) en *Les trobes*, frente a los cinco incunables anteriores con esos tipos, «que són d'execució més irregular». Sin embargo y sin que eso cuestione tal circunstancia, también es cierto que las confusiones entre los tipos son frecuentes en el proceso de composición, que no se distribuyen con sistematicidad los espacios que enmarcan las rúbricas y que encontramos problemas de entintado del ejemplar conservado, en las hojas 31^{v} y 40^{r}. Estos rasgos, por tanto, hay que interpretarlos, a mi parecer, en la línea de la acertada valoración al respecto de Antoni Ferrando: «La composició tipogràfica del llibre és rudimentària [...] i els casos d'aglutinació de mots o de lletres canviades per altres de semblants —especialment la *n* per la *u* o viceversa— són relativament nombrosos, com també són abundants les errades d'impremta. Amb tot i això, el llibre s'editá amb notable pulcritud» (1983: 162). Incide, en realidad, en lo que ya había destacado Manuel Sanchis Guarner, que habla de «nombroses errades d'impremta comeses per uns caixistes absolutament inexperts, alguns dels quals eren alemanys i a penes coneixedors de la llengua en què componien» (1974: L).

A esto hay que unir una falta de sistematicidad en cuanto a las líneas en blanco anteriores o posteriores a las rúbricas, que suelen aparecer tabuladas, si bien la aglutinación responde en la mayoría de los casos a las dificultades de impaginación de la poesía, con una distribución que intenta mantener, en la medida de lo posible, las estrofas completas en cada página. Esta situación es la ideal, de tres octavas, con dos espacios interestróficos entre ellas —esto es, 26 líneas de escritura, 24 con texto—, si bien se fuerza hasta las 29 para dar cabida, siguiendo este modelo, a estrofas de nueve versos o a las rúbricas en el caso de las coplas de ocho versos. La distribución del texto en las formas, sin embargo, se ve forzada a renunciar a tal regularidad, por la variada casuística estrófica y de rúbricas.[79]

De esta manera, se matizaría la muy elogiada calidad tipográfica de este impreso, ciertamente mayor que la de los incunables anteriores salidos de ese mismo taller, pero que no podemos interpretar en términos absolutos, ni desde perspectivas que expandan el temprano arco temporal en el que cobra sentido tal apreciación. Tales circunstancias no restan cierta voluntad de impaginación regular en la composición de este incunable poético, cuya peculiaridad estrófica genera una atomización textual que la dificulta y que, en realidad, no se resuelve satisfactoriamente durante el siglo XV.

2.3.2. Medidas y cómputos: la caja tipográfica y las hojas

La caja de escritura llega a medir 149 x 81 mm (h. 20^{v}) y es muy variable, especialmente por su margen derecho, al contener poesía prácticamente todo el incunable.[80] Esta es la razón, en parte, de que el impreso se caracterice por unos «márgenes muy anchos», como destacaba Villarroya (1796: 53), pero no ocurre así en todos los casos, sino que se trata, sistemáticamente, del margen externo al cosido. Por tanto, alterna en el recto y en el vuelto, sin duda para que se permita la coincidencia material del texto —como se puede ver al trasluz—, confluyendo en ambos casos hacia el cosido y, con ello, un eventual proceso de guillotinado no afectaría a los poemas por su corte vertical. De esta manera, en el recto hay, efectivamente, un margen amplio tras el texto, pero en el vuelto este se encuentra precediéndolo y, por tanto, no se deriva, directamente, de la extensión de los versos en sí.

---

79 Rúbricas del poema o internas a él, que corresponden, de manera general, a *Tornada* o *Endreça*, en ocasiones acompañadas de más información.

80 Romero Lucas la considera «de hasta 150 mm. x 80 mm» (2005a, II: 25, nº 6), mientras que BITECA no revisa el impreso completamente para tomar las medidas más amplias, sino que propone una «caixa: 130 x 78 mm» (manid 1448), similar a los 130 x 77 mm que compruebo para la h. 5^{r}. Lógicamente, es menor en el caso de la h. 2^{r}, con 115 x 81 mm, al tener solo 22 líneas de texto y son insignificantes las medidas de la h. 3^{r}, con solo 12 y más de la mitad de la caja de escritura en blanco.

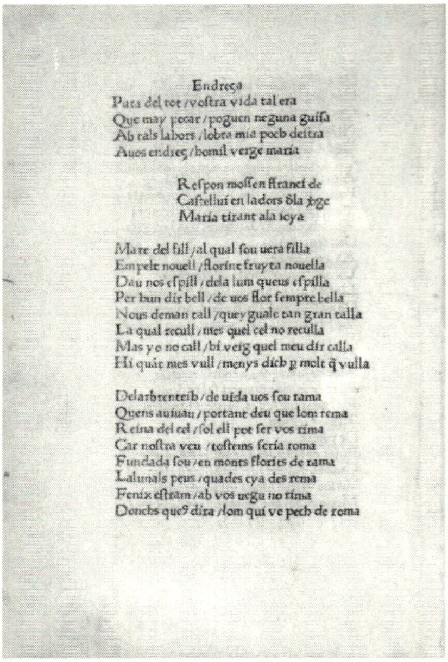

Endreça
Para del cel / vostra vida tal era
Que may pecar / poguen neguna guisa
Ab tals labors / lobra mia poch deitra
Auos endreç / homil verge maria

Respon mossen ffrancí de
Castellui en ladors dla ꝟge
Maria tirant ala ioya

Mare del fill / al qual fou uera filla
Empelt nouell / florint fruyta nouella
Dau nos espill / dela lum queus espilla
Per hun dir bell / de uos flor sempre bella
Nous deman tall / quey guale tan gran talla
La qual recull / mes quel cel no reculla
Mas yo no call / hi veig quel meu dir calla
Hi quãt mes vull / menys dich ꝑ molt q̃ vulla

Delarbrenteib / de uida uos fou rama
Quens auiuau / portant deu que lom rema
Reina del cel / sol ell pot fer vos rima
Car nostra veu / tostems seria roma
Fundada fou / en monts florits de rama
Lalunals peus / quades cya des rema
Fenix estram / ab vos negu no rima
Donchs queꝰ dira / lom qui ve pech de roma

BHUV, CF/1, h. 7v

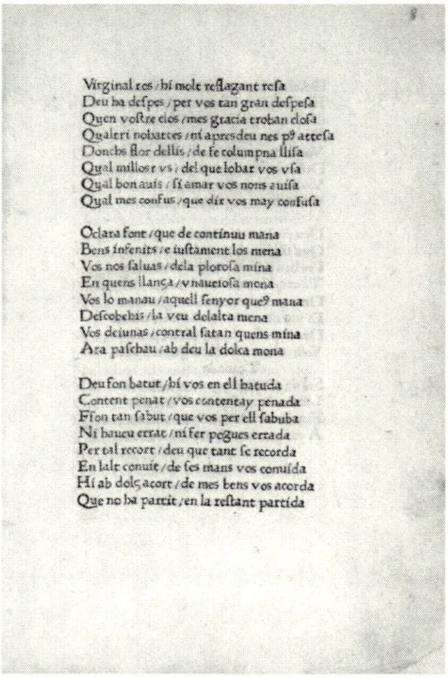

Virginal ros / hi molt reflagant rosa
Deu ha despes / per vos tan gran despesa
Quen vostre clos / mes gracia troban closa
Qualtri nolsattes / ni apres deu nes pꝰ attesa
Donchs flor dellis / de fe columpna llisa
Qual millor vs / del que lobar vos vsa
Qual bon auis / si amar vos nons auisa
Qual mes confus / que dix vos may confusa

Oclara font / que de continuu mana
Bens infenits / e iustament los mena
Vos nos saluas / dela plorosa mina
En quens llança / vnauctosa mona
Vos lo manau / aquell senyor queꝰ mana
Descobchis / la veu delalta mena
Vos deiunas / contral satan quens mina
Ara paschau / ab deu la dolca mona

Deu fon batut / hi vos en ell batuda
Content penat / vos contentay penada
Ffon tan sabut / que vos per ell sabuda
Ni haueu errat / ni fer pogues errada
Per tal recort / deu que tant se recorda
En lalt conuit / de ses mans vos conuida
Hi ab dolç acort / de mes bens vos acorda
Que no ha partit / en la restant partida

BHUV, CF/1, h. 8r

Si bien se trata de un ejemplar restaurado, como veremos —y el dato es, por tanto, menos fiable de lo habitual, al afectar tanto al cosido como a sus límites externos—, el papel del impreso tendría, al menos, 213 x 147 mm, correspondientes a la h. 2, mientras que los 212 x 146 mm de la h. 6 coinciden con el dato en BITECA (manid 1448),[81] frente a los 212 x 150 mm de Romero Lucas (2005a, II: 25, nº 6).[82]

Como ya se ha avanzado al final del epígrafe anterior, se alcanzan las 29 líneas de escritura, en las hojas 15r, 26v y 45v,[83] al menos en un caso con 28

81 La h. 6 corresponde al bifolio interior del primer cuaderno, lo que, teniendo en cuenta la obertura de la encuadernación, permite tomar su medida exacta, que no tiene por qué coincidir exactamente con la del resto de hojas; es un ejemplo de ello que el papel de la h. 25, también parte de un bifolio interior, mide 212 x 144 mm.

82 Cuando José Ribelles Comín advierte que es «Un vol. de 151 x 75 mm.» (1915: 229), sin duda se refiere, tan solo, a la caja de escritura, de alguna hoja que no concreta; sin embargo, no he podido localizar ninguna hoja cuya caja que mida más de 149 de alto y, frente a ello, sí que se alcanzan los 81 mm de ancho, como hemos visto arriba. Luis Guarner toma prestado el dato de Ribelles Comín y reproduce el error: «Un volumen de 151 por 75 mm.» (1974a: 31).

83 En la h. 26v con 28 líneas totales de texto y solo una en blanco entre la *endreça* que cierra el poema anterior y la rúbrica del siguiente, mientras que en las hojas 15r y 45v son 27 las líneas de texto y dos espacios interestróficos.

líneas de texto propiamente dicho, que en ocasiones baja hasta las 22 (h. 2^{r} o 4^{r}, por ejemplo), con lo que se superan las «hasta 27 líneas imprimibles por página» (Romero Lucas 2005a, II: 25, nº 6)[84] y el arco de «24-27 líneas por plana» (Vindel 1946: 3, nº 1) que se habían aducido en sendas descripciones.[85] Al final de *Lo Cartell* del certamen, en la h. 3^{r}, solo se usan 12 líneas de texto y una en blanco de la caja de escritura, una excepcionalidad en el volumen a la que se recurre para incorporar los textos del certamen ya en el vuelto y marcar, con ello, una distancia con este paratexto y con el título explicativo en prosa.

El incunable no contiene foliación impresa, ni signaturas de cuaderno, como advierte por primera vez Pedro Salvá —«sin pag., fol. ni signs.» (1872, I: 140)—, porque, *sensu stricto*, José Villarroya solo hace una referencia general a la numeración,[86] más allá de que implícitamente afecte, de hecho, a ambos recursos tipográficos. No es hasta Jaume Massó i Torrents (1913-1914: 238 y 1932: 47) que se advierte también la ausencia de reclamos.

Las signaturas de cuaderno habrían ayudado a delimitar el propio impreso y su estructura externa, puesto que no solo su colación, sino el mismísimo número de hojas que lo componen ha presentado cifras muy variadas en sus descripciones materiales. El primero en aportar un dato al respecto fue José Villarroya, a finales aún del siglo XVIII, que indica que «comprende 116. pag.» (1796: 52), lo que se corresponde, por tanto, con las «58 hojas» descritas —o, más bien, asumidas— por Pedro Salvá (1872, I: 140).

José María Torres Belda computa 66 hojas, pero advierte que solo 58 son impresas: «La obra de que nos ocupamos es mas propiamente un folleto de 66 fojas en cuarto, ocho de ellas en blanco, y las 58 restantes impresas, en letra romana. Carece de portada y colofon» (1874: 45). José Enrique Serrano y Morales (1898-1899: 435) reproduce literalmente la descripción material completa de Torres Belda, por lo que la asume, como hacen también, aunque no siempre remitiendo a ella, Martí Grajales (1894: 12 y 1927: 215),[87] Genovés y Olmos (1911, I: 5),[88] Ribelles Comín (1915: 230 y 242)[89] e Ibarra

84 Y más aún las «25 línies (f. 5, una en blanc)» determinadas por BITECA (manid 1448).

85 El Catàleg *Trobes* toma este dato de Vindel <https://trobes.uv.es> [consulta: 04/03/2021].

86 «No tiene numeracion ni se encuentran mas numeros que los Romanos que se notan en el principio ó prólogo» (Villarroya 1796: 52-53). Ambas, las signaturas de cuaderno y la foliación, se añaden manuscritas en el ejemplar, como veremos después.

87 «La obra carece de portada; su tamaño es en 4º, de 66 hojas, 8 de ellas en blanco y las 58 restantes impresas en letra romana» (Martí Grajales 1894: 12). «Consta de sesenta y seis hojas, ocho de ellas en blanco» (Martí Grajales 1927: 215).

88 «Xixanta sis fulles, huit de les quals son en blanch» (Genovés y Olmos 1911, I: 5).

89 «Contadas tiene 8 fojas en blanco y 58 impresas, incluso la de port.» (Ribelles Comín 1915: 230. «La obra carece de portada; su tamaño es en 4º, de 66 hojas, 8 de ellas en blanco y las 58 restantes impresas en letra romana» (Ribelles Comín 1915: 242).

y Folgado (1945: 30). Konrad Haebler (1903-1917, I: 231, nº 488), por otro lado, también advierte que se trata de «66 hjs no fols.», sin matizar aquellas que son impresas o no, un cómputo que, en ese sentido, reproducen Vindel (1946: 3, nº 1), Bohigas y Soberanas (1976: 71, nº 71) y Dutton (1990-1991, V: 1, nº 74*LV).

Jaume Massó i Torrents también distingue entre hojas impresas y no impresas, aunque, para él, estas últimas no son 58, sino 56 y, por tanto, se asume implícitamente que sería de un volumen de 64 hojas: «56 folis impresos + 8 de blancs» (Massó i Torrents 1913-1914: 238 y 1932: 47). Se trataría de una errata, puesto que, en su *Bibliografia dels antics poetes catalans*, también aporta una estructura de cuadernos, que, en total, suma 66 hojas: «7 quaderns: 4 de 10 folis, 1 de 12, 1 de 8, 1 de 6» (Massó i Torrents 1913-1914: 238). A pesar de ello, este error llega, casi dos décadas después, a su *Repertori* (Massó i Torrents 1932: 47) y se mantiene en la *Bibliography of Old Catalan Texts*, de Concheff —«56 fols. printed + 8 blank» (1985: 73, nº 757)—, que, en ninguno de los casos aporta ya la estructura colacional de cuadernos. A pesar de que la BOOCT es su germen e, indirectamente, lo son también los repertorios de Massó i Torrents (1913-1914 y 1932), BITECA no perpetúa este error, pero bien es cierto que genera otros, también de cierto calado, como veremos después: «Leaf Analysis: ff.: 68 (= I + 1-59 + 60-67)» (BITECA manid 1448). Lo que interesa destacar de esta información de BITECA es que el cómputo de hojas es de 68, tal y como también concluye Romero Lucas: «1 hoja de guarda + 66 hojas no foliadas + 1 hoja de guarda» (2005a, II: 25, nº 6). En ambos casos se destaca y matiza la presencia de guardas dentro de este cómputo, si bien no coinciden en la identificación de estas: una anterior solo en BITECA, mientras que Romero Lucas computa una anterior y una posterior, con lo que la primera concluye que el cuerpo central del volumen tendría 67 hojas, mientras que, para el segundo, serían las mismas 66 que ha considerado buena parte de los bibliógrafos.

Finalmente, frente a las cifras generalizadas de 58 o 66 hojas, más allá de las erratas advertidas, el *Catálogo de los incunables* de la Biblioteca de la Universitat de València aporta por primera vez un cómputo de «60 hoj.» (Palanca Pons y Gómez Gómez 1981: 111, nº 240), como reproduce, una década después, Manuel Bas Carbonell (1992: 27, nº 1) en su repertorio abreviado de los incunables valencianos. Y esta misma cifra es la que recoge el catálogo en línea del fondo que custodia el ejemplar, que recibe, precisamente, el nombre de este primer cancionero impreso (Catàleg *Trobes*).

En esta tabla sinóptica se pueden apreciar y comparar fácilmente los datos ofrecidos respecto al cómputo general de hojas del volumen en cuestión y su identificación con los catálogos o repertorios que los aportan:

56 hojas impresas	Massó i Torrents 1913-1914: 238 y 1932: 47 Concheff 1985: 73, nº 757
58 hojas	Villarroya 1796: 52 Salvá 1872, I: 140
58 hojas impresas	Torres Belda 1874: 45 Serrano y Morales 1898-1899: 435 Martí Grajales 1894: 12 Genovés y Olmos 1911, I: 5 Ribelles Comín 1915: 230 y 242 Martí Grajales 1927: 215 Ibarra y Folgado 1945: 30
60 hojas	Palanca Pons y Gómez Gómez 1981: 111, nº 240 Bas Carbonell 1992: 27, nº 1 Catàleg *Trobes* BUV
64 hojas	Massó i Torrents 1913-1914: 238 y 1932: 47 Concheff 1985: 73, nº 757
66 hojas	Torres Belda 1874: 45 Martí Grajales 1894: 12 Serrano y Morales 1898-1899: 435 Haebler 1903-1917, I: 231, nº 488 Genovés y Olmos 1911, I: 5 Ribelles Comín 1915: 229 y 243 Martí Grajales 1927: 215 Ibarra y Folgado 1945: 30 Vindel 1946: 3, nº 1 Bohigas y Soberanas 1976: 71, nº 71 Dutton 1990-1991, V: 1, nº 74*LV
68 hojas	Romero Lucas 2005a, II: 25, nº 6 BITECA manid 1448

La diferencia de datos responde, a grandes rasgos y en realidad, a la diferente consideración de los límites del volumen. Hay que identificar las 58 hojas de Villarroya y Salvá con aquellas que presentan impresión tipográfica, como ya advertía el matiz aducido por Torres Belda, pero ¿se trata de los 58 folios impresos que tuvo originalmente este incunable poético o tan solo de los conservados en este ejemplar único, como sugirió en su día José Villarroya y con tanta vehemencia negó Pedro Salvá, para acabar asumiéndolo la bibliografía posterior? Frente a ello, las 66 hojas aducidas de manera tan generalizada, desde el siglo XIX y hasta el propio repertorio de Brian Dutton, a finales del XX, se refieren *grosso modo* al ejemplar encuadernado, computando las hojas en blanco —y muy excepcionalmente las guardas—, pero sin distinguir entre aquellas que conformaban el impreso incunable propiamente dicho y el papel añadido. Porque, en este sentido, ni podemos identificar necesariamente los límites del incunable con las hojas impresas, ni la suma de estas con las hojas en blanco tiene por qué corresponder a la integridad del impreso original. ¿Cuáles son, por tanto, los límites materiales del incunable *versus* el ejemplar? ¿Al impreso en sí se refieren las 60 hojas que aducen los tres catálogos valencianos del paso del siglo XX al XXI? Y, en ese caso, retomando la cuestión de arriba, ¿se conserva la integridad del impreso o, más aún, la integridad del texto de *Les trobes*? A ello ayuda la filología material, como método de estudio que parte de la codicología o, en este caso, de la bibliografía material, para acercarse a ella con intereses filológicos basados en los textos.

2.3.3. Cuadernos, filigranas y estructura material

La estructura colacional, la revisión del cosido y el estudio de las filigranas son tres aspectos que, analizados en su conjunto, ayudarán a descifrar si se trata de un ejemplar mútilo, así como permitirán un mejor conocimiento de la materialidad de este temprano impreso incunable, del que contamos con datos contradictorios, erróneos y/o limitados en este sentido. En realidad, se ha hablado mucho de este incunable y se ha estudiado muy poco, no solo desde la bibliografía material, sino también desde la filología más estricta, porque, de hecho, ni siquiera contamos a día de hoy con una edición crítica de este cancionero impreso, ni mucho menos con una anotación de los poemas, si bien, en este sentido, han cubierto ciertas necesidades científicas los trabajos de los siglos XIX y XX, entre los que hoy continúan siendo un referente fundamental los estudios y transcripciones de los textos de Manuel Sanchis Guarner (1974 y 1979) y de Antoni Ferrando (1983: 157-247).

Pedro Salvá Mallén nos aporta los primeros datos por lo que respecta a la estructura colacional de cuadernos que componen el incunable poético de *Les trobes*: «encuentro que las cincuenta y ocho hojas del volumen forman seis cuadernillos de ocho y uno de diez, sin haber traza ni señal de imperfeccion alguna» (1872, I: 140). Si entendemos tal descripción como la yuxtaposición exacta de cuadernos, su colación sinóptica sería a-f^{8} g^{10}, lo que no sería extraño ni en la imprenta valenciana, ni en algún otro incunable de Lambert Palmart derivado de certámenes, por lo que respecta a la regularidad de cuadernos de dos pliegos conjugados y un remate del impreso con un cuaderno en el que se añade medio pliego a esta estructura. Ahora bien, lo que está haciendo Salvá es, simplemente, distribuir las 58 hojas que Villarroya indicó que tenía este incunable —y que, por tanto, asume— en la que consideró la estructura colacional más lógica; y, con ello, identifica implícitamente la materialidad física del incunable con las hojas estrictamente impresas. Finalmente, Salvá niega con contundencia la hipótesis de Villarroya, que debió de considerar débil por centrarse en los posibles contenidos perdidos y no, como él, en la materialidad del impreso, puesto que, si fuese cierto que se perdió una hoja de este incunable, que hubiese contenido el colofón, no habría distribución física posible: el número de hojas de la edición debería ser par y computando esa hoja perdida, según Villarroya, la edición original tendría 59 hojas.

Aunque justifica que no es necesario ampliar la extensa, minuciosa y exacta descripción de Villarroya —así la describe Salvá (1872: 140)—, a la que se limita a remitir, en realidad no dice en ningún momento que haya consultado directamente el ejemplar, que ya no se encontraría entonces en el convento de los Dominicos. Es por esta razón que sus conclusiones materiales, centradas en la colación de cuadernos y usadas para negar la hipótesis del primero en cuanto a la pérdida del colofón original, se fundamentan en datos secundarios y no derivados de la revisión directa de la fuente primaria. A pesar de ello, Salvá inicia aquí una línea de argumentación clave, centrada en la materialidad del impreso, y deja en evidencia que Villarroya no la tuvo en cuenta para su hipótesis. Los datos que aporta Salvá, sin embargo, no son correctos y, de hecho, son la prueba más evidente de que no consultó directamente el ejemplar, puesto que, a pesar de la ausencia de signaturas de cuaderno, un bibliófilo y bibliógrafo como él no hubiese fallado de esta manera en su colación y, es más, no hubiese cometido un error de método tan básico como identificar los folios impresos con los límites materiales del incunable.

José Mª Torres Belda, que sí que consultó directamente el ejemplar único conservado de este incunable poético, ya incorporado al fondo que actualmente lo custodia —del cual era, de hecho, bibliotecario—, aporta una colación de cuadernos muy diferente a la propuesta por Salvá, de mayor irregularidad: «La impresion se hizo en siete cuadernos, cuatro de 10 fojas, uno de 12 fojas, otro de 8 y otro de 6» (Torres Belda 1874: 45). Esta estructura, de la que se deriva que el impreso tendría 66 hojas y 7 cuadernos, se correspondería con la siguiente colación sinóptica: a-d^{10} e^{12} f^{8} g^{6}. Finalmente, aunque por razones diferentes y no refiriéndose al último folio del colofón y, con ello, al debate bibliográfico —unidireccional, lógicamente— de Villarroya y Salvá, Torres Belda es contundente en cuanto a la conservación íntegra del incunable de *Les trobes* en este ejemplar único: «No tiene foliación, pero está íntegro y completo» (Torres Belda 1874: 45).

Francisco Martí Grajales recoge, casi de inmediato y muy literalmente, estos datos materiales,[90] lo que es lógico, teniendo en cuenta que su estudio introductorio precedía a la edición de *Les trobes*, como resultado, aunque dos décadas después, de uno de los proyectos conmemorativos de 1874, previstos por el Ateneo Científico, Literario y Artístico de Valencia, y descritos por Torres Belda (1874: 44), según se explicita en el prólogo mismo (Aguilar 1894: 7-8). Aún en el siglo XIX, Serrano y Morales (1898-1899: 435) reproduce literalmente e *in extenso* la descripción de Torres Belda, que asume, por tanto, pero avanzando en ella al aportar datos, por primera vez, sobre las filigranas, aunque sin relacionarlos con su estructura colacional.

La propuesta de colación de cuadernos de Torres Belda triunfa en la primera mitad del siglo XX y, así, la asumen y reproducen Genovés y Olmos (1911, I: 5), Massó i Torrents (1913-1914: 238), Ribelles Comín (1915: 243), Martí Grajales (1927: 215), Ibarra y Folgado (1945: 30) y Vindel (1946: 3, nº 1). Se podría decir que también lo hace Haebler, puesto que lo que encontramos en su descripción es, simplemente, una errata en el quinto de ellos, pues, lógicamente, no puede ser impar: «cuatro cuadernos de 10, uno de 13, otro de 8 y otro de 6 hojas» (Haebler 1903-1917, I: 231, nº 488).

Durante la segunda mitad del siglo XX y en lo que ya llevamos andado del siglo XXI, resulta sorprendente que no interese este rasgo material más que para BITECA, que, sin embargo, incluye errores que limitan absolutamente su funcionalidad: «Collation: a-d10 f6/5» (manid 1448). En esta ocasión, es mucho más que una errata, puesto que no faltaría solo un cuaderno —el *e*, como parecería evidente por el salto alfabético—, sino dos de ellos y a esto habría que sumar que el cuaderno final, del que se habría perdido una hoja, según la hipótesis de Villarroya —parece que asumida por BITECA—, no sería el formado por seis folios, sino el anterior, el segundo de los ausentes en esta colación.

En cualquier caso, vayamos avanzando en el análisis material y, de momento, tengamos en cuenta el estado de la cuestión por lo que respecta a la colación propuesta por la bibliografía de los siglos XIX al XXI, que se puede comparar de manera sinóptica en este cuadro:

---

90 «No contiene lugar ni año de impresión, y por lo tanto carece del colofón donde generalmente constan uno y otro; se compone de siete cuadernos, cuatro de 10 hojas, uno de 12, otro de 8 y otro de 6» (Martí Grajales 1894: 12). Poco más de tres décadas después, mantiene esta estructura: «Tiene siete pliegos: cuatro de diez hojas, uno de doce, otro de ocho y otro de seis» (Martí Grajales 1927: 215).

a-f^{8} g^{10}	58 hs	Salvá 1872, I: 140
a-d^{10} e^{12} f^{8} g^{6}	66 hs	Torres Belda 1874: 45 Martí Grajales 1894: 12 Serrano y Morales 1898-1899: 435 Genovés y Olmos 1911, I: 5 Massó i Torrents 1913-1914: 238 Ribelles Comín 1915: 243 Martí Grajales 1927: 215 Ibarra y Folgado 1945: 30[91] Vindel 1946: 3, nº 1
a-d^{10} e^{13} f^{8} g^{6}	67 hs	Haebler 1903-1917, I: 231, nº 488
a-d^{10} f$^{6/5}$	45 hs	BITECA manid 1448[92]

La bibliografía que ha especificado la colación de cuadernos ha apostado, casi de manera unánime, por una misma estructura (a-d^{10} e^{12} f^{8} g^{6}), para lo que parecen haber funcionado como catalizador los trabajos bibliográficos valencianos del paso del siglo XIX al XX dependientes del análisis directo del incunable a cargo del bibliotecario Torres Belda. Frente a ella, contamos con la temprana y aislada propuesta de Salvá, construida probablemente a partir de datos indirectos, sacados de la descripción de Villarroya; y con otras dos propuestas también singulares, fruto de erratas o de errores de mayor calado, en ambos casos evidentes, de Haebler y de BITECA. Las estructuras colacionales del incunable que se derivan del análisis mediato de Salvá y de la revisión directa de Torres Belda corresponden, respectivamente, a 58 y a 66 hojas, en coherencia con dos de los tres posibles cómputos totales, pero no hay ninguna que desarrolle la más tardía de las posibilidades, lo que no por ello debe anularla: las 60 hojas que aducen los catálogos de la BHUV (Palanca Pons y Gómez Gómez 1981: 111, nº 240 y Catàleg *Trobes*) y el repertorio de Bas Carbonell (1992: 27, nº 1).

Para resolver esta cuestión no ayudarán ni los reclamos, ni las signaturas de cuaderno, porque, como ya se ha dicho, este temprano incunable no cuenta con ellos, pero sí que lo harán, sin lugar a dudas, otros dos rasgos materiales:

91 En este caso, sin embargo, se presenta la secuencia en absoluto desorden, en contraste con el resto de bibliógrafos: «constando de seis hojas uno, de ocho otro, de diez cuatro de ellos y uno de doce hojas» (Ibarra y Folgado 1945: 30).

92 BITECA, quizás por limitaciones técnicas, no incorpora los números de folios en superíndice, lo que, en cualquier caso, supone un error y, al menos en este cuadro, lo corrijo.

los cosidos internos de los cuadernillos y el estudio de las filigranas, de las que José Enrique Serrano y Morales fue el primero en ofrecernos datos.

> Continuando la revisión, hoja por hoja, de la marca ó filigrana que lleva cada una de las de este libro, vemos que tanto la hoja referida, que según hemos dicho se dejó en blanco, como la siguiente, que es la primera impresa y en la cual se halla la portada reproducida, presentan en el centro de su margen interior la mitad correspondiente á los dedos de la marca de la mano y la estrella de cinco hojas que más abajo copiamos. En igual caso se hallan las hojas 6ª, 19, 25, 35, 37, 40, 43, 44, 47 y 58. Las hojas 52, 53 y 56, en vez de la estrella de cinco puntas, llevan la doble, que también reproducimos; y la parte metacarpiana correspondiente á todas estas manos se encuentra en las hojas 3ª, 8, 9, 10, 24, 30, 32, 38, 41, 42, 45, 49, 51, 54 y 55 (Serrano y Morales 1898-1899: 437).

Mientras las circunstancias no me permitieron consultar físicamente el ejemplar conservado,[93] recurrí a un método parecido al de Salvá ante los datos de Villarroya, intentando reconstruir una estructura colacional de cuadernos a partir de la tan concreta descripción del lugar que ocupan las filigranas realizada por Serrano y Morales, incluso distinguiendo las partes de los diferentes diseños de la mano. No me fue posible y mi primera impresión apuntaba a que los datos estaban incompletos y erróneos, una conclusión precipitada —al menos en buena parte—, porque había que tener en cuenta ciertas variables para interpretarlos:

a) Como se puede concluir del análisis material, estamos ante un impreso sin portada, con su primera hoja en blanco —en cuyo recto escribió su nota bibliográfica manuscrita Josep Sánchez en el siglo XVIII—, mientras que la segunda es la primera impresa, con un texto o amplia rúbrica inicial en prosa que lo contextualiza y que, en cierta manera, funge como tal. Ya lo advirtió Villarroya, que matizó, asimismo, que no resultaba un rasgo extraño en la época, ni, efectivamente, lo era en la imprenta valenciana incunable, ni menos aún en el taller de Palmart: «Por la fachada que le falta (como á todos los libros de aquellos tiempos), suple la introduccion» (1796: 53). Salvá no recoge explícitamente este dato, pues remite a Villarroya para la parte de la descripción material con la que coincide, pero sí que lo hace Torres Belda —«Carece de portada y colofon» (Torres Belda 1874: 45)— y, de él, lo habría tomado Martí Grajales: «La obra carece de portada» (1894: 11). Ribelles Comín dice que «contadas tiene 8 fojas en blanco y 58 impresas, incluso la de port.» (1915: 230), con un matiz

93 Ante confinamientos sanitarios, cierres perimetrales y limitaciones del fondo que lo custodia, puesto que esta investigación se inició en enero de 2020.

final que, en realidad, se refiere a las hojas en blanco y no a las impresas, como explicita después: «la obra carece de portada» (1915: 242). De la descripción de Sanchis Guarner no queda claro que hubiese entendido que el folio de la portada estuviese en blanco, sino que la primera hoja tenía texto y no una portada al uso, con títulos, grabados u orlas, como encontraremos, sobre todo, a partir de finales del siglo xv.[94] A esta concepción del impreso y de su portada responde, de hecho, la descripción más explícita de Luis Guarner, puesto que donde comienzan los textos poéticos es en la h. 2^{v} y por tanto identifica como portada la rúbrica inicial de la h. 2^{r} y no la anterior, la portada en blanco: «A la vuelta de la portada comienza el texto» (Guarner 1974a: 31).

b) La revisión de las filigranas que establece Serrano y Morales es solo de las hojas impresas, a excepción de la portada en blanco, que trata en conjunto junto a la segunda hoja, sin aportarles numeración propia, con lo que no queda claro dónde empieza su recuento. Para entender la numeración de las hojas concretas en que se encuentra cada filigrana, hay que tener en cuenta que, aunque no lo advierta, el cómputo numérico de Serrano y Morales comienza en la primera hoja impresa y no en la portada en blanco,[95] esto es, en la segunda del incunable.

c) Incluso teniendo en cuenta esta salvedad, a partir de la hoja 31 —de la 30, según el cómputo de Serrano y Morales— hay que considerar otra circunstancia, que conocemos desde la descripción de Torres Belda: «Al encuadernar el libro se alteró la colocacion de los cuadernos, debiendo ocupar el 4º el lugar del 5º y viceversa, de modo que aparecen truncadas algunas de las composiciones» (Torres Belda 1874: 45). Intercambian su lugar, por tanto, dos cuadernos, pero Serrano sigue en su numeración la linealidad del ejemplar desordenado y no la secuencia original del impreso.

d) Su estudio de las filigranas se limita a 59 hojas del incunable, lo que, *sensu stricto*, no coincide con ninguno de los límites físicos que habían marcado los bibliógrafos, ni con las 66 hojas que establece Torres Belda, de quien cita literalmente su descripción. No nos aporta, por tanto, los datos sobre las filigranas de 7 hojas del volumen.

e) Serrano y Morales no reconstruye tampoco la estructura colacional de cuadernos, ni, de hecho, se lo debió de plantear o lo llegó a intentar, para lo que no solo hubiesen sido muy útiles los datos sobre las filigranas que

94 «El llibre de les *Trobes*, segons ha estat dit, no té portada ni títol. La seua primera pàgina —tantes vegades reproduïda— comença dient: "Les obres o trobes davall scrites, les quals tracten de llaors de la sacratíssima Verge Maria..."» (Sanchis Guarner 1979: 62).

95 Que había citado sin numeración al inicio del fragmento que he reproducido arriba.

aportaba, sino que, de ese proceso, habría advertido que su numeración no funcionaba para establecer la solidaridad entre bifolios o medios pliegos, de manera que, en un proceso similar al que he podido experimentar, es muy probable que también hubiese reconstruido con éxito los verdaderos límites materiales del incunable.

Dicho todo esto, mi estudio material de este incunable poético confirma la mayor parte de los datos esenciales ya señalados por Serrano y Morales, aunque matizaré o ampliaré algún aspecto que, a pesar de ser aparentemente menor, tiene que ver con la suerte del ejemplar y su estado actual, pero también con un dato importante para el conocimiento del incunable original y de los textos contenidos en él.

En paralelo a la localización y estudio de las filigranas, he comprobado otros dos aspectos materiales que contribuyen a la reconstrucción de la estructura colacional del incunable: la solaridad física del bifolio y la identificación del cosido interno de los cuadernillos. Del primero de estos dos aspectos, concluyo que todos los bifolios del volumen presentan una unidad física, aunque avanzo un aspecto al que me referiré después: el impreso se restauró al reencuadernarse en 1474. En cuanto a la segunda cuestión, los cordeles centrales del cosido son visibles y, por tanto, indudables entre las hojas 5-6 (cuaderno *a*), entre las h. 15-16 (cuaderno *b*), entre las h. 25-26 (cuaderno *c*), entre las h. 35-36 (cuaderno *d*), entre las h. 44-46 (cuaderno *e*), entre las h. 54-55 (cuaderno *f*), entre las h. 61-62 (cuaderno *g*) y entre las h. 64-65 (cuaderno *h*). Solo del cruzado de estos tres datos —filigranas, cosidos y solidaridad de bifolios— se pueden establecer conclusiones fiables, en términos no solo de bibliografía material, sino también de filología material.

Con todo ello, puedo ofrecer una estructura sinóptica de cuadernos y de filigranas, para las que, lógicamente, corrijo el desorden de fascículos del ejemplar, puesto que es circunstancial y no constitutiva de la propia edición. No resulta necesariamente útil, de momento, atender a las diferencias morfológicas más sutiles, sino exclusivamente a las dos secciones en que quedan divididas al ser un impreso plegado en 4º, que identifico, respectivamente, como A 'dedos con flor o estrella' y como B 'base de la mano o zona metacarpiana', de la misma manera que indico con [-] la ausencia de marca de agua. Si la filigrana presenta alguna circunstancia especial, la incluyo entre paréntesis rectangulares [A] o [B]. Asimismo, aporto una estructura de cuadernos atendiendo visualmente a la solidaridad de los medios pliegos, numerando cada hoja, desde la portada en blanco, e indicando el fragmento de filigrana que contiene —o su ausencia—, con lo que se podrán identificar con facilidad todos los rasgos materiales a los que me refiero:

Cuaderno *a*	AA[-]B[-][-]A[-]BB
Cuaderno *b*	B[-][-][-][-][-][-][-][-]A
Cuaderno *c*	[-][-][-][-]BA[-][-][-][-]
Cuaderno *d*	B[-]ABBAAB[-]A
Cuaderno *e*	B[-]B[-][-]A[-][A]
Cuaderno *f*	[-]B[-]BAABBA[-]A[B]
Cuaderno *g*	[-]A
Cuaderno *h*	[-]BA[-]

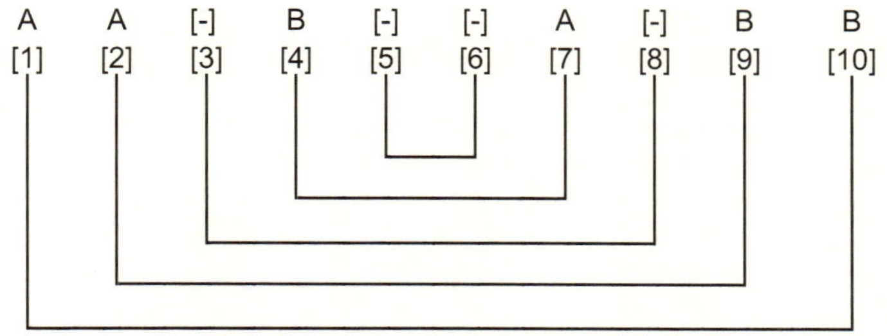

[Cuaderno *a*]

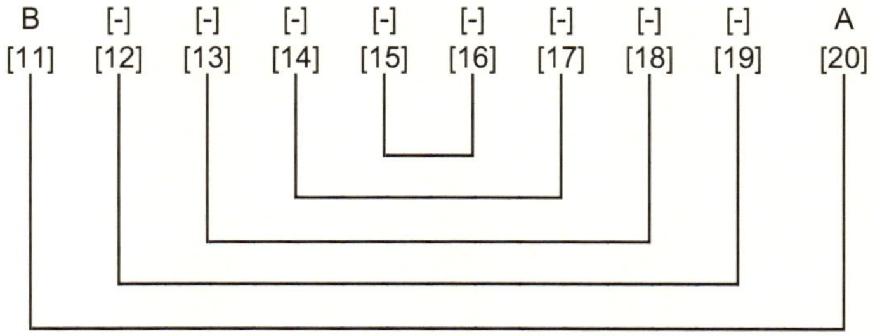

[Cuaderno *b*]

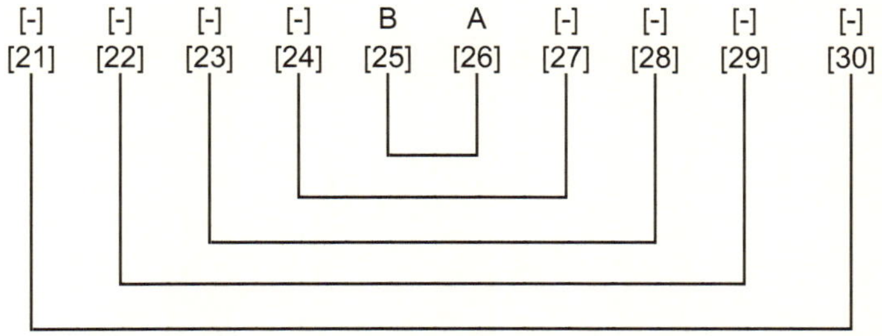

[Cuaderno *c*]

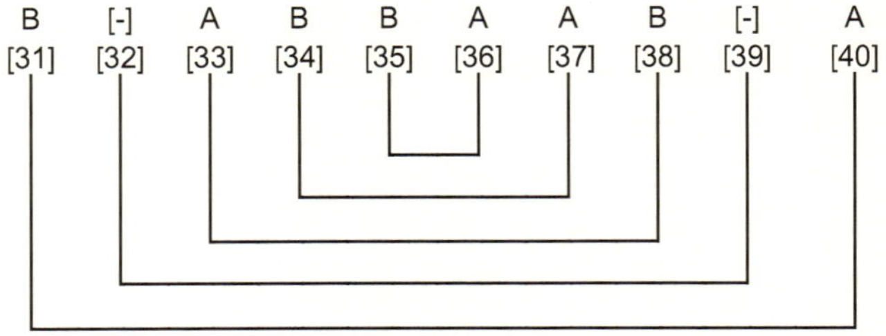

[Cuaderno *d*]

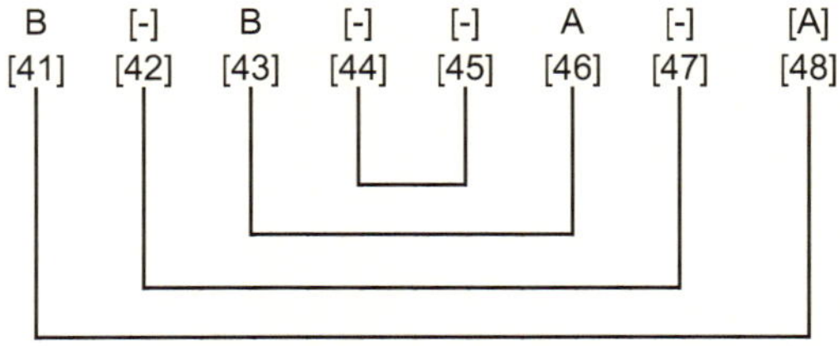

[Cuaderno *e*]

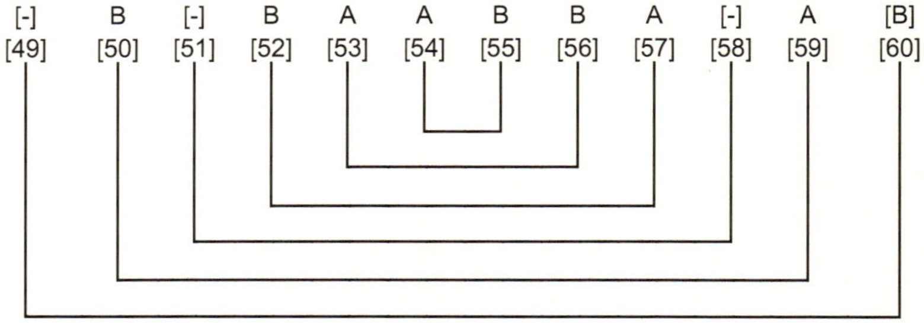

[Cuaderno *f*]

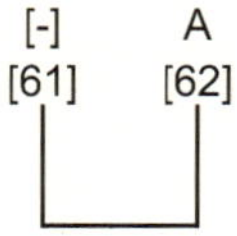

[Cuaderno *g*]

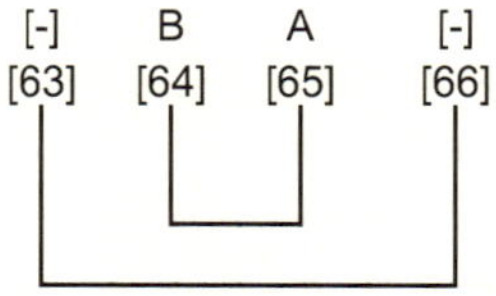

[Cuaderno *h*]

De esta estructura de cuadernos, quedan claros unos primeros aspectos, como el hecho de que el volumen alcance las 66 hojas, como habían computado la mayoría de los bibliógrafos —frente a las 58 de Villarroya y Salvá, las 59 analizadas por Serrano[96] y Morales o las 60 de los catálogos de la Biblioteca de la Universitat de València y de Bas Carbonell—, lo que no implica que todas ellas pertenezcan, propiamente, al incunable. Sobre esto, se volverá en las conclusiones de este análisis cuando tengamos todos los datos materiales para establecer, con solvencia, los matices de esta estructura y sus efectos en la delimitación del impreso y del ejemplar. Se puede comprobar también que, de manera general y en coherencia con los datos de Serrano y Morales, son siempre solidarias las dos partes de la filigrana —A 'dedos y flor o estrella'; B 'base metacarpiana'—, con tres únicas excepciones: las hojas 41-48, 49-60 y 61-62, respectivamente.

a) En la hoja 48 ha desaparecido totalmente la filigrana a día de hoy, sin duda por el proceso de restauración que sufrió en 1974, que afectaba en buena parte a la unidad de los bifolios, puesto que se procedió a un proceso de reintegración de papel para reforzarlos, que en otros lugares afecta al texto, incluso hasta llegar a ocultarlo, lo que nos puede dar una idea del efecto que puede causar en una filigrana. En cualquier caso, como sí que pudo ver Serrano y como se deriva de la solidaridad de la marca de agua y del bifolio, esta hoja presentaba la parte superior de la filigrana [A], con los dedos y la estrella, mientras que encontraríamos la B, con la zona metacarpiana de la mano, que la completa, en la h. 41. Hay que tener en cuenta, además, que las hojas 41 y 48 conforman el bifolio exterior del cuaderno *e*, precisamente el que se desordenó en la encuadernación del siglo XVIII —o anterior, como veremos—, para anteponerlo al *d*, lo que es una prueba evidente de que estuvo suelto hasta ese momento y de que el grado de intervención en él fue mayor, por su mal estado de conservación, lo que ha acabado afectando parcialmente a la filigrana.
b) Al estudiar Serrano y Morales solo las filigranas en 59 hojas del incunable, no aporta datos sobre la h. 60, que, actualmente, cierra el cuaderno *f*. Sin embargo, esta hoja es muy interesante para entender lo ocurrido con el ejemplar, puesto que esto afecta a la estructura externa del incunable y podría hacerlo a su estructura interna: no puede pasar desapercibido que esta media filigrana no tiene su mitad correspondiente en la otra parte del bifolio, esto es, en la h. 49. Podríamos pensar que ha sufrido un proceso

96 El dato es implícito a su análisis de filigranas, aunque, en realidad, asumía el recuento de Torres Belda y su descripción.

similar de restauración al que encontramos en el cuaderno anterior, pero no fue así, si bien tal circunstancia se genera en ese mismo momento, como intentaré demostrar.

c) El bifolio con las hojas 61-62, que tampoco considera Serrano y Morales en su análisis de filigranas, es una unidad independiente, que podríamos identificar como cuadernillo *g*,[97] pero no hay tampoco correspondencia de la parte superior de la filigrana (h. 62) con su mitad inferior, que no encontramos en la h. 61, a pesar de que sí que hay solidaridad material del bifolio y es visible el cosido central, que lo une al resto de cuadernos. Sea por las razones aducidas para la h. 48, sea por alguna cuestión derivada de lo ocurrido respecto a la h. 60, sin lugar a dudas nos encontramos ante un problema relacionado con el proceso de restauración que tuvo lugar en 1474, como, de hecho, argumentaré después. No puede ser de otra manera, habiendo solidaridad material del bifolio y atendiendo a cosidos centrales y filigranas de los cuadernos que lo enmarcan.

2.3.4. El proceso de impresión

Se ha elogiado con cierta unanimidad la calidad tipográfica de *Les trobes en lahors de la Verge Maria*, el primero de los incunables poéticos hispánicos, lo que aportaba un hándicap añadido, por la novedad y reto que suponía en cuanto a su composición, un extremo que he matizado con anterioridad, fundamentalmente en dos aspectos: por lo que respecta a lecciones erróneas por caja sucia y confusión de tipos, como destacaron Manuel Sanchis Guarner (1974: L) y Antoni Ferrando (1983: 162), y en cuanto a los criterios de *mise en page*, que partían de una cierta sistematicidad, con tres octavas por plana, pero que se transgredía ante un estrofismo diferente, generado, incluso, por las propias *tornades* o *endreces* y por las rúbricas más extensas.[98] No es esta la cuestión, sin embargo, objeto de este epígrafe, sino tres aspectos materiales que nos revela el ejemplar conservado y que nos permite reconstruir el proceso de impresión de este cancionero incunable, una impresión de un cierto carácter rudimentario:[99] las manchas de tinta o problemas de entintado,

97 Todos los fascículos del volumen se construyen con medios pliegos concéntricos y no yuxtapuestos, a pesar de que como veremos, estas dos hojas no forman parte del impreso propiamente dicho.

98 Si bien este rasgo caracteriza otros productos poéticos de Lambert Palmart, como es el cancionero incunable de 1487.

99 Así lo definió Antoni Ferrando (1983: 162), aunque en su caso en relación con la confusión de tipos y con la aglutinación de palabras, errores generalizados en los

la inclinación de la caja de escritura y la distribución de filigranas en los cuadernos.[100]

La mancha de tinta más notable es la que encontramos en la h. 23ᵛ, en su lateral derecho, hacia el margen del cosido. Es un rasgo de este ejemplar que se generó durante el propio proceso de entintado, porque no afecta a otras hojas y porque volvemos a encontrar una mancha en el margen, aunque algo menor, en la h. 28ʳ:

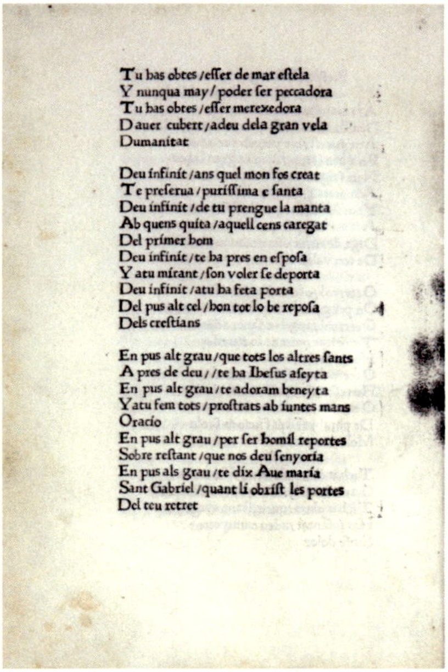

Tu bas obtes /eſſer de mar eſtela
Y nunqua may / poder ſer peccadora
Tu bas obtes /eſſer merexedora
Dauer cubert /adeu dela gran vela
Dumanitat

Deu infinit /ans quel mon fos creat
Te preſerua / puriſſima e ſanta
Deu infinit /de tu prengue la manta
Ab quens quita /aquell cens caregat
Del primer bom
Deu infinit /te ba pres en eſpoſa
Y atu mirant /ſon voler ſe deporta
Deu infinit /atu ba feta porta
Del pus alt cel /bon tot lo be repoſa
Dels creſtians

En pus alt grau /que tots los altres ſants
A pres de deu / /te ba Ibeſus aſeyta
En pus alt grau /te adoram beneyta
Y atu fem tots /proſtrats ab iuntes mans
Oracio
En pus alt grau /per ſer bomil reportes
Sobre reſtant /que nos deu ſenyoria
En pus als grau /te dix Aue maria
Sant Gabriel /quant li obriſt les portes
Del teu retret

BHUV, CF/1, h. 23ᵛ

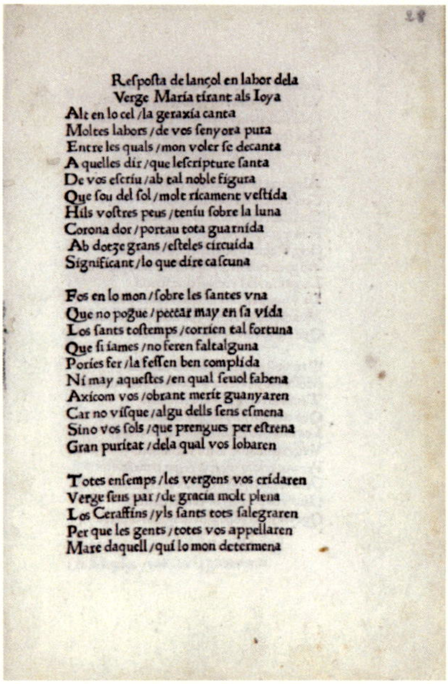

Reſpoſta de lançol en labor dela
Verge Maria tirant als Ioya
Alt en lo cel /la geraxia canta
Moltes labors /de vos ſenyora pura
Entre les quals /mon voler ſe decanta
A quelles dir /que leſcripture ſanta
De vos eſcriu /ab tal noble figura
Que ſou del ſol /molt ricament veſtida
Hils voſtres peus /teniu ſobre la luna
Corona dor /portau tota guarnida
Ab dotze grans /eſteles circuida
Significant /lo que dire caſcuna

Fos en lo mon /ſobre les ſantes vna
Que no pogue /peccar may en ſa vida
Los ſants toſtemps /corrien tal fortuna
Que ſi iames /no feren faltalguna
Pories fer /la feſſen ben complida
Ni may aqueſtes /en qual ſeuol fabena
Axicom vos /obrant merit guanyaren
Car no viſque /algu dells ſens eſmena
Sino vos ſols /que prengues per eſtrena
Gran puritat /dela qual vos lobaren

Totes enſemps /les vergens vos cridaren
Verge ſens par /de gracia molt plena
Los Ceraffins /yls ſants tots ſalegraren
Per que les gents /totes vos appellaren
Mare daquell /qui lo mon determena

BHUV, CF/1, h. 28ʳ

Ambas hojas son solidarias y forman un bifolio o medio pliego, como podemos comprobar en el diagrama de la estructura material del cuaderno *c* y de ahí la continuidad de la mancha, que se encuentra en la zona del cosido. Si hubiese sido una mancha de tinta posterior a la impresión, se habría extendido desde el plegado a los otros pliegos que formaban este cuaderno; y a esto hay que añadir que la tinta coincide no solo con la del texto tipográfico, sino también con la de otras manchas que están relacionadas, sin

productos impresos, si bien es cierto que el primero de ellos es más frecuente de lo habitual en este incunable poético.

100 Son rasgos que afectan, en efecto, al ejemplar concreto, pero que dejan huella en él del propio proceso de impresión.

lugar a dudas, con el proceso de entintado e impresión. De hecho, estos otros restos de tinta a los que me refiero son muy visibles también en el margen derecho de la caja de escritura en la h. 23v, pero no solo aquí, sino que son muy frecuentes a lo largo del incunable (h. 3v, 4v, 8v, 9r, 12r, 31r, 44r, 45r o 50v). Se trata de huellas del proceso de impresión, en el que no solo se entintan los tipos, sino que se acaba dejando otras marcas, con una cierta falta de pulcritud, en cualquier caso frecuente en muchos otros impresos incunables:

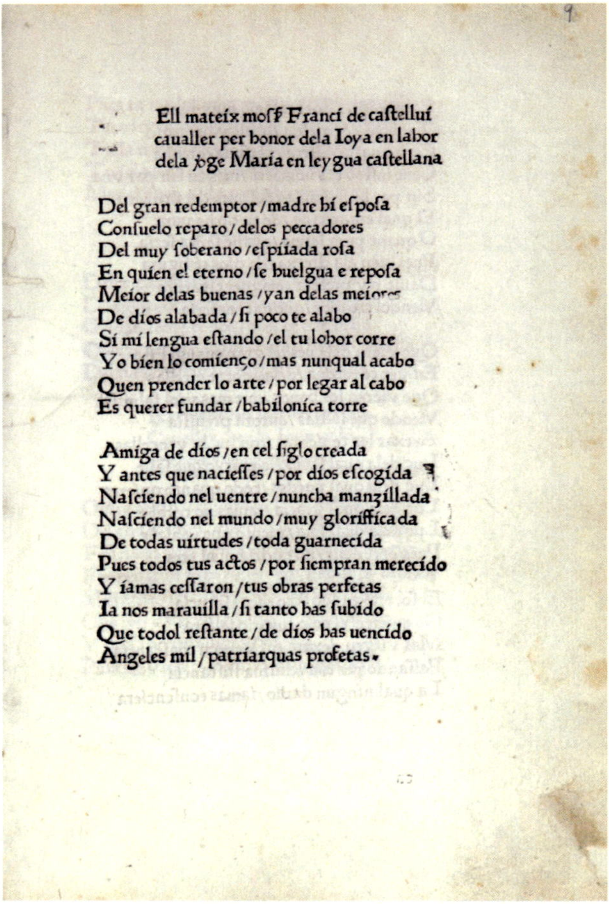
Ell mateix mosſ Franci de caſtelluí
caualler per bonor dela Ioya en labor
dela ꝟge María en leygua caſtellana

Del gran redemptor / madre bí eſpoſa
Conſuelo reparo / delos peccadores
Del muy ſoberano / eſpiíada roſa
En quíen el eterno / ſe buelgua e repoſa
Meíor delas buenas / yan delas meíores
De díos alabada / ſi poco te alabo
Sí mí lengua eſtando / el tu lobor corre
Yo bíen lo comíenço / mas nunqual acabo
Quen prender lo arte / por legar al cabo
Es querer fundar / babílonica torre

Amíga de díos / en cel ſiglo creada
Y antes que nacieſſes / por díos eſcogída
Naſcíendo nel uentre / nuncba manzíllada
Naſcíendo nel mundo / muy glorifficada
De todas uírtudes / toda guarnecída
Pues todos tus actos / por ſiempran merecído
Y íamas ceſſaron / tus obras perfetas
Ia nos marauílla / ſi tanto bas ſubído
Que todol reſtante / de díos bas uencído
Angeles míl / patríarquas profetas.

BHUV, CF/1, h. 9r

Más allá de los efectos del proceso de restauración, a los que me referiré después, el ejemplar presenta diferentes problemas de entintado por falta de cantidad y de calidad. Podrían ser ejemplo de lo primero las hojas 52$^{r\text{-}v}$ o 57$^{r\text{-}v}$, entre otras, que limitan la cantidad de tinta en toda la página, así como la h. 58^{r}, con pérdidas en el margen derecho de la rúbrica en prosa, cuyas líneas de escritura se extienden a la caja completa, frente al texto poético que la sigue:

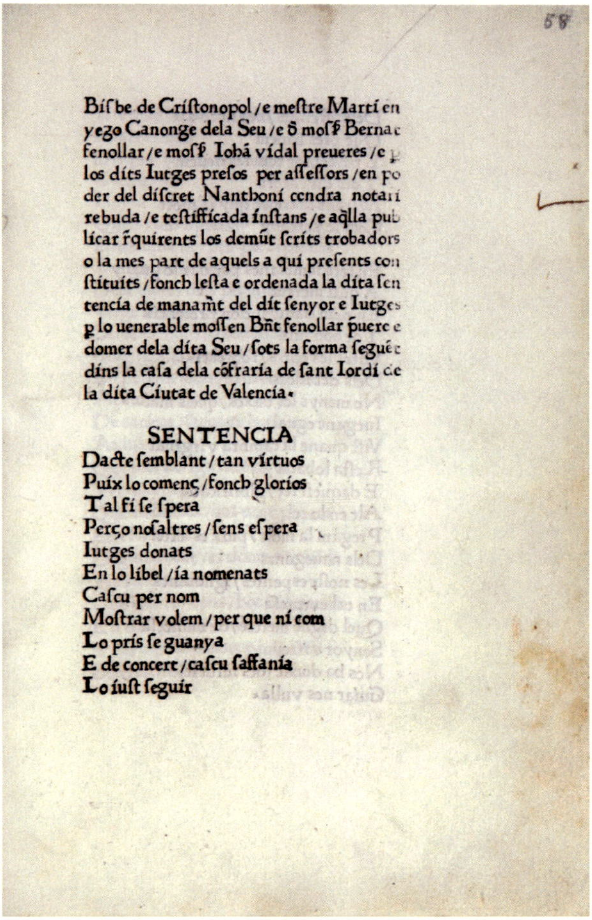

58

Bisbe de Cristonopol / e mestre Martí en
yego Canonge dela Seu / e õ moss Bernat
fenollar / e moss Iohã vidal preueres / e p
los dits Iutges presos per assessors / en po
der del discret Nanthoni cendra notari
rebuda / e testifficada instans / e aqlla pub
licar r̃quirents los demũt scrits trobadors
o la mes part de aquels a qui presents con
stituits / foncb lesta e ordenada la dita sen
tencia de manamẽt del dit senyor e Iutges
p lo uenerable mossen Bñt fenollar p̃uere e
domer dela dita Seu / sots la forma seguẽt
dins la casa dela cõfraria de sant Iordi de
la dita Ciutat de Valencia.

SENTENCIA

Dacte semblant / tan virtuos
Puix lo començ / foncb glorios
Tal fi se spera
Perço nosaltres / sens espera
Iutges donats
En lo libel / ia nomenats
Cascu per nom
Mostrar volem / per que ni com
Lo pris se guanya
E de concert / cascu saffania
Lo iust seguir

BHUV, CF/1, h. 58^{r}

Esta falta de calidad del entintado también se llega a manifestar distorsionando el final de las líneas más extensas, de nuevo, aunque aquí no incidiendo en su transparencia, sino generando un efecto de sombra, que ensucia las grafías:

Mare de deu /com lo ſant matrimoni
Vos abillas /de Ioyes precioſes
Lo cap guarnit /de penſes luminoſes
Tan clareiants /que ſeguras lo dimoni
Al coll portas /collar dor fi bronit
Als muſclas ſants /aquella gran cadena
De noſtra fe /y en voſtres pits guarnit
Caruoncle pur /dela diuinal mena

Mare de deu /veſtis vos per camiſa
La fermetat /liſtaday damor caſta
Cobre los pits /de tan eleta paſta
Guarnit cabes /de virginal camiſa
Tot lo reſtant /era de prim cambray
De caritat /eren voſtres faldetes
Ab maruets grochs /poſats de tal eſpay
Quen geny huma /iames tals les ha fetes

Mare de deu /la nubcial gonella
Fonch en lo mon /atots incomprenſible
Lo drap eſtrany /la color inuiſible
Y entorn depeus /vna cercha molt belle
Les moſtres ſon /fetes per xerubins
Brodant lo goig /que reme noſtra colpa
Daurat cordo /texit per Ceraffins
Cobre lalet /que menia quins deſcolpa

BHUV, CF/1, h. 47r

La inclinación de la caja de escritura, de una cierta oblicuidad, es otro de los rasgos a los que me quisiera referir en cuanto al proceso de impresión. De nuevo, podríamos estar tentados de relacionarla con la suerte del ejemplar, aduciendo que se hubiese doblado la hoja en su proceso de encuadernación y el corte se hubiese aplicado igualando los salientes de papel, pero no fue así, sino que estamos, aquí también, ante una circunstancia derivada del peculiar proceso de impresión.[101] La h. 31v es el caso más evidente de esto que explico, con una notable inclinación de la caja de escritura, que no encontramos en la h. 31r, como se puede observar fácilmente al trasluz, por lo que es evidente que no se trata de una mala encuadernación del ejemplar,[102] sino de una impresión defectuosa, más aún porque la h. 40r, que no solo es la otra mitad de su bifolio, sino también la correspondiente a una misma forma, presenta esta misma característica:

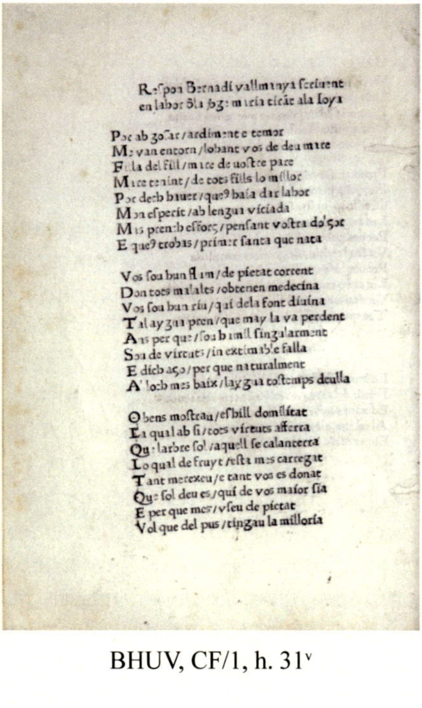

Respon Bernadi vallmanya scriuent
en labor dela sagrada maria ciutat ala Joya

Por ab gosar / ardiment e temor
Me van entorn / lobant vos de deu mare
Filla del fill / mare de vostre pare
Mare tenint / de tots fills lo millor
Por dech hauer / que⁹ haia dar labor
Mon esperit / ab lengua viciada
Mas prench esforç / pensant vostra dolçor
E que⁹ trobas / primer santa que nata

Vos sou bun flum / de pietat corrent
Don tots malaltes / obtenen medecina
Vos sou bun riu / qui dela font diuina
Tal aygua pren / que may la va perdent
Ans per que / sou humil singularment
Sou de virtuts / inextimable falla
E dich aço / per que naturalment
Al loch mes baix / la aygua tostemps deualla

O bens mostrau / esser hill domilitat
La qual ab si / tots virtuts afferra
Que larbre sol / aquell se calanterra
Lo qual de fruyt / esta mes carregat
Tant merexeu / e tant vos es donat
Que sol deu es / qui de vos maior sia
E per que mes / vseu de pietat
Vol que del pus / tingau la milloria

BHUV, CF/1, h. 31v

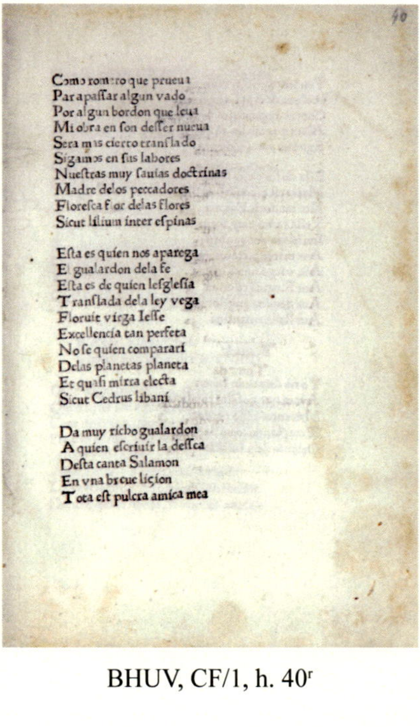

40

Como romero que prueua
Para passar algun vado
Por algun bordon que leua
Mi obra en son desser nueua
Sera mas cierto translado
Sigamos en sus labores
Nuestras muy sauias doctrinas
Madre delos peccadores
Floresca flor delas flores
Sicut lilium inter espinas

Esta es quien nos aparega
El gualardon dela fe
Esta es de quien lesglesia
Translada dela ley vega
Floruit virga Iesse
Excellencia tan perfeta
No se quien compararí
Delas planetas planeta
Et quasi mirra electa
Sicut Cedrus libani

Da muy richo gualardon
A quien escriuir la dessea
Desta canta Salamon
En vna breue liçion
Tota est pulcra amica mea

BHUV, CF/1, h. 40r

101 Insisto que, aunque esto se produjese solo en este o en un pequeño grupo de ejemplares, describiría cierto descuido del proceso de impresión.

102 Como podríamos llegar a justificar en otros casos, con una inclinación mucho más sutil y que es solidaria con lo ocurrido en la otra plana de la hoja.

Al tratarse del bifolio externo del cuaderno *d*, una presunta estructura de formas con plegado en cuarto estaría compuesta por las hojas 31-32 y 39-40, puesto que tendría que ser un cuaderno de pliegos conjugado; sin embargo, en las h. 32$^{r\text{-}v}$ y 39$^{r\text{-}v}$ no encontramos esta inclinación de la caja. Habría también la posibilidad de que, tratándose de un cuaderno de 10 hojas, estuviese formado por dos pliegos conjugados y un medio pliego, de manera que este último podría ser el externo, el formado por las hojas 31-40. Hasta ahí, la hipótesis no presentaría mayor problema, sin embargo, la estructura del cuaderno no responde a ello, porque los tres bifolios concéntricos tienen filigrana.

No hay combinación de plegado que permita justificar ni esta estructura de filigranas ni una composición de cuaderno con pliegos conjugados y un medio pliego, teniendo en cuenta que la filigrana está en el centro de una de las mitades del pliego *in folio*, de manera que la otra no contiene marca de agua. En el segundo plegado, que da lugar al formato *in quarto*, queda en el centro de uno de los bifolios resultantes, una vez cortados los pliegos, mientras que el otro queda en blanco, por lo que no serían posibles tres bifolios contiguos con filigrana. Dos sí, según la combinación de los pliegos conjugados y de un medio pliego, pero no tres. Esta circunstancia, con los tres bifolios centrales, se repite en el cuaderno *f*. Los cuadernos *b* y *c*, por otro lado, son el caso inverso: solo hay un bifolio con filigrana, el externo en el primero de estos fascículos y el interno en el segundo, mientras que el resto no la tienen, lo que podríamos pensar que es por haberse usado un papel sin marca de agua. Sin embargo, la acumulación de cuadernos con exceso de filigranas quedaría sin explicar y este es uno de los principales argumentos para justificar que, en realidad, la impresión se debió de producir por medios pliegos y no por pliegos completos, una característica, en última instancia, de la primera imprenta incunable.

Así lo confirma también, de hecho, la mancha resultante del exceso de tinta en el medio pliego 23^{v}-28^{r} o la impresión inclinada del correspondiente a 31^{v}-40^{r}, sin que, ni en un caso ni en el otro, afecte a otras zonas del incunable, ni menos aún a la otra cara del medio pliego, que hubiese estado en otra forma. En definitiva, todas estas huellas, esta combinación singular de filigranas o estos errores, fueron así porque el procedimiento de impresión se hizo, efectivamente, de una manera más o menos artesanal, si no rudimentaria, por medios pliegos, esto es, afectando a una de las caras del medio pliego o bifolio y no con las formas tradicionales de plegado en cuarto que encontraremos en otros impresos de Palmart.

2.3.5. Morfología de las filigranas y origen del papel

El diseño de las filigranas no solo permite ampliar los datos materiales de este cancionero impreso, sino que repercute en el propio establecimiento de sus límites y de los avatares del ejemplar. Desde Serrano y Morales hasta este trabajo, no se había avanzado en el estudio de las filigranas de este incunable y menos aún en su estructura colacional. Pocos son los que se refieren a ellas y todos lo hacen, simplemente, aduciendo que se trata de la mano y la estrella, sin ni siquiera advertir que son diferentes diseños,[103] como estableció Serrano y Morales, incluso con reproducción de los dos que, en su caso, delimita:[104]

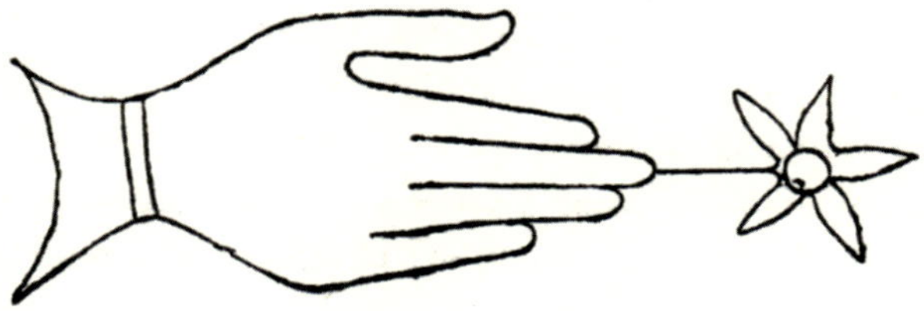

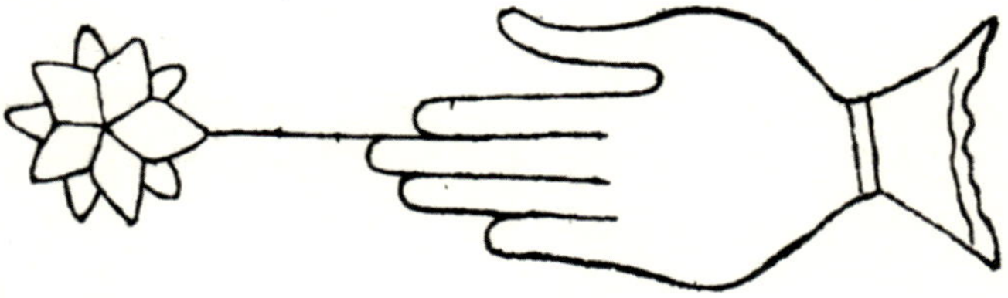

Las dos filigranas que nos ofrece Serrano y Morales corresponden al diseño general de 'mano grande con cuatro dedos juntos y pulgar separado, con flor o estrella', de una estética relativamente similar, con dos grandes diferencias, que las sitúan en dos subgrupos: el primer modelo con flor de cinco pétalos o estrella de cinco rayos, mientras que la flor o estrella del segundo es doble.[105]

103 «Fil: la mano y estrella» (Haebler 1903-1917, I: 231, nº 488). «Filigrana la ma y estrela» (Genovés y Olmos 1911, I: 5). «Papel de la mano y la estrella» (Ribelles Comín 1915: 229). «Fil., mano y estrella» (Vindel 1946: 3, nº 1). «Filigr.: mano y estrella» (Palanca Pons y Gómez Gómez 1981: 111, nº 240). «Filigr.: mà i estel (Catàleg *Trobes* BUV)». «Watermark: mà amb estel» (BITECA manid 1448).

104 «Véanse á continuación los facsímiles de ambas marcas, con cuyo exactísimo calco, así como de las siguientes, nos ha favorecido el hábil dibujante, grabador y miniaturista D. Pedro Martí, á quien agradecedemos el obsequio» (Serrano y Morales 1898-1899: 437).

105 La estrella de cinco puntas o flor de cinco pétalos es mucho más frecuente que el diseño de la doble flor o estrella; y, quizás, algo menos habitual que la flor de seis pétalos o estrella de seis puntas.

La reproducción del *modelo 1* de Serrano y Morales no corresponde con exactitud completa al original,[106] aunque las diferencias son mínimas y afectan al final puntiagudo de los pétalos, puesto que esta filigrana presenta sus trazos más redondeados:

h. 40

h. 31

Es cierto que Serrano y Morales advierte que hay otros ejemplos de esta filigrana y que estas diferencias afectaban a los pétalos, pero lo justifica de la siguiente manera: «Por usarse, sin duda, varios moldes para la impresión de dichas marcas, se notan ligeras diferencias de dibujo entre las de unas hojas y las de otras» (Serrano y Morales 1898-1899: 437). Sin embargo, no se trata de una cuestión de moldes múltiples de una misma filigrana, sino que el diseño cambia, como podemos comprobar fácilmente, si los comparamos:

106 Todas las fotografías de las filigranas se toman del original de la BHUV (CF/1), cuya referencia no incluyo en cada detalle, por lo reiterativo que resultaría en las tablas.

h. 1

h. 59

h. 10

h. 50

Modelo 1a Modelo 1b

Del mero cotejo de ambas filigranas, saltan a la vista notables diferencias, que van más allá, por tanto, del hecho de tratarse de alambres de un mismo diseño, por lo que los identificaremos, respectivamente, como *modelo 1a* (hojas 1-10) y *modelo 1b* (hojas 59-50). Aunque el *modelo 1b* es también un diseño de mano grande con cuatro dedos juntos y pulgar separado, con flor de cinco pétalos, encontraremos las siguientes diferencias:[107]

a) la flor no tiene pistilo o círculo central, desde el cual emerjan o se distribuyan sus pétalos;
b) los pétalos tienen una base más amplia, que se va estrechando hasta acabar en una punta marcada y no redondeada, sin un tamaño similar en toda su extensión y con forma romboidal;
c) el dedo pulgar es más alargado y más inclinado hacia afuera, hasta el punto de alcanzar prácticamente la misma longitud que los otros cuatro;
d) los cuatro dedos juntos son de un diseño más tosco, con una extensión similar, frente a las diferentes longitudes del *modelo 1a*, que ofrecen una distinción más realista;
e) y, finalmente, la base de la mano, en la muñeca, se enmarca con una sola línea y no con dos.

107 Que, en realidad, lo alejan mucho del *modelo 1a*, por lo que, perfectamente, podrían tener, incluso, una numeración independiente. Opto, sin embargo, por esta solución para asociarlo al diseño más parecido, si bien diferente, con lo que se puede establecer un mejor paralelismo con los datos de Serrano y Morales, que aquí se completan.

En realidad, este *modelo 1b*, a pesar de que Serrano y Morales no lo delimita, es el que más aparece en el incunable —en los medios pliegos formados por las hojas 2-9, 7-4, 33-38, 36-35, 37-34, 46-43, [48]-41 y 59-50—,[108] mientras que el *modelo 1a* se utiliza, exclusivamente, en cuatro ocasiones: en las hojas 1-10, 20-11, 26-25 y 40-31.

Sensu stricto, no encontramos ninguno de estos diseños en Briquet (1923²), pero sí que son muy parecidos a los números 11154 y 11165,[109] aunque, tanto en la base de la mano, como en su unión con la muñeca, ambos presentan dos trazos paralelos. Este rasgo solo se encuentra en la unión de la mano y la muñeca del *modelo 1a*, mientras que en su base o manga y en los dos casos de la filigrana *1b* se trata de una línea simple. Además de esto, el modelo 11154 de Briquet tiene el dedo pulgar separado también, pero menos arqueado o inclinado hacia afuera y con una base metacarpiana menos angular, mientras que el 11165, con un modelo de mano muy parecida, presenta una estrella de diseño muy similar a las filigranas originales del incunable, pero con estrella de seis puntas o flor de seis pétalos.[110]

Briquet establece un mismo origen para ambas filigranas: «Les groupes 11145 a 11150, main de grande dimension, à manchette simple; et 11151 à 11168, même main sommée d'un fleur ou d'un étoile, son plutôt d'origine italienne, piémontaise ou gênoise» (Briquet 1923², III: 563). El dato no es baladí, sobre todo si lo ponemos en relación con alguno de los documentos más antiguos relacionados con la imprenta incunable valenciana, que Serrano y Morales transcribe en su artículo dedicado a los hermanos Jacob y Felip Vizlant (1898-1899: 594-607), los primeros editores, si no impresores, de Valencia,[111] relacionado el primero con la Compañía de Ravenburgo y, de manera muy

108 La h. 48 ha perdido la filigrana en el proceso de restauración, como se ha comentado anteriormente, y, por esta razón, se marca entre paréntesis rectangulares.

109 Ni tampoco en *Filigranas hispánicas*, donde la más parecida para esta década es la 0046242A, pero de 6 puntas y con doble trazo en la base del diseño y no entre la mano y la muñeca; o, quizás, la 0043551A, que, a las otras diferencias, añade el doble trazo también en esa última posición.

110 Este último modelo es, sin lugar a dudas, el más cercano a los del impreso que aquí se describe.

111 De esta documentación y del resultado del litigio, concluyen Pere Bohigas y Amadeu Soberanas la existencia de este taller y la necesidad de cerrarlo: «Resulta, doncs, d'aquest document, que Jacob Vizlant hagué de tancar un taller que feia funcionar tenint paper i hagué d'acomiadar els mestres i altres persones que hi treballaven. Jacob féu testament el 25 de juliol de 1475 i degué morir poc després. Si ara ens preguntem quin taller havia d'ésser el que Jacob hagué de tancar per falta de paper, tot seguit pensarem en una impremta, car altra indústria no hauria hagut de cessar per aquesta manca» (1976: 14). Por estos argumentos, Bohigas y Soberanas atribuyen la impresión de *Les trobes* al taller de Jacob Vizlant y no, como se ha aceptado de manera casi unánime, al de Lambert Palmart.

directa, también con Lambert Palmart. Remito a esta entrada del *Diccionario* de José Enrique Serrano para la transcripción de estos documentos, que, en esencia, desarrollan el testamento de Jacob Vizlant y los litigios de Felip Vizlant, heredero de su hermano, ante la falta de cumplimiento del mercader Miquel Berniço en relación con una importación de papel:

> Jacob Vizlant, natural d'Isny (Alemanya), mercader a València, encarregà a micer Miquel Berniço, genovés, 200 raimes de paper, de forma major, al preu de 33 sous la raima. [...] Com a paga i senyal avançà al moment de la signatura del contracte 30 lliures, del qual pagament es féu albarà en 28 de gener de 1475. Miquel Berniço per la seva part es compremeté a enviar el paper el més aviat possible, en el primer vaixell que sortís del port de Savona (Soberanas y Bohigas 1976: 13).

Jacob Vizlant encargó en enero de 1475 la cantidad de 200 resmas de papel al comerciante Miquel Berniço, de las que le llegaron en tiempo y forma 64,[112] como se documenta explícitamente: «Miquel berniço per execucio axi mateix del dit contracte e coses concordades liura al dit Jacobo vislant sexanta e quatre raymes del dit paper de la forma concordada».[113] Por tanto, más allá de que parte de las 64 resmas de papel que Jacob Vizlant recibió de este mercader no se destinasen a la impresión de *Les trobes*, que habría que datar meses antes, aún en 1474, lo que importa destacar de ello son dos datos que me parecen fundamentales: Miquel Berniço era un mercader genovés[114] y, como también se documenta, el puerto de donde debía salir el papel era Savona: «Lo qual paper lo dit en Miquel berniço li promes fer portar en la forma acostumada venir paper de la ciutat de Sahona lo preu del qual paper puja ccc xxx».[115] De este fragmento, no debe pasarnos desapercibido el sintagma *en la forma acostumada* y el matiz que ello podría implicar, puesto que no necesariamente sería la primera

112 El litigio heredado por su hermano, una vez que este muere, se basa en 76 resmas que llegaron fuera de plazo y en el proceso se evidencia que Felip Vizlant rechaza las 60 resmas restantes del contrato: «El 30 de març de 1476 els àrbitres Daniel de l'Hort i Pere Baltanell, doctors en lleis, habitants a València, fallaren, obligant Felip Vizlant a quedar-se i a pagar al preu convingut 76 raimes de paper i a rebutjar la resta del paper contractat, que eren 60 raimes» (Bohigas y Soberanas 1976: 14).

113 El documento en cuestión es un protocolo de J. Casanova, de 23 de enero de 1476, transcrito per Serrano y Morales (1898-1899: 596-599), a partir del cual cito. El pasaje concreto se encuentra en la p. 596.

114 «Miquel berniço mercader genoues per fets mercantiuols aturant en la prop dita ciutat de Valencia», Protocolo de J. Casanova, de 23 de enero de 1476, transcrito per Serrano y Morales (1898-1899: 596-599), a partir del cual cito. La cita concreta pertenece a la p. 596.

115 Cita procedente del mismo protocolo de Casanova, de 23 de enero de 1476, que transcribo a partir de Serrano y Morales (1898-1899: 596).

vez que Jacob Vizlant habría hecho un trato comercial de estas características, sea con Miquel Berniço o con cualquier otro comerciante genovés. Fuese así o no, en cualquier caso, sí que denota que esta era una de las principales vías valencianas de entrada para el papel, si no la prioritaria, dado que era la *acostumada*. Savona, además, era un importante puerto comercial de la época —a tan solo 55 km de Génova, ciudad para la que funcionaba como puerto secundario—, de donde también salían mercancías de procedencia piamontesa.

Y llegados a este punto, es suficiente recordar que, como he señalado, las filigranas de *Les trobes* presentan un diseño similar al de un grupo de marcas de agua que Briquet atribuye, sin dudarlo, a un origen genovés o piamontés. Por tanto, si, por un lado, está documentado que Jacob Vizlant compraba papel para su imprenta a un mercader genovés, enviado, como era habitual, desde el puerto de Savona, que distribuía mercancía piamontesa y genovesa, y si, por otro lado, las filigranas originales del incunable pertenecen a un diseño de ese mismo origen, no habría duda de que el papel con el que se imprimió el cancionero incunable de *Les trobes en lahors de la Verge Maria* provenía de Génova o del Piamonte.

El segundo de los modelos, con la doble estrella de cinco puntas, declara Serrano y Morales haberlo reproducido[116] a partir de las *Obras de Salustio* (GW M39580),[117] impresa también por Palmart[118] en Valencia, en este caso con colofón y datación exacta, el 13 de julio de 1475. Lo justifica por tratarse *Les trobes* de una obra en 4º, con la filigrana en el cosido, en el centro del bifolio, que dificulta su reproducción, lo que resulta extraño, porque, en realidad, también el *Salustio* presenta este formato de plegado:

> «La única copia que nos ofrece alguna duda en cuanto á su identidad, es la del segundo signo que reproduciremos de las *Obras de Salustio*, puesto que siendo el libro en 4º y cogiendo el pliegue del lomo la marca por su centro, no permite ver con claridad si los tres pequeños círculos que juntos aparecen en el dibujo, son verdaderamente tales, ó si no son más que semicírculos unidos por sus extremos, formando una línea ondulada, como se encuentra en otras marcas de la misma época, muy semejantes á la que nos referimos» (Serrano y Morales 1898-1899: 437, n. 1).

Quizás la razón de recurrir a otro impreso radicase en que el número de casos de esta filigrana fuese mayor,[119] dado que en *Les trobes* se trata de un

116 Por encargo, como hemos visto.

117 Se conservan dos únicos ejemplares: en la Biblioteca Nacional de España (INC/496) y en la Biblioteca Històrica de la Universitat de València (Inc. 265).

118 La atribución es por razones tipográficas, puesto que el colofón solo advierte lugar y fecha.

119 De hecho, se trata de un incunable de 110 hojas, del que no se da información de las filigranas en el *Corpus de Incunables de Clásicos Latinos en España* (CICLE0079),

papel secundario, que solo aparece en tres ocasiones: en las hojas 52-57, 53-56 y 54-55, correspondientes a los tres medios pliegos interiores del cuaderno *f*, el último con texto.[120] Sin embargo —y de ahí la extrañeza de recurrir al *Salustio*—, en *Les trobes* estas filigranas son bastante visibles, por lo que su reproducción fotográfica nos facilita un diseño exacto y no mediatizado, que, por tanto, supera las dudas expresadas por Serrano y Morales en cuanto al dibujo que nos ofreció de esta marca de agua:[121]

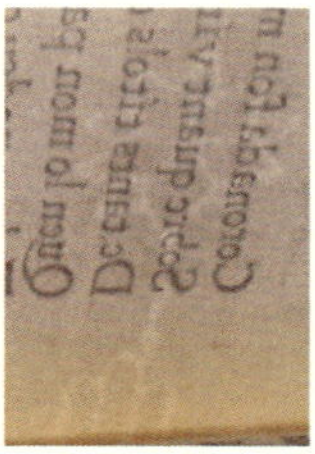

h. 57

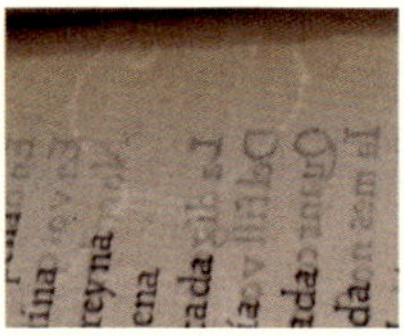

h. 52

Como se puede comprobar, la reproducción de Pedro Martí para José Enrique Serrano es, en este caso, muy buena y coincide prácticamente en todo, con una excepción: la base de la mano, en la manga, no es rizada, aunque sí de doble trazo, a diferencia del *modelo 1*. A esto hay que sumar, de nuevo, que el diseño de esta filigrana no es idéntico en los tres casos en que aparece, como se puede distinguir fácilmente a partir del cotejo de los otros dos ejemplos:

mientras que Javier Moraleda Díaz se limita a advertir su rasgo de diseño más general: «La filigrana consiste en una mano y una estrella» (2009: 57).

120 Como bien había advertido Serrano y Morales (1898-1899: 437), quien, sin embargo, solo indica que en las hojas 53, 54 y 57 —52, 53 y 56, según su numeración— aparece la mitad con los dedos y estrella, pero no discrimina las correspondientes secciones metacarpianas de la mano.

121 Tenemos, además, la suerte de que no hay texto en el vuelto de la hoja con la parte superior de la filigrana, mientras que en la parte inferior el margen interno es algo más amplio.

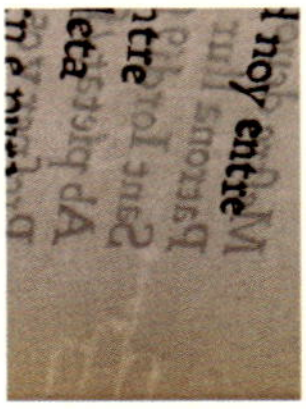

h. 54

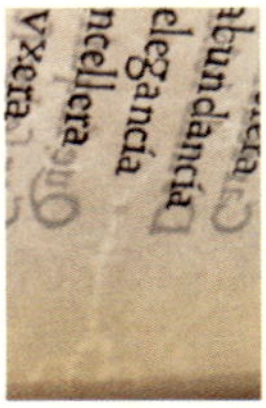

h. 53

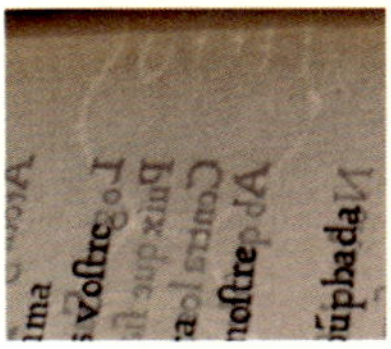

h. 55

h. 56

Modelo 2a

Modelo 2b

En efecto, tanto los medios pliegos o bifolios 52-57, como 54-55, corresponden a un misma filigrana, coincidente con la reproducción que ofrece Serrano y Morales, que podemos identificar como *modelo 2a*, mientras que el bifolio 53-56, que delimitaríamos como *modelo 2b*, presentaría hasta tres rasgos diferenciadores que lo definen:

a) el tallo de la flor emerge del centro del dedo corazón y no del lateral de este, como ocurre en el otro modelo;
b) la base metacarpiana es más marcada angularmente, frente al *modelo 2a*, en el que es mucho más redondeada;
c) y la base de la mano o manga presenta un arco más abierto y extendido en este caso, mientras que en el *modelo 2a* es más arqueado y de menor amplitud.

Ambas marcas de agua, con la doble flor o estrella, son muy peculiares y no las recoge ni Briquet (1923²), ni el corpus de *Filigranas Hispánicas*, si bien, como en el resto de casos, pertenecen al modelo de la mano grande, con cuatro dedos juntos y pulgar separado (Briquet 1923², III: 562-573, nº 11080-11340).

Respecto a la morfología de las filigranas, Serrano y Morales solo destacó dos modelos —que, en realidad, como he podido delimitar, correspondían a cuatro diseños diferentes—, pero en el volumen de *Les trobes* hay otras marcas de agua, que no identifica este bibliófilo, puesto que, como he señalado, sus datos se limitan a cincuenta y nueve hojas y no nos dice nada de las últimas siete del volumen. En ellas, sin embargo, encontramos también filigranas: dos corresponden a la sección A o dedos con flor o estrella (h. 62 y 65), mientras que las otras dos son de la sección B, con la base metacarpiana (h. 60 y 64), de lo que, por tanto, podríamos concluir que forman dos unidades completas, aunque lo haríamos de manera precipitada.

El diseño de la sección A corresponde, de nuevo, al modelo de mano grande con dedos juntos, aunque en ninguno de los dos casos se puede vislumbrar el pulgar. En la media filigrana de la h. 65 llegamos a ver la punta del dedo índice, pero, si no hay trazo alguno del dedo pulgar, probablemente sea porque está separado e inclinado hacia afuera. Los cuatro dedos tienen medidas diferentes y, de su morfología, destaca que se ensanchan en las puntas, algo muy característico en el dedo corazón e incluso apreciable en el índice. Del centro del dedo corazón surge el tallo de la flor, con pistilo, pero, en este caso, de seis pétalos y no cinco. La filigrana de la hoja 62 está más seccionada y solo podemos ver la punta del dedo corazón, también ensanchada, con el tallo de la flor que sale de su centro, de un diseño muy parecido al de la h. 65, con pistilo y seis pétalos, aunque con una ligera delgadez mayor, si bien muy sutil.

La sección B, sin embargo, es diferente en las dos marcas de agua y notablemente lejanas a los diseños *1a*, *1b*, *2a* y *2b*. En la h. 64, se puede apreciar una base de la mano algo más ovalada y más estrecha que el resto de modelos, cuyo rasgo más característico es la forma de copa invertida de la sección del brazo, con una muñeca muy estrecha, que se ensancha en la manga, en ambos casos con doble trazo en la unión o base. Frente a ello, el diseño de esta misma sección de la filigrana en la h. 60 es más tosco, con un tamaño de la muñeca y la manga mucho más amplio y menos desigual, que casi corresponde al ancho de la propia mano, de su zona metacarpiana, que es la mayor y, en realidad, la única que se puede apreciar. De ahí que identificaré como *3a* el diseño de la filigrana de la h. 60 y como *3b* el de la h. 64.

A diferencia del resto del papel de este volumen, en estas siete hojas en blanco los corondeles y los puntizones están muy marcados y son muy visibles, como se puede comprobar en las siguientes imágenes, que ofrecen una perspectiva que considera la posición de la filigrana en el papel, en relación con los primeros:

h. 60

h. 62

h. 64

h. 65

En la parte superior de las filigranas (h. 62 y 65) y en un caso también en la inferior (h. 64), el corondel las atraviesa, pero no ocurre así en el caso de la h. 60, que, simplemente, roza la base de la manga,[122] transcurriendo en paralelo al resto del diseño.[123] La similitud entre las dos secciones superiores queda resuelta, a mi parecer, a partir de la posición del corondel, que llega de manera casi limpia al pistilo en la h. 65, mientras que en la h. 62 alcanza y atraviesa uno de los pétalos superiores. De esto se deduce que, al menos, se trata de alambres o moldes diferentes los que han generado las marcas de agua de ambas hojas, pero los pocos rasgos que permite ver el cosido en la h. 62 no discrepan lo suficiente de la filigrana de la h. 65 como para establecer que son dos diseños independientes, de manera que identificaré estos modelos, respectivamente, como *3c* y *3c'*.

El bifolio 64-65 (cuaderno *h*) presenta, efectivamente, una solaridad física y también es cierto que contienen la parte inferior y la superior de un modelo

122 En la parte izquierda, según la perspectiva de la fotografía en cuestión.
123 Como mucho, llegándola a atravesar un milímetro o algo menos.

de la mano enguantada, pero dudo mucho de que formaran una unidad, porque el corondel entra en la h. 65 por el centro de la filigrana, mientras que en la h. 64 está desplazado a un lateral. En cuanto a las otras dos filigranas, pertenecen a cuadernos diferentes: la h. 60 (B 'zona metacarpiana') al cuaderno *f*, mientras que la h. 62 (A 'dedos y flor') es un bifolio que, en sí mismo, correspondería al cuaderno *g*. Volveré después a esta cuestión, que afecta a la estructura colacional, pero, además del diseño estético y de la convergencia-divergencia con el *modelo 3c* de ambas secciones, hay otro rasgo que evidencia, sin lugar a dudas, que no son —y lo más importante, que nunca han sido— las dos partes de una misma filigrana, ni, por tanto, las de un mismo bifolio: el corondel la atraviesa en la h. 62, mientras que, como hemos visto, en la h. 60 pasa en paralelo, simplemente rozándola. Probablemente, por tanto, están perdidas las secciones que completan estas filigranas, por lo que, por todo lo aducido, en estas hojas en blanco tenemos que identificar, al menos, tres nuevos diseños —si no cuatro—, que difieren notablemente respecto de los utilizados en los cuadernos impresos: serían los modelos *3a*, *3b*, *3c* y *3c'*.[124]

h. 60

Modelo 3a

h. 64

Modelo 3b

h. 62

Modelo 3c

h. 65

Modelo 3c'

Encontramos, por tanto y al menos, hasta siete modelos de filigranas diferentes en este volumen,[125] frente a los dos diseños determinados por Serrano y Morales, que tampoco coincidían exactamente con las marcas de agua originales del incunable, ni, de hecho, son las más representadas en él. Así, llegados a este punto, podemos recapitular los datos y la localización de cada modelo en sus correspondientes bifolios, para extraer conclusiones que afectan al incunable y que, en última instancia, podrían repercutir en los propios textos:

124 No he podido identificar estos diseños ni en Briquet (1923[2]), ni en *Filigranas Hispánicas*, en este último caso limitadas a modelos de época incunable, más aún porque son demasiado parciales y no sería resolutiva cualquier propuesta, más allá de que no se encuentran rasgos tan característicos como el ensanchado de la punta de los dedos o el antebrazo y muñeca en forma de copa invertida.

125 Los datos que tenemos de la filigrana de las hojas 62 y 65 son suficientes para justificar que son dos alambres diferentes, pero no para avalar un séptimo diseño —ni tampoco lo contrario—.

Modelos	Hojas-bifolios
Modelo 1a	1-10
	20-11
	26-25
	40-31
Modelo 1b	2-9
	7-4
	33-38
	36-35
	37-34
	46-43
	[48]-41
	59-50
Modelo 2a	52-57
	54-55
Modelo 2b	53-56
Modelo 3a	[-]-60
Modelo 3b	[-]-64
Modelo 3c	62-[-]
Modelo 3c'	65-[-]

2.3.6. Estructura colacional y mutilación del ejemplar

Los cosidos internos de los cuadernos y la solidaridad física de los bifolios apuntarían a la siguiente estructura colacional del volumen: a-d^{10} e^{8} f^{12} g^{2} h^{4}. En esencia, es similar a la que más ha arraigado en la bibliografía, la propuesta por Torres Belda (1874: 45) (a-d^{10} e^{12} f^{8} g^{6}). Esta relativa coincidencia, a su vez y ya sin lugar a dudas, evidencia el error de Salvá (1872, I: 140) y confirma mi hipótesis de que su estructura colacional (a-f^{8} g^{10}) no se estableció a partir del análisis directo del incunable, sino sobre los datos aportados por Villarroya. La estructura colacional de Torres Belda, sin embargo, difiere en dos puntos de la información que extraigo del cosido y de la continuidad física de los bifolios:

1) La alteración del número de hojas del quinto y sexto cuaderno, que no son de 12 y 8 (e^{12} f^{8}), respectivamente, según Torres Belda, sino al revés (e^{8} f^{12}). Si bien es cierto que el bibliotecario y bibliógrafo valenciano, *sensu stricto*, no aporta una estructura colacional sinóptica, el hecho de indicar una secuencia de cuadernos de diferentes medidas alternas, sin gradación de menor a mayor o viceversa, demuestra su voluntad de establecer con ella la materialidad exacta del impreso. Estamos, por tanto, ante una errata, que, sin embargo y a pesar de su carácter temprano, no ha sido comprobada ni mucho menos corregida hasta hoy y se ha reproducido en todos los trabajos bibliográficos posteriores que dan información al respecto.
2) El último cuaderno de la colación de Torres Belda sería de seis hojas o tres bifolios, que, según he podido comprobar, en la actualidad se estructura en dos fascículos independientes, uno de un bifolio y otro de dos bifolios: g^{2} h^{4} frente a g^{6}. Estas seis hojas son, además, las que cierran el volumen y no están impresas. Aunque los cuadernos son todos concéntricos, podríamos justificar que Torres Belda habría interpretado los fascículos g^{2} y h^{4} como una unidad a pesar de la yuxtaposición del bifolio del cuaderno *g* con los dos bifolios concéntricos del cuaderno *h*, pero, en realidad, no debió de ser así, porque entonces no debían de presentar la distribución física actual, como intentaré demostrar. Este es un hilo del que tirar para entender lo ocurrido con el ejemplar y, con ello, la estructura original del incunable.

Esta estructura colacional es, como veremos, la evidencia más clara de que ni siquiera la materialidad más obvia[126] es suficiente para establecer conclusiones sin haber revisado todos y cada uno de los rasgos de un impreso o de un códice, puesto que algunos de ellos pueden entrar en conflicto o contradicción con otros: así ocurre entre estos datos físicos y la solidaridad de las dos secciones de las filigranas, en el centro del bifolio, divididas por el plegado de los medios pliegos. De hecho, como hemos visto, en los tres bifolios formados, respectivamente, por las hojas 41-48, 49-60 y 61-62, se puede comprobar tanto el cosido interno, como la unidad física de los bifolios, pero no hay solidaridad de filigranas, en tanto que no queda huella de una de sus mitades.

Aunque muy brevemente, ya he advertido las diferentes encuadernaciones que ha sufrido este ejemplar. La consecuencia más evidente del primero de ellos fue la alteración de los cuadernos *d* y *e* de la que nos habló Villarroya (1796: 65-66) en el siglo XVIII, destacando lo descuidado de tal proceso y su necesidad ante el mal estado del volumen. Ya en el siglo XX, Romero de Lecea

---

126 Como es el hilo central de los cuadernos o su continuidad física, comprobables sin demasiada dificultad.

(1974: 92) denunció el mal estado del ejemplar, lo que debió de resultar un revulsivo para que se procediera a su reencuadernación y restauración ese mismo año, que Sanchis Guarner, con razón, califica de «dràstica i gens afortunada» (1979: 40). Por tanto, nos encontramos, con dos procesos diferentes de encuadernación, en los siglos XVII-XVIII y en el XX, respectivamente, que intervinieron —si no agredieron— el ejemplar y que, en ambas ocasiones, respondía, ya de por sí, a la necesidad de actuar ante su mal estado de conservación. Podemos imaginar los avatares que ha ido sufriendo este incunable y entender, así, que no debemos fiarnos de todo lo que parece una cierta regularidad formal, porque en él ha habido intervencionismo material.

En 1974 la solidaridad física de los bifolios llegó a estar muy comprometida, lo que dio lugar a que se restaurara con laminadora para reintegrar papel en su plegado o cosido. Quedan huellas claras y fácilmente comprobables de este proceso de restauración,[127] que oculta la mitad de la filigrana del bifolio externo del cuaderno *e* (h. 41-48), razón por la cual, de hecho, debía de estar más dañado que el resto. No olvidemos que este cuaderno es el que se desordenó y se desplazó delante del cuaderno *d* en los siglos XVII-XVIII, lo que probablemente indica que estaba suelto y no en demasiado buen estado. Así, la pasta de papel o capas de celulosa aplicada en el proceso de restauración del siglo XX, que llega a afectar en ocasiones al texto, esconde la filigrana de la h. 48. Podríamos interpretar que también ocurre de esta manera en el caso de los bifolios 49-60 y 61-62, el primero tratándose, asimismo, del externo del cuaderno *f*, mientras que el segundo era un bifolio independiente. Pero, en realidad, no fue así. Aunque es cierto que tales circunstancias influyeron en su mal estado y debieron de ser objeto de restauración en el mismo momento, durante el cual no tengo duda de que se generó esta peculiaridad material, otros aspectos apuntan a que no estamos ante una mera ocultación de la marca de agua.

La historiografía bibliográfica nos aporta datos sobre el ejemplar, que, a pesar de su aparente disparidad, pueden avanzar en el conocimiento de este impreso incunable, incluso por la perspectiva o posicionamiento que adoptan los bibliógrafos. Pero también puede proporcionarnos información muy sutil que revela diferentes estados del ejemplar único de este incunable, lo que resulta muy valioso al haber sufrido tanta intervención y ante su precario estado de conservación a lo largo de los siglos.

Recordemos que, hasta la segunda mitad del siglo XX, se había considerado que *Les trobes en lahors de la Verge Maria* estaban formadas bien por las 58

127 Incluso en plural, porque se ven dos acciones de restauración diferentes, que alcanzan hasta un centímetro desde el cosido, o hasta dos en alguna parte, a lo largo del folio.

hojas propuestas por Villarroya (1796: 52) y Salvá (1872, I: 140), bien por las 66 que computaba Torres Belda (1874: 45) y que han arraigado en buena parte de la tradición bibliográfica posterior, no siempre con el matiz que él mismo aducía y que hacía compatibles ambos datos: de las 66 hojas, 58 estaban impresas y, por tanto, las 8 restantes estaban en blanco. Y aquí no puede pasarnos desapercibido que la propuesta de Villarroya proponía la pérdida de una hoja, de la última. Aunque Salvá se apresuró a desmentir la hipótesis de Villarroya, aduciendo argumentos materiales, no tuvo en cuenta el dato físico que también se derivaba de ella: de manera implícita, la teoría de Villarroya nos aportaría un cómputo de 59 hojas, las 58 conservadas y la última perdida. Esta hoja, además, no estaría en blanco, sino que contendría, entre otros materiales, el colofón.

A esto habría que añadir otro dato que nos proporcionan los bibliógrafos, sutil también, sin duda, pero igual de valioso: Serrano y Morales estudió las filigranas del ejemplar, pero se ciñó, de nuevo, a 59 hojas. La diferencia es que la hoja que alcanza el cómputo en cuestión no es la última, como en Villarroya, que estaría ya perdida en el siglo XVIII, cuando consultó este ejemplar único, sino la primera, la que precedía al texto impreso, porque tuvo —y tenemos— la suerte de que corresponda a la sección del pliego con filigrana y de que forme unidad indudable con la h. 10, esto es, con la otra mitad de su bifolio o medio pliego, el externo del cuaderno *a*. Por tanto, la primera hoja, que utilizó Josep Sánchez para escribir su nota bibliográfica manuscrita, forma parte del impreso incunable propiamente dicho y corresponde a la no infrecuente portada en blanco de algunos impresos de Palmart, de quien, en cualquier caso, tampoco fue exclusiva.

Si Salvá hubiese consultado el ejemplar, habría advertido muy fácilmente, a pesar del estado de conservación que pudiese presentar, que no se estructura en cinco cuadernos de 8 hojas y uno último de 10. Además, poniendo en paralelo, tanto particularmente como en relación a todo el impreso, la textualidad de los poemas y la materialidad del cuaderno *e*, que sí que es de 8 hojas y estaba desordenado entre fascículos de 10 hojas —por tanto, fácilmente delimitable—, habría evitado generar un error tan evidente en cuanto a su propuesta de estructura colacional. En cualquier caso, ni formaba parte este impreso de su biblioteca y, por tanto, era secundario o anecdótico en su *Catálogo*, ni tuvo eco su propuesta de colación de cuadernos. Sin embargo, sí que caló en la tradición bibliográfica posterior su vehemente negación de la hipótesis de Villarroya en cuanto a la pérdida del último folio del impreso y de la posible existencia original de un colofón en este temprano incunable. Lo hizo tanto, que nunca se volvió a hablar de ella.

La hipótesis nos ofrece, ciertamente, una última hoja en el cómputo —más allá de que en el ejemplar se hubiese perdido—, que, junto a la portada en blanco, nos permite alcanzar los 60 folios.[128] Sorprende, sin embargo, que esta supuesta hoja perdida sí que parece existir a día de hoy en el ejemplar conservado y que, de hecho, forme parte de un bifolio, cuyas hojas solidarias son la 49 y la 60, con continuidad física indudable. Esta evidencia física y el hecho de que esta última hoja, la 60, esté en blanco podrían ser argumentos suficientes para justificar la teoría de Salvá y negar la hipótesis de Villarroya. Pero, de nuevo, lo que parece evidente no lo es.

Del análisis de la morfología de las filigranas, se deducen cuatro modelos que desarrollan los dos establecidos por Serrano y Morales, ambos de una misma procedencia, al menos geográfica, y que son los que encontramos en las hojas impresas del incunable y en su portada en blanco, que forma parte también del primer cuaderno. Frente a ello, las filigranas de las últimas hojas en blanco se alejan de este diseño, de manera especialmente notable por lo que respecta a la zona metacarpiana y la muñeca o antebrazo.

Recordemos que Torres Belda hablaba de un incunable de 66 hojas, de las que 58 estaban impresas y, por tanto, 8 en blanco. De estas últimas, una es la portada y las otras siete se encuentran localizadas al final del volumen, ninguna de las cuales fueron atendidas por Serrano y Morales en su descripción de las filigranas del texto, lo que no implica que no las analizara. Habría comprobado que se trataba de un papel muy diferente, como evidencian sus corondeles y puntizones tan visibles o sus diseños de filigranas, alejados, además, de las que se encontraban en las hojas impresas. Debió de deducir —aunque no lo explicita—, en un proceso similar al experimentado por mí ante su análisis material, que estas hojas en blanco no forman parte, *sensu stricto*, de este impreso incunable.

De esta manera y si atendemos a la materialidad que he ido describiendo, habría que matizar la estructura colacional propuesta por Torres Belda para este impreso incunable: «La impresion se hizo en siete cuadernos» (1874: 45), decía, pero no fue así, sino que el incunable propiamente dicho corresponde a los seis primeros cuadernos, de manera que tendría una extensión de 60 hojas, tal y como, frente a la mayor parte de la bibliografía, advierten con acierto los catálogos de la Biblioteca Històrica de la Universitat de València (Palanca Pons y Gómez Gómez 1981: 111, nº 240 y Catàleg *Trobes*) y el repertorio de incunables valencianos de Bas Carbonell (1992: 27, nº 1). Estos, sin embargo, no ofrecen su estructura colacional, que, según todo lo aducido en mi argumentación, sería la siguiente:

$$a\text{-}d^{10}\ e^{8}\ f^{12}$$

---

128 Un número par, como condición necesaria para la formación del impreso, por el plegado y por la unidad física de los bifolios resultantes.

Las hojas finales en blanco no pertenecerían, por tanto, al impreso en sí, de manera que el cuaderno g⁶ de Torres Belda, en blanco, sería particular del ejemplar, al que se han añadido estas hojas, cuya estructura, a la luz de las filigranas, debió de ser muy inestable e, incluso, con pérdidas difíciles de delimitar a día de hoy.

Ahora bien, hay una aparente disfunción material en la h. 60, que cerraría el incunable, puesto que contiene la mitad de una filigrana que no solo se aleja del diseño de las cuatro marcas de agua de los cuadernos impresos, ni la volvemos a encontrar en las hojas en blanco, sino que su otra mitad no aparece en la h. 49, con la que forma bifolio. No podemos aducir que se hubiese ocultado en un proceso de restauración, como ocurría en la h. 48, no solo porque, a diferencia del bifolio 41-48, la filigrana de la h. 60 es absolutamente diferente a las del resto de los fascículos impresos, sino por una evidencia material indiscutible, que ya se ha señalado: los corondeles y puntizones son muy visibles, como en el resto de hojas finales, porque el papel de las hojas 49 y 60, a pesar de formar una unidad como bifolio, es, en realidad, diferente.

La restauración de los bifolios con celulosa, para reconstruirlos y/o para reforzar su conservación, se produjo en 1974.[129] Es en ese momento que las hojas finales se fueron uniendo en bifolios de una manera poco ortodoxa, si tenemos en cuenta los datos que nos proporcionan las filigranas. Probablemente, estas hojas estaban sueltas y se combinaron sin que hubiesen formado un bifolio originalmente. Esta debe de ser la razón por la que las hojas 61 y 62 no contienen las dos partes de la filigrana y por la cual forman un bifolio que se yuxtapone a los otros dos concéntricos, sin integrarse en ellos. La unidad material de las hojas 64 y 65 está constatada también, como la del resto de estos folios en blanco, pero, precisamente por esto último, no contamos con la ayuda de los textos para confirmar su materialidad original, de manera que no hay más guía que las filigranas, que, desgraciadamente, no tuvieron en cuenta los restauradores, al primar su conservación frente a la fidelidad original en la reconstrucción física de bifolios.[130] Atendía en el epígrafe anterior a la falta de correspondencia de las secciones de la filigrana de las hojas 64 y 65 por lo que respecta a la posición del corondel, centrado en este último caso y desplazado

129 No hay constancia de que hubiese sido antes, mucho menos teniendo en cuenta la técnica utilizada, por lo que dudo de que, cuando Torres Belda delimita un cuaderno de 12 hojas, el cuaderno *f*, fuese porque la h. 60 estuviera ya incorporada a él y restaurada. En este sentido, además, su cuaderno final de 6 hojas son a día de hoy un bifolio y dos bifolios concéntricos. Debió de presentar el cosido de la encuadernación del siglo XVIII, no sabemos bien en qué estado, pero, si Serrano y Morales hubiese tenido evidencias materiales de que las hojas 49 y 60 formaban un bifolio, habría atendido a su filigrana, sin duda, como lo hizo con la portada en blanco.

130 No se debió de considerar importante, si no prioritario, tratándose de hojas en blanco.

ligeramente hacia un lateral en el primero, tal y como ocurre con la filigrana de la h. 62. ¿Formaron, entonces, una unidad de bifolio las actuales hojas 62 y 64? Es difícil saberlo sin estar desencuadernado el ejemplar y ante las restauraciones sufridas, pero, desde luego, los bifolios 61-62 y 64-65 combinan hojas que, indudablemente, estaban sueltas. Se redistribuyeron estas últimas hojas, dando lugar a una materialidad que no era la original.

Tal heterodoxia en el proceso de restauración de estas hojas en blanco y la obsesión de sus artífices por ofrecer unidades materiales de bifolio, que ayudaran a su conservación, como se hizo en los cuadernos impresos, evidencian que, como bien decía Romero de Lecea (1974: 92), el ejemplar se encontraba en muy mal estado en 1474 y, a la luz de las huellas dejadas por el proceso de restauración, muchos de sus folios debían de estar sueltos. Todo ello explica lo ocurrido con la h. 60, cuya filigrana no se completa en su otra mitad de bifolio y cuyo papel tampoco se corresponde ni con el de la h. 49, ni, en realidad, con el de los cuadernos impresos, mientras que presenta ciertas similitudes con el de las hojas finales en blanco, sin duda añadidas al incunable, aunque sean también papel antiguo.[131]

Para entender la decisión de los restauradores, no nos puede pasar por alto un dato material importante: las últimas hojas en blanco, de papel diferente al usado en el incunable, eran siete, impares, por tanto, lo que implica e insiste en la pérdida de hojas de estas guardas. Unido esto a la obsesión de los restauradores por facilitar la unidad material de bifolios, explica que esta hoja sobrante, por impar, se utilizase para reconstruir un bifolio también incompleto, el que enmarcaba externamente el cuaderno *f*, de manera que no quedase suelta la h. 49 y se llegase a perder. No pudo ser de otra manera, por todo lo aducido hasta aquí y, especialmente, por la ausencia de relación material entre las hojas 49 y 60, a pesar de su unidad física actual, generada en el proceso de restauración de 1974. A este ejemplar le falta, por tanto, una de las mitades del bifolio exterior del último cuaderno, esto es, su última hoja, la h. 60,[132] tal y como nos advirtió José Villarroya ya en el siglo XVIII. El ataque de Salvá a tal hipótesis, a pesar de elogiar su descripción, y el desinterés que ha habido, sorprendentemente, por el estudio material de este primer cancionero impreso hispánico, nos han privado, hasta ahora, de considerar un rasgo, evidente e indudable, que puede tener repercusiones de un cierto calado para la

131 Desconocemos la fecha en que se añadieron y la del propio papel, que no tienen por qué coincidir, pero, desde luego, debemos retrasar una y otra, como muy tarde, al siglo XVII.

132 Más allá de que sea o no la última de esta edición incunable, puesto que de lo que hay evidencia, al menos, es de la pérdida de una hoja. Sobre esto volveremos al final de esta monografía.

incunabilística hispánica y para la filología: el ejemplar único de *Les trobes en lahors de la Verge Maria* es mútilo.

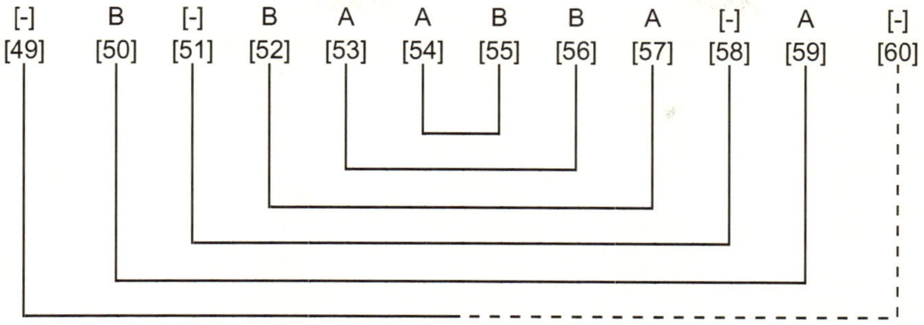

[Cuaderno *f*]

2.3.7. El colofón perdido

La evidencia material de que se ha perdido la última hoja del ejemplar único de este temprano incunable valenciano es suficiente para reconsiderar la hipótesis de Villarroya, fundamentada, al menos explícitamente, en aspectos de contenido y ante los datos ofrecidos por los bibliógrafos ilustrados, que, si bien eran breves, le hacían pensar que no era un impreso *sine notis*, como se ha defendido unánimemente desde Salvá. A partir de aquí, sugirió la desaparición también de contenidos por lo que respecta a los textos poéticos, en términos, por tanto, de literatura perdida, lo que es muy sugerente para la filología estricta y a ello me referiré al tratar la estructura interna de este cancionero y en la segunda sección de esta monografía. Aquí, sin embargo, me centraré en establecer si, a este impreso, lo remataba o no un colofón, que, en ese caso, podría tratarse del primero de las prensas incunables valencianas, con lo que ello implica para la bibliografía material y para la historia de la imprenta hispánica, puesto que sería, también, uno de los más antiguos.

Cuando Villarroya vio el ejemplar, a finales del siglo xviii, ya faltaba esta última hoja y, por tanto, constata que no se conservaban los datos del colofón, pero cree firmemente que debió de existir, porque Rodríguez y Ximeno habían establecido en ambos casos que se imprimió en Valencia en 1474.[133] Lo argumenta a partir de la reencuadernación sufrida por el ejemplar poco antes, de la que deduce lo siguiente:

133 «Verdad es que en el referido exemplar no se encuentra el lugar de la impresion, ni el año en que se hizo; pero tambien lo es que esto no disminuye en un apice la fe que se merecen, y á que son acreedores Rodriguez y Ximeno» (Villarroya 1796: 60).

> Este exemplar se halla enquadernado de poco tiempo acá, con cubiertas de pergamino, y sin la curiosidad y primor que merecia un libro tan singular, apreciable, raro y aun unico, por decirlo en propios terminos. Siguense de aqui todas estas conseqüencias. Primera, que este libro se enquadernó nuevamente por su mal estado, y porque no se inutilizase del todo. Segunda, que su última hoja estaria entonces perdida, ó en un estado infeliz, y que acaso se abandonó ó traspapeló al tiempo de hacerse la última encuadernación. Tercera, que convence esta verdad haver visto Rodriguez y Ximeno el lugar y año de la impresion. Quarta, que el no hallarse aora ni uno ni otro, no es argumento de que no dixesen verdad aquellos dos autorizados y recomendables testigos de vista, sino que despues del reconocimiento y exámen de este ejemplar, fue cuando faltó, se traspapeló, ó quitó su ultima hoja (Villarroya 1796: 65-66).

Comparto con Villarroya la obviedad de que una reencuadernación se realice ante el mal estado del ejemplar e, incluso, la doble hipótesis sobre la hoja perdida:[134] que ya lo estuviese entonces o bien que, si aún existía, su mal estado hiciese que se traspapelase. A la luz de la constatación efectiva y material de que tal hoja se ha perdido —por lo que sí tiene falta el ejemplar y esto contradice a Salvá—, me parecen evidentes e indiscutibles ambos argumentos, aunque dudo, sin embargo, de que esta hoja perdida se hubiese desechado de manera voluntaria si en ella se encontraba el colofón, pero, sobre todo, si hubiese contenido texto poético, como sugiere Villarroya. Muy mal debería de haber estado en ese supuesto y, si fue así, es extraño que no se hubiese hecho copia manuscrita, como es práctica frecuente en estos casos, en términos de restauración parcial, más aún teniendo la evidencia de disponer del texto de la hoja en mal estado que se pretendía desechar.[135]

Las otras dos consecuencias que aduce Villarroya se limitan aquí a insistir en que Rodríguez y Ximeno vieron el lugar y el año de impresión —y, por tanto, el colofón—, sin haber mentido, una hipótesis que había fundamentado, previamente, de la siguiente manera:

134 Al menos como punto de partida, porque determinaré cuál de ellas fue en la conclusión a este epígrafe.

135 Véanse los diferentes supuestos o las razones diversas por las que se recurre a esta estrategia de copia, el peculiar modelo de transmisión que transcribe de manera manuscrita los textos impresos, total o parcialmente (Martos 2011a). Para el estudio completo de este fenómeno en los diferentes cancioneros de Ausiàs March, véase Martos 2011b. Esta estrategia de copia es frecuente para reproducir los originales manuscritos o completarlos, ante cualquier pérdida, entre otros aspectos, pero el supuesto que aquí se trata —que no ocurrió necesariamente— habría completado la perspectiva, puesto que podría ser una copia manuscrita de un fragmento del propio impreso ante su mal estado, algo que suele hacerse ya en la Edad Moderna, sobre todo.

Son de dos testigos de vista de la mayor excepción, por su crédito, fama y opinion; por ser Sacerdotes; por haber reconocido y exâminado atenta y detenidamente esta obra; por darnos bastante conocimiento y noticia de lo que se encuentra en ella; y porque sus expresiones dicen y convienen en un todo con el exemplar de la Biblioteca Dominicana. No estamos ciertamente en el caso de usar y valernos de las reglas de la crítica, respecto de que estas solo tienen lugar en los asuntos obscuros y dudosos, no en el nuestro en que la cosa se presenta á todas luces clara, quando las leyes quieren que se autorize la verdad con las aserciones de dos testigos, libres y exentos de sospechas y tachas. Despues de esto ¿será creible que dos sugetos de aquel caracter y circunstancias dixesen una cosa por otra? ¿Fingirian un hecho tan particular, notable y señalado? ¿Lo harian con referencia á un instrumento del qual resultaria absolutamente lo contrario? ¿Se atreverian á cometer un delito, á fraguar una ficcion, á proyectar un engaño á vista de todos, que entonces mismo podrian convencerles de inventores de fábulas y sacarles los colores á la cara? (Villarroya 1796: 59-60).

Las razones que aduce son varias y diversas. Unas primeras basadas en la confianza en estos autores por motivo de fama bibliográfica o ejercicio sacerdotal, mientras que las otras son argumentos derivados del análisis directo del impreso: porque lo vieron directamente y porque aportaron datos sobre él que se podían confirmar en el ejemplar entonces localizado en el Convent de Sant Doménec, que consultó Villarroya. Remata su argumentación con una batería de preguntas retóricas que evidencian precisamente esta cuestión, el eventual riesgo de ambos bibliógrafos ante información no verificada, siendo los datos fácilmente comprobables, pero ni este recurso retórico, ni los argumentos previos convencieron a Salvá:

Habiendo Villarroya descrito tan larga, minuciosa y exactamente este libro en su *Disertacion sobre el origen del arte tipográfico en Valencia*, no me estenderé en dar más detalles sobre su contenido, limitándome á observar que difiero de la opinión de dicho Villarroya en suponer falta al único ejemplar conocido, la última hoja con la fecha: encuentro que las cincuenta y ocho hojas del volumen forman seis cuadernillos de ocho y uno de diez, sin haber traza ni señal de imperfeccion alguna. La inexactitud, vaguedad y laconismo con que Rodriguez y Jimeno dan el titulo de la obra, me prueban lo poco que hai que fiar en que ellos sencillamente anoten *En Valencia*, 1474, advirtiendo ya el primero, *carece de nombre de impresor*: por lo mismo estos textos aducidos por Villarroya para justificar su creencia, me parecen de poca valia (1872, I: 140-141).

Salvá niega categóricamente la pérdida de la última hoja con la fecha, o sea, con el colofón y lo fundamenta en un argumento material que, como he demostrado, es poco sólido, no responde a la realidad y no es fruto de una descripción directa del incunable, sino de una interpretación de los datos de Villarroya, que determinaba que el impreso tenía 58 hojas. Salvá se limitó a distribuirlas en una supuesta —y errónea— colación de cuadernos en la que no tendría cabida esa hoja perdida, por impar, si bien el error se encontraba en no considerar que el incunable tenía, en realidad, 60 hojas, así como la colación que, por primera vez, he delimitado para ellas. A esto, sumaba Salvá una retahíla de sustantivos, verbos y adverbios altamente modalizados, un léxico valorativo que quería ser suficiente para denostar la hipótesis de Villarroya: *inexactitud*, *vaguedad*, *laconismo*, *lo poco que hay que fiar*, *sencillamente*, *creencia*, *de poca valía*. Los primeros tres substantivos valoran muy negativamente la transcripción del título que aportan Rodríguez y Ximeno, como único argumento real aducido, además de la estructura de cuadernos.

El estudio que ofrezco sobre este último aspecto demuestra que, efectivamente, está perdida la última hoja, pero esto no implica, necesariamente, que en ella se encontrase el colofón, un extremo del que se ha dudado, precisamente por su carácter temprano. El argumento *ad contrarium* o *a contrario* de Salvá es, en realidad, el hilo del que tirar al respecto: el título que ofrecen tanto Rodríguez, como Ximeno, que Salvá considera la prueba de la falta de fiabilidad en sus descripciones.[136] Esto es lo que dicen literalmente ambos bibliógrafos ilustrados:

> *Certamen Poetich, en Lahor de la Concepciò*. Es su principio, d'esta manera: *Les Obres, ò Trobes, davall escrites, les quals tracten de Lahors de la Sacratisima Verge Maria; foren fetes, y ordenades, per los Trobadors de ius, è en cascuna de les dites Obres, Escrits, etc.* En Valencia 1474. en 4. Falta nombre de Impressor (Rodríguez 1747: 81).

> *Obres, ó Trobes, les quals tracten de lahors de la Sacratissima Verge Maria*. En Valencia 1474. en 4. Este es el Certamen que dexamos citado, y citarèmos en algunos Escritores que intervenieron en èl, el qual se celebrò à 25. de Marzo del referido año en la Cofadria [*sic*] de San Jorge Martir, aora Colegio de la Orden de Montesa, à devocion de Don Luis Despuig, Maestre de la misma Orden, y Virey de este Reyno, siendo Secretario nuestro Escritor. *Rodrig.* dice que fue en alabanza de la Concepcion, pero he visto un ejemplar en la Libreria del Real Convento de Predicadores, y todas sus Poesìas son en gloria de la Maternidad de la Virgen, y demàs misterios de su Vida, si bien alguna toca algo de su Concepcion Purissima. No hallo el primer titulo que pone *Rodrig* (Ximeno 1747-1749, I: 59).

Josep Rodríguez nos ofrece el íncipit del incunable, que transcribe con absoluta e irreprochable literalidad, simplemente puntuándolo, desarrollando abreviaturas, acentuándolo según los usos de la época o actualizando la conjunción copulativa. Se trata de las primeras cuatro líneas de la extensa rúbrica

136 E, implícitamente, en el hecho de que hubiesen consultado directamente el ejemplar, algo que sorprende, porque, en realidad, él mismo no lo hizo, como he demostrado.

inicial, de la que la bibliografía posterior ha extraído el título de la obra y, entre ella, el propio Vicente Ximeno:

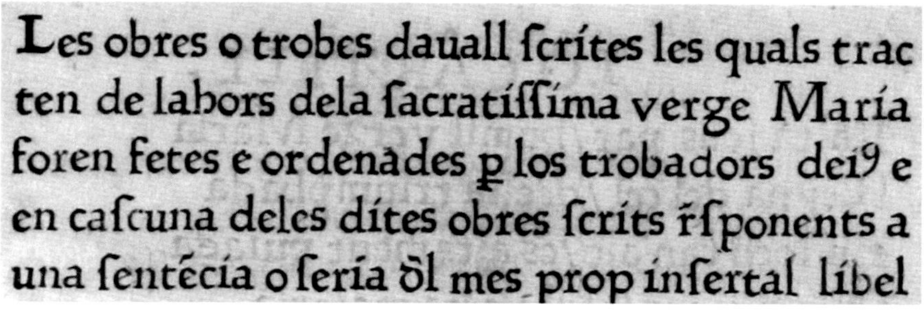
Les obres o trobes dauall ſcrites les quals trac ten de lahors dela ſacratiſſima verge Maria foren fetes e ordenàdes ꝑ los trobadors deiꝰ e en caſcuna deles dites obres ſcrits r̃ſponents a una ſentēcia o ſeria d̄l mes prop inſertal libel

BHUV, CF/1, h. 2r

No debe pasarnos desapercibido que Rodríguez haya sido el primero en transcribir el íncipit y que lo haya hecho con tal grado de literalidad, lo que está lejos por tanto, de esa *inexactitud, vaguedad y laconismo* de que hablaba Salvá y, más bien, debe ser considerado como prueba irrefutable de que este bibliógrafo extrajo sus datos directamente del ejemplar. No lo dice explícitamente, a diferencia de Ximeno, que deja constancia de que ha «visto un ejemplar en la Libreria del Real Convento de Predicadores», pero su descripción no deja tampoco lugar a dudas, por esta transcripción de la rúbrica inicial y por otros aspectos a los que me referiré.

La literalidad es, por tanto, comprobable e irrefutable en cuanto a la transcripción de este íncipit por parte de Rodríguez, así como Ximeno reproduce fielmente la sección de esta rúbrica que identifica el título que acabará triunfando en la tradición posterior. Ahora bien, Ximeno mismo advierte que «no hallo el primer titulo que pone Rodrig.», que se refiere al encabezamiento de su entrada: *Certamen Poetich, en Lahor de la Concepciò*. Este título podría ser también el que había llevado a pensar a Salvá en *inexactitud, vaguedad y laconismo*, pero ni es atribuible a Ximeno tal consideración —quien, de hecho, lo destaca en los términos que he advertido—, ni es una prueba de que Rodríguez no hubiese visto el ejemplar, porque hay otras que apuntan, de manera indudable, en sentido contrario, como la propia transcripción del íncipit. Decía que era, de hecho, el primero en aportarlo, porque Nicolás Antonio se limitó a referirse al incunable como *Poeticum certamen*. Aquí radica el origen del inicio del título de Rodríguez, de su calificación como *Certamen Poetich*, deudor, por tanto, de Nicolás Antonio, de quien, sin embargo, no sigue su definición de contenidos, que en ese caso es *De laudibus Mariae Deiparae Virginis* (1788[2], II: 305-306, nº 650). No advierte, como Rodríguez, que sea en «Lahor de la Concepciò tal certamen»,[137] sino que destaca que son poemas, simplemente, en alabanza a María, madre de Dios y Virgen. En esto mismo incide Vicente Ximeno, glosando a Nicolás Antonio,[138] al indicar que «todas sus Poesìas son en gloria de la Maternidad de la Virgen, y demàs misterios de su Vida, si bien alguna toca algo de su Concepcion Purissima».

Contradecir a Nicolás Antonio, cuando lo había seguido en la primera parte del título, y alejarse de él sin fundamento material, habiendo transcrito tan literalmente el íncipit, no tendría sentido. Tiene razón Ximeno que este matiz del título en cuanto al contenido no está impreso en la edición incunable, pero eso no implica que Rodríguez no lo hubiese encontrado en el ejemplar del Convent de Sant Doménec, al revisarlo. Es más, como intentaré demostrar, esta es una prueba más de que así fue, de que lo describió sobre su original, a diferencia de Salvá y a pesar de las dudas que este arroja sobre ello.

Hay que tener en cuenta, de nuevo, que este ejemplar único del incunable había sufrido dos encuadernaciones, una que Villarroya considera «de poco tiempo acá, con cubiertas de pergamino» (1796: 65), esto es, en principio, en el siglo XVIII, y otra en 1974, muy poco después de documentar Romero de Lecea que esta «encuadernación, en pergamino, dista mucho de conservarse en estado regular o mediano» (1974: 92). En esta última encuadernación, destaca Sanchis Guarner (1979: 40) que se cambia la cubierta de pergamino blanco antigua por otra similar, en un espíritu restaurador y, así, conservador, con lo que se mantenía esa falta de «curiosidad y primor que merecia un libro tan singular, apreciable, raro y aun unico», que destacaba Villarroya. De esas cubiertas del siglo XX nos interesa destacar, por un lado, la voluntad de mantener la estética de las anteriores al sustituirlas por su mal estado, constatado por Romero de Lecea; y, por otro lado, que el único rasgo claramente distintivo de estas cubiertas es la leyenda de su lomo: «Poema Valēciano dela Concepciō».

BHUV, CF/1

No me cabe la menor duda de que esta leyenda reproducía la que estaba en las cubiertas originales del siglo XVIII, si no anteriores, desechadas, y buena prueba de

137 Rodríguez incide en ello y lo desarrolla más adelante: «Todos los Poetas contenidos en èl, parecen Valencianos. Hazese esta memoria, y advertencia, porque consagrar Nuestra Nacion, todas maneras de Culto, en obsequio de la PVRISSIMA CONCEPCION, de la Virgen Madre; yà era corriente devocion en aquella edad!» (1747: 82)

138 Sin citarlo, más allá de que lo hubiese comprobado en el ejemplar para asegurarse.

ello es que no tendría sentido en el siglo XX utilizar los signos tironianos para las abreviaturas si no se estuviese buscando fidelidad en esta restauración y/o sustitución de las cubiertas. Es de aquí, en definitiva, de donde Josep Rodríguez extrajo la temática de la obra al describirla, del propio título del volumen, incorporado al lomo y no del texto impreso en sí, donde la buscaba infructuosamente Ximeno. Esto supone, por tanto, una segunda prueba de que Rodríguez describió el original directamente y, con ello, queda anulada también, de momento, la segunda crítica que había recibido su anotación bibliográfica, en cuanto al título en sí.

La tercera de estas críticas era, en realidad, aquella sobre la que orbita la vehemencia de Salvá y nos enfrentamos a ella ya con la sólida evidencia de que Rodríguez sí que consultó el ejemplar. Se le acusaba en el siglo XIX —y, por extensión explícita, a Ximeno— que, al anotar que este incunable se imprimió en Valencia en 1474, no reproducía un pie de imprenta constatado, sino que era mera conjetura y, por tanto, no era fiable. Así lo reprodujo también Ximeno, que dejó constancia de que lo consultó en el Convent de Predicadors. ¿Por qué iba a reproducir una noticia falsa de tal magnitud cuando cuestiona el mero título inicial de su predecesor? Pero la razón más evidente, a mi parecer, el argumento clave es que Rodríguez dice que se imprime «En Valencia 1474», pero añade que «Falta nombre de Impressor». ¿De dónde falta? ¿Por qué iba a aportar este matiz de ausencia, frente a la constatación de los otros dos datos, si no tuviese delante un colofón? Un colofón que estaría en la última hoja perdida que Salvá no quiso reconocer y que, sin embargo, la evidencia material constata. De aquí se deriva, por tanto, una datación indudable en 1474, lógica, pero cuestionada por intangible, por no poderse comprobar materialmente, aunque, por esas ironías del destino, es la materialidad el punto de partida que, en última instancia, lo avala y lo confirma.

A este cúmulo de evidencias habría que añadir, si es que aún fuese necesario, una última absolutamente definitiva, que rescata un rasgo tipográfico de este ejemplar, situándolo, con ello, en el lugar que ha de ocupar en la historia de la imprenta valenciana. Este colofón que describe Josep Rodríguez, con lugar y año, corresponde exactamente al modelo que encontramos en los dos primeros incunables valencianos que lo contenían, ambos con la misma tipografía que *Les trobes en lahors de la Verge Maria* y atribuidos tradicionalmente a Lambert Palmart. Ahora, en realidad, se tratarían del segundo y del tercer incunable valenciano, puesto que en el colofón perdido de este impreso poético se indicaba que se había imprimido en 1474, un año —unos meses, en realidad— antes de que se acabase de imprimir el *Comprehensorium* de Johannes Gramaticus y las *Opera* de Salustio, encabezadas por el *De coniuratione Catilinae* y por el *Bellum Iugurthinum*, tras el cual se establece, no sin cierta peculiaridad, un colofón específico (h. 91^{v}), después del cual se imprimen otras obras.

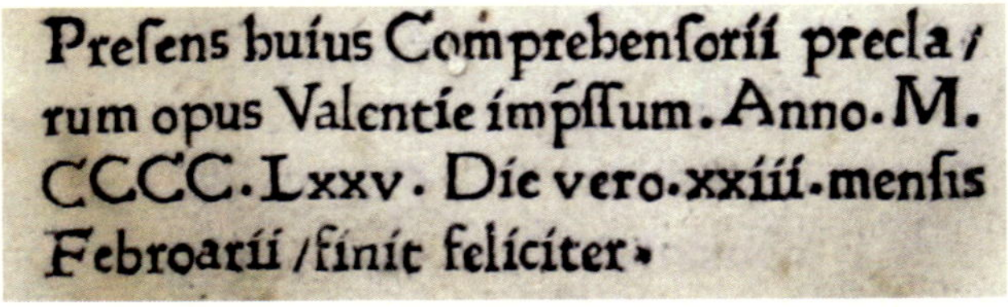
Preſens huius Comprehenſorii precla/
rum opus Valentie impſſum. Anno. M.
CCCC. Lxxv. Die vero. xxiii. menſis
Febroarii / finit feliciter.

BHUV, Inc. 57

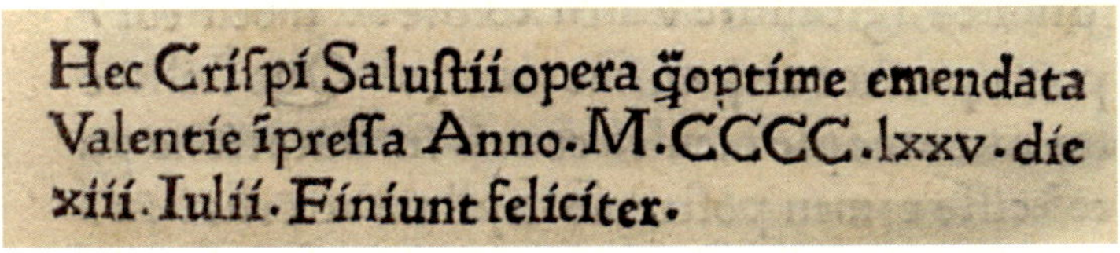
Hec Criſpi Saluſtii opera q̄optime emendata
Valentie ĩpreſſa Anno. M. CCCC. lxxv. die
xiii. Iulii. Finiunt feliciter.

BHUV, Inc. 265

Un formato muy similar es el que debió de tener el colofón de *Les trobes*, coherente, por tanto, a los usos de este taller en 1474 y 1475, si bien en ambos casos se indica también el día y mes en que se acaban de imprimir: el 23 de febrero el *Comprehensorium* y el 13 de julio el *Bellum Iugurthinum*. Que no recojan Rodríguez y Ximeno la fecha completa de impresión de *Les trobes* no implica necesariamente que no incluyese también el mes y el año, pero no lo podemos saber y, en cualquier caso, no deja de ser un impreso ligeramente anterior, por lo que podría ser una peculiaridad de este colofón temprano. Ni en uno ni en los otros se daba indicación sobre el impresor, si bien se ha atribuido a Lambert Palmart por la coincidencia de tipos con la *Tertia pars* de la *Summa Theologica* de Santo Tomás, que es el primero de los incunables que incluye su nombre en el colofón:[139]

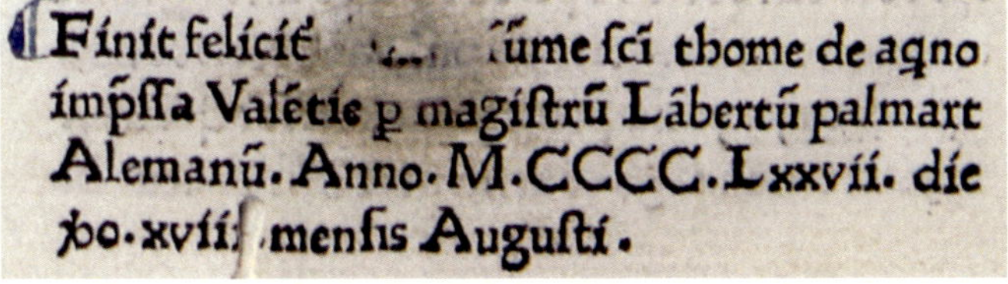
Finit felicit[illegible] ume ſci thome de aquino
impſſa Valētie p̱ magiſtrū Lābertū palmart
Alemanū. Anno. M. CCCC. Lxxvii. die
vo. xviii. menſis Auguſti.

BHUV, Inc. 13

139 Las circunstancias socioliterarias y la presencia de cierta documentación, pero ausencia de mucha otra, es lo que justifica que Bohigas y Soberanas atribuyan su impresión al taller de Jacobo Vizlant o que Vindel lo haga al de Alfonso Fernández de Córdoba, frente a la propuesta más generalizada de Lambert Palmart.

En conclusión, *Les trobes en lahors de la Verge Maria* son un incunable impreso en 1474, como indicaba el colofón que, sin duda, vieron Rodríguez, primero, y Ximeno, después. El matiz es importante, porque, aunque ambas obras bibliográficas se imprimen en una misma fecha, en 1747, la de Rodríguez se comenzó a imprimir en 1703, pero quedó inconclusa por su muerte en noviembre de ese mismo año.[140] Rodríguez, por tanto, consultó a finales del siglo XVII o en los primerísimos años del XVIII este ejemplar, del que no se nos explicita la procedencia, pero es lógico pensar que debía de formar parte, ya entonces, de la Biblioteca del Real Convent de Sant Doménec. Ya estaba, además, encuadernado en ese paso del siglo XVII al XVIII, pues contenía en el lomo la leyenda a tinta que Rodríguez refiere para titular el volumen, por lo que tal proceso no sería tan cercano a fines del siglo XVIII como pensaba Villarroya, cuyas hipótesis sobre la suerte de esta última hoja se reducen a una, a partir de estas constataciones: se perdió con posterioridad a la encuadernación y no se desechó o traspapeló durante tal proceso, porque no solo ya había tenido lugar, al menos, un siglo antes, sino que Rodríguez y Ximeno la habían visto y de ella extrajeron los datos del colofón, que seguía el modelo de los dos incorporados por ese mismo taller unos meses después, pero ya en 1475. Se constatan, en definitiva, dos grandes novedades: la mutilación del ejemplar único y la existencia de un colofón impreso original, el primero de la imprenta incunable valenciana, que, ya sin lugar a dudas, data este incunable en 1474.

2.4. El ejemplar único

2.4.1. Localización y procedencia

El ejemplar conservado del incunable de *Les trobes en lahors de la Verge Maria* que se custodia, a día de hoy, en la Biblioteca Històrica de la Universitat de València es el único del que se ha tenido noticia a lo largo de la historia bibliográfica de esta edición, lo que ha llevado a pensar, incluso, que solo hubiese sido este el que se imprimió: «Un solo egemplar queda (si no fué acaso el único que se imprimió) de la primer obra dada á la estampa en Valencia, y guardálo la biblioteca de nuestra Universidad Literaria, como la más rica y codiciada de sus numerosas joyas» (Torres Belda 1874: 44). No

140 Así lo indican los paratextos de la edición definitiva, de mediados de siglo, en su *Advertencia inicial*: «La Impression de la Biblioteca Valentina, que su Autor el P. M. Fr. Josef Rodriguez dexò imperfecta por su muerte sucedida en 28. de Noviembre de 1703. sale aora cumplida, aviendose completado con los Originales, que el Autor dexò trabajados, y tenia prevenidos para darla fin» (Rodríguez 1747: s. p.).

triunfa la hipótesis sugerida por este erudito decimonono y bibliotecario entonces del fondo universitario valenciano,[141] a propósito de la impresión de un solo ejemplar y, por tanto, de una tirada única y privada,[142] que debía de fundamentarse en la rareza de un incunable poético tan temprano, entre una producción apabullantemente escolar y/o universitaria[143] y sin otra edición similar en Valencia, que no tuvo lugar hasta trece años después[144] y, precisamente, en el propio taller de Palmart. Lógicamente, no triunfa tal argumento porque, para la erudición local que ha atendido a este incunable, sería remar en contra de tal joya bibliográfica; por esto y porque no habría argumentos que lo justificaran, sino todo lo contrario. Si se quiere que permanezca en la memoria colectiva un evento socioliterario de tal magnitud y repercusión, lo más lógico sería intentar mantener ese espíritu de difusión y alcance de sus resultados, con la multiplicación de ejemplares. Si hubiese la voluntad de dejar constancia o testimonio en un único libro, ¿por qué no hacerlo en un manuscrito altamente iluminado y cuidado? Por razones editoriales y comerciales, sin duda, y para su amplia difusión socioliteraria, en coherencia con el desarrollo del propio certamen.

De la consideración de *Les trobes* como la principal joya bibliográfica de esta biblioteca, deja constancia, de hecho, su signatura actual, CF/1 (*olim* 92-6-17), que indica que se custodiaba en la caja fuerte[145] y que, entre los

141 Ibarra y Folgado dedica un epígrafe a negarla de manera específica: «Se ha supuesto que este ejemplar, que hoy es único, lo fué siempre, sin que las prensas de Palmart imprimieran otro. Esta suposición está contradicha por todas las apariencias del papel, que es el mismo de las ediciones completas de Palmart, y por la consideración de que se trataría de un lujo caro e incomprensible. Creer que se forzó la máquina de la naciente imprenta valentina para tirar un solo ejemplar es duro de admitir, así como poco probable que los poetas del Certamen, entre los que figuran astros de primer orden de las letras valencianas, se resignaran a carecer de copias de sus obras precisamente en los momentos en que el nuevo arte de reproducir escritos era la actualidad más saliente de la vida ciudadana» (1945: 32).

142 Una hipótesis que sugiere Romero de Lecea para *Les trobes*: «el carácter de edición decidida a fines privados» (1974: 93). Y que Sanchis Guarner invierte para, paradójicamente, aplicar estas características al *Sinodal* segoviano de 1472 y reivindicar, así, que este cancionero valenciano era el primer libro impreso en España (Sanchis Guarner 1974: XLV y 1979: 55).

143 Como demuestra el trabajo y el repertorio de José Luis Canet (2009a), que incluye, de hecho, los otros incunables salidos de las prensas de Palmart en esas mismas fechas, inmediatamente anteriores o posteriores.

144 Al menos, no hay otra anterior de la que tengamos evidencia documental o de la que nos haya llegado ejemplar.

145 El uso del pasado es porque, con la creación de las cámaras acorazadas de este fondo bibliográfico, en su remodelación durante los últimos años del milenio pasado, quedó obsoleta esa caja fuerte, que, como reliquia histórica, ha quedado vacía en

allí conservados, es el primero que merecía ser catalogado. Esta signatura evidencia, por tanto, una de las razones por las que, a pesar de su importancia, era hasta hoy uno de los incunables menos conocidos en lo que respecta a su materialidad.[146] Baste indicar que, a pesar de que, desde Torres Belda, se menciona su localización actual, raramente se indica su signatura en los repertorios.[147] Sorprende que no lo haga, ni siquiera, el propio catálogo impreso de los incunables de la Biblioteca Històrica de la Universitat de València (Palanca Pons y Gómez Gómez 1981: 111, nº 240)[148] y tengamos que esperar a BITECA (manid 1448) para que así sea.[149] Por otro lado, el catálogo de

el despacho de la directora y su contenido se ha reunido en ellas con el resto de fondos históricos. Para las características técnicas de estas cámaras y el proyecto en cuestión, véase el trabajo del anterior restaurador del fondo, Luciano Pardo (2017).

146 Es muy sintomática la advertencia de «Unavailable» que destaca Concheff (1985: 73, nº 757), puesto que denota las dificultades de consulta general que tiene esta joya bibliográfica de la Universitat de València, unas limitaciones reales, que responden a una prevención a fin de conservarlo. Ya Romero de Lecea, con sus formas habituales, puso el dedo en la llaga en esta cuestión: «Luego de una prolongada e inútil espera, para permitirnos el paso a la Dirección de la Biblioteca Universitaria, cuando al fin pudimos salvar tan desesperante impedimento, expusimos a la directora, que nos recibió muy amable, el motivo de nuestra visita. Como el incunable se guarda en la caja fuerte de un Banco, tuvimos que volver a la mañana siguiente, que fue cuando recibimos, emocionados, en nuestras manos, el ejemplar único de *Les trobes*» (1974: 157, n. 169). La caja fuerte se encontraba, en cualquier caso, en el propio edificio de la biblioteca y no en un banco, como creía Romero de Lecea de manera tan peregrina. Su consulta, efectivamente, no tiene sentido si no es para su estricta descripción material y agradezco a su actual directora, Mª Jesús García Mateu, que, en el momento en que la he necesitado desarrollar, se halla mostrado asequible a ello. También a la anterior directora, Mª Cruz Cabeza, que siempre lo puso a mi disposición, como el resto del fondo, aunque no lo consulté hasta que ha sido estrictamente necesario por cuestiones de materialidad. Porque esta es la estrategia recomendada para la conservación de la documentación y bibliografía en España desde el siglo XVI: «En los archivos, la copia de los documentos más importantes para evitar su deterioro o la realizada a documentos ya deteriorados, siguió siendo una de las actividades conservadoras más destacadas. Así aparece dispuesto en las Instrucciones filipinas para el archivo de Simancas (1588), en las que además se obliga a guardar originales y copias en lugares diferentes y a utilizar las copias y no los originales para acceder a la información» (Allo Manero 1997: 262).

147 Según el modelo abreviado «Valencia *BU*» (García Craviotto 1989-1990, II: 25, nº 4158; GW M27366; ISTC im00270500), pero también desarrollando la referencia (Martí Grajales 1894: 12 y 1927: 215; Haebler 1903-1917, I: 231, nº 488; Massó i Torrents 1913-1914: 238 y 1932: 47; Concheff 1985: 73, nº 757).

148 Actualmente, sí lo hace su catálogo en línea.

149 De manera casi única, porque, además del Catàleg *Trobes*, solo refiere su signatura otro repertorio, el de Diego Romero Lucas, pero en este caso con una pequeña errata formal: «Valencia, Bibl. General Histórica UVEG, C/F-1» (2005a, II: 25, nº 6).

Brian Dutton, el referente para la poesía de cancionero del siglo XV, lo llega a localizar en otro fondo distinto —«Biblioteca Capitular» (1990-1991, V: 1, nº 74*LV)— y, por tanto, equivocado, contribuyendo a ese desconocimiento que ha orbitado sobre este incunable poético.

Vicente Ximeno solo hablaba de haber visto «un ejemplar» (1747-1749, I: 59),[150] mientras que Josep Villarroya destaca que es un libro «singular, apreciable, raro y aun unico» (1796: 65-66). El hecho de considerarse un ejemplar único aumenta tal valoración y, por ello, lo destaca Torres Belda hasta en dos ocasiones[151] y, desde entonces, se pondrá en valor y será recurrente en la bibliografía posterior,[152] con mayor vehemencia, incluso, en el propio catálogo de incunables de la Biblioteca Històrica de la Universitat de València: «Único ejemplar conocido en el mundo» (Palanca Pons y Gómez Gómez 1981: 111, nº 240).

El primero en indicar que el ejemplar de este incunable poético se encontraba en su fondo actual fue José María Torres Belda y lo hizo, por un lado, refiriéndose a él con dos nombres diferentes y, por el otro, advirtiendo su procedencia: «guardálo la biblioteca de nuestra Universidad Literaria» (1874: 44) y «El único egemplar que de esta obra existe, y que nuestra biblioteca provincial custodia, procede de la antigua y rica librería de Santo Domingo» (Torres Belda 1874: 50). *Universidad Literaria* es uno de los nombres clásicos que recibe la Universitat de València, recogido en el dintel de la puerta del carrer de la Nau y que encontramos también en el título de las *Constituciones de la insigne Universidad Literaria de la ciudad de Valencia* (1733). El nombre de *biblioteca provincial* deriva, en última instancia, del proceso por el que llegó el ejemplar único a este fondo, procedente de la *rica librería de Santo Domingo*, como indica Torres Belda, esto es, del Real Convent de Predicadors o de Sant Doménec de València, el convento de los dominicos.

Efectivamente, habría llegado a este fondo tras la desamortización de Mendizábal,[153] a raíz de la cual las antiguas bibliotecas universitarias españolas recibieron una parte importante de esos fondos bibliográficos procedentes de los conventos, iglesias y monasterios, a condición de convertirse en

---

150 Sus precedentes, Nicolás Antonio (Antonio 1788², II: 305-306, nº 650) y Josep Rodríguez (1747: 81-82), no mencionaban ni siquiera la cuestión de los ejemplares.

151 «Un solo egemplar queda» (Torres Belda 1874: 44) y «El único egemplar que de esta obra existe» (Torres Belda 1874: 50).

152 Véanse Martí Grajales 1894: 12; Serrano y Morales 1898-1899: 436-437; Haebler 1903-1917, I: 231, nº 488; Martí Grajales 1927: 215; Massó i Torrents 1913-1914: 238 y 1932: 47.

153 «Los libros de las Órdenes religiosas salieron dos veces, por lo menos, de sus estantes, a partir de fines del siglo XVIII, una en la guerra de la Independencia y otra en el revuelto período de 1820 a 1823. La tercera y definitiva salida, equivalente para incontables a destrucción, fué la de la exclaustración de 1835» (Ibarra y Folgado 1945: 33).

bibliotecas provinciales (Moralejo Álvarez 1998: 281), lo que no supuso, por tanto, una particularidad para el caso que nos ocupa.[154] Aunque, a diferencia de otras bibliotecas universitarias, tras la guerra de la Independencia y las reordenaciones de Fernando VII, este fondo valenciano entró en funcionamiento de nuevo en 1827 (Llorca 1933: 127) y se abrió al público definitivamente en 1837, *sensu stricto* no está documentada la fecha de entrada de este incunable al fondo universitario valenciano.[155]

José Mª Ibarra y Folgado, en el opúsculo que acompaña el primer y más lujoso facsímil de este incunable poético, incide en estas cuestiones cronológicas y, sobre todo, matiza el alambicado camino que, sin duda, siguieron esos materiales bibliográficos:

> Procedíase entonces a la restauración del edificio universitario, terminado en 1842, y los libros de los conventos recorrieron distintos depósitos —en los que no escaparon a varios saqueos metódicos hechos por eruditos extranjeros, que se saciaron de *adquirir* libros y documentos que les dejaron llevar nuestros progresistas—, hasta que los más afortunados hallaron asilo en los estantes de la Biblioteca de la Universidad, algunos años más tarde confiada a la dirección facultativa del Cuerpo de Archivos, Bibliotecas y Museos, que poco a poco fué poniendo al servicio de los estudiosos los restos del gran naufragio (1945: 33-34).

La restauración del edificio histórico universitario por el incendio parcial de la Guerra de Independencia debió de estar concluida, al menos en su mayor parte, en 1837, al abrirse al público, si bien la remodelación definitiva advierte Ibarra que finalizó cinco años después, en 1842.[156] Por otro lado, Mª Cruz Cabeza explicita que este fondo recibió el nombre de Biblioteca Universitaria y Provincial en 1859, asociado a la llegada de los libros procedentes de la desamortización, y lo tuvo hasta 1954,[157] aunque esta denominación persiste

154 Otra cosa bien diferente es que en ese proceso se hubiesen perdido muchos libros, muchos de ellos puestos a la venta en pequeñas transacciones controladas por los poderes locales.

155 Como reconoce su anterior directora, Mª Cruz Cabeza Sánchez-Albornoz: «No sabemos en qué fecha ingresó en la Biblioteca la obra que podemos considerar cumbre de la historia de la imprenta en España, *Obres o Trobes en lahors de la Verge Maria*, suponemos que fue también con la desamortización» (2000: 64). Para esta cuestión, en el marco de la formación del fondo sobre literatura catalana medieval en la Biblioteca Històrica de la Universitat de València, véase Martos 2016c.

156 Todas estas fechas, sin embargo, no dejan de formar parte de esa memoria colectiva valenciana, que no siempre está fundamentada.

157 Sustituyendo el anterior de *Biblioteca de la Universidad de Valencia*. A partir de 1954, pasó a llamarse Biblioteca General y Universitaria de Valencia. Para ello, véase Cabeza Sánchez-Albornoz 2000: 15.

en algún repertorio bibliográfico aún décadas después.[158] En este año de 1859, sin duda, debía de estar ya entre sus fondos el ejemplar de *Les trobes en lahors de la Verge Maria*. Nada indica que hubiese sido unos años antes, pero bien es cierto lo que describe Ibarra en cuanto a los avatares de esos libros durante el paréntesis entre la desamortización y el cambio de nombre de la biblioteca universitaria, en coherencia con lo que he podido documentar para el ejemplar del cancionero inmaculista de 1487 conservado en la Biblioteca de la Universitat de Barcelona y que se mantuvo en un depósito hasta 1881.

Vicente Ximeno es el primero en mencionar que lo consultó directamente y, además, explicitando la localización de tal ejemplar, *ya* en la biblioteca dominica a mitad del siglo XVIII o *todavía* allí entonces, pues ambos datos son interesantes para la historia del ejemplar: «he visto un ejemplar en la Libreria del Real Convento de Predicadores» (1747-1749, I: 59). Sin embargo, como se ha puesto en evidencia en el epígrafe anterior, no cabe duda de que, aunque no lo indicó, Josep Rodríguez ya había extraído su descripción directamente del ejemplar, que debía de estar ya entonces en el mismo fondo en que lo vio Ximeno. Medio siglo después, allí lo localiza también Josep Villarroya: «En efecto se halla este precioso monumento de la antigüedad en la Biblioteca de este Real Convento de Predicadores, donde dice Ximeno que le vió, y donde le he reconocido y exâminado varias veces con la debida atencion y cuidado» (1796: 51-52). Ningún bibliófilo vuelve a referir su paradero hasta casi ocho décadas después, cuando, ya avanzado el siglo XIX, José María Torres Belda (1874: 44) lo localiza, definitivamente, en el fondo que actualmente lo conserva.

Es muy probable, como sugiere José Mª Ibarra,[159] que el ejemplar en cuestión estuviese en la biblioteca dominica desde su publicación en 1474 —o poco después—, por su importancia social y espiritual en la Valencia de los siglos XIV y XV, en especial, protegido históricamente por los monarcas aragoneses y, en consecuencia, por la nobleza local, de lo que son buena muestra su capilla real o algunos de los ricos monumentos funerarios de las más destacadas familias valencianas. Las fechas, además, son clave, pues se imprime en 1474, tres años después de la llegada al papado del franciscano Sixto IV, con el correspondiente impulso a las tesis inmaculistas, en contra de la creencia general dominica.

158 «Valencia: Biblioteca Universitaria y Provincial» (Concheff 1985: 73, nº 757).

159 «La historia de esta joya bibliográfica no es muy larga. Carecemos de datos acerca del modo cómo llegó a la Biblioteca del Real Convento de Predicadores de Valencia. Pudo estar allí desde el mismo año de su impresión, pues la Orden Dominica gozó siempre en Valencia de justo predicamento; su convento era grandioso y su librería contenía verdaderos tesoros, tanto en manuscritos como en impresos de toda clase» (Ibarra y Folgado 1945: 32-33).

A pesar de que se recrudecieron los enfrentamientos sociales y teológicos, a este certamen no llegaron las polémicas ni el debate, ni mucho menos la prohibición de poderse presentar poetas que se manifestasen en contra del misterio de la Inmaculada Concepción, como sí que ocurrió en 1486. No hubo veto, por tanto, ni se focalizó la cuestión temáticamente en este certamen, como se ha matizado frente a lo considerado por Josep Rodríguez, pero bien es cierto que emergió, recurrentemente, el tópico mariano de la Inmaculada y eso era suficiente para que una sensibilidad dominica incorporara en el lomo de su encuadernación un título que lo identifica como libro que trata de la Concepción.

2.4.2. Encuadernaciones

Sanchis Guarner, testigo de excepción de ambos estados del volumen de *Les trobes*, antes y después de la restauración, advertía que «Tenia unes tapes de pergamí blanc i flexible, sense reforç de cartó ni fusta, datables segurament al segle XVIII, les quals han estat ara canviades per unes altres també de pergamí però rígides, enfortides amb fermes de cartó» (1979: 40). Así lo indica también BITECA —«moderna, pergamí sobre cartó» (manid 1448)— y es cierto que contiene un ligero refuerzo con cartón fino, pero sin perder su flexibilidad, sin ser una encuadernación a la romana, dura y reforzada con cartón grueso o madera, como pretende imitar el facsímil que prologa Sanchis de 1979, sino un pergamino flexible doblado en camisa,[160] con la guarda pegada. Esta encuadernación actual, restaurada hace casi cinco décadas, coincidiría, por tanto, con la descripción que el propio Sanchis Guarner nos da de las cubiertas anteriores, que data en el siglo XVIII, sin duda a partir de Villarroya, quien decía que «este exemplar se halla enquadernado de poco tiempo acá, con cubiertas de pergamino, y sin la curiosidad y primor que merecia un libro tan singular» (1796: 65). En ese arco temporal establecido entre Villarroya y Sanchis Guarner, esto es, entre 1796 y 1974, se refiere esta encuadernación en pergamino blanco y flexible en varias ocasiones, aunque todas ya del siglo XX.[161] De ello se evidencia que las cubiertas actuales sustituyen con fidelidad las que se nos refieren desde Villarroya, quien las valoró de una cierta

160 Con un cordón superior y otro inferior en el lomo, en diagonal ambos, que refuerzan la unión del cosido con la cubierta de pergamino

161 «Está encuadernado en blanco y flexible pergamino, sin armazón de madera o cartón, al estilo del siglo XVIII» (Ibarra y Folgado 1945: 31). «Este primitivo incunable está encuadernado en blanco y flexible pergamino, sin armazón de madera o cartón, como solían encuadernarse los libros de más cuerpo o volumen. Esta encuadernación es muy probable que sea del siglo XVIII» (Guarner 1974a: 33-34). «La encuadernación, en pergamino, dista mucho de conservarse en estado regular o mediano» (Romero de Lecea 1974: 92).

sencillez —si no pobreza, inadecuada al libro que protege—, que, en cualquier caso, se ha reproducido del original previo, como lo ha hecho también la leyenda «Poema Valēciano dela Concepciō» de su lomo,[162] a tinta negra, que también debía de ser deudora del modelo precedente, pues, como hemos visto, era el origen del título que Josep Rodríguez daba a este incunable en la entrada correspondiente de su *Biblioteca valentina.*

Precisamente porque este bibliógrafo murió en 1703, ese *de poco tiempo acá* al que se refería Villarroya debemos retrasarlo hasta finales del siglo XVII o, quizás, de los tres primeros años del XVIII. El propio hecho de que se encuadernase podría indicar su mal estado de conservación ya en el paso entre ambos siglos, como destacaba Villarroya: «este libro se enquadernó nuevamente por su mal estado, y porque no se inutilizase del todo» (1796: 65-66). Y en este mismo sentido incidiría la pérdida posterior de la hoja con el colofón, además de la precariedad material que encontraremos siglos después entre los bifolios resultantes del plegado, que han perdido su solidaridad física, probablemente ya desde entonces. La encuadernación ayudaba a resolver el problema, pero no fue suficiente, como demuestra la pérdida de hojas, al menos la última y alguna(s) en blanco finales, producida tras más de cincuenta años después de haberlo consultado Rodríguez, pues Ximeno parece que aún lo encontraba en ese mismo estado, aunque ya no era así a finales del siglo XVIII.

Fue en este proceso de encuadernación, probablemente de finales del siglo XVII, cuando se produjo la inversión de los cuadernos *d* y *e* —sin signatura impresa—, que nos ha llegado hasta hoy, de la que tenemos noticia desde la descripción de Torres Belda,[163] quien atribuye a esta circunstancia que hubiese «hecho

162 El hecho de tratarse de una reproducción al restaurar el volumen, aunque imitando el título del lomo de las cubiertas anteriores, con el mismo estilo de caligrafía, abreviaturas y signos tironianos, debe de ser lo que lleva a BITECA a atribuirle una letra moderna: «Poema Valenciano dela Concepció (en tinta al llarg del llom, lletra moderna)» (manid 1448).

163 Lo que, enseguida, recogieron Francisco Martí Grajales y José Ribelles Comín, de quienes pasó a la bibliografía posterior: «Por impericia del encuadernador, el pliego quinto ocupa el lugar del cuarto y viceversa» (Martí Grajales 1894: 12); «Está mal encuadernado, porque el pliego quinto ocupa el lugar del cuarto y viceversa» (Ribelles Comín 1915: 230); «Por impericia del encuadernador, el pliego quinto ocupa el lugar del cuarto, y viceversa» (Ribelles Comín 1915: 243); «El único ejemplar conocido existe en la Biblioteca universitaria de Valencia y por impericia del encuadernador se alteró la colocación de pliegos, figurando en lugar del cuarto el quinto y viceversa» (Martí Grajales 1927: 215). Diego Romero Lucas lo glosa concretándolo en cuanto a sus límites concretos en términos de hojas: «Mal encuadernado. Tras el cuaderno *c*, que termina en el fol. 30, viene el cuaderno *e*, que comprende los folios 41 al 48; sigue luego el cuaderno *d*, que comprende los folios 31 al 40; después viene el cuaderno *f*, que comienza en el fol. 49, y sigue ya bien hasta el final» (Romero

creer erróneamente á algunos que faltaban hojas al libro de que nos ocupamos» (1874: 45).[164] Este descuido en la encuadernación del siglo XVII, teniendo en cuenta que justo la transición entre cuadernos trunca poemas y que el cuaderno *d* acaba con una composición castellana en arte menor, que hacía fácilmente detectable la alteración, apunta a un cierto desinterés por los contenidos durante el proceso de encuadernación, simplemente procediendo a coser los materiales para conservarlos. Esto respondería, más bien, a una voluntad, quizás sistemática, de encuadernación de los fondos de la biblioteca, que debió de tener lugar a finales del siglo XVII, aplicada a volúmenes cuya conservación era precaria, bien porque las cubiertas originales estaban en muy mal estado, bien porque este pequeño opúsculo de 60 hojas no se llegó a encuadernar nunca y se conservaba como un pequeño cartapacio enmarcado por hojas a manera de guardas. Volveremos sobre esta cuestión, de hecho, al estudiar el estado actual del incunable, tras su última encuadernación y la restauración que tuvo lugar entonces.

Este volumen encuadernado en pergamino blanco se encuentra dentro de una caja, cofre o estuche que lo protege, de pasta dura o cartoné de color rojo, decorada con dos orlas concéntricas rectangulares grabadas en dorado —la interna representando un sencillo cordón y una doble más elaborada en el caso de la externa, con cenefas dentro—, cuyo interior está forrado de papel tintado con aguas.[165] Su mitad inferior presenta una pestaña que se introduce

---

Lucas 2005a, II: 25, nº 6). En este mismo sentido, lo explicita BITECA: «El foli preliminar de guardes duu anotacions del s. XVI i els vuit folis finals són en blanc, de guardes posteriors. En molt bon estat, restaurat el 1974. Els quaderns "d" i "e" es troben canviats de lloc, cosa que provoca un salt a la foliació: 41-48 + 31-40» (manid 1448). Al propio ejemplar añade la biblioteca una octavilla mecanografiada, reproducida al final de su digitalización, en la cual se indica lo siguiente: «Aquí comienza el error de encuadernación, del que hablan los repertorios bibliográficos: Después del cuaderno c, que termina en el fol. 30, viene el cuaderno e, que comprende los fols. 41 a 48; sigue luego el cuaderno d, que comprende los fols. 31 a 40; después viene el cuaderno f, que comienza en el fol. 49, y sigue ya bien hasta el final. En realidad se trata de uns trasposición de los cuadernos d y e».

164 No es, desde luego, la razón aducida por Villarroya, lo que no descarta que fuese una impresión no documentada por escrito de las impresiones de algunos lectores que este bibliotecario conocía de primera mano.

165 Como describe bien Romero Lucas en cuanto al material: «A su vez está metido en una encuadernación más grande, en pasta roja, con orlas doradas de decoración. En el lomo destacan dos tejuelos con fondo negro y letra en bajorrelieve dorado. En el primero: "TROBES | A LA | VERGE | MARIA" y en el segundo: "VALENCIA | 1474"» (2005a, II: 25, nº 6). Sin embargo, un estuche no es, *sensu stricto*, «una encuadernación más grande» (2005a, II: 25, nº 6). Así lo define BITECA, con acierto, aunque confunde el material de que está hecho, puesto que no es piel, sino pasta de cartón: «conservada dins d'un estoig de pell vermella amb ferros daurats de bella factura, amb l'interior cobert amb paper d'aigües» (manid 1448).

en la superior, con apertura por el centro, de manera horizontal. En su lomo, hay dos tejuelos que forman parte del diseño del cartoné, de color negro y con letras doradas, que indican, respectivamente, en el superior y en el inferior, lo siguiente: «TROBES | A LA | VERCHE | MARIA» y «VALENCIA | 1474».[166] Bajo el segundo de estos se añade un tercer tejuelo, en este caso una pegatina, con la signatura actual del incunable: «C.F. | 1».

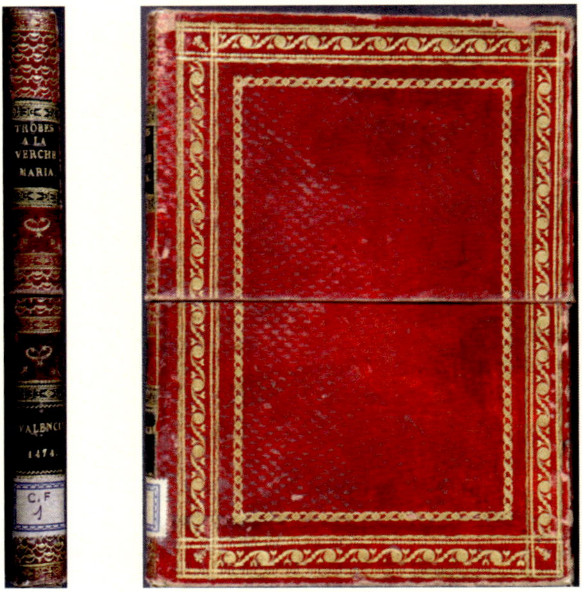

BHUV, CF/1

No hace referencia a este estuche ninguno de los bibliógrafos hasta Romero de Lecea, que, tras haberlo consultado inmediatamente antes de su proceso de restauración de 1974,[167] lo describe sucintamente: «Nos entregaron el incunable guardado en un estuche, en forma de petaca, que lo mantiene herméticamente cerrado, "de modo que no permita pasar el aire"» (Romero de Lecea 1974: 91). Más allá de la crítica a los supuestos problemas de conservación que implica este estuche de cartoné, su descripción de él como una estructura de petaca lo identifica con el que hoy se conserva, de una cierta antigüedad, a

166 Como han descrito también Romero Lucas (2005a, II: 25, nº 6) y BITECA (manid 1448).

167 «Desde que fue exhibido en Madrid este incunable valenciano, con motivo de la Exposición del Milenario del Libro Español, no lo habíamos vuelto a ver, hasta que en fecha reciente nos trasladamos a Valencia con la principal finalidad de examinarle detenidamente, antes de redactar estas líneas» (Romero de Lecea 1974: 91).

lo que apunta tanto su estado, con roces, como su propio diseño. Este último rasgo es el que justifica, de hecho, una datación del estuche en el siglo XIX, en la que incidiría el uso de la grafía de la africada sorda castellana para representar el correspondiente fonema sonoro valenciano, en el caso de *Verche*, que debe de ser anterior a las diferentes codificaciones de la lengua del primer tercio del siglo XX. Y, si tenemos en cuenta la atención que se le prestó a este incunable durante la conmemoración del IV Centenario de su impresión, en 1874, es muy probable que haya que datar su confección en esta fecha, más aun siendo Torres Belda bibliotecario de este fondo y como respuesta a las críticas de Villarroya hacia lo impropio de su pobre encuadernación en pergamino, «sin la curiosidad y primor que merecia un libro tan singular». La nobleza descrita del nuevo estuche venía a corregir esta circunstancia y, por ello, dada su antigüedad y con un estado de conservación notablemente bueno, se decidió mantenerla un siglo después, haciendo caso omiso a las consideraciones de Romero de Lecea.

2.4.3. Estructura y hojas de guardas

Los pliegues del pergamino en el interior de la cubierta y la contracubierta se cubren con una guarda interior, que se pega sobre ellos, dejando una guarda volante en ambos casos, como partes solidarias de un mismo bifolio. Tanto el añadido en la cubierta como en la contracubierta son de papel antiguo, con anotaciones de deudas y cuentas[168] por una de sus caras,[169] escritas en castellano por una misma mano. Se adhiere a la cubierta interior la parte del texto y, así, estas anotaciones quedan en el vuelto de la guarda volante anterior, en este caso, lógicamente, visibles; en la contracubierta interior se procede de igual manera, pero, al ser en espejo, el texto de las deudas queda en el recto de la guarda volante posterior.[170]

168 Romero Lucas describe estas hojas de guarda con una cierta vaguedad, sin advertir que se trate de deudas, ni transcribir los nombres que se recogen: «Anotaciones en las hojas de guarda de unas operaciones matemáticas con nombres de personas» (Romero Lucas 2005a, II: 27, nº 6). Frente a ello, BITECA explicita que «s'esmenta com a deutors o els seus representants a Miguel Giner, Geroni Ribera, Po Juan Blasco, Bautista Olginat, Agustin Soldia, els hereus de Miguel Meseguer, Pedro Albelda, Bautista Llorens i a Esperança Berda y de Pastor viuda de Felipe Vius» (manid 1448).

169 En las otras caras de ambas hojas, en realidad, sí que encontramos una o dos cuentas, de manera circunstancial, pero sin dedicar la plana a ello.

170 BITECA cree, por error, que las guardas volantes anterior y posterior son el mismo folio: «Al f. I prel. i al 67, anotacions fetes per una mà del s. XVI, de fet es tracta del mateix foli, plegat en horitzontal, amb apunts en castellà sobre deutes» (BITECA manid 1448). Por criterios paleográficos, parece que habría que datar estas hojas de guarda en los siglos XVI o, quizás, XVII.

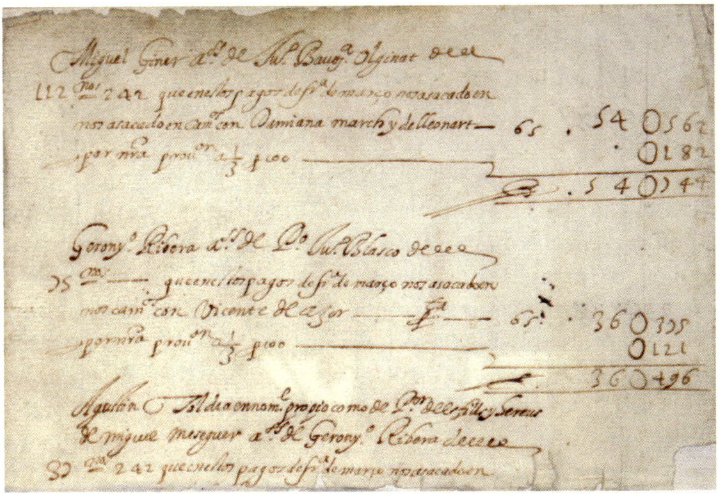

BHUV, CF/1, Guarda volante anterior, vuelto

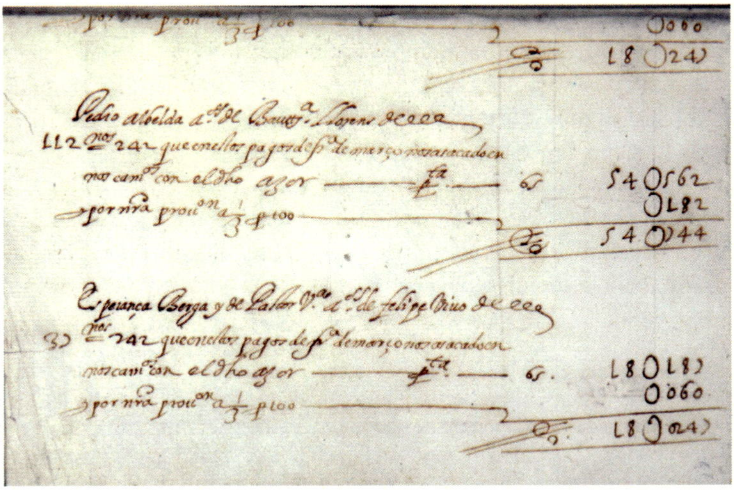

BHUV, CF/1, Guarda volante posterior, recto

Más allá de cuándo sea el papel, claramente antiguo, este no se añadió en la restauración de 1974, a pesar de estar pegado al interior de la cubierta y de la contracubierta, sino que es probable que formara parte del volumen previamente a esa fecha, porque, en este proceso, se han restaurado también esas hojas. Se ha evidenciado a lo largo de este estudio la voluntad de respetar

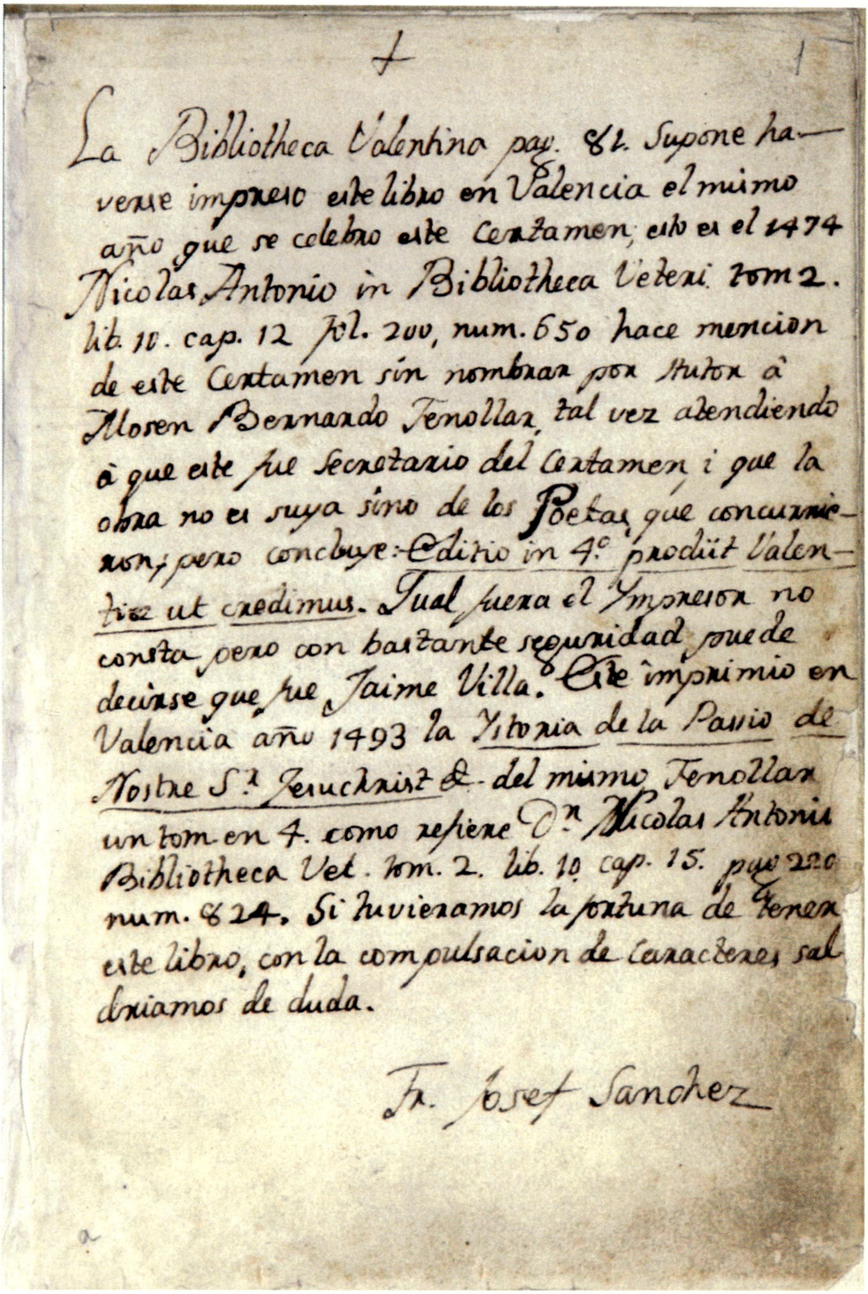

†

La Bibliotheca Valentina pag. 81. Supone ha-
verse impreso este libro en Valencia el mismo
año que se celebro este Certamen; esto es el 1474
Nicolas Antonio in Bibliotheca Veteri. tom 2.
lib. 10. cap. 12 fol. 200, num. 650 hace mencion
de este Certamen sin nombrar por Autor à
Mosen Bernardo Fenollar, tal vez atendiendo
à que este fue Secretario del Certamen, i que la
obra no es suya sino de los Poetas que concurrie-
ron; pero concluye: Editio in 4.º prodiit Valen-
tiae ut credimus. Qual fuera el Impresor no
consta pero con bastante seguridad puede
decirse que fue Jaime Villa. Este imprimio en
Valencia año 1493 la Istoria de la Passio de
Nostre S.r Jesuchrist &. del mismo Fenollar
un tom en 4. como refiere D.n Nicolas Antonio
Bibliotheca Vet. tom. 2. lib. 10. cap. 15. pag 220
num. 824. Si tuvieramos la fortuna de tener
este libro, con la compulsacion de caracteres sal
driamos de duda.

Fr. Josef Sanchez

BHUV, CF/1, h. 1r

el original previo, lo que sería suficiente para justificar que estas guardas ya pertenecían al ejemplar antes de su restauración en 1974, pero, además, no tendría sentido que se añadiera entonces un papel antiguo ajeno que necesitase restauración y, más aún, que se le aplicase.

Tras la hoja de guarda volante anterior, comienza directamente el incunable propiamente dicho, cuyo original, como se ha demostrado, estaría formado por 60 hojas, de la que se ha perdido la última. A continuación del texto impreso, contamos 7 hojas en blanco, de filigranas muy diferentes, que ya debían de formar parte del volumen,[171] pero no del incunable. Su carácter impar y las dificultades en la reconstrucción de las filigranas apuntan a que debieron de ser más, no solo una, sino varias, para llegar a dar lugar a la heterogeneidad del papel que hoy encontramos. De hecho y precisamente por esto, es muy probable que ya estuviesen separadas las hojas, sin formar bifolios, cuando se encuadernó en el siglo XVII —y ya se habrían perdido algunas—, pero, desde luego, lo estaban en 1974, porque entonces se reconstruyeron sin atender a una materialidad original y porque hoy podemos ver trazas de la reintegración de papel. Tras estas hojas en blanco, encontramos ya la guarda volante posterior. De ello, se deduce que el ejemplar cuenta con 66 hojas, 59 hojas del impreso original y 7 en blanco ajenas a él —posteriores, pero antiguas—, a las que habría que sumar las dos guardas volantes.[172]

Tras la guarda volante anterior se encuentra la hoja en la cual fray Josep Sánchez añadió su nota bibliográfica manuscrita,[173] que correspondía a la portada en blanco y que, de esta manera, formaba parte del incunable, como ya sugirió explícitamente José Mª Ibarra[174] y como ha demostrado el análisis

171 No necesariamente, en cualquier caso, como guardas finales, sino que algunas podrían haber sido las iniciales y, simplemente, ante las pérdidas y la separación de los bifolios, se desplazaron todas ellas a la sección final, algo que no habría ocurrido en 1474, sino mucho antes, porque Torres Belda ya las localiza ahí.

172 Este cómputo es coherente con la estructura de Romero Lucas, aunque menos detallada: «1 hoja de guarda + 66 hojas no foliadas + 1 hoja de guarda» (2005a, II: 25, nº 6). Sin embargo, BITECA aglutina la guarda volante posterior, tanto en su estructura sinóptica —«Leaf Analysis: ff.: 68 (= I + 1-59 + 60-67)»— como al desarrollarla: «el foli preliminar de guardes duu anotacions del s. XVI i els vuit folis finals són en blanc, de guardes posteriors» (manid 1448).

173 De la cual no indica su carácter erróneo el catálogo de incunables de la Biblioteca Històrica de la Universitat de València: «En la hoj. 1ª una nota ms., firmada por Fr. Josef Sánchez, da noticias bibliográficas acerca de este libro» (Palanca Pons y Gómez Gómez 1981: 111, nº 240).

174 «[...] al que pertenece también la página manuscrita que figura igualmente en la reproducción» (Ibarra y Folgado 1945: 31). El análisis de la filigrana de esta hoja por parte de Serrano y Morales (1898-1899) se podría entender como el primer reconocimiento implícito, como he sugerido anteriormente.

material del impreso.[175] No se trataba, por tanto, de una hoja de guarda o ajena a la edición, como se ha llegado a creer, sino de la portada del impreso.[176]

La nota bibliográfica se copió en el recto de la hoja y su vuelto quedó entonces en blanco, un matiz que no es baladí, porque su presencia en los facsímiles, como veremos en el epígrafe correspondiente, no ha sido sistemática y, en ocasiones, ha sido manipulada, bien en lo que respecta a su lugar en el original, bien en cuanto a su tamaño real.

2.4.4. Estados de conservación y restauración

Romero de Lecea denuncia el mal estado de conservación que tenía en 1473 este ejemplar único de *Les trobes en lahors de la Verge Maria*,[177] con el fin de que la Universitat de València tomase cartas en el asunto, no solo procediendo a su restauración, sino también a una localización más adecuada.[178]

175 Si Torres Belda (1874: 50) es el primero en dar noticia de ella y cuestionar su información, el primero en transcribirla es José Enrique Serrano y Morales: «Examinado con detenimiento el ejemplar único que de ella se conserva, encontramos que en su primera hoja, que estaba en blanco, lleva la siguiente inscripción de letra del siglo XVIII: "La Biblioteca Valentina pág. 81 supone haberse impreso este libro en Valencia el mismo año que se celebro este Certamen; esto es el 1474 Nicolas Antonio in Bibliotheca Veteri tom. 2 lib. 10. cap. 12. fol. 200, num. 650 hace mencion de este certamen sin nombrar por Autor á Mosen Bernardo Fenollar, tal vez atendiendo á que este fue Secretario del Certamen, i que la obra no es suya sino de los Poetas que concurrieron; pero concluye: *Editio in* 4° *prodiit Valentiae ut credimus*. Qual fuera el Impresor no consta pero con bastante seguridad puede decirse que fue Jaime Villa. Este imprimio en Valencia año 1493 la *Istoria de la Passio de Nostre S^r. Jesuchrist* & del mismo Fenollar un tom en 4. como refiere Dn Nicolas Antonio Biblioteca Vet. tomo 2 lib. 10. cap. 15 pag. 220 num. 824. Si tuvieramos la fortuna de tener este libro, con la compulsacion de caracteres saldriamos de duda. Fr. Josef Sanchez"» (Serrano y Morales 1898-1899: 436-437).

176 A diferencia de lo que creen José Ribelles Comín o Luis Guarner: «En el anverso de la hoja anterior a la de la portada se halla una letra manuscrita, que dice, precedida de una cruz» (Ribelles Comín 1915: 240); «En el anverso de la hoja anterior a la de portada se halla una nota de letra manuscrita» (Guarner 1974a: 32).

177 Sorprendiéndose de que estuviese en tan mal estado a pesar de conservarse en un fondo como este: «A no ser por la Biblioteca a que pertenece, habría que pensar que el libro había sido manipulado por manos inexpertas, sin la consideración que merece una joya bibliográfica tan importante» (Romero de Lecea 1974: 157, n. 170).

178 «Quieren ser estas líneas como un clamor que se alza, como un toque de atención que resuene con fuerza y brío, para que de modo apremiante, urgente e inaplazable, se defienda de la destrucción a este valiosísima joya del patrimonio cultural hispano. Quieren ser igualmente una invitación para que la entidad docente propietaria de los ricos tesoros bibliográficos que anidan en su importantísima biblioteca les conceda un albergue adecuado» (Romero de Lecea 1974: 92). Se refiere a otro que no sea la

Sin embargo, el origen de la intervención sobre el ejemplar no fue esta advertencia de su monografía,[179] porque sabemos por una pegatina mecanografiada, adherida al interior de la contracubierta, en su esquina inferior derecha, la fecha exacta en que tuvo lugar: «1361. Restaurado y | Encuadernado en el | S.N. de R.l.D | 22 Marzo 1974».

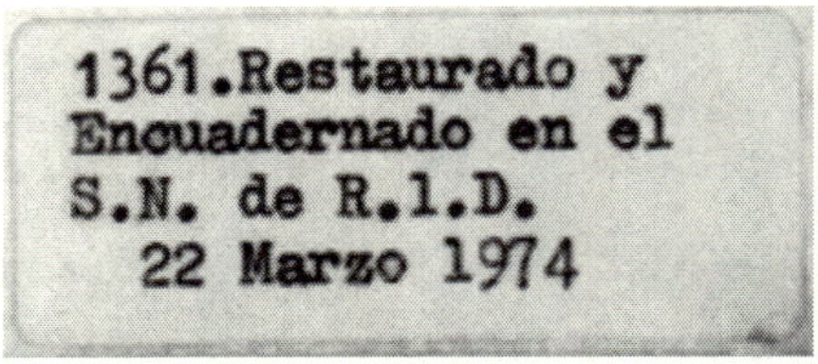
1361.Restaurado y
Encuadernado en el
S.N. de R.l.D.
22 Marzo 1974

Las siglas corresponden al contexto en que fue *encuadernado* el volumen, donde, para ello, se procedió a restaurarlo con reintegración de papel mediante laminadora automática, de la manera y en los lugares que indicaré más adelante. Las siglas S.N. de R.l.D corresponden al Servicio Nacional de Restauración de Libros y Documentos (SELIDO), en funcionamiento entre 1967 y 1985, que fue el responsable de la intervención, a cargo, por tanto, de una de las instituciones nacionales al servicio de la conservación y restauración del Patrimonio Histórico en España.[180]

caja fuerte de un banco (Romero de Lecea 1974: 157, n. 169), donde, en cualquier caso, nunca estuvo, como hemos visto.

179 Como Romero de Lecea mismo reconoce: «Ya en prensa estas páginas, se nos informa que ha tenido entrada en el Servicio Nacional de Restauración, de Madrid, el ejemplar de *Les trobes*» (1974: 157, n. 171). Cuando se publicó su monografía, el ejemplar ya estaba restaurado y no tendrían sentido sus apreciaciones, más allá de documentar su estado de conservación en 1973. No hubo tiempo material para que se produjese la restauración en menos de tres meses y se hubiese publicado ya el libro de Romero de Lecea antes de esa fecha, lo que tampoco implica que no fuese a raíz de su consulta del ejemplar y que denunciase su mal estado a la dirección de la biblioteca. Este análisis del incunable debió de ocurrir con anterioridad, incluso en 1973. En cualquier caso, es probable que, ante tal estado y ante la conmemoración centenaria de su impresión, ya podría haber estado prevista su restauración, más allá de sus consideraciones.

180 Las otras instituciones relacionadas que estaban en funcionamiento en la época eran el Servicio de Defensa del Patrimonio Artístico Nacional (SDPAN) (1938-1981), el Instituto de Conservación y Restauración de Obras de Arte (ICROA) (1961-1985) y el Centro Nacional de Información Artística, Arqueológica y Etnológica (1961-1985). Con posterioridad, se crearon el Instituto de Conservación y Restauración de Bienes Culturales (ICRBC) (1985-1996) y el Instituto del Patrimonio Histórico Español (IPHE) (1996-2008). Todo ello ha dado lugar, a día de hoy, al Instituto del Patrimonio Cultural de España. Véase <https://ipce.culturaydeporte.gob.es/documentacion/archivo.html> [consulta: 11/05/2021].

Sorprenden, por este carácter institucional, las críticas recibidas al proceso de restauración, especialmente las vertidas, no sin razón, por Manuel Sanchis Guarner: «Aquest llibre ha estat objecte l'any 1974, d'una dràstica i gens afortunada restauració, en què el paper ha perdut el gra i la pàtina i ha minvat la brillantor de la tinta» (1979: 40).[181] El papel habría perdido una cierta rugosidad original, que Sanchis conoció y constató antes de su nuevo estado o, en caso contrario, no lo habría destacado.[182] Esta circunstancia debe de haberse derivado de la aplicación de muy ligeras capas de celulosa sobre la obra, mediante una laminación automatizada que primaba la materialidad del papel al propio texto tipográfico, rellenando con ello las numerosas huellas de anobios xilófagos, de carcoma, que suponían el principal problema de conservación del volumen:

> Pero lo realmente doloroso es el contemplar el incunable cruelmente taladrado en sus márgenes por la carcoma de los anobios, que amenazan invadir la parte impresa. Así ocurre en las siguientes páginas, líneas y palabras afectadas o próximas a ser asaltadas por la destrucción:
>
> Página 33, línea 6ª: Vostres
> página 34, línea 5ª: Mare
> página 35, línea 5ª: Sols
> página 41, línea 5ª: lo peccador
>
> Otras muchas más —si Dios no lo remedia, y por quien correspondan no se toman las medidas necesarias— serán pasto de la voracidad de los insectos «papirófagos».
>
> Las letras, ya tocadas por la carcoma, incluso si se restauran, no volverán a disfrutar de su primitivo estado original, de cuando fueron impresas en el viejo y glorioso taller valenciano del siglo XV (Romero de Lecea 1974: 91-92).

Son difíciles de localizar las cuatro palabras que aduce Romero de Lecea, porque su foliación no se corresponde con la materialidad de la edición incunable propiamente dicha, que, a pesar de no contener numeración impresa, sí que incorpora una manuscrita que comienza en la primera hoja del impreso, en la portada en blanco, y respeta el orden de la edición, para salvar con ello la

181 Parece que las prevenciones de Romero de Lecea ante tal intervención tenían una razón de ser, a la luz del resultado: «Benditas las manos que acierten en trabajo tan delicado» (1974: 157, n. 171).

182 Y, efectivamente, a la vista parece casi contemporáneo, lo que debe de ser la razón para que, a día de hoy y, a pesar de sus notables faltas, se haya considerado que su estado de conservación es muy bueno: «Bien conservado» (Romero Lucas 2005a, II: 25, nº 6); «En molt bon estat, restaurat el 1974» (BITECA manid 1448).

alteración de los cuadernos *d* y *e* en este ejemplar único.[183] Por tanto, es discontinua, con lo que permite reconstruir la estructura original del incunable y, así, la secuencia correcta de poemas. La numeración a lápiz incluye las 7 hojas en blanco finales y la guarda volante de la contracubierta posterior, pero no la correspondiente a la anterior.[184] A esta ordenación del incunable contribuyen, asimismo, las signaturas de cuaderno manuscritas, que se añaden por duplicado en el margen inferior del recto de la primera hoja de cada cuaderno: a la izquierda como letras y a la derecha con números arábigos.[185] En el caso de la secuencia alfabética, se respeta el orden original de la edición, mientras que el segundo sigue el del ejemplar, que se ha alterado, por lo que, en coherencia con la foliación manuscrita, la primera también es discontinua, a fin de facilitar el manejo del volumen y conocer su materialidad, ante pérdidas u otros daños posteriores.

He podido identificar las perforaciones de carcoma a las que se refiere Romero de Lecea y, para ello, he tenido que considerar diferentes aspectos: en primer lugar, que, cuando dice *páginas*, quiere decir *hojas*, y, en segundo lugar, que sigue la ordenación del ejemplar sin atender al orden correcto de los dos cuadernos descolocados, que son, precisamente, en los que se encuentran los cuatro ejemplos que aduce.[186] Hay que tener presente, además, que su análisis es previo a la restauración, porque no solo la reclama, sino que evidencia los problemas de conservación que la justifican, de manera que esto confirmaría que la foliación a lápiz se añade en este proceso de restauración, para facilitar el manejo del ejemplar y salvar la discutible decisión

183 Romero de Lecea ni siquiera debía de haberlo advertido en el momento de redactar estas líneas, puesto que, estando en prensa su monografía, toma consciencia de ello a partir de una de las ediciones facsímiles de 1974 y lo advierte en nota final: «en la edición facsimilar realizada últimamente, en la que para rectificar un error anterior se ha debido de invertir el orden actual de encuadernación de los cuadernos cuarto y quinto, le corresponde la siguiente numeración de las hojas que contiene el texto afectado: 40, 41, 42 y 30, respectivamente» (1974: 157, n. 171). No había visto aún la numeración añadida a lápiz en la restauración, porque aducía la noticia de que estaba en Madrid en el SELIDO durante la edición de su estudio, por lo que su numeración es personal y computa en ella la hoja de guarda volante anterior.

184 Por esta razón, BITECA incorpora de manera diferente las guardas volantes en su estructura de análisis —«Leaf Analysis: ff.: 68 (= I + 1-59 + 60-67)» (manid 1448)—, a diferencia de Romero Lucas: «1 hoja de guarda + 66 hojas no foliadas + 1 hoja de guarda» (2005a, II: 25, nº 6).

185 Se marcan solo las signaturas de los cuadernos *a-f*. La *d* y la *f* se trazan corrigiendo los dígitos *5* y *6*, respectivamente, que se duplican, en el margen inferior derecho e izquierdo, parece que por manos diferentes.

186 Lo que evidencia que debieron de estar sueltos durante un tiempo y que, por ello, fueron los que más daños sufrieron, junto a los medios pliegos externos de los cuadernos inicial y final, como veremos después.

de conservar la alteración de cuadernos. Si hubiese sido anterior, Romero de Lecea la habría seguido, a lo que hay que sumar que esta numeración no solo ignora el desorden lineal del incunable, sino que, aun así, hay una disfunción o desfase de dos números: la h. 33 sería la 31 del ejemplar, y así con los otros tres casos.

De esta manera, los cuatro ejemplos referidos por Romero de Lecea se encuentran, en realidad, en las hojas del incunable original que aporto en la siguiente tabla, en la que incorporo la reproducción de esos fragmentos para matizar una cierta inexactitud fruto de su vehemencia —puesto que en dos de los casos la perforación simplemente roza la grafía y en los otros dos es muy parcial—, así como para comprobar el grado de actuación de la celulosa sobre el papel perforado y, especialmente, sobre la tipografía.

Palabra perforada	Hoja del incunable	Imagen
Vostres	h. 41^{r}	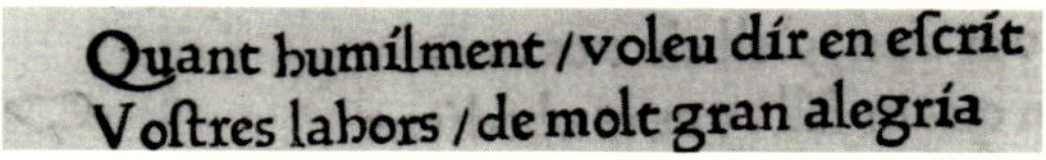 Quant humilment / voleu dir en eſcrit Voſtres lahors / de molt gran alegria
Mare	h. 42^{r}	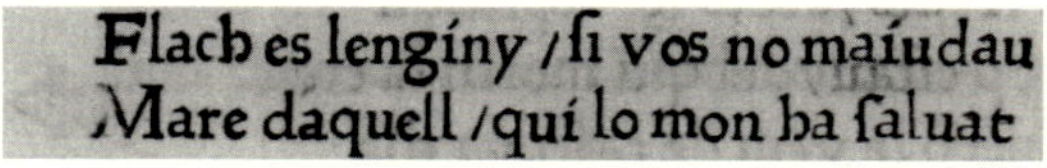 Flach es lenginy / ſi vos no maiudau Mare daquell / qui lo mon ha ſaluat
Sols	h. 43^{r}	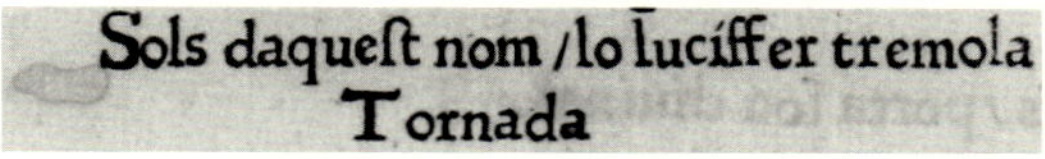 Sols daqueſt nom / lo luciffer tremola Tornada
lo peccador	h. 31^{r}	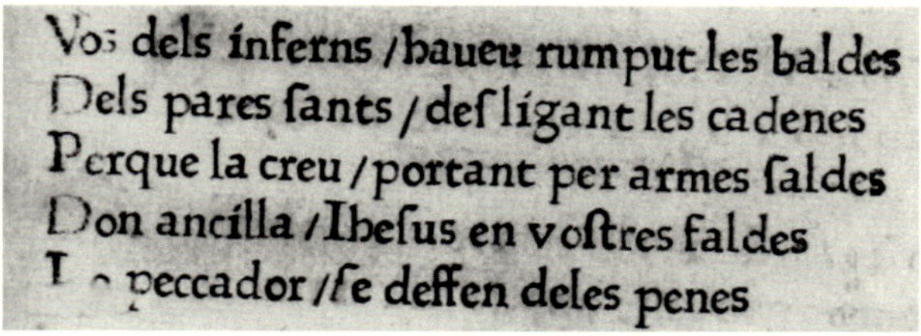 Vos dels inferns / haueu rumput les baldes Dels pares ſants / deſligant les cadenes Perque la creu / portant per armes ſaldes Don ancilla / Ihesus en voſtres faldes Lo peccador / ſe deffen deles penes

Estos cuatro casos se encuentran, precisamente, al inicio de los dos cuadernos que alteraron su secuencia, en las tres primeras hojas del *e* y en la que inaugura el *d*. La hoja 31^{r} es la que más afectada se ha visto en cuanto al texto y la que, en consecuencia, más ha sufrido esa mala praxis denunciada por Sanchis Guarner en lo que respecta al proceso de restauración, con una pérdida de nitidez en su vuelto que, sin duda, es a causa de ello. El aparente problema de entintado de las primeras grafías de cada verso es, en realidad, una capa de celulosa u otra mezcla usada en la restauración que afecta también a la tipografía, sobre la que se llega a aplicar, y que vamos a encontrar, más marcada si cabe, en la h. 40^{v}:

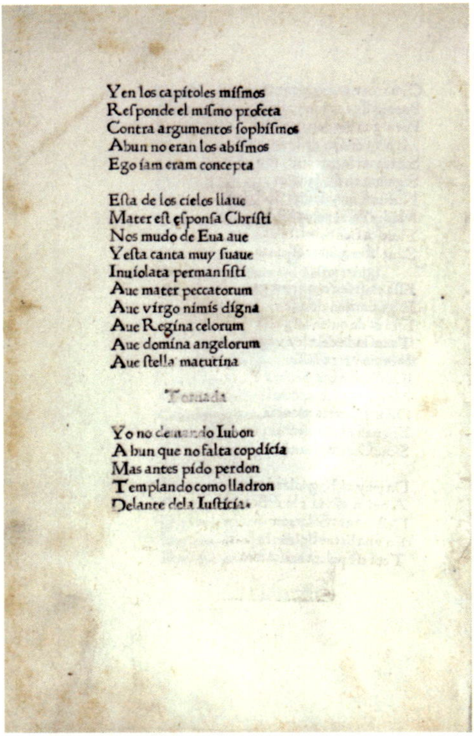

Yen los capítoles míſmos
Reſponde el míſmo profeta
Contra argumentos ſophíſmos
Abun no eran los abíſmos
Ego íam eram concepta

Eſta de los cíelos llaue
Mater eſt ęſponſa Chríſtí
Nos mudo de Eua aue
Yeſta canta muy ſuaue
Inuíolata permanſiſtí
Aue mater peccatorum
Aue vírgo nímís dígna
Aue Regína celorum
Aue domína angelorum
Aue ſtella matutína

Tornada

Yo no demando Iubon
A bun que no falta copdícía
Mas antes pído perdon
Templando como lladron
Delante dela Iuſtícía.

BHUV, CF/1, h. 40^{v}

Se daña, sobre todo, la *tornada*, tanto la propia rúbrica, como los versos, lo que es signo del estado en que se debía de encontrar el papel de esta hoja, para lo que es interesante recordar que remata el cuaderno *d*. Ese problema, aparece, de nuevo, en la h. 5, en cuyo recto hay grafías dañadas por la carcoma, mientras que en el vuelto se encuentra esa falta de nitidez textual. Esto último es muy característico en el margen izquierdo de la caja de escritura del texto en prosa de la h. 58^{r} y, si no es un problema de entintado, también podría deberse a esa restauración mal practicada.

En este sentido, tampoco debe pasarnos desapercibida la suciedad u oxidación de esta, que se extiende también a su vuelto y a la hoja anterior (h. 39$^{r\text{-}v}$). No es casualidad que se encuentren en ese estado, precisamente, las hojas 1-4,[187] 31-32, 39-41, 47-48 y 59, porque estamos hablando del primer cuaderno (*a*), de los dos cuyo orden se altera (*d* y *e*) y de la última hoja del incunable, que cierra actualmente el cuaderno (*f*), en contraste con la hoja 60, añadida con posterioridad, sin esas manchas y con huellas de su unión a la h. 49, lo que evidencia el intervencionismo aplicado en la reconstrucción artificial del bifolio externo de este cuaderno. El contraste de suciedad se puede apreciar en esta perspectiva de la h. 60^{v}, que deja entrever parte de la h. 59^{r} a la izquierda, así como la unión artificial con la h. 49 a la derecha:

BHUV, CF/1, h. 60^{v}

La suciedad de la h. 59^{v} es, asimismo, una prueba de que la pérdida de la h. 60 original es relativamente antigua, sabemos que posterior a 1747 y anterior a 1796, de la misma manera que la intensidad de esta en la h. 1^{r} y su extensión a todo el cuaderno *a* podría justificar que el volumen había estado

187 En realidad, todo el primer cuaderno, aunque en degradación.

mucho tiempo sin encuadernar, con alguna protección menor,[188] a manera de legajo, más allá de que no sabemos a ciencia cierta si las cubiertas de pergamino añadidas a finales del siglo XVII fueron las primeras que tuvo o si hubo unas anteriores que se separaron del cosido. Que los cuadernos sueltos *d* y *e* presentaran una marcada suciedad y el hecho de que fuesen los más afectados, junto al cuaderno *a*, en el ataque de la carcoma, también parece apuntar a ello, más aún teniendo en cuenta que la intensa restauración del plegado de los bifolios respondía a un ataque masivo en esta zona, que no habría sido así si nos encontrásemos ante una fuerte presencia de engrudo o cola aplicada a los cosidos. Son muy sistemáticas las galerías restauradas en el plegado de los bifolios y valga como ejemplo sintomático, por el grado de afectación, lo ocurrido en el externo del cuaderno *d*, completamente devorado y restaurado, con lo que llegaron a estar separadas las hojas solidarias que lo forman, como en otros muchos casos, de lo que su peor consecuencia fue la pérdida de la hoja con el colofón. Es muy sintomático en este sentido el matiz que advierte Ibarra y Folgado, según el cual «tiene siete cuadernos, o más bien grupos de hojas» (1945: 30), una pérdida de entidad como fascículos que es consecuencia de la mutilación de los bifolios por su pliegue.[189]

La separación de bifolios, las perforaciones y/o pérdidas textuales, y la suciedad u oxidación se originarían, por tanto, ante la falta de protección externa de unas cubiertas lo suficientemente sólidas y de un cosido interno. A los daños de los cuadernos *d* y *e* —los previos y los que origina la propia restauración—, se añaden los del cuaderno *a*, con pérdidas que afectan al texto, muy circunstancial en la nota manuscrita inicial (h. 1r), puesto que solo se pierde parte de la *o* de la palabra *Antonio* y es muy probable que también el punto tras el número *220*, siguiendo los usos gráficos del texto. En esta hoja se pueden apreciar las huellas de restauración del bifolio y el grado de suciedad u oxidación, que contrasta notablemente con el resto del libro, aunque se extiende por todo este primer cuaderno, aligerándose según avanza.[190]

Pero es la h. 3r la que sufre pérdidas textuales de un cierto alcance. Nos encontramos ante una mutilación de las primeras grafías del primer verso y

188 Las hojas en blanco actuales y otras perdidas; y tal vez las hojas de deudas manuscritas, si no es que estas se adhirieron a la encuadernación del siglo XVII.

189 Este estado de conservación, con bifolios separados y cuadernos inexistentes, debía de ser muy considerable, según se puede comprobar por la restauración, en los cuadernos *a*, *d* y *e*, así como en las hojas finales, que, sin duda, eran en su mayoría, si no todas, independientes. En el resto de cuadernos, la separación de los bifolios debió de ser puntual.

190 Se facilita reproducción de esta hoja 1r en el epígrafe anterior, a la que remito para estos rasgos.

la mitad de la mayúscula inicial del segundo, por su margen interior, mientras que el margen derecho de la caja de escritura se recorta en esta última estrofa del poema y en las cuatro líneas de la rúbrica final, pero sin que se alineen los cortes de una y otra. Podríamos pensar en cierta mala praxis de un intervencionismo restaurador, pero ni hay huella material de celulosa añadida en un descuidado proceso de laminación, ni estamos ante una pérdida de papel, puesto que el vuelto de la hoja, como se puede ver, incluso, al trasluz, conserva íntegramente el texto y este no ha sido objeto de restauración.

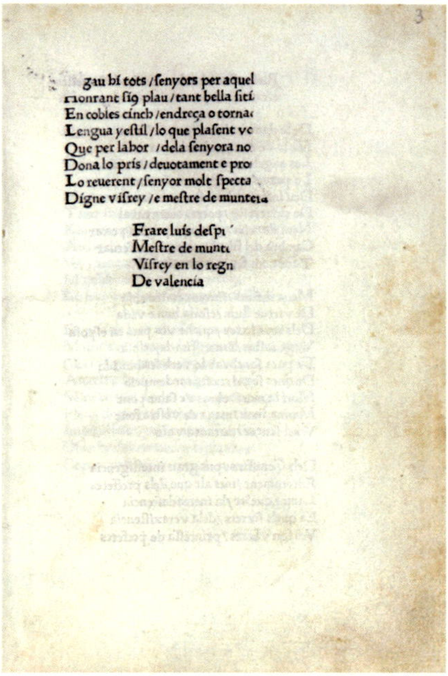
3

gau bí tots /ſenyors per aquel
ronrant ſi9 plau /tant bella ſiti
En cobles cinch /endreça o torna
Lengua yeſtil /lo que plaſent vc
Que per labor /dela ſenyora no
Dona lo prís /deuotament e pro
Lo reuerent /ſenyor molt ſpecta
Dígne viſrey /e meſtre de muntesa

Frare luís deſpı
Meſtre de munte
Viſrey en lo regn
De valencía

BHUV, CF/1, h. 3r

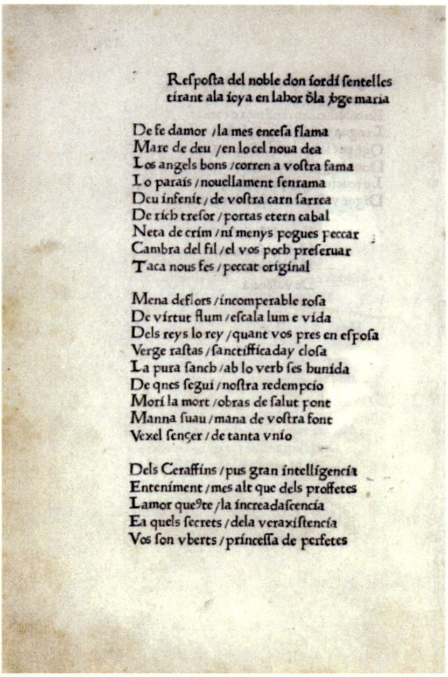
Reſpoſta del noble don iordí ſentelles
tirant ala ioya en labor d̄la ꝟge maria

De fe damor /la mes enceſa flama
Mare de deu /en locel noua dea
Los angels bons /corren a voſtra fama
Lo paraís /nouellament ſenrama
Deu infenít /de voſtra carn ſarrea
De rích treſor /portas etern cabal
Neta de crím /ní menys pogues peccar
Cambra del fil /el vos poch preſeruar
Taca nous fes /peccat original

Mena deflors /incomperable roſa
De vírtut flum /eſcala lum e vída
Dels reys lo rey /quant vos pres en eſpoſa
Verge raſtas /ſanctifficaday cloſa
La pura ſanch /ab lo verb ſes bunída
De qnes ſegui /noſtra redempcío
Morí la mort /obras de ſalut font
Manna ſuau /mana de voſtra font
Vexel ſençer /de tanta vnío

Dels Ceraffíns /pus gran intellígencía
Enteníment /mes alt que dels proffetes
Lamor queꝯte /la increadaſcencía
Ea quels ſecrets /dela veraxíſtencía
Vos ſon vberts /princeſſa de perfetes

BHUV, CF/1, h. 3v

De hecho, esta circunstancia es muy anterior a la restauración de 1974, dado que ya la recogía el primero y más lujoso de los facsímiles (*Trobes* 1945) e, incluso, la edición que acompañaba al estudio de Francisco Martí Grajales (1894), que buscaba ser una transcripción fiel del impreso, elaborada a partir de la copia manuscrita de Rafael Blasco Moreno.[191]

191 «Martí Grajales compulsó la rigurosa transcripción de Rafael Blasco, la cual no resolvía las abreviaturas, ni desaglutinaba las palabras, ni ponía puntuación alguna; se trata pues, de una reproducción muy exacta del libro» (Sanchis Guarner 1979: 113).

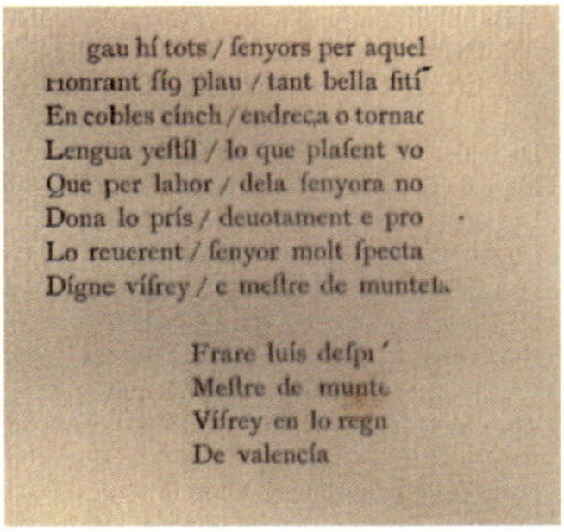
gau hí tots / ſenyors per aquel
ɪıonrant ſíg plau / tant bella fití
En cobles cínch / endreça o tornac
Lengua yeſtil / lo que plaſent vo
Que per lahor / dela ſenyora no
Dona lo prís / deuotament e pro
Lo reuerent / ſenyor molt ſpecta
Dígne víſrey / e meſtre de muntel

Frare luís deſpı
Meſtre de munte
Víſrey en lo regn
De valencía

Si se hubiese intervenido, habría sido antes, al menos, de 1894, por lo que se encontraría dentro del llamado período precientífico para las actuaciones de conservación y restauración bibliográfica y documental, que se extendería desde el mundo antiguo hasta esas mismas fechas de finales del siglo XIX.[192] Sería lógico pensar que habría tenido lugar a propósito de su encuadernación a finales del siglo XVII,[193] pero esto contrastaría con la desatención que se tuvo entonces del contenido del volumen, del incunable propiamente dicho y ya no digamos de los textos, en un proceso que parece haberse centrado en la adición o sustitución de cubiertas para su conservación. Todo apunta, por tanto, a una circunstancia generada en la propia impresión del ejemplar, más aún considerando las ligeras manchas de tinta que enmarcan la pérdida textual y su falta de alineación.

Los estados del ejemplar se pueden reconstruir a partir de ciertas noticias bibliográficas, ordenándolas a tal efecto, a los que responden también las escasas anotaciones manuscritas que encontramos en este ejemplar incunable, que debieron de tener lugar en momentos diferentes, a la luz de sus tintas y formato. Sanchis Guarner destaca algunas de las más antiguas, quizás porque son las únicas que afectan a las lecciones textuales: «En el verso 29 del poema 46, el vocablo *partera* había sido desfigurado en el original, posiblemente en el siglo XVIII, por una mano bárbara que había escrito una *S* larga, encima de la *t* y la misma mano inculta escribió una pequeña *t* delante de la *u* del vocablo *salvacio* en el verso 22 del mismo poema, posiblemente porque pretendía leer

192 Véase el análisis del período que, en este sentido, desarrolló Mª Adelaida Allo Manero (1997: 256-265).

193 Sobre todo teniendo en cuenta que, en esta época, la restauración se centraba «en la recuperación de los daños visibles más aparentes, utilizando técnicas y productos tradicionales que, en más de una ocasión, constituyeron una amenaza para la futura conservación de la obra reparada: adhesivos, productos para eliminar manchas, sistemas para blanquear el papel y reavivar tintas» (Allo Manero 1997: 262)

salutació» (1979: 115). Ambas correcciones se encuentran, respectivamente, en las h. 57^{r} y 56^{v}, en el poema que dirige la Virgen a los participantes, firmado por Bernat Fenollar en rúbrica final, pero estas no son las únicas marcas de pluma que encontramos en el ejemplar:

a) en la h. 51^{r}, hay un lazo invertido, a manera de marca de lectura, que afecta al verso 41 del poema de Mateu Esteve;
b) en la h. 58^{r}, en el margen derecho, hay una raya de tinta antigua que podría ser fortuita, ya que no está pegada a la caja de escritura, sino al corte lateral, aunque quizás no sea solo casualidad, puesto que se encuentra a la altura de la mención al notario Antoni Cendra, que dio fe del peculiar resultado del certamen;
c) y en la h. 53^{r}, encontramos dos marcas al principio de la rúbrica de la composición de Jaume Roig y de su primer verso, respectivamente, así como una línea que subraya el nombre del poeta.[194]

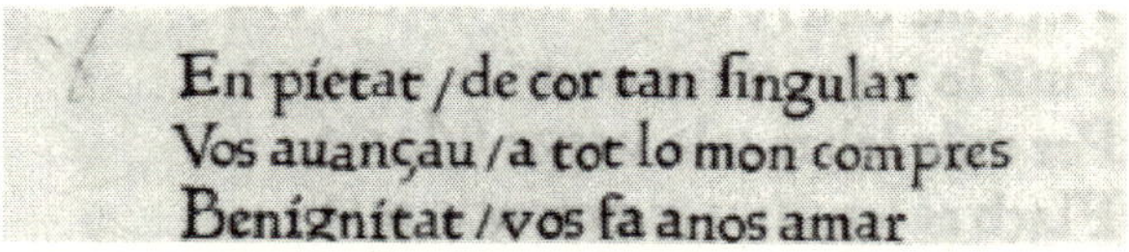
En pietat / de cor tan ſingular
Vos auançau / a tot lo mon compres
Benignitat / vos fa anos amar

BHUV, CF/1, h. 51^{r}

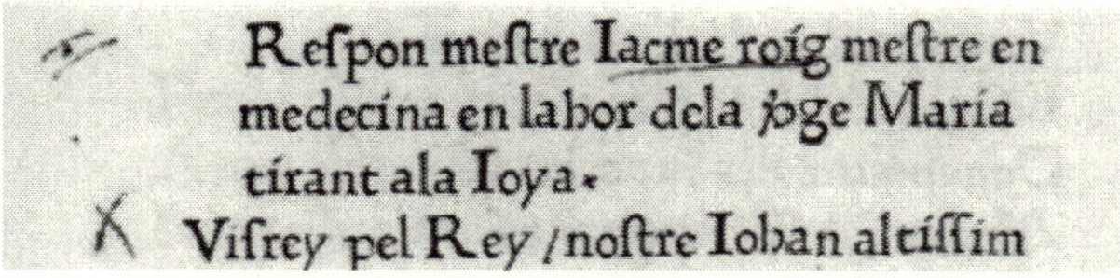
Reſpon meſtre Iacme roig meſtre en
medecina en labor dela ꝟge Maria
tirant ala Ioya.
Viſrey pel Rey / noſtre Iohan altiſſim

BHUV, CF/1, h. 53^{r}

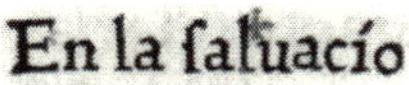
En la ſaluacio

BHUV, CF/1, h. 56^{v}

Coronada fuy parſera

BHUV, CF/1, h. 57^{r}

194 En este caso, la tinta es diferente a la usada en las correcciones textuales del poema de Mateu Esteve, también marrón, pero más transparente y de trazo más grueso en las h. 56^{v}-57^{r}.

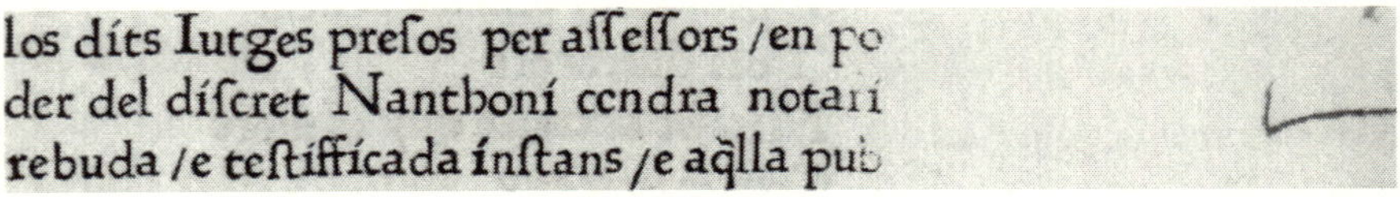
los díts Iutges preſos per aſſeſſors /en po
der del díſcret Nanthoní cendra notari
rebuda /e teſtiffícada ínſtans /e aq̃lla pub

BHUV, CF/1, h. 58^{r}

Estas son las pocas anotaciones manuscritas antiguas que se aplicaron sobre el ejemplar, quizás por respeto a él, por su antigüedad reconocida desde Nicolás Antonio o, tal vez, por un uso discontinuo o circunstancial, derivado de su mal estado por la carcoma. A estas, habría que sumar la más extensa de todas, aquella que Josep Sánchez transcribió en la portada en blanco (h. 1^{r}), de la que ya se ha dado cuenta en este trabajo. Tras ella (h. 1^{v}), se encuentra a lápiz la referencia «R | 141», del microfilm antiguo, que encontramos en la contracubierta inicial —por tanto, fuera del incunable propiamente dicho—, aunque en este caso tachada, como lo está la signatura antigua «92-6-17» y, abajo, ya sin cancelar, la signatura actual «C.F./1». También las foliaciones y las signaturas de cuaderno a lápiz, a las que ya nos hemos referido, formarían parte de este intervencionismo contemporáneo, en esta ocasión para facilitar la reconstrucción lectora de un ejemplar desordenado, así como su eventual reconstrucción en caso de desencuadernación o daño mayor. En la h. 61, en blanco y ajena a la edición incunable, se ha realizado una especie de dibujo a manera de cabeza de insecto, con círculos concéntricos y antenas con borlas al final, con punteado, que es visible en las dos caras de la hoja. Finalmente, aunque se incorpora el sello a tinta de la biblioteca en el margen inferior de la h. 2^{r}, solo lo hace aquí, a diferencia de otros códices o incunables de este mismo fondo, en esta misma línea de respeto al impreso por parte de los responsables de la Biblioteca Històrica de la Universitat de València[195] y, en su momento, de aquellos que lo conservaron en el Real Convent de Predicadors.

La restauración de los márgenes de las hojas y de los pliegues de bifolios dejan evidencia del estado en que se encontraban antes de 1974, con incluso alguna pérdida de sus esquinas en el caso de las impresas, como la inferior derecha de la h. 8. Pero, a día de hoy y a pesar de su buen estado, comienza a resentirse su primer pliego, que empieza a agrietarse en su cosido, con pliegues o pequeñas roturas, alguna de las cuales se extiende, incluso, en perpendicular hacia el texto del título explicativo del incunable o rúbrica inicial en prosa (h. 2^{r}). La rotura de la esquina superior izquierda de la h. 5, de casi 30 mm, y en el cosido, separándola de él, es relativamente nueva y, en cualquier caso, posterior a su restauración. Además de las manchas, especialmente, en

195 Y de los lectores, que, en última instancia, han sido fuente de este intervencionismo a través de los siglos, incluso hasta épocas relativamente recientes.

los bifolios exteriores de los cuadernos *a*, *d* y *e*, así como de la h. 59^{v}, a las que ya me he referido, encontramos algunas, quizás de humedad, en las h. 12 y 28, aunque no superan los 5 mm. Decir que el estado actual es aceptable es, quizás, demasiado, porque se revelan las huellas de estados anteriores en el que peligró, incluso, su conservación, de lo que son buena muestra las pérdidas materiales, al menos de alguna hoja de guarda final y de la h. 60 del incunable. Y, especialmente, lo es porque hay daños en el propio texto impreso derivados de dos procesos de restauración diferentes, uno más incomprensible, por la época y por cómo llega a afectar al texto, en diferentes lugares del incunable.

2.4.5. Facsímiles

Las reproducciones, tanto el microfilm tradicional, como la más reciente digitalización han ayudado al conocimiento y la difusión de este incunable poético, sobre porque esta esta última está disponible en la colección digital *Somni* con acceso abierto.[196] Antes de la era digital, sus numerosos facsímiles fungieron como principal vía de conocimiento de este incunable, con un destacado papel divulgador en un contexto en el que el patrimonio local se venera en círculos muy amplios de la sociedad valenciana, pues, no en vano, la mayoría de estos facsímiles se gestan en ese ambiente y con ese fin. Así destacaba esta realidad, en términos muy parecidos, Sanchis Guarner: «L'augment del sentiment comunitari que ve produint-se en el poble valencià d'alguns anys ençà, ha fet que la commemoració del V Centenari de la Impremta haja tingut una repercussió pública molt major que la prevista» (1974: LII).[197] Otros facsímiles se publican en contextos de un mercado editorial con un cierto interés bibliófilo, más allá de que el espectro sea también amplio en este sentido.

---

196 No lo estaba, sin embargo, en el momento de redactar estas líneas y así ha sido en los últimos dos años, por lo que, habiendo tenido lugar esta investigación durante el período de confinamiento, tuve que recurrir a los facsímiles hasta el momento en el que se me facilitó reproducción digital fiel por parte de la biblioteca, que agradezco desde aquí, tras poder consultar el original. Para esta biblioteca digital del fondo antiguo de la Universitat de València, véase el trabajo de Elisa Millás y Margarita Escriche (2017).

197 En esto mismo incidió Antoni Ferrando, no solo refiriéndose a ediciones facsimilares: «Encara que aquesta profusió d'edicions —sis entre 1974 i 1979— pot ser atribuïda a la commemoració del cinqué centenari de la impressió del primer llibre literari d'Espanya, no deixa de ser significatiu el fet que coincidesca amb uns anys d'intensa recerca, entre certs sectors de la població valenciana, dels seus signes d'identitat nacional» (1983: 165).

Desde 1945 hasta la actualidad, se ha reproducido este incunable hasta en diez ocasiones, ocho de las cuales pueden considerarse ediciones facsimilares (*Trobes* 1945, 1974a, 1974b, 1974c, 1979a, 1979b, 1988, 1997),[198] mientras que en otra esa fidelidad se limita a una edición que podríamos llamar paleográfica (*Trobes* 1894), así como la más reciente de todas es, simplemente, una reproducción página a página en el vuelto con el texto transcrito acarado en el recto, en la unidad de lectura del libro abierto, sin buscar, por tanto, la reproducción del volumen incunable, sino la mera fotografía de los textos (*Trobes* 2002). Las ediciones en cuestión son las siguientes:

a) [*Trobes*] (1894), *Primer libro impreso en España. Les Trobes en lahors de la Verge Maria, publicadas en Valencia en 1474 y reimpresas por primera vez*, edición paleográfica con introducción de Francisco Martí Grajales, Valencia, Librería de Pascual Aguilar. Esta edición retoma el proyecto original del Ateneo Científico, Artístico y Literario de Valencia de conmemoración del IV Centenario de la Imprenta Hispánica (Torres Belda 1874: 44).[199] Si bien se celebró ese mismo año el certamen previsto, la reproducción de los textos se limitó a una primera fase de transcripción a cargo de Manuel Rubio y Borrás, pero sin llegar a editarlos. En 1893, Francisco Martí Grajales ganó el premio de los *jocs florals* de Lo Rat Penat con su estudio biográfico de los poetas de *Les trobes*, que fue la excusa perfecta para que se retomase el proyecto de edición de los textos y se acompañasen con este trabajo como introducción. Para una cierta historiografía de este proyecto editorial, es muy aclaratoria la nota de Pascual Aguilar (1894) que precede al estudio de Martí Grajales. Sobre la antigua transcripción de Rubio, ejecutada unas dos décadas antes, Rafael

198 Con cierta generosidad el cómputo, puesto que no todos respetan el tamaño original del ejemplar, ni siquiera por aproximación.

199 «Cúmplese en el presente año 1874 el cuarto siglo de la introduccion de la imprenta [...] y el Ateneo, que simboliza hoy el movimiento artístico y científico de nuestra ciudad, ha tomado la iniciativa para que se conmemore, como es debido, ese centenario de las letras. La festividad secular que se proyecta será, sin duda, digna del objeto que la motiva, y no creemos incurrir en ese error vaticinando que los venideros tiempos verán reproducirse esa fiesta cada vez que se cumpla un nuevo siglo de la introducción de la imprenta en nuestro pais». Con este artículo, «anunciaven la reproducció d'aquella obra medieval i hi adjuntaven una breu introducció de l'obra medieval gràcies a Josep Maria Torres, aleshores bibliotecari de la Universitat de València, que hauria ajudat i assessorat en el projecte de reproduir l'obra» (Pastor Bañuls 2017: 423). Para esta sociedad valenciana, instituida en 1870, véase Roig Condomina (1995) y, para la figura de Torres Belda y otras actuaciones de recuperación del legado literario medieval, remito a Martos 2012.

Blasco Moreno preparó una edición paleográfica, revisada por Martí Grajales, que, en coherencia con las previstas por Torres Belda (1874: 44) para el proyecto original, respetaba las características del impreso: papel con filigranas de mano enguantada y flor de cinco puntas en el cosido; distribución de texto por páginas e, incluso, líneas en el caso de rúbricas y prosa; ausencia o presencia de líneas en blanco antes o después de rúbricas; signos convencionales de abreviaturas; aglutinación de palabras; enlaces gráficos, como los del grupo *ct*; representación de la *i* con punto inclinado, a manera de acento; o signos de puntuación, como la virgulilla (/) y el punto aspado o astado ($_x$).[200]

b) [*Trobes*] (1945), *Les trobes en lahors de la Verge Maria*, edición facsímil al cuidado de Vicente Escrivá, con introducción de José Mª Ibarra y Folgado, Valencia, Hemeroscopea Ediciones. El estudio introductorio se imprime en opúsculo aparte y, aunque tiene un marcado carácter apologético, en palabras de Sanchis Guarner (1979: 113), tiene la virtud de no limitarse a reproducir los contenidos de Francisco Martí Grajales sobre la biografía de los poetas, que será un *leitmotiv* de la bibliografía posterior. Se limita a cuestiones generales de un cierto carácter histórico y contextual, respecto de las cuales destaca Luis Guarner (1974b: XXIX), con razón, que no incluyen crítica literaria estricta. La edición tiene un objetivo marcadamente bibliófilo, por suscripción y de una tirada de solo 250 ejemplares numerados y certificados por notario,[201] con encuadernación en piel gofrada y cierres de metal, así como papel de buen gramaje, que le confieren ese lujo que no volveremos a encontrar, a este nivel, en ninguno de los facsímiles posteriores y que no refleja, en realidad, el del propio ejemplar. No fue Ibarra y Folgado, el director de la entonces Biblioteca Universitaria y Provincial de Valencia, el responsable e impulsor del proyecto,[202] sino Vicente

---

200 «Un solo egemplar queda (si no fué acaso el único que se imprimió) de la primer obra dada á la estampa en Valencia, y guardálo la biblioteca de nuestra Universidad Literaria, como la más rica y codiciada de sus numerosas joyas. Cualquier accidente desgraciado pudiera privarnos de tan inestimable tesoro, y por eso el Ateneo ha creido que de ningun modo podía celebrar mejor el cuarto siglo de la imprenta en Valencia, que reproduciendo ese libro único, pero con tan cuidadoso esmero, que la reimpresion imite cuanto sea posible el papel, los tipos y el gusto tipográfico del original, hasta confundirse con él si dable fuera» (Torres Belda 1874: 44).

201 Unas características que Luis Guarner glosa en los siguientes términos: «con tanta esplendidez de presentación como tacañería de tirada (sólo 250 ejemplares numerados) que sólo pudieron alcanzar algunos bibliógrafos afortunados y suelen adquirir bastantes plutócratas ignaros» (1974a: 44).

202 Pero sí el responsable de dar fe de la fidelidad en el proceso de reproducción, como certifica en el documento incorporado como facsímil en la hoja previa a la portada.

Escrivà, que se define en su portada como doctor en letras por la Universidad Complutense (de Madrid) y que Sanchis Guarner (1979a: 113) identifica con el famoso novelista y cineasta valenciano.[203] Este facsímil es el más fiel al original de todas estas ediciones en cuanto a las medidas del papel, a la caja de escritura y a las 20 líneas de tipografía, así como uno de los cuatro que presentan el incunable como libro independiente, a diferencia de *Trobes* 1974a, 1974c, 1988 y 2002.

c) [*Trobes*] (1974a), *Les trobes en lahors de la Verge Maria. Impresas en facsímil del libro original*, con prólogo de Luis Guarner, Madrid, Espasa-Calpe. Los 3000 ejemplares de tirada vinieron a cubrir las limitaciones de la lujosa edición facsimilar previa, si bien, en este caso y en contrapartida, no tuvo un carácter venal y fue destinada, fundamentalmente, a los suscriptores de Espasa-Calpe, como felicitación navideña y del nuevo año.[204] El prólogo de Luis Guarner ya desarrolla un estudio de amplio espectro, sobre historiografía de la imprenta incunable y socioliteratura, así como una breve aproximación de conjunto a los poetas y a su lengua y estilo, para acabar con la atención específica al ejemplar único conservado, su consideración singular como primer impreso literario hispánico y las ediciones de que ha sido objeto. Además de incorporarse como estudio introductorio al propio volumen, se hizo una tirada posterior como opúsculo exento, a cargo del Patronato Nacional del V Centenario de la Imprenta (Guarner 1974c), imitando, así, el formato de Ibarra y Folgado (1945). El facsímil altera el orden de las imágenes de las hojas 47^{v} y 48^{r} y este error se mantiene en *Trobes* 1979b y 1997, si bien se debió de advertir pronto y se corrige en la otra edición con estudio introductorio de Luis Guarner

203 Cuyo segundo apellido sería Soriano, por tanto. Es, precisamente, en esas fechas cuando comienza la transición entre la filología y el séptimo arte, habiendo ganado, como remate de la primera disciplina, el premio Nacional de Literatura en 1949 y teniendo constancia de su actividad como guionista ya en 1946. Véase su biografía en la Real Academia de la Historia: <http://dbe.rah.es/biografias/6863/vicente-escriva-soriano>. Con buen criterio, esta nota biográfica de la RAH no indica la universidad en la que se doctoró en Filosofía y Letras, atribuida por lógica infundada a la Universitat de València, a pesar de que, precisamente, esta portada del facsímil documenta su obtención de este grado académico en la Universidad Complutense de Madrid.

204 Así lo indica en la hoja previa a portadilla y portada: «La editorial ESPASA-CALPE, S. A., desea Feliz Navidad MCMLXXIII y afortunado MCMLXXIV a sus colaboradores y amigos con el presente de este facsímil del único ejemplar existente que conserva la Biblioteca de la Universidad de Valencia de *Les trobes en lahors de la Verge Maria* al cumplirse el quingentésimo aniversario de su edición, primera realizada en España de una obra literaria utilizando tipos móviles». Por esta razón, Sanchis Guarner (1974c: XLVIII y 1979a: 114) la data a finales de 1973, que, efectivamente, es la fecha de su depósito legal, pero no la de su portada ni su ISBN.

(*Trobes* 1974c). Las medidas del papel, de la caja tipográfica y de las 20 líneas de tipografía son aproximadas.

d) [*Trobes*] (1974b), *Les trobes en lahors de la Verge Maria (València, 1474)*, edición facsímil con introducción y transcripción de Manuel Sanchis Guarner, València, Caixa d'Estalvis i Mont de Pietat de València. Es una edición con dos tiradas, ambas no venales: una primera de 1130 ejemplares numerados y una segunda de otros 1000 no numerados.[205] La primera se acaba de imprimir el 8 de septiembre de 1974 y se empieza a repartir con motivo del día internacional del ahorro, el 31 de octubre (Sanchis Guarner 1974: LII). Su estudio introductorio, redactado en catalán, sigue, a grandes rasgos, los mismos ámbitos de interés que los dos prólogos de Luis Guarner, pero con un mayor grado de profundidad, fundamentalmente en lo que respecta al análisis literario. Por primera vez, se aporta una transcripción completa de los textos, sin anotarlos, pero sí numerándolos y con criterios de actualización muy detallados (Sanchis Guarner 1974: L-LI), frente a la paleográfica de Martí Grajales (*Trobes* 1894). Esta reproducción es bastante más grande que el ejemplar original,[206] a pesar de lo cual las medidas de la caja y de las 20 líneas de tipografía lo reproducen con cierta fidelidad.

e) [*Trobes*] (1974c), *El primer incunable español. Les trobes en lahors de la Verge Maria. Edición facsímil del único ejemplar conocido*, con prólogo y traducción parcial de Luis Guarner, Valencia, Instituto Nacional del Libro Español. Se reescribe el estudio introductorio, aunque con materiales compartidos respecto de *Trobes* 1974a y reestructurados aquí en tres grandes secciones: la imprenta en Valencia, el estudio literario y socioliterario, y el ejemplar único del incunable. El propio Guarner justifica esta nueva edición facsimilar al final de su estudio, frente a la de Espasa-Calpe, que también prologó, porque su *limitada* tirada[207] no permitió «la difusión amplia que se pretende conseguir con esta edición popular que, en homenaje al primer libro literario español, se propone rendir el INLE al libro auroral de la Tipografía nacida en las tierras de España» (1974b: XXX).[208] Se acaba de imprimir el 9 de octubre de 1474, solo un día después que *Trobes* 1974b y, por tanto, como proyectos paralelos que no se hacen referencia

205 Que se reimprime con leves modificaciones a las que Sanchis se refiere, pero no explicita: «el qual ha estat reimprès amb lleus modificacions» (Sanchis Guarner 1974: LII).

206 De hecho, es la edición facsimilar más grande, junto a *Trobes* 1988, solo unos milímetros menor.

207 Así la considera explícitamente (Guarner 1974b: XXX), a pesar de que estamos hablando de 3.000 ejemplares.

208 Que, por tanto, debía de tener una tirada muy superior a estos 3.000 ejemplares, aunque no se explicita.

mutua. La gran novedad de este facsímil es que, por primera vez, viene acompañado de la edición actual de algunos de los textos, una selección que justifica en su *Nota previa* (1974c: 3) y que corresponde a los cuatro poemas castellanos del incunable, a los que ha aplicado criterios de actualización, así como a las composiciones de los que considera «más célebres poetas valencianos», aunque, en este caso, traducidas al español.[209] Según la referencia de la tabla de obras que aporto en el próximo epígrafe, los textos en cuestión son los siguientes: 1, 2, 3, 6, 8, 15, 26, 33, 36, 44, 47 y 48/2. Se trata de la edición más pequeña en formato, muy lejos del original, si bien las medidas de la caja tipográfica y de las 20 líneas de tipografía se adecuan más al ejemplar conservado que en el caso de *Trobes* 1974a.

f) [*Trobes*] (1979a), *Les trobes en lahors de la Verge Maria*, edición facsímil con introducción aumentada y transcripción de Manuel Sanchis Guarner, Valencia, Vicent García Editors S. A. La edición se justifica por la iniciativa de Vicent García Editores para iniciar su colección de facsímiles de libros impresos con este temprano incunable poético. Es la segunda más lujosa de todas las ediciones facsimilares de *Les trobes* y establece, con ello, el modelo de las otras reproducciones de los incunables valencianos en esta misma editorial: en caja o estuche, en dos volúmenes, uno dedicado al estudio y otro al facsímil. La edición de *Trobes* 1945 y esta son las únicas en que se separa en dos volúmenes el estudio introductorio y la reproducción facsimilar,[210] el primero encuadernado en pergamino en el lomo y en tela el resto, mientras que el segundo reproduce en pergamino blanco la encuadernación del ejemplar, aunque de una rigidez y dureza mayor que la del original.[211] También como en el caso de *Trobes* 1945, los cortes imitan la irregularidad derivada de la separación de los pliegues del papel y se incluye una filigrana similar a la del incunable. El estudio introductorio se amplía, se adapta y se actualiza[212] respecto del que precedía

---

209 No son doce poemas traducidos al castellano, como los describía Sanchis Guarner —«ésta contiene la novedad de la traducción al castellano de doce de los poemas más significativos de los que integran el libro» (1979: 115)—, sino que cuatro de ellos ya fueron escritos originalmente en esta lengua.

210 En *Trobes* 1979b y 1997 no hay estudio introductorio.

211 *Trobes* 1974b y 1974c presentaban el volumen y la reproducción en un mismo volumen, con lo que no tendremos un facsímil del incunable independiente. Aunque se hizo una tirada exenta del estudio de la segunda de estas ediciones, esto fue con posterioridad y, en ella, comparten espacio tanto reproducción, como prólogo.

212 «He rehecho el estudio introductorio que escribí el año 1974 con bastantes ampliaciones y modificaciones substanciales en algunos extremos» (Sanchis Guarner 1979: 118). Antoni Ferrando precisa que está «notablement ampliat sobretot pel que fa a l'anàlisi dels primer passos de la imprenta a Espanya» (1983: 164).

a *Trobes* 1974b, además de traducirse, para ofrecerlo bilingüe en catalán, primero, y español, después. La transcripción de Sanchis Guarner no presenta cambios respecto de la anterior, pero sí que lo hace la reproducción del facsímil, incorporando, de manera muy puntual, como veremos, algún rasgo material del propio ejemplar, a pesar de provenir de los fotolitos originales tomados en 1974, antes de la restauración. A pesar de ello, las medidas de la caja tipográfica y de las 20 líneas de escritura impresa son menos fieles al original que en *Trobes* 1974b.

g) [*Trobes*] (1979b), *Les trobes en lahors de la Verge Maria*, edición facsímil, Valencia, Librerías París-Valencia. Se limita a la reproducción en un volumen, sin introducción, con las misma portada reconstruida de *Trobes* 1974a y, como en este caso, desplazando la nota inicial manuscrita al vuelto de la primera hoja. Esto es así porque, en realidad, este facsímil no está extraído del original, sino que reproduce *Trobes* 1974a,[213] incluido el error en la secuencia de dos hojas y el mantenimiento de las lecciones corregidas por una mano antigua. La característica sobrecubierta de la colección, en papel encerado amarillento o anaranjado, se acerca a las tonalidades del pergamino del original, hasta el punto de que, junto a su carácter flexible y su tamaño, genera unas sensaciones muy parecidas a las del manejo del ejemplar, si bien con un formato algo menor, así como unas medidas de la caja tipográfica y de las 20 líneas de escritura aproximadas.

h) [*Trobes*] (1988), *Les trobes en lahors de la Verge Maria*, edición facsímil con prólogo de Rafael Pérez Contel, Valencia, Conselleria de Cultura, Educació i Ciència. Esta edición busca ser la primera de una colección de facsímiles de incunables de la Generalitat Valenciana y se presenta con un cierto lujo bibliófilo: con caja de 267 x 194 mm, forrada de una imitación de terciopelo por dentro y con una pegatina de una portada que enmarca, en orlas de estética muy posterior, la que *Trobes* 1974a imitaba al inicio de su facsímil, reproducida después también por *Trobes* 1979b y 1997. Esta portada orlada se imprime sobre la encuadernación en pergamino blanco del propio volumen,[214] mientras que la imitada de *Trobes* 1974a vuelve a abrir el facsímil, como la primera de sus hojas y sustituyendo la portada en blanco, esto es, aquella en que se copió la nota

213 Antoni Ferrando ya destacó que estaba «feta damunt d'una de les edicions facsímils immediatament anteriors» (1983: 165), aunque sin indicar de cuál se trataba, cuya justificación aduzco después.

214 «L'enquadernació, seguint les normes artesanals de l'època, ha estat realitzada per Aguilar», como se explicita en el colofón. El color del pergamino es mucho más claro que el del original y, en realidad, blanco propiamente dicho.

bibliográfica de Josep Sánchez, que se elimina de esta edición. La precede el prólogo de Rafael Pérez Contel, centrado no en aspectos literarios, sino en los contextos sociohistóricos y literarios que generan la impresión de este incunable. Este prólogo es en catalán, pero, dentro de la caja que acoge el volumen, también se adjunta un breve opúsculo, encuadernado en cartulina y con la portada orlada, con este mismo estudio introductorio, en español, con letra más pequeña y a doble columna. Es una edición que cuenta con una tirada de tan solo 200 ejemplares numerados, «sobre paper de fil verjurat Castillo de la casa Gvarro», como se indica en su colofón; de hecho, el papel presenta filigrana, que encontramos centrada y en el corte inferior, con las letras GVA seguidas del escudo de Valencia apoyado sobre uno de los vértices del cuadro y, a continuación, las grafías RRO, que completan el nombre. No imita, por tanto, la filigrana de la mano enguantada del original, como hacen *Trobes* 1945 y 1979a, pero sí los cortes irregulares del papel que imitan la separación de las hojas de cada pliego. A pesar de retomar la falsa portada de *Trobes* 1974a, no se trata, como en *Trobes* 1979b y 1997, de una reproducción de esa edición, puesto que no presenta el error de inversión de dos imágenes, ni las dos correcciones manuscritas de dos lecciones, además de reproducir la pérdida textual de la h. 3^{r} restaurando el trazo completo de la *g* inicial en *[Vin]gau*, que se había perdido parcialmente, así como la palabra final del verso que cierra la estrofa: en este caso, sin embargo, reconstruye erróneamente *Muntera* por *Muntesa*. La reproducción busca ser cuidada tipográficamente, pero de una imagen a otra hay diferencias respecto al original, tanto en la caja de escritura, como en la medida de 20 líneas de texto tipográfico.

i) [*Trobes*] (1997), *Les trobes en lahors de la Verge Maria*, edición facsímil, Valencia, Librerías París-Valencia. Es una nueva edición de la misma editorial, que reproduce *Trobes* 1979b, sin corregir en ambos casos el error heredado de *Trobes* 1974a, así como las dos lecciones corregidas a mano. En este caso, se aporta a la edición un ISBN, puesto que *Trobes* 1979b se produjo en la primera etapa de este tipo de reproducciones por parte de París-Valencia, con un restringido carácter local y una edición artesanal, para la que únicamente contaba con depósito legal. El formato se amplía respecto de *Trobes* 1979b, aquí con un cierto exceso en las medidas del papel respecto del original, como ocurre también con las 20 líneas de texto tipográfico. A diferencia de *Trobes* 1979b, la cubierta es blanca y presenta una sobrecubierta en el característico papel encerado de tonos anaranjados, que es la que está impresa. Se trata del único facsímil actualmente en venta, lo que unido a su económico precio, es la evidencia más clara del papel divulgador que suponen y han supuesto estas ediciones de París-Valencia.

j) [*Trobes*] (2002), *Les trobes en lahors de la Verge Maria. Primer libro impreso en España en MCCCLXXIV*, edición facsímil con introducción facsimilada de Francisco Martí Grajales (1894) y transcripción de Emili Miedes i Bisbal, Valencia, Imprenta Nácher. Esta edición no pretende generar una reproducción del incunable, sino aportar la imagen del original enfrentada, para su cotejo, a la transcripción de Miedes, por lo que no hay voluntad de respetar las proporciones del impreso en las medidas tanto del papel, como de la caja de escritura y de las veinte líneas de tipografía. El caso más evidente de ello es el que afecta a la h. 3^{r}, con una imagen muy reducida respecto del original e, incluso, manipulada, para reintroducir las faltas textuales, reproduciendo con grafía imitada a mano,[215] algo mayor, el texto perdido, tras una línea vertical que determine la restauración. Esto, sin embargo, no ocurre en *Vingau* o *Muntesa*, de las que se han perdido, respectivamente, el principio y una parte importante de las dos últimas grafías, a pesar de lo cual se reconstruye en la imagen sin indicarlo. No incorpora ningún rasgo material del ejemplar ajeno a la edición propiamente dicha, más allá de la nota inicial de Sánchez, aunque la restitución de la *s* larga en *partera* (h. 57^{r}) está poco conseguida, al estar hecha a mano, como en la h. 3^{r}, y no reutilizando la imagen de las mismas grafías del propio impreso. No cuenta con introducción propia, sino que se reproduce la de Martí Grajales de *Trobes* 1894.

Los facsímiles no son, por tanto, tan fieles al ejemplar conservado como sería de esperar, puesto que las fotografías no representaban estrictamente todas sus peculiaridades materiales, con la pérdida de información e, incluso, la distorsión que, con ello, se llega a generar. Es cierto que el interés de reproducir un incunable en facsímil radica en la propia edición y no en las características del ejemplar, por lo que se opta, fundamentalmente, por dejarlo limpio de las huellas que los avatares del tiempo han ido incorporando a él. En cualquier caso, estas ediciones facsimilares no han sido sistemáticas, ni en su conjunto, ni en su individualidad, a la hora de mantener o no rasgos del ejemplar, ni los de la propia edición, traicionando el original y generando, así, datos muy poco fiables.

Ha sido unánime la decisión de todos ellos de reconstruir el orden de los cuadernos —a fin de resolver lo que la restauración del propio ejemplar no solucionó—, sin saltos de lectura ni interrupciones, aunque hasta tres de estos

215 A la manera de las restauraciones del siglo XIX y principios del XX.

facsímiles añaden un error: el intercambio de las imágenes de las hojas 47^{v} y 48^{r},[216] en la edición de Espasa-Calpe (*Trobes* 1974a), que pasa a las dos ediciones de París-Valencia (*Trobes* 1979b y 1997), a pesar de que ya se había advertido y corregido, de manera inmediata, en las ediciones con introducción del propio Luis Guarner (*Trobes* 1974c) y de Manuel Sanchis Guarner (*Trobes* 1974b y 1979a).[217] De todo ello queda la evidencia de que los facsímiles de París-Valencia no se debieron de hacer sobre el original, sino sobre esta reproducción de Espasa-Calpe, como confirman otros datos comunes. Entre ellos, la presencia de una misma portada reconstruida, que en *Trobes* 1974a indicaba que estaban «Impresas en facsímil del libro original», mientras que en *Trobes* 1979b y 1997, donde ya no es así, se elimina esta noticia en la portada, aunque en la cubierta se sustituye, en el mismo lugar, por «(Primer libro literario impreso en España) Valencia 1474». La reconstrucción de la portada, a excepción de esta nota, se hacía imitando la tipografía antigua e, incluso, la fecha en números romanos, con una imagen sacada de la rúbrica inicial (h. 2^{r}), aquí referida al certamen y no al incunable propiamente dicho, un matiz que podría llegar a confundir. Esta reconstrucción tuvo otro efecto colateral: el desplazamiento de la nota manuscrita de Josep Sánchez (h. 1^{r}) al vuelto de esa portada, traicionando con ello no solo su localización en el original, sino también su tamaño, pues se reduce en la imagen la caja de escritura. Solo los dos facsímiles más cuidados la reproducen respetando fielmente su tamaño y en el mismo lugar en que se encuentra en el original (*Trobes* 1945 y 1979a).[218] En los otros casos, ni siquiera se reproduce (*Trobes* 1974b, 1974c y 1988).[219]

En *Trobes* 1945, se incorpora delante una portada no como parte del facsímil, sino precediéndolo y haciendo referencia a él, que imita modelos estéticos muy posteriores y muy recargados, a la manera de los que, después, se utilizarán también en *Trobes* 1988. En la hoja anterior, se reproduce el

216 El origen del error es el íncipit similar de ambas páginas, que, además, correspondían a las dos últimas hojas del cuaderno *e*, antepuesto al *d*: «Mare de deu / cobria larreu digne» (h. 47^{v}) y «Mare de deu / Insigna creatura» (h. 48^{r}). A esto hay que sumar que el íncipit de las hojas 46^{v} y 47^{r} también era coincidente en este primer hemistiquio.

217 Este último, de hecho, destaca el error en su introducción, cuya corrección sería una de las virtudes de su edición facsimilar, aunque desconocía la del Instituto Nacional del Libro Español (*Trobes* 1974c), que resolvía el problema: «També ha estat corregida una falta en l'ordenació de les pàgines dels poemes 38 i 39, comesa en l'edició de Lluís Guarner» (Sanchis Guarner 1974: XLIX).

218 Con tinta marrón en *Trobes* 1945.

219 Aunque en *Trobes* 2002 sí que está en el recto, en el vuelto de la misma hoja incorpora la primera del impreso, con la rúbrica en prosa, a pesar de que, como se ha dicho, no es estrictamente un facsímil.

certificado de José Mª Ibarra y Folgado, como director de la Biblioteca Universitaria y Provincial de Valencia, destacando «que hasta ahora no había sido reproducido idénticamente» y, sobre todo, dando fe de la fidelidad de la reproducción, en los siguientes términos:[220] «reproduce fielmente, con exacta correspondencia en texto, tamaño y forma». Destaca la fidelidad en cuanto a su tamaño y forma, algo que no se vuelve a explicitar en ningún otro facsímil, algunos de ellos reducidos (*Trobes* 1974a) y otros ampliados (*Trobes* 1988) en formato, otros similares, pero no necesariamente idénticos. Tanto este aspecto material del papel, como las medidas de la caja de escritura y de las veinte líneas de tipografía difieren en su grado de fidelidad al original, en los términos que aquí se explicitan:

1474 (original)
papel: 213 x 147 mm (h. 2) / 212 x 146 mm (h. 6)
caja de escritura: 115 x 81 mm (h. 2r) / 149 x 81 mm (h. 20v)
tipografía: 104-105 mm (h. 2r) / 103 mm (h. 59r)

1945
papel: 211 x 144 (h. 2)
caja escritura: 114 x 81 (h. 2r) / 148 x 81 (h. 20v)
tipografía (20 líneas): 104 (h. 2r) / 103 (h. 59r)

1974a
papel: 219 x 149 (h. 2)
caja escritura: 117 x 81 (h. 2r) / 149 x 83 (h. 20v)
tipografía (20 líneas): 107 (h. 2r) / 107 (h. 59r)

1974b
papel: 240 x 168 (h. 2)
caja escritura: 114 x 84 (h. 2r) / 150 x 83 (h. 20v)
tipografía (20 líneas): 104 (h. 2r) / 105 (h. 59r)

---

220 «José María Ibarra y Folgado, Abogado, Doctor en Filosofía y Letras, Funcionario facultativo del Cuerpo facultativo de Archiveros, Bibliotecarios y Arqueólogos, Director de la Biblioteca Universitaria y provincial de Valencia, Certifico: Que el presente ejemplar reproduce fielmente, con exacta correspondencia en texto, tamaño y forma, el libro impreso en Valencia en el año mil cuatrocientos setenta y cuatro, en los talleres de Lamberto Palmart, con motivo de un certamen poético en honor de la Santisima Virgen María, ejemplar único conocido, conservado bajo mi custodia y que hasta ahora no había sido reproducido idénticamente. Y para que conste, a petición de "Hemeroscopea Ediciones", expido y firmo el presente, sellado con el del establecimiento, en Valencia a veintiuno de abril de mil novecientos cuarenta y cinco».

1974c
papel: 189 x 132 (h. 2)
caja escritura: 114 x 81 (h. 2^{r}) / 149 x 83 (h. 20^{v})
tipografía (20 líneas): 104 (h. 2^{r}) / 104 (h. 59^{r})

1979a
papel: 210 x 141 (h. 2)
caja escritura: 119 x 84 (h. 2^{r}) / 154 x 84 (h. 20^{v})
tipografía (20 líneas): 108 (h. 2^{r}) / 107 (h. 59^{r})

1979b
papel: 201 x 144 (h. 2)
caja escritura: 118 x 84 (h. 2^{r}) / 150 x 83 (h. 20^{v})
tipografía (20 líneas): 107 (h. 2^{r}) / 107 (h. 59^{r})

1988
papel: 229 x 160 (h. 2)
caja escritura: 114 x 81 (h. 2^{r}) / 152 x 84 (h. 20^{v})
tipografía (20 líneas): 103 (h. 2^{r}) / 105 (h. 59^{r})

1997
papel: 214 x 156 (h. 2)
caja escritura: 119 x 85 (h. 2^{r}) / 150 x 84 (h. 20^{v})
tipografía (20 líneas): 108 (h. 2^{r}) / 107 (h. 59^{r})

2002
papel: 214 x 154 (h. 2)
caja escritura: 119 x 85 (h. 2^{r}) / 150 x 84 (h. 20^{v})
tipografía (20 líneas): 108 (h. 2^{r}) / 107 (h. 59^{r})

En el caso de Hemeroscopea, se llegan a incluir las siete hojas finales en blanco[221] y se usa un papel de mayor calidad que el original, como ocurre en *Trobes* 1979a, que, incluso, aun siendo de mucho menor gramaje, contiene la filigrana de la mano enguantada con flor de cinco pétalos o estrella de cinco puntas, aunque no en el plegado —como sí se hace en *Trobes* 1894—, sino en el centro de la hoja, en la posición propia del formato *in folio*. El tercer aspecto que destaca Ibarra y Folgado es la fidelidad al texto, aunque no siempre es así y encontramos muestras

221 Cuyo cómputo podría pasar desapercibido al tener el facsímil dos hojas de guarda anteriores y posteriores, que en este último caso se suman a las siete del original.

de que se llega a manipular, de lo que es buen ejemplo la reproducción errónea del íncipit de la h. 5^{v}: «Ab greus trobals» en vez de «Ab greus trebals», como aparece en el original[222] y como reproducen las otras ediciones facsimilares.

En el resto de facsímiles se hace poca referencia al propio proceso de reproducción y a sus características. Además de Sanchis Guarner, para *Trobes* 1974b y 1979a, solo Rafael Pérez Contel advierte alguno de estos aspectos técnicos en *Trobes* 1988, aunque se limita a indicar que está «reproduït per impressió amb gravats de zinc en aquesta edició facsímil» (1988: 31) o, ya en el colofón (*Trobes* 1988), que «Els gravats de zinc en relleu, han estat confeccionats per Añón».

Cuando Sanchis Guarner dice, refiriéndose a *Trobes* 1974b, que «en aquest facsímil, l'original ha estat netejat de tals impureses» (Sanchis Guarner 1974: L), es muy sintomático que, con *tals* se refiera solo a las dos correcciones de un lector antiguo en las lecciones *saluació* (h. 56^{r}) y *partera* (h. 57^{r}), que se deciden limpiar fotográficamente, como ocurre en *Trobes* 1974c, 1988 y 2002.[223] Sorprende que en *Trobes* 1945 se mantenga la *t* minúscula que se añade fuera de línea para transformar *saluació* en *salutació*, mientras que se corrige la intervención de *partera*, haciendo desaparecer la *s* larga superpuesta y restituyendo la *r* original.[224] En cuanto a *Trobes* 1979a, se modifica el criterio respecto de *Trobes* 1974b y Sanchis Guarner advierte que «en el presente facsímil, el original ha sido respetado íntegramente, incluso con sus impurezas» (1979: 115). Aunque lo hace a continuación de mencionar estas dos intervenciones, no se refiere a ellas explícitamente, como en el facsímil anterior, y entre esas impurezas no incluye, por tanto, las marcas de tinta manuscrita de las h. 51^{r}, 53^{r} y 58^{r}, que no modifican los textos, pero sí los destacan, ni mucho menos contempla los rasgos de suciedad o humedad del ejemplar, la foliación y las filigranas de cuaderno añadidas, las manchas de tinta del proceso de impresión o los numerosos ataques de carcoma que tenía en el momento de proceder a la reproducción, porque, como advierte, en *Trobes* 1979a se usa la misma que en *Trobes* 1974b, anterior a la restauración:[225] «Los fotolitos utilizados de esta edición facsímil fueron obtenidos del original del libro de las *Trobes* antes de su restauración del 1974, la cual, según se ha dicho, no lo ha mejorado nada» (Sanchis Guarner 1979: 115). Si fue así, los

222 Si bien tiene un ligero problema de entintado, que debe de ser el origen del error, por un exceso de celo en la revisión de la reproducción tipográfica, que, sin embargo, no atiende al sentido del texto.

223 Las reconstrucciones de la grafía *r* en *partera* no bien resuelta en *Trobes* 2002.

224 Sorprende porque esta última es una actuación mucho más compleja y por la asistematicidad del criterio.

225 No se dice nada al respecto en *Trobes* 1988 y 2002, pero nada indica que sean nuevas reproducciones y no sigan las de facsímiles anteriores, como ocurre con *Trobes* 1979b y 1997.

fotolitos fueron manipulados en la primera edición, para eliminar las dos correcciones textuales manuscritas, así como el sello de la Biblioteca Històrica de la Universitat de València de la h. 2^r, que se elimina en *Trobes* 1945, 1974a, 1974b, 1974c, 1979b, 1988, 1997 y 2002, esto es, en el resto de ediciones, incluida la prologada por él en 1974.

Es la reproducción digital, por tanto, el documento más fiable y que sustituye, en buena medida, la mayoría de las consultas directas del ejemplar, por lo que su reciente restitución en *Somni*, con acceso abierto, posibilita buena parte de las consultas científicas y divulgativas, preservando, así, el original. Los facsímiles lo hacen más parcialmente y con la inseguridad que genera ser una imagen tratada y manipulada, algo que ni siquiera se gestiona en todos los casos con el mismo cuidado, ni con la misma voluntad de fidelidad, en los términos que se han descrito en este epígrafe. Bien es cierto que cumple esa función en parte, pero, sobre todo, lo hace respecto a satisfacer una cierta bibliofilia de amplio espectro, desde la exclusividad de *Trobes* 1945, con solo 250 ejemplares y una destacada exquisitez material, hasta la alta divulgación, por tirada y precio, que suponen *Trobes* 1979b y 1997.

2.5. Los contenidos del cancionero impreso

2.5.1. Lluís Despuig y Bernat Fenollar ante el certamen y el incunable

Al referirse a este *Poeticum certamen*, Nicolás Antonio destaca que tiene lugar «sub auspiciis D. Ludovici Despuig Montesiae Ordinis Magistri, regnique Pro-regis» (1788^2, II: 305-306, nº 650), pero no hace referencia alguna al papel de Bernat Fenollar ni en el propio encuentro poético, ni en la impresión del incunable derivado.[226] Tenemos que esperar a la *Biblioteca valentina* de Josep Rodríguez para que emerja su nombre, lo que ocurre atribuyéndole un importante protagonismo, al catalogar la referencia bibliográfica al certamen y al incunable bajo la entrada correspondiente a este poeta, en la que su tratamiento detallado contrasta con el que recibe en ella el resto de sus obras:

226 Es a partir de Josep Rodríguez, sin embargo, que Francisco Pérez Bayer relaciona este certamen e incunable con Fenollar en su anotación posterior: «Plura nos infrà de hoc *Poetico certamine* in *Bernardo Fenollario*» (Antonio 1788^2, II: 306, n. 1, nº 650), esto es, al referirse a la *Istòria de la Passió* (1788^2, II: 336-227, nº 824) y a la *Contemplació* (1788^2, II: 352, nº 923), desde las cuales remite a la entrada de *Les trobes* (1788^2, II: 336-227, nº 824 y 352, nº 923), para restaurar con ello un tratamiento conjunto que había pasado desapercibido en la *editio princeps* de la *Bibliotheca vetus*.

De nuestro Escritor, ay varios Poemas. Recopilòles todos, por aver sido Secretario, en dicho *Certamen*. Celebròse dia de la Encarnacion, 25.de Março, del año yà dicho 1474 [...]; y dicho año le hizo imprimir, y dedicò al Excelentissimo Frey D. Luis Despuig, gran Maestre de Montesa; Virey, y Capitan General, de este Reyno; que assistiò, y honrò, con su presencia, el *Certamen* (Rodríguez 1747: 82).

Al virrey Despuig se le atribuye aquí un papel meramente honorífico, por tanto, ni siquiera como artífice que encargase a Fenollar este evento, sino como mera autoridad asistente o como dedicatario del incunable poético, a manera del mecenazgo real o nobiliario que va a ser frecuente en la imprenta incunable y, más si cabe, en siglos posteriores.[227] Tal circunstancia, sin embargo, se contradice en el propio impreso, ya desde su rúbrica inicial: «libel | o cartell ordenat p*er* lo uenerable moss*en* Bernat | fenollar preuere e domer dela Seu d*e*la insigne | Ciutat de Valencia de manament e ordinatio | del Spectable senyor frare Luis despuig Me | stre de Muntesa e Visrey en tot lo Regne de | Valencia Lo qual senyor com adeuot dela uer | ge Maria posa en la dita Ciutat de Valencia | una Ioya» (h. 2^r). Es Lluís Despuig quien por *manament e ordinatió* encarga a Bernat Fenollar la redacción del *llibell* o *cartell* que convoque el certamen poético,[228] en coherencia con ese compromiso de la monarquía aragonesa y de la nobleza local con la Inmaculada Concepción, más allá de que estos poemas a la Virgen tengan un carácter laudatorio general, que, en cualquier caso, hay que enmarcar en el clima de posicionamientos inmaculistas y en la llegada al papado del franciscano Sixto IV, así como en el protagonismo de la humanidad de María, madre, como intercesora ante la divinidad, que triunfa en el siglo XV. Y esto más allá de que «la proliferació de la literatura religiosa, i més concretament la de certamen, a la València d'aleshores pot trobar la seua explicació en la campanya d'agressió ideològica, o més aviat econòmica, contra els conversos i mudèjars» (Ferrando Francés 1983: 154), porque, efectivamente, esta circunstancia es una de las que también explican su éxito socioliterario y la participación activa de la cofradías

227 En este mismo sentido y, sintomáticamente, usando el mismo término de *secretario* que emplea Rodríguez, se expresan Vicente Ximeno y Francisco Cerdá y Rico, el segundo de los cuales añade una valoración positiva de su ejercicio como poeta: «à devocion de Don Luis Despuig, Maestre de la misma Orden, y Virey de este Reyno, siendo Secretario nuestro Escritor» (Ximeno 1747-1749, I: 59); «a devocion de D. Luis de Spuig Maestre de la Orden de Montesa, y Virrey de la misma ciudad, en el qual fue secretario nuestro poeta, y uno de los que mejor le desempeñaron» (Cerdá y Rico 1778: 318).

228 Lo hace pocos meses después de su llegada a Valencia y juramento del cargo de virrey: «El dia 2-I-1473 feia la seua entrada a València el nou virrei fra Lluís Despuig, Mestre de l'Orde de Montesa. Tres dies després jurava el seu càrrec. El seu nomenament coronava de llarga vida al servei de la Corona d'Aragó» (Ferrando Francés 1983: 157).

y de la menestralía. No por ello, sin embargo, tenemos que oponer ambas circunstancias,[229] haciéndolas excluyentes, puesto que, si bien Lluís Despuig aporta un cierto carácter institucional al acto, la celebración del certamen en la cofradía de Sant Jordi[230] y la participación de poetas de diferentes estamentos apuntan en este otro sentido.[231] A esto último debió de contribuir, sin lugar a dudas, Bernat Fenollar,[232] en ese juego de roles que tan bien delimitó Martí de Riquer: «L'organitzador del certamen fou el virrei de València, Lluís Despuig [...]. Qui portà realment aquest certamen fou Mossèn Bernat Fenollar, al qual és degut el cartell en vers, o convocatòria [...]. El premi és ofert pel virrei» (Riquer 1964: 372).

La rúbrica editorial que inaugura el impreso evidencia, como hemos visto, la atribución a Bernat Fenollar de uno de los más importantes paratextos poéticos del certamen, el *Cartell* (h. 2^v-3^r):

229 «Només els certàmens convocats pel virrei Despuig evoquen, almenys parcialment, els que feia més de seixanta anys havien promogut els reis Joan I, Martí l'Humà i Ferran I. Si exceptuem un dels certàmens immaculistes deguts a les parròquies i cases de les diverses confraries, en un marc social netament burgés» (Ferrando Francés 1983: 154).

230 «Dentro de la Iglesia, de la Real Cofradia, del invictissimo Patron, de los Reynos de esta Corona, San Jorge, Martyr; que estava, y oy persevera, en la Parroquia de S. Andrès, Apostol» (Rodríguez 1747: 82).

231 Aunque a mediados del siglo XVIII documenta Vicente Ximeno que esta cofradía era entonces el Colegio de la Orden de Montesa, de la que habría sido maestro Lluís Despuig, como sabemos, lo que podría ser una casualidad o ya anunciar una cierta relación entre ambas circunstancias ya en el siglo XV: «el qual se celebrò à 25. de Marzo del referido año en la Cofadria [*sic*] de San Jorge Martir, aora Colegio de la Orden de Montesa» (Ximeno 1747-1749, I: 59). Lo que sí sabemos es que esta cofradía fue fundada en época del Ceremonioso (1365-1371) (Martínez Vinat 2018: 110) a cargo «de una milicia urbana integrada por miembros populares procedentes de distintos oficios menestrales testimoniaba la reconciliación entre el monarca y el artesanado valenciano» (Martínez Vinat 2018: 126), de la misma manera que, durante los años que enmarcan este certamen, entre 1470 y 1479, «el Centenar de la Ploma y su cofradía de San Jorge verían confirmados sus privilegios por el monarca y por la corte de la Gobernación, reiterando especialmente la facultad de la compañía de portar armas que había sido cuestionada en repetidas ocasiones por algunos oficiales reales a tenor de la legislación vigente» (Martínez Vinat 2018: 225). Se trataba, por tanto, de una cofradía militar (Martínez Vinat 2018: 252-253).

232 «Fenollar era un poeta extrovertit, extraordinàriament afectat a les obres en col·laboració i als debats poètics. Häuser vol veure en la profussió d'obres literàries col·lectives en la tardor de l'Edat Mitjana, un reflex de l'esperit gremial de treball en equip, puix que llavors la mentalitat burgesa era ja predominant en el món baix-medieval» (Sanchis Guarner 1975: 333-334). Véase también Sanchis Guarner 1974: XVIII-XXI. Ambos trabajos son los primeros en destacar la acertada selección de Fenollar como mantenedor o responsable técnico del certamen y en valorar su papel como principal causa del éxito social del certamen, que, en cualquier caso, no debió de ser la única.

LO CARTELL[x]

Lalta sens par / humil verge Maria
Reyna del cel / deessa trihumphada
En loch tan alt / es altament puiada
Que deu tot sol / l[i] porta maioria
Angels e sants / latorguen per senyora
E leternal / per mare la confessa
Los de linfern / temor gran li presenten
Yls peccadors / refugi la reclamen

Que sia tal / may lengua dir poria
Tots aquells bens / de ques troba dotada
Sols es son fill / Ihesus qui la lohada
Que lo restant / iames hi bastaria
Mas puix deuots / li som de cor hi pensa
Perque dingrats / no reportem la colpa
Teniu per cert / qui mils lahor li done
Haura de guany / hun bell gipo de seda

Sant Iordi vol / la sua confraria
Quels dehidors / attenguen per posada
Lo jorn onze / apres sollempnizada
La puritat / de nostra mare pia
Jutges tenint / de gran magnificencia
Lo Cabiscol / dela Seu molt insigne
Yab don Iohan / de proxida lo noble
Moss*en* Luis / de Castellui magnifich

[Vin]gau hi tots / senyors per aquel [dia]
[H]onrant, si*us* plau / tan bella siti[ada]
En cobles cinch / endreça o torna[da]
Lengua y estil / lo que plasent vo[s sia]
Que per lahor / de la senyora no[stra]
Dona lo pris / deuotament e pro[mpta]
Lo reuerent / senyor molt specta[ble]
Digne visrey / e mestre de Munte[sa]

Frare luis desp[uig]
Mestre de Munte[sa]
Visrey en lo Regn[e]
De valencia

No queda lugar a dudas, por tanto, de quién compuso el *Cartell*, pero también es cierto que el poema en cuestión se atribuye al propio Lluís Despuig en la rúbrica final de firma, a pesar de que se hable en tercera persona de él en sus últimos versos. Se trata de una estrategia frecuente en la poesía de cancionero, redactando el poema en nombre de un monarca, noble o amada, entre otros —a veces sin distinguir explícitamente la polifonía—, como, de hecho, ocurre en este mismo impreso en cuanto a la composición de Joan Moreno. El *Cartell* publicado a manera de convocatoria no debía de contener esta rúbrica final de autoría, sino que parece ser un rasgo editorial, porque Lambert Palmart recurre también a esta estrategia en el segundo de los cancioneros incunables valencianos, impreso en 1487, para los poemas de Ferran Dies, que, en su mayor parte, funcionan como paratextos. Este, siendo poeta, aglutina los roles que se desdoblan en *Les trobes*, en las figuras de Despuig y Fenollar, de manera que no se generan las dudas y los límites que han confundido a los bibliógrafos en cuanto al certamen y el incunable poético de 1474. En su función prístina, los versos del *Cartell* ya incluían la referencia a Despuig como aquel que ofrecía el premio —y, por tanto, no era una cuestión meramente honorífica, como proponía Rodríguez—, pero la decisión editorial de incorporar la rúbrica final de autoría generaba una cierta disfunción al respecto, por el juego de voces del discurso y la referencia a él en tercera persona.

Cuando Rodríguez advierte que *de nuestro Escritor, ay varios Poemas* en este cancionero incunable, debe de referirse al *Cartell* y a la composición que incorpora en loor de la Virgen, que no opta al premio, sino al mero honor de recitarlo (h. 6^{v}-7^{v}),[233] así como a su encabezamiento o preámbulo, que es un elogio dirigido a Lluís Despuig, en el que establece un juego poético con su apellido, a la manera que nos tienen acostumbrados tanto él, como otros poetas valencianos, especialmente de su órbita literaria (h. 6^{r}):

De moss*en* B*er*n*a*t fenollar / preambol
dreçat al spectable senyor frare
Luis despuig / mestre de Mu*n*tesa
e Visrey en lo Regne de Valencia

Mirant senyor / de molta reuerencia
Laltay humil / que tots los sants auança
Qua*n*t pren renom / en aquell puig de França
Egran lahor / en lo puig de Valencia$_{x}$
Vist per semblant / de xativa lo puig
Puiar la molt / ab lo puig de Muntesa
Don mestre sou / molt spectable puig

233 A pesar de lo que, erróneamente, indica Dionisio Hidalgo, puesto que no optó a la *joia*: «Bernardo Fenollar, secretario de la junta, y uno de los que disputaron el premio, recopiló é hizo imprimir en Valencia en 1474» (Méndez 1861^{2}: 321).

Senyor Visrey / puiat per sauiesa$_x$
Ab gran raho / sobrel puig la puiau
Puix es dels puigs / al puig mes alt puiada
Yo flach puiant / si puge tal puiada
Puig per lohar / la que vos puig lohau.

Rodríguez debía de referirse a estos tres poemas, como decía, porque son los únicos que se le atribuyen en el incunable. Es lógico que se evidencie su autoría en los casos del poema laudatorio y de su preámbulo en honor a Despuig, pero sorprende la necesidad de atribuirle explícitamente uno de los paratextos poéticos del certamen, el *Cartell*, en la rúbrica inicial en prosa. Desde luego, quien lo hizo, conocía bien su autoría, lo que, en cualquier caso, contrastaba con la atribución explícita en rúbrica final a Lluís Despuig,[234] una emergencia de la figura del virrey que, sin lugar a dudas, ennoblecía el producto y lo avalaba, como ocurrió con el propio certamen, aunque aquí entraban en juego también cuestiones comerciales.

No solo se atribuyó explícitamente a Fenollar la composición del *Cartell*, sino también otro paratexto poético del certamen: el poema final de agradecimiento de la Virgen (h. 58^r-59^v).[235] Sin embargo, no se hizo así en el caso de la *Sentència* (h. 56^r-57^v) y de la *Dispositio* (h. 59^v) que la remata en el ejemplar conservado de este incunable,[236] donde no hay atribución explícita a ningún poeta y, quizás, por ello, no era necesaria, por evidente, la emergencia de Fenollar como autor de ambas, si no es que esta es una prueba más, en realidad, de la mutilación de contenidos del ejemplar, puesto que es al final del poema de la Virgen donde se indica la rúbrica de autoría, que aquí podía estar perdida. Fenollar, en cualquier caso, habría sido el encargado de recitar unos poemas y otros en la *actio* o *pronuntiatio* que supuso la propia *performance* del certamen, de manera que los lectores más inmediatos de este cancionero impreso habrían reconocido su autoría en los textos poéticos de la *Sentència* y *Dispositio*, si es que no tenían la rúbrica final en la edición original de *Les trobes*.[237]

234 Porque es esta su función en los impresos poéticos de Palmart y no la de aducir el dedicatario, más aún cuando este paratexto es un poema de convocatoria y quien convoca el certamen es el virrey Despuig.

235 Como ya indicó Josep Villarroya: «Fenollar por sí y á nombre de la Virgen Pura» (1796: 55).

236 Así lo cree también Martí Grajales, que es el primero en explicitarlo: «Intervino muy directamente en la justa poética de 1474, encargándose de la redacción y publicación de la sentencia del tribunal» (1927: 214).

237 Luis Guarner valora negativamente la calidad poética de las composiciones atribuidas o atribuibles a Bernat Fenollar, a excepción del poema de la *Sentència*: «La colaboración suya en el certamen que dirigió no pasa de ser mediocre en la poesía presentada, sin opción a premio, y con una introducción laudatoria del virrey. Sólo

El poema de la *Sentència* se concluye, antes de dar paso al sorprendente giro de la *Dispositio*, incidiendo, de nuevo, no solo en el hecho de que Lluís Despuig es quien ofreció el premio del certamen y, por tanto, su responsable o artífice, sino que sus últimos versos son la prueba textual indiscutible de que la rúbrica final del *Cartell* es, como he propuesto, una rúbrica de autoría, puesto que aquí se le atribuye explícitamente el poema de convocatoria:[238]

SENTENCIA
Dacte semblant / tan virtuos
Puix lo començ / fonch glorios
Tal fi se spera
Perço nosaltres / sens espera
Iutges donats
En lo libel / ia nomenats
Cascu per nom
Mostrar volem / per que ni com
Lo pris se guanya
E de concert / cascu saffania
Lo iust seguir
Dels assessors / hoynt lo dir
Que pres hauem
E procehint com fer deuem
Tots dun acort
Mirant la creu e quy es mort
Com se pertany

En fets semblants per dar lo guany
A quil mereix
En nom daquell don proceheix
Tot bon iuhi
Vistes les obres / sobrel fi
Dels dehidors
No menys los baxos / que·ls maiors
Iutgant egual
Vist quant la cambra virginal
Resta lohada
E daquest fet / glorificada
Alt en lo cel
Pregam la molt / puix es lestel

en la poesía que cierra el concurso como *sentencia*, da muestras del ingenio suyo característico» (Guarner 1974a: 24-25).

238 A diferencia de lo que se indica en BITECA (manid 1458), que considera a Lluís Despuig el destinatario del poema.

Dels nauegants
Les nostres penses / ignorants
En tal empresa
Quel digne mestre / de muntesa
Senyor visrey
Nos ha donat sots iusta ley
Guiar nos vulla$_x$
Vist donchs havem / deffullan fulla
Nostre libell
Delqual sateny / lo fruyt tan bell
E delitable
Hoynt lo cant / molt concordable
Quels rims aporten
E maiorment / per que reporten
Les grans fauors
Dela mare / dels peccadors
Verge Maria
Salut de nostra / malaltia
Goig sens tristor
En nostres mals / lo be maior
Apres Ihesus
De caritat / seruant bon vs
Axius subue
Que mes desiga / nostre be
Yel quesperam
Que nosaltres / qui tant penam
En esta vida
Degudament / es donchs seruida
Ab lahors tals
Que tots los bons / hoc hi los mals
En ellasperen
E per aquella / tant prosperen
Bons en mellor
Los mals del mal / hauent dolor
En bes cambien
En tant que tots / quants ne confien
Perir no poden
Ans nauegant / per molt que roden
Attenyen port
Perçol senyor / ab tal recort
Visrey prudent
Exercitant / lenteniment
Dels trobadors
En lo cartell / diu qui lahors
Mils li dara

Aquell sens dubte guanyara
Lo pris de seda.

Es muy probable, en definitiva, que tenga razón Rodríguez al considerarlo también como un importante artífice del proceso de impresión del cancionero incunable derivado de este evento socioliterario, del cual debió de ser el encargado de preparar el original de imprenta. Sin embargo, el rol de editor,[239] en el sentido específico del término, como 'patrocinador',[240] dudo mucho de que haya que arrebatárselo al propio virrey, no solo por ser el impulsor del certamen, sino porque, aunque no los únicos, sí que fueron, «ante todo, los poderes civiles y religiosos» (Canet 2009b: 61) los que ejercieron este papel en la imprenta incunable. Antoni Ferrando delimita una amplia tipología de editores, porque el patrocinio no siempre era en términos económicos o, más bien, con fines estrictamente comerciales, al menos por parte de esta figura, por lo que nos habla también de editores intelectuales frente a los editores empresarios: «editors més o menys circumstancials —nobles, eclesiàstics, juristes, notaris, etc.— [...], que són els que, amb les seues tries, expressaven millor els interessos ideològics de les classes dominants, ja fossen aquestes les tradicionals, ja les emergents» (Ferrando 1999: 109).

A Bernat Fenollar, *sensu stricto*, no podemos denominarlo *editor*, ni siquiera *editor literario* —a diferencia de Hain: «*edita a Bern. Fenollar*» (1826-1838, I/2: 364, nº 6966)—, porque estaríamos utilizando anacrónicamente el término y entrando en conflicto con una figura de importante calado en la historia del libro impreso. Esto no contradice, sin embargo, el hecho de que lo «recopiló

239 «La función realizada por los editores en la producción impresa es la menos estudiada, y quizás sea esa la causa de grandes malentendidos al darle una gran responsabilidad a los autores en la publicación de su obra cuando probablemente no la tuvieron, al menos en el periodo de tiempo que llega hasta 1558, fecha de la pragmática que cambió hasta el formato del libro. Jaime Moll propuso hace tres años que para enfrentarse a un texto con indudable éxito comercial y por tanto con la existencia de múltiples reediciones era conveniente centrarse ante todo en aquellas autorizadas por el autor, sin olvidarse por ello de las ediciones ilegales que ofrecen un indudable interés sociológico que nos darán "a conocer cómo se interpretaban dentro del sentir de la época algunos casos de erratas o malas lecturas del original" pero que ofrecen un interés textual nulo» (Canet 2009b: 60). Véase también, especialmente, Moll 1982 y 2003.

240 «Sus autores no participaron de su impresión, siendo los editores los que a través de un manuscrito o de varios, de forma conjunta o independientemente, decidieron invertir económicamente para una posible ganancia editorial, modificando los textos, añadiendo titulillos, cambiando incluso el propio título de la obra, creando modelos literarios con diseños de portadas sugerentes e identificativas del género e incluso, ¿por qué no? reduciendo o ampliando el texto si es necesario para que quepa en un número determinado de pliegos impresos» (Canet 2009b: 73).

é hizo imprimir en Valencia en 1474» (Méndez 1861^{2}: 321)[241] o que «realizó además los trabajos preparatorios para la impresión del libro que, según todos nuestros bibliógrafos, se hizo bajo su dirección» (Martí Grajales 1927: 214).[242] En catalán, Antoni Ferrando se refiere a Fenollar como *curador*,[243] para evitar confundirlo con el *editor* y, en este sentido, le atribuye un cierto intervencionismo lingüístico en el original de imprenta: «Així, en les *Obres e trobes en lahors de la Verge Maria* (València, 1474), al costat de nombrosos trets morfològics i grafies arcaïtzants, especialment de consonants dobles, s'observen algunes regularitzacions sistemàtiques, probablement imputables al curador del volumet, mossén Bernat Fenollar» (Ferrando 1999: 122). En una época tan temprana, los correctores de imprenta eran una figura que aún estaba por desarrollarse e, incluso, por llegar, de manera que el modelo lingüístico aplicado por Fenollar debió de ser inconsciente y responder a sus usos personales, lo que no deja de ser también interesante, aunque estaría lejos de buscar una apuesta lingüística directa o una regularización y/o actualización[244] de soluciones como la que sí que encontraremos en los impresos del paso del siglo XV al XVI.

2.5.2. Poetas

Aún a finales del siglo XVII, si no muy a principios del XVIII, Josep Rodríguez estableció por primera vez ciertos datos sobre los poetas y las composiciones de este cancionero incunable: «Contiene Papeles (casi todos metros) de treinta y seys Poetas; y menos vn Poema, que ay en Toscano, y quatro en Castellano; los demás son en Lemosin; como dixe en Ausiàs March; y mas fastidiosa esta Leyenda, por las Abreviaturas» (Rodríguez 1747: 82). Aunque no aportaba un número total de los poemas incorporados al impreso, sí que distinguía muy bien las lenguas usadas en ellos: fundamentalmente el catalán, a excepción de cuatro poemas en castellano[245] y uno en toscano. Y no debe

241 La cita es, sin embargo, de Dionisio Hidalgo, en su actualización de la obra de Méndez.

242 En ello incide Haebler: «hay reunidas en él por manos del secretario del certamen, Bernat Fenollar, 45 poesias escritas por 40 autores diferentes» (1903-1917, I: 231, nº 488).

243 Jugando con la sinonimia en catalán y reservando el término editorial estricto a tal efecto.

244 En este caso menos aún, por lo arcaizante de las soluciones lingüísticas de *Les trobes*.

245 Y no tres, como computa erróneamente José Mª Torres Belda (1874: 47). Asimismo, Martí de Riquer olvida el de Pere de Civillar en su catalogación de los poemas en castellano: «Totes les composicions són en català, o valencià, llevat de les italianes de Vinyoles i les castellanes de Francí de Castellví, de mossén Barceló i "d'un castellà sens nom"» (Riquer 1964: 373). Este tipo de errores es muy frecuente en la bibliografía sobre incunables valencianos, en términos muy variados y que se acaban transmitiendo de unos a otros autores, con tal heterogeneidad que dan una sensación de incertidumbre ante numerosos datos contradictorios.

pasarnos desapercibida otra información al respecto, puesto que advierte que los textos eran *casi todos en metros*, un matiz que se podría referir, exclusivamente, a los dos principales paratextos editoriales en prosa (h. 2^{r} y 57^{v}-58^{r}), además de las rúbricas de poemas, pero también es cierto que hay, al menos, una hoja perdida que tanto Rodríguez, como Ximeno, sí que llegaron a ver, en la que se incorporó el colofón, que también habría estado en prosa, y no sabemos si algún otro texto. En cuanto a los poetas, computaba un total de 36, cuatro menos de los que, en realidad, incluyen composiciones en este cancionero, como veremos, y de quienes, además, hace otra consideración que no es del todo exacta: «Todos los Poetas contenidos en èl, parecen Valencianos» (Rodríguez 1747: 82). Sí en su mayoría, efectivamente, pero no todos, como advierte Joan Fuster: «només dos —"un castellà sens nom" i el barceloní Antoni Vallmanya— no eren nadius del País Valencià» (1968^{2}: 347). No lo es porque a esta escasa nómina habría que añadir un tercero, Pere de Civillar, que, en cualquier caso, residiría entonces en Valencia, siendo menestral, quizás desde no hacía mucho, cree Martí Grajales: «No debía ser valenciano ó debió residir muy poco tiempo en esta Ciudad. Los plateros elegían anualmente para consejeros á dos maestros de su profesión. Desde 1445 á 1520 no vemos entre los nombrados á Pedro de Civillar, quien tampoco figura en el libro I de *Tacha real* de 1513» (1894: 66). En este mismo sentido, Antoni Ferrando aduce cuestiones de historia de la lengua, aplicadas a los usos lingüísticos de la menestralía y al poliglotismo como ostentación poética, que acaban de confirmar la hipótesis de Martí Grajales.[246] Y, de nuevo, a partir de una noticia de este (Martí Grajales 1894: 67), argumenta Ferrando (1983: 203-207) que también el otro menestral, Joan de Santcliment, podría ser catalán, de Barcelona o, probablemente, de Lleida.

Es una lástima que Ximeno, cuya obra se publica de manera coetánea a la de Rodríguez, que había corrido manuscrita durante medio siglo, no haga prácticamente mención de los poetas y los poemas de este impreso. Aquí se limita a referir brevemente a Bernat Fenollar, al tratarse de su entrada en el repertorio de *Escritores del Reyno de Valencia*, y advierte que «Este es el Certamen que dexamos citado, y citarèmos en algunos Escritores que intervenieron en èl» (Ximeno 1747-1749, I: 59), por lo que es cierto que de algunos otros sí que cita su(s) poema(s) de *Les trobes*, pero lo hace sin

---

246 «Pere de Civillar era probablement castellà, car resulta poc explicable que un menestral valencià empràs el castellà en una època en què sols alguns nobles i rarament algun burgés feien esporàdics exercicis de poliglotisme en aquesta llengua» (Ferrando Francés 1983: 202). Recientemente, se ha profundizado en esta descripcion lingüístico-geográfica, por parte de Cinthia María Hamlin y Ludmila Grasso (2022), apuntando hacia contextos aragoneses.

sistematicidad y, sobre todo, sin una perspectiva de conjunto. De los poemas solo advierte el importante matiz temático de la antología, corrigiendo a Rodríguez, en el sentido en el que me he referido con anterioridad, en tanto que no son sobre la Inmaculada Concepción, sino que «todas sus Poesìas son en gloria de la Maternidad de la Virgen, y demàs misterios de su Vida, si bien alguna toca algo de su Concepcion Purissima» (Ximeno 1747-1749, I: 59).

El primer bibliógrafo en aportar un listado de los autores participantes fue Josep Villarroya, que también retoma la cuestión lingüística de los poemas, sugerida por Rodríguez:

> Los trovadores fueron Don Jorge Centelles: N. Corella: Mosen Bernardo Fenollar por sí y á nombre de la Virgen Pura: Mosen Francisco de Castellví: Mosen Barcelo Cavaller: N. Alcañiz: Mosen Juan Nagera: Belenguer Cardona: Pedro Perez: Juan Verdauxa (*sic*): Juan Moreno en persona de la noble Violante, cuyo apellido se calla: Antonio Vallnanya (*sic*): Luis Muñoz: Juan Gamisa: Narciso Vinyoles: N. Sobrevero: N. Lanzol: Gines Fira: Miquelot Perez: N. Villalva: Juan del Bosch: N. Gazull: Luis Garcia: Bernardo Despuig: Geronimo Monzó: Bernardo Valenanya: Pedro de Civillar: Lorenzo Diamant: Juan Sentcliment: Bartolomé Salvador: Juan Verdania (*sic*): Luis Catalá: Bartolomé Dimas: un Anónimo Castellano: Francisco de Sanramon: Mateo Esteve: Pedro Alcañiz: Jayme Roig: Pedro Bell: Y mosen Juan Vidal. Todos estos opositores presentaron sus versos en Valenciano, á excepción del anónimo que solo lo hizo en Castellano. Narciso Vinyoles puso tambien algunos en lengua Toscana. Y Mosen Francisco Castellvi, Mosen Barcelo Cavaller, y Pedro de Civillar, otros en la Castellana (Villarroya 1796: 54-56).

Además de la composición en toscano de Narcís Vinyoles, solo otras cuatro no se escriben en catalán: Francí de Castellví y *mossén* Barceló, respectivamente, duplican su representación, con un texto en castellano y otro en catalán, mientras que de Pere de Civillar y del único anónimo solo contamos con una composición en castellano. Es por esto que habría que corregir a Villarroya, que incluye a Civillar entre los poetas que también escriben en catalán.

Villarroya delimita por primera vez, por tanto, los 40 autores de quienes se recogen poemas en este cancionero incunable,[247] pero no los presenta ordenados más que en cuatro secuencias que, aunque internamente sí que respetan el orden de aparición de sus poesías, no lo están entre sí, no por impericia del bibliógrafo, sino porque el ejemplar, como hemos visto anteriormente, ya

247 A pesar de ello, Hain aún advierte, siguiendo a Rodríguez, que «*Sunt carmina XXXVI variorum auctt.*» (1826-1838, I/2: 364, nº 6966). En cualquier caso, esta es una excepción y, a partir de Villarroya, se acepta que el número de poetas son los 40 de su listado.

estaba desordenado entonces, alterando el cuarto y el quinto de los cuadernos. Del cómputo de poetas, además, habría que matizar que uno de ellos, Moreno, presenta su composición *en persona de la noble Violante, cuyo apellido se calla*, que habría que identificar, sin embargo, con Violant o Iolant d'Urrea, la hija del Gobernador de Valencia, Pedro d'Urrea.[248] A ella dirigió Moreno también el poema *Versets fets per Joan Moreno a una filla del governador de València*, conservado como *unicum* en el *Jardinet d'orats*, donde hay unas cartas en prosa atribuidas a Joan Roís de Corella, que también debieron de ser de él.[249] A esta autoría honorífica habría que sumar la del *Cartell* a cargo de Lluís Despuig, que sí que recoge ya Justo Pastor Fuster al inicio de su listado —sin que esto arraigue en bibliógrafos posteriores e identificándolo con un apellido incorrecto, como *Luis Despi*—, del que advierte que se ofrece «por el mismo órden en que están, y con los mismos nombres y linages que ellos prestaron» (Fuster 1827: 52). Sin embargo, no solo mantiene el orden alterado derivado de la materialidad del ejemplar, como hizo Villarroya, sino que elimina a uno de los poetas, el notario Joan Verdanxa. Dionisio Hidalgo, aunque reconoce seguir a Fuster para su listado de poetas, de quien declara copiarlo, sí que debió de comprobar los datos sobre el original, puesto que restituyó el nombre de Verdanxa en su secuencia correcta (Méndez 1861^2: 321), más allá de que, a partir de Miquel Peres, se mantuviese la alteración por desorden de cuadernos.[250]

Hasta 1874 no vamos a encontrar el listado de autores ordenado en la misma secuencia del incunable original, salvando el error de encuadernación del ejemplar, a cargo de José Mª Torres Belda, si bien tampoco aquí es completo —para lo que tenemos que esperar, definitivamente, a Martí Grajales (1894: 12), quien será el primero en ofrecer un amplio perfil biográfico de

248 Aragonés y, de ahí, su nombre, que fue gobernador de Valencia desde 1459 hasta la fecha de su muerte, en 1469, cinco años antes de la celebración del certamen. Hizo su entrada en Valencia el 4 de febrero de 1459, y tomó posada en la plaça de Sant Jordi —«ab molta gran honor e molt acompanyat de molts nobles e cavalés e molta altra gent de bé; portava moltes trompetes e molts tamborinos, e molta gran honor; entrà en molt grandíssima honor e magnificència. Posava a Sent Jordi, en l'alberch de mossén Johan Roís de Morós» (Rodrigo Lizondo 2011: 395)—, donde, quince años después, tuvo lugar este certamen mariano de 1474, en el que Moreno participó en nombre de su hija, Iolant d'Urrea.

249 Como argumenta Jaume Torró (1996). Para este cancionero y los textos en cuestión, véase también Torró 1992.

250 «Los autores que tratan de este libro, no están acordes en cuanto al número de composiciones que contiene; pero como uno de ellos pone la lista de los poetas que concurrieron al referido certamen, y esta circunstancia decide a mi juicio la cuestion, me ha parecido copiarla aquí para rectificar y completar las noticias que da Mendez en la página 30» (Méndez 1861^2: 321).

los participantes—,[251] puesto que, entre Berenguer Cardona y Joan Verdanxa, elimina por descuido a Pero Peres, en los tres casos notarios. Esto último lo advierto no solo porque hay un homónimo Joan Verdanxa *menor de días*, cuyo poema se encuentra avanzado el incunable, sino porque Torres Belda es el primero en destacar la notable heterogeneidad social de los participantes en el certamen, reflejada, insistentemente, en sus rúbricas: «Los poetas fueron 40, cuyos nombres anotamos como una prueba de lo cultivada que era la poesía en nuestro pais en aquella remota época por las clases más elevadas y por las más humildes» (Torres Belda 1874: 47).

Joan Fuster se encargó de desarrollar esta idea, desde esa perspectiva socioliteraria que caracteriza sus acercamientos —no solo— a la literatura medieval y que, especialmente, genera una notable rentabilidad en el caso de los certámenes literarios valencianos, porque «manifesten una vegada rere l'altra el poder de la literatura com a creadora d'un espai de socialització» (Martínez Romero 2015: 145). Tal heterogeneidad social se concreta en los siguientes términos:

> Resulta, doncs, que al certamen de 1474 van reunir-se: set cavallers —comptant-hi Joan Roís de Corella—; tres eclesiàstics i dos estudiants que després també ho serien; quatre metges; set notaris locals, quatre escrivents —dos dels quals ascendiren a notaris més tard— i un «menor de dies», que així mateix acabaria en el notariat; tres «ciutadans honrats», un d'ells de Xàtiva, sense més precisions; dos menestrals —un argenter i un naiper—; un mestre d'escriure, i un altre estudiant. El còmput no necessita massa exegesi. L'escalafó dels estaments hi queda totalment representat. I en proporció, la zona millor i major representada és allò que, per entendre'ns, anomenem burgesia: gent de professió liberal, clergues, ciutadans. Al costat d'aquest grup, pocs són els menestrals, però tampoc els cavallers hi apareixen en gran nombre. Com a esquema de la distribució social dels escriptors vernacles del XV, el certamen de 1474 és vàlid (Fuster 1968²: 348).

Sanchis Guarner atribuyó esta circunstancia al liderazgo de que se dota a Bernat Fenollar para las cuestiones técnicas del desarrollo del certamen y del propio proceso editorial del cancionero incunable derivado: «La diversa condició social dels poetes participants, en aquell temps en què la societat estava encara tan estratificada, constituí un triomf personal de mossèn Fenollar»

251 Al que remito para ellos, así como a Martí Grajales 1927 y a Ferrando Francés 1983. Las poesías de algunos de estos autores se encuentran también en el *Cancionero General* y, por esta razón, son útiles, en parte, Perea 2003 y 2007, y Pérez Bosch 2011. Evito repetir, por tanto, los aspectos biográficos que ya han sido tratados desde finales del siglo XIX y en los que no se ha avanzado especialmente. Para la figura de Bernat Fenollar, en concreto, es muy interesante el reciente trabajo de Frederic Aparisi Romero (2021).

(1974: XVIII). Sin embargo, Alonso de Proaza ya destacó en 1505 esta interacción entre estamentos tan característica de la ciudad de Valencia, así como el notable intelecto y refinamiento de los artesanos, de la menestralía, en su *Oratio luculenta de laudibus Valentie*:

> Est itaque citra assentationem Valentina ciuitas supra omnes (pace aliarum dixerim) Hispaniarum ciuitates preclarissimo patriciorum et auratorum quod dicunt equitum, nobilium uirorum perspicuo antiquoue sanguine illustrata uirique ipsi equestres reliquiue elegantissime ciuitatis et incole et ciues et opifices ceteri, adeo et natura et ingenio politissimi mundiciisque multiiugis prediti, ut si generosorum equorum nitidarumque mularum phaleras et frequentiam ornamentorum omnis generis obequitantiumque ad uoluptatem in urbe perspicias, et artem et precium equa pensites lance, curiam profecto et continuam et munificentissimam sine regis presentia facile credas (l. 633-641) (Ruiz Vila 2012: 209).[252]

Fenollar fue, sin duda, un poeta muy adecuado para los encargos que le hizo el virrey Despuig en relación con este certamen, pero no podemos atribuirle la causalidad de lo que, en realidad, es una consecuencia, puesto que él mismo y su literatura de colaboración es fruto de unas circunstancias socioliterarias que caracterizan el propio entorno ciudadano de Valencia. De la misma manera, sin lugar a dudas el hecho de convocarlo el virrey fue un valor añadido, pero sería excesivo dotar al certamen de un carácter institucional,[253] puesto que este tipo de espectáculos ciudadanos eran muy frecuentes, no solo los certámenes poéticos en sí —como pone de manifiesto el magno trabajo de Antoni Ferrando (1983), incluso en unos límites mayores de interacción poética por parte de una cierta colectividad—, sino en términos más generales, que afectan a la propia puesta en escena o *performance*, en una interacción

252 «¿Qué puedo contar, en fin, de los demás edificios santos y casas de oración? Si comenzara a pasar revista una por una, alcanzaría las diez mil, tantas como casas profanas. Suponiendo que llamemos casas de oración a las que distinguimos porque están adornadas con pinturas, imágenes de santos y demás adornos, entonces cualquier casa de Valencia será considerada por derecho casa de oración. ¿Por qué, además, habría de ensalzar con mis alabanzas los edificios públicos, cuya distinción y vistosidad son dignas de la mayor admiración? Son testigos el espléndido y magnífico edificio de los comicios en el que cada día, padres conscriptos, os reunís para debatir y deliberar sobre el estado superando, sin duda, por vuestra cordura a la ciudadela del Capitolio» (Ruiz Vila 2012: 206).

253 «No era, altrament, una justa vulgar i corrent. Com que venia convocada sota els auspicis del virrei de València, Lluís Despuig, i probablement per això deuria adquirir una solemnitat especial, veiem que la concurrència de poetes no queda reduïda als versificadors de mitja vara, novells o recalcitrants. Homes que ja tindrien un prestigi cert, com Jaume Roig o Joan Roís de Corella, no vacil·laren a contribuir-hi amb els seus versos» (Fuster 1968[2]: 347-348).

entre géneros literarios y fiesta cívica, a menudo, en los certámenes poéticos y en las representaciones teatrales, con un importante protagonismo de las cofradías. De esta tendencia valenciana al espectáculo cívico dejó constancia también Alonso de Proaza, solo tres décadas después:

> Tacebo numerosissimam assidue conglomerantem se ibi populi multitudinem pene infinitam et tunc maxime quotiens taurorum agitatio Troiaque incursatio et bipartita in pugne simulacrum, non sine maxima intuentium uoluptate, rixa equestrium ceterique theatrales ludi fiunt, quos ad ciuium corporis animique uires festa pace exhilarandas omnibus fere solemnioris festi diebus letissima ciuitas edere celebrareque suescit. Relique spectacula preteream in quibus edendis exhibendisque tum sumptibus tum industria et ingenio pre aliis Valentina gens unica ac aptissima semper habita est (l. 600-607) (Ruiz Vila 2012: 207).[254]

Todo ello, en parte, respondía a una notable devoción del pueblo valenciano, vehiculada, efectivamente, por las cofradías, que tomaban parte activa en fiestas que combinaban lo cívico con lo religioso, que sacaban del templo a la ciudad esa piedad popular y la dotaban de un carácter festivo que caracterizaba estos espectáculos,[255] de poesía recitada o dramatizada, de dramas en verso, en contextos en los que la puesta en escena, la *actio* o *pronuntiatio*, era uno de sus rasgos principales. De esta importancia religiosa de las cofradías valencianas, con notable repercusión cívica, también nos habló Proaza: «Pretereo hoc loco honorificos ac, supra quam dici posset, pios ordinatissime charitatis conuentus conuentuumque frequentiam et religionem, quas confraternitates appellant» (l. 661-663) (Ruiz Vila 2012:

254 «No diré nada de la inmensa multitud, casi infinita, de gente que se acumula todos los días y, especialmente, cada vez que hay corrida de toros y asalto a Troya así como torneo a dos bandos con simulacro de lucha para mayor gozo de los espectadores, y combates a caballo y demás entretenimientos que esta muy alegre ciudad suele organizar y celebrar casi todos los días de fiesta solemne para relajar el cuerpo y la mente de unos ciudadanos que festejan la paz. Voy a pasar por alto los demás espectáculos, en los que el pueblo de Valencia siempre ha sido considerado como especialista único, por delante de otros, en su organización y exhibición tanto por lo que gasta como por su esfuerzo y su originalidad» (Ruiz Vila 2012: 208).

255 Un carácter festivo que Fuster, quizás, llevó al límite, si bien, con matices, muchas de sus consideraciones podrían llegar a justificarse: «La literatura, per tant, no tenia més transcendència. De ser una diversió per als escriptors, passava a ser així mateix una diversió per al públic. Els manuscrits de primer, el llibre imprès de seguida, buscaven el lector també ociós: més o menys ociós. Els certàmens ho convertien en festa. Dins les muralles d'una ciutat conformada amb la seva sort venturosa, no es podia demanar més [...]. Però tots veien la literatura —valgui l'expressió— com una forma de "conversa"» (Fuster 1968[2]: 350).

209-211).[256] Solo hay que tener en cuenta, para entenderlo en cuanto a los certámenes valencianos, que estos se celebraron siempre en la sede de alguna cofradía, cuyo protagonismo en la espiritualidad ciudadana fue más allá de la institución eclesiástica, pero sin olvidarla, puesto que, en ocasiones, se encuentran dentro de los propios templos o conventos. En este mismo sentido, es también muy significativa la amplia participación que tiene el clero en este tipo de fiestas cívicas de fundamento piadoso, de la misma manera que, en ciertos casos, es la menestralía quien los origina y gestiona, a través de las cofradías.[257]

> Junto a las cofradías estrictamente devocionales o asistenciales surgen desde fechas tempranas las cofradías profesionales, también denominadas cofradías de oficio o gremiales. Se trata de asociaciones idénticas a las cofradías religiosas tanto en lo que respecta a su administración (autoridades y cargos confraternales, asambleas, estatutos, etc.), como a sus funciones benéficas (asistencia a los pobres, enfermos o difuntos). La única diferencia radica en que el nexo de unión, en este caso, lo constituye la profesión de sus miembros, estableciendo así una fórmula asociativa nueva basada en la solidaridad laboral, que enlaza tanto intereses económico-profesionales como benéfico-religiosos. En otras palabras, la única fórmula de expresión colectiva en la que un oficio puede existir es a través de la cofradía que lo encuadra, llegando a producirse una completa indiferenciación entre organización laboral y religioso-asistencial. Una simbiosis entre oficio y cofradía (Martínez Vinat 2018: 65-66).

La naturaleza de estas asociaciones es, por tanto, amplia y, de esta manera, la propia Confraria de Sant Jordi, en cuya sede se desarrolló el certamen de 1474, presentaba, de hecho, la peculiaridad de tratarse de una cofradía militar.[258] Quizás fue esta la razón por la que el virrey y maestre de la orden de

256 «Omito en este epígrafe las honrosas y piadosas, más de lo que se podría decir, comunidades de metódica caridad así como la generosidad y religiosidad de estas comunidades a las que llaman cofradías» (Ruiz Vila 2012: 210-212).

257 Es por eso que, como bien observa Joan Fuster, son los burgueses autóctonos los que participan de estas festividades de manera activa y no solo como meros espectadores: «No cal dir que aquestos burgesos són indefectiblement els burgesos autòctons, els inamovibles, si puc dir-ho així. És ben possible que cap dels mercaders que traficaven a València no sentís mai la temptació d'escriure versos. No és entre ells que havien de reclutar-se els escriptors: feien de públic, i això era tot. La literatura, per a aquella gent, només podia ser un remei de l'oci, un "deport" —en el sentit que aleshores tenia aquesta paraula» (Fuster 1968²: 349).

258 «El padre Meersseman ya distinguía una categoría especial dentro del universo confraternal que sería la confraternita-milizia, siendo este tipo de asociaciones características de territorios de frontera como los reinos hispánicos. La diferencia fundamental entre estas agrupaciones y las órdenes militares radica en que las cofradías militares estarían abiertas a diferentes clases sociales, mientras que las órdenes

Montesa decidió celebrar allí el certamen, pero no solo eso, sino que incluso puede justificar que esta fiesta cívica y devocional de 1474 llegase a tener lugar, pues recordemos que Vicente Ximeno documenta en esta cofradía el Colegio de la Orden de Montesa a mediados del siglo XVIII (1747-1749, I: 59). Esto es, que quizás fue más importante que Lluís Despuig fuese maestre de la Orden de Montesa que no propiamente virrey en la génesis de este certamen, detrás del cual podría haber existido un artífice colectivo, la propia cofradía, con una figura de prestigio que, efectivamente, liderase y ofreciese el premio de este concurso poético.

La interacción entre estamentos religiosos y seglares es, por tanto, un rasgo social de las cofradías valencianas que impregna la realidad ciudadana ante el desarrollo de espectáculos o encuentros festivos como los que implicaron los certámenes poéticos, pero mucho más allá de ellos. Es la devoción lo que justifica la diferente tipología de cofradías y lo que implica que sean estas las que desarrollen espacios colectivos de expresión e interacción ciudadana. Y, de hecho, es el carácter extraordinario de esta devoción otro de los rasgos que Alonso de Proaza destaca de Valencia, incluso catalogando diferentes festividades en las que hay esa intensa participación cívica y en la que los estamentos también acaban diluyéndose en la colectividad:

> Est etiam Valentina gens natura alacris et festiuissima, affabilis, perquam eloquens, munifica frugi, pia admodum clementissimaque et perhumana. Difficile quoque dictu est quam sit deuotissima; hoc, uel me tacente, predicat corporis Christi diei celebritas sacratissima Virginisque intemerate Marie assumptionis pompa festiuissima, Antoniique sanctissimi festum celebratissimum; diui quoque Dionisii solemnitas clarissima letissimaque et sancti Vincentii celebritas admiranda; Matthie anniuersaria in affectos supplicio, deuota simul et religiosa corporum asportatione et animarum eorundem orationum missarumque suffragio et sepulture honorificentia permagnifica. Quid item in pauperes tenuioresque omnes et inopes toto anni tempore et sanctorum omnium festo die maxime ciuium uniuersorum singularumque parrochiarum certatim offerentium pietas, succursus et elemosyna? Huc accedit illa sacratissima religio maioris in quadragesima ebdomade, in ditissima presertim magnificentissimaque monumentorum mole artificiosaque, Aegyptias dubio procul illas decantatissimas pyramides excedente. [...] Que quidem si singule pro meritis essent laudibus exornande, uberiorem profecto dicendi uenam acriusue ingenium desiderare uiderentur. In his enim summe religionis et pietatis contionibus, quanta diligentia certis diebus statutisque locis omnis fratrum multitudo uocata conueniat de piis tantum operibus actitatura, quanta ibi deuotione rebus diuinis confratres assistant,

---

militares estarían compuestas por miembros del estamento eclesiástico o nobiliario. En algunas ciudades, incluso, la cofradía militar termina por identificarse con la milicia urbana. En el caso de Valencia tenemos el ejemplo del Centenar de ballesters de la Ploma y su cofradía de San Jorge (1365/1371)» (Martínez Vinat 2018: 252-253).

quanto dilectionis uinculo se mutuo diligant et complectantur, quanto humanitatis et pietatis studio infirmos, quanta sepulture honorificentia mortuos et ubique terrarum repertos prosequantur, nemo profecto uestrum ignorat. Testis est illa que sacerdotum solum pauperum elemosyne domus, quondam exigua, hodie frequentissimus, amplissimus religiosissimusque conuentus ac unicum summe christianorum pietatis et religionis predicatur exemplum, que sanctissime Marie miserorum sodalitas uocitatur. Testis et illa que et diuturnitate longe et nobilitate ceteris anteit queque diui Iacobi Vclesitani dicitur, non minore deuotionis affectu a christianissimo rege Iacobo primo primitus instituta Iacobique apostoli, Hispaniarum patroni, suoque nomini dicata; quam et illa quondam equestris societas, purpurea insignita cruce, diui item Georgii nominata a deuotissimo non minus quam potentissimo rege Petro Cerimonioso, pretaxati regis Iacobi pronepote, fundata, deinde nobilissime ac religiosissime Mentesane militie ad inuicem unita, hodie hecatostos, id est, centeni ordinis, uocitatur. Principio in precio habita et multis honoribus, priuilegiis, inmunitatibus, nunc perperam obseruatis, donata ad comprimendos populi tumultus, ad uespertilionem urbis insigne ad palos imprimis Ara goneos armis constipandos assiduis, ad coercendas abigendasque insidiosas infidelium machinationes ueluti tribunicia altera potestas a christianissimo rege christianissime instituta fuit (l. 646-688) (Ruiz Vila 2012: 209-211).[259]

259 «Es también el pueblo valenciano por naturaleza entusiasta y muy alegre, afable, elocuente en extremo, pródigo, absolutamente piadoso, muy indulgente y muy amable. Resulta también difícil mencionar su extraordinaria devoción: aunque yo me callara, da fe de ello la santísima celebración del día del Corpus Christi, la concurridísima procesión de la asunción de María Inmaculada y la famosísima fiesta de San Antonio; también la ilustrísima y muy bienaventurada solemnidad de San Dionisio y la celebración de San Vicente digna de admiración; las festividades anuales consagradas a San Mateo con la plegaria para los enfermos, el pío y a la vez devoto traslado de los cadáveres, el sufragio de misas y oraciones por las propias almas y el extraordinario homenaje a los muertos en su sepultura. ¿Qué decir de la piedad, ayuda y limosna de todos los ciudadanos y de cada una de las parroquias que se ofrecen a porfía durante todo el año pero, sobre todo, en la festividad de todos los santos, para los pobres, humildes y menesterosos todos? A esto se añade el devotísimo sentimiento religioso de la cuaresma de Semana Santa, en especial, por la riquísima, excepcional y laboriosa preparación de monumentos, que no dudo exceden a las tantas veces elogiadas pirámides. Omito en este epígrafe las honrosas y piadosas, más de lo que se podría decir, comunidades de metódica caridad así como la generosidad y religiosidad de estas comunidades a las que llaman cofradías. Si tuviéramos que elogiar a cada una de ellas por sus merecidas alabanzas, seguramente precisarían de una inspiración más fecunda y un talento más agudo. Así pues, en estos encuentros de máxima piedad y devoción, ninguno de vosotros, en efecto, ignora con cuánto celo se concentra toda la multitud de hermanos en los días determinados y lugares establecidos sólo para llevar a cabo obras de piedad, con cuánto fervor los hermanos asisten a los oficios divinos, con cuántos lazos de afecto se aman los unos a los otros y se abrazan, cuánto derroche de calor humano y compasión ponen en los enfermos, cuánto homenaje rinden a los muertos en su sepultura y a los que se encuentran en

Manuel Sanchis Guarner entendió muy bien que el fervor religioso de estos poetas era sincero y, al mismo tiempo, compatible con otro tipo de literatura, entre erótica y sarcástica, entre blasfema y satírica, pero, sobre todo, fue la causa de que, en estos espectáculos devocionales colectivos, se difuminaran los límites entre estamentos. De esta manera, los diferentes modelos sociales se hacían compatibles en un espacio de devoción común, a través de representaciones cívicas, siempre con el texto literario como instrumento, en las que interactuaban la individualidad y la colectividad, un espacio como el que implicaban los certámenes, pero no solo estos:

> Aquells aristòcrates orgullosos, dilapidadors i baralladisos, aquells burgesos ostentosos i sensuals, i aquells clergues àvids de poder i llibertins, tindrien molt poc d'esperit evangèlic, però eren tots fervorosos creients [...]. Una desenfrenada afecció al luxe, que cridava l'atenció de tots els visitants estrangers, i un jocund erotisme reflectit en obres literàries ben significatives i divertides, eren perfectament compatibles amb un fervor religiós sincer, en la mentalitat i la praxis d'aquells valencians quatrocentistes (Sanchis Guarner 1975: 331).

Muchos de estos poetas eran nobles, otros menestrales, pero, sobre todo, destacaban los notarios y el clero, lo que Joan Fuster, con razón, no consideraba un rasgo diferenciador de los certámenes: «Una llista de llibres publicats o escrits en la segona meitat d'aquell segle seria susceptible d'una classificació gairebé idèntica. La supremacia dels notaris i dels eclesiàstics no en sortiria desmentida. Durant els cinquanta anys anteriors, sens dubte, la xifra de lletraferits procedents del braç nobiliari seria més elevada» (1968[2]: 349).

---

cualquier parte de la tierra. Lo testimonia aquella casa de limosna sólo de sacerdotes pobres, antaño diminuta, hoy convertida en un muy concurrido, amplio y devotísimo convento que se prodiga como ejemplo único de la mayor piedad y devoción cristianas y que llaman cofradía de María Santísima de los pobres. Lo testimonia también aquella casa que aventaja a las demás con diferencia, no sólo por su antigüedad sino también por su nobleza, y que toma su nombre del apóstol Santiago en Uclés, instituida originariamente con una devoción no menor por el muy cristiano rey Jaime I y dedicada al apóstol Santiago, patrón de las diferentes zonas España, y a su propio nombre, como también aquella sociedad ecuestre de la época, llamada de San Jorge, cuyo emblema era una corona púrpura, fundada por el no menos devoto que poderoso rey Pedro el Ceremonioso, biznieto del mencionado rey Jaime, anexionada después a su vez al muy noble y devoto ejército de Mentesani, denominado hoy hecatostós, es decir, de cien filas. Al principio estuvo bien considerada y se le otorgaron inmensos honores, privilegios y exenciones, respetados ahora por error, fue instituida muy cristianamente por el muy cristiano rey como otro poder tribunicio para reprimir las revueltas populares, para unir el murciélago de la enseña de la ciudad y las barras de Aragón a través de su notable ejército, para contener y bloquear las malintencionadas maquinaciones de los infieles» (Ruiz Vila 2012: 210-212).

Esto incide, precisamente, en lo que he defendido en este epígrafe, matizando la interpretación del certamen no a partir de las peculiaridades que lo singularizan, sino entendiéndolo en su contexto ciudadano, como producto de las circunstancias socioliterarias que lo enmarcan, más allá de Bernat Fenollar o de Lluís Despuig, puesto que Valencia estaba acostumbrada a espectáculos colectivos devocionales y las cofradías tuvieron un protagonismo importante en su organización y/o desarrollo. Como aquí, de hecho, aunque no se haya puesto en valor hasta ahora.

La interacción poética entre grandes autores coetáneos y otros de menor calado literario no debió de ser exclusiva de los certámenes, independientemente de que este espacio socioliterario y devocional amplió, sin duda, el espectro de colectividad. Muchos de los participantes tienen obra conocida más allá del testimonio que nos ha dejado el cancionero incunable de *Les trobes*, pero de otros solo conocemos su poema presentado a este certamen poético o, como mucho, los que se recogen en los otros dos cancioneros incunables, también derivados de ellos.[260] No son, necesariamente, *autores menores*, sino poetas de los que se ha conservado muy poca obra o, incluso, una sola composición,[261] como bien matizó en su día Francisco Martí Grajales, reivindicando, incluso, la calidad literaria de algunos de los más desconocidos:

> De los poetas citados anteriormente, son muy pocos de quienes se conocen poesías aparte de las incluídas en este notabilísimo cancionero. No cabe dudar que la mayor

260 «Aunque no fuera mas que por dar á conocer gran número de ingenios valencianos, muchos de ellos completamente ignorados, esta antología poética sería digna del mayor aprecio [...]. No es que digamos con esto que no sea mucha su importancia literaria; cualquiera de las composiciones de los mencionados Ruiz de Corella, Fenollar ó Viñoles, tienen títulos sobrados á la admiración de los inteligentes y son bastantes para que en todo tiempo demuestren la existencia de notables poetas en esta tierra, que en todos tiempos los ha tenido y muy numerosos. Para la historia de las letras españolas será siempre un documento interesantísimo y para Valencia un título más de gloria» (Martí Grajales 1894: 14).

261 Cleofé Tato y Antonio Chas lideran desde hace años la atención de la crítica hispánica al estudio y edición crítica de poetas de obra conservada reducida o, incluso, perdida, tanto en su investigación personal, como en los grupos de investigación y proyectos que coordinan, con numerosas tesis doctorales dedicadas a esta cuestión. La bibliografía sería amplísima, pero no quisiera dejar de destacar dos de sus respectivos últimos trabajos, ambos de gran calado y lejos de ser los únicos, como son los dedicados a Pedro de la Caltraviesa (Tato 2013) y a Álvaro de Cañizares (Chas Aguión 2017). En los últimos años, el grupo de investigación que coordino también ha dedicado parte de los objetivos de nuestros dos proyectos más recientes a la edición de poetas de poca obra conservada, que ya ha dado resultados para el corpus de poesía de Hernando Colón (Rodado Ruiz 2020a) y de Alonso de Lira y Juan de Viana (Rodado Ruiz 2021).

> parte de ellos alcanzarían reputación y prestigio en su tiempo, en virtud de obras que hoy día no se conocen. Únicamente Juan Ruiz de Corella, el maestro Jaime Roig, Fenollar, Gazull, Viñoles, Miguel Pérez, Bernardino Vallmanya, Juan Vidal, Moreno, los Verdancha y algún otro dejan de encontrarse en este caso; todos ellos han tenido la suerte de que sus producciones se hayan conservado a trravés de cuatro siglos y que por ellas se aprecie su valer y la justicia con que en todas épocas se les han prodigado entusiásticos elogios y distinciones honrosas. Hay sin embargo entre los poetas desconocidos de este libro, algunos que es sensible la pérdida de sus restantes obras, pues por las que se le conocen se hacen acreedores de la admiración de los doctos. Juan Gamiza, Juan Sobrevero, Ginés Fira, Pero Pérez y Juan Lansol son los aludidos (Martí Grajales 1894: 13).

Que se hayan conservado solo en estos cancioneros incunables, bien habiendo participado en uno o bien en varios, no debe considerarse como un demérito de estos autores y atribuirles esa etiqueta de *poeta de circunstancias* que tan poco significa y tanto prejuicio supone, más allá de que, por ello, no deje de tener razón Martí de Riquer al contemplar, con acierto, que «d'altres, finalment, són cultes aficionats» (Riquer 1964: 373). En realidad, lo que implica es la importancia de estos impresos como testimonio de una rica realidad socioliteraria y poética, que, precisamente, por su vitalidad, tiene un tipo de transmisión muy precaria y ha dado lugar a un corpus de literatura perdida cuyos límites son difíciles de imaginar. Es gracias a la decisión de imprimir esta colección de poemas que hoy se nos ha conservado alguna composición de autores de tal calidad que, como bien advertía Martí Grajales, hacen presagiar que *alcanzarían reputación y prestigio en su tiempo*.

Los cuarenta autores cuya obra se recoge en este cancionero incunable son, en definitiva,[262] los siguientes, por orden de aparición en el impreso y cuyo(s) poema(s) se catalogan en la tabla de obras del siguiente epígrafe: Jordi Centelles, Joan Roís de Corella, Bernat Fenollar, Francí de Castellví, Francesc Barceló, Lluís Alcanyís, Joan de Nàjera, Berenguer Cardona, Pero Peres, Joan Verdanxa, Joan Moreno, Antoni Vallmanya, Lluís Monyoç, Joan Gamiça, Narcís Vinyoles, Joan Sobrevero, Joan Llançol, Genís Fira, Miquel Péreç, Bernardí Vallmanya, Pere de Civillar, Llorenç Diamant, Joan de Santcliment, Bartomeu Salvador, Joan Verdanxa, Lluís Català, Bertomeu Dimas, *un castellà sens nom*, Francí Vilalba, Joan del Bosch, Jaume Gassull, Lluís Garcia, Bernat Despuig, Jeroni Monçó,

262 Los bibliógrafos, como hemos visto, bien ofrecían una secuencia alterada por el desorden de cuadernos, bien eliminaban por error algún poeta del listado, o bien se daban ambas circunstancias. Francisco Martí Grajales (1894) no ofrecía, estrictamente, esa enumeración, sino un catálogo de poetas que iban confirmando los epígrafes de su estudio.

Francesc de Sant Ramon, Mateu Esteve, Pere Alcanyís, Jaume Roig, Pere Bell y Joan Vidal.

No sabemos quién era ese *castellà sens nom*,[263] pero es muy sintomático que, se incluya la rúbrica explicitando tal circunstancia, porque, por sus características, es evidente que esta se genera en el taller de imprenta, ante un original manuscrito que no la incluye. No podemos asegurar que fue un olvido de quien preparó la copia, que, si fue Fenollar, extraño sería, pero no imposible, a pesar de que —si llegó a tener una cierta presencia en el proceso de impresión, como parece que debemos aceptar, aunque fuese muy parcial— podría haber identificado el nombre del autor, que, sin lugar a dudas, conocía, pues debió de recitar su poema en el certamen y porque, como compilador, decidió incluirlo en el cancionero. Que no lo hiciera, ante la decisión de tal rúbrica impresa, quizás debamos interpretarlo como una voluntad de ocultar la autoría, a la manera del cancionerillo añadido al final del *Cancionero General* de 1557, cuya rúbrica inicial dice: *Síguense ciertos sonetos, coplas y canciones nuevos, hechos en la ciudad de Londres, en Ingalaterra* (sic)*, año MDLV, por dos cavalleros, cuyos nombres se dexan para mayores cosas, con ciertas obras de otro autor, cuyo nombre también se reserva. P.P.D.AR.A.* (Martos 2010: 160). El nombre también aquí debió de reservarse para cosas mayores, puesto que, por un lado, Fenollar podría haberlo restituido fácilmente y porque, por otro, el hecho de seleccionar un poema de tan baja calidad literaria, en castellano y de un autor no valenciano, parece responder a un cierto prestigio social del autor y, de esta manera, a una voluntad implícita de esconder su nombre, pero sí incorporando la composición en un cancionero que, no lo olvidemos, es el primer impreso poético peninsular, en una época en que la imprenta era una gran novedad aún en estas tierras.[264]

263 Antoni Ferrando se plantea que pudiese ser Juan Tallante: «¿Fou mossén Juan Tallante l'autor de la composició "¡O misterio muy profundo!" que apareix al llibre de *Les Trobes*? Sabem que aquest poeta murcià estava vinculat a València i que participà al certamen immaculista de 1486. La composició que presenta i altres quinze més, totes de caràcter religiós i en castellà, obrin el *Cancionero General* d'Hernando del Castillo» (1983: 210). Es cierta la importancia socioliteraria de este poeta, suficiente para ser el autor del único poema en castellano incorporado al cancionero incunable de 1487, así como para que se decida que 11CG se inicie con su obra poética, que da lugar a una primera sección religiosa, a la que se añaden otras composiciones, pero también lo es que esta poesía sería hasta casi cuatro décadas anterior al cancionero de Hernando del Castillo y que su estilo es muy ajeno al de las composiciones explícitamente atribuidas a Juan Tallante.

264 Están por desarrollar las razones para ocultar tal autoría, que podrían responder al juego poético en términos lingüísticos que parece subyacer en el poema, como sugirió Albert Rossich en el debate del *IV Col·loqui Internacional CIM*, que tuvo lugar en la Universitat d'Alacant del 4 al 6 de mayo de 2022.

La participación de Joan Moreno en nombre de Iolant d'Urrea sugiere otra cuestión, en términos de emergencia medieval de la voz femenina. Está muy documentada la lectura femenina de obras literarias y, especialmente, de poesía, en la Valencia del paso del siglo XV al XVI, pero también hay rastros de una cierta producción activa. Todo nos llega por casualidad y a cuentagotas, como consecuencia de una transmisión muy precaria y circunstancial, como es el caso de Isabel Suaris en una sección del cancionero G^1 de Ausiàs March, arrancada de un cancionero manuscrito anterior de más de 600 folios (Martos 2003). Podría poner otros ejemplos, entre los que destaco el tan paradigmático de Florencia Pinar, que, sin duda, llega al *Cancionero General* de 1511 como consecuencia de estar su obra incorporada residualmente al manuscrito con los poemas de su hermano, Jerónimo Pinar, usado como fuente por Hernando del Castillo y muy ampliamente representado en este magno cancionero post-incunable.

Las razones por las que Moreno compuso el poema en loor a la Virgen en nombre de Iolant podrían ser, en principio, de amplio espectro: desde honrarla por cuestiones de devoción y piedad, hasta hacerlo poéticamente, pasando por el hecho de que ella no fuera poeta o de que no estuviese permitida la participación activa de mujeres en estos certámenes, de la misma manera que no lo estaba en las representaciones teatrales.[265] Ya he dejado constancia de que, a mi parecer, unos y otros compartían unos mismos rasgos de *performance* y espectáculo, ambos con las cofradías como artífices importantes de su desarrollo y ambos al servicio de la exaltación de la devoción como fiesta cívica. No solo es probable, por tanto, que las poetas no pudieran participar del espectáculo, sino que así lo confirma el propio premio ofrecido en el certamen de 1474: un jubón de seda, como prenda masculina. Las mujeres no debían de participar en estos espectáculos más que como asistentes, en definitiva, sin ser protagonistas, como ocurría en las representaciones teatrales, pero esto también es la evidencia de que sí que participaron como parte de esa colectividad que asistía a estas fiestas devocionales que tan a menudo ofrecía la ciudad de Valencia. Si no fuese así, poco sentido tendría que Moreno hubiese evidenciado que optaba a la *joia* en nombre de Iolant d'Urrea, dejando constancia de

265 La representación de los dramas asuncionistas de Tarragona, Valencia y Elche fueron organizados por una cofradía vinculada a los franciscanos. Asimismo, el éxito popular de la festividad valenciana del *Corpus Christi* no solo radicaba en el apoyo de los Jurados, sino también en la participación de las diferentes cofradías de los menestrales, como refleja la estructura general de la procesión, que, más allá de que cambie el orden de los gremios de artesanos, por conflictos entre ellos, como se documenta, por ejemplo, en 1505, se organiza, esencialmente, a partir de su presencia.

ello tanto en la puesta en escena, como en su rúbrica manuscrita, que pasó al original de imprenta y al propio cancionero incunable.

2.5.3. Poemas

A pesar de que Dionisio Hidalgo declaraba que «los autores que tratan de este libro, no están acordes en cuanto al número de composiciones que contiene» (Méndez 1861²: 321), en realidad, pocos bibliógrafos anteriores a él habían indicado algún cómputo que hiciera referencia estricta a las poesías, sino que, fundamentalmente, les había interesado el número y el nombre de los poetas, como hemos visto en el epígrafe anterior. Josep Villarroya se limitaba a explicitar que, tras la rúbrica introductoria, en el incunable encontramos «el cartel en verso, y luego los nombres de los opositores ó trovadores,[266] y á continuacion de cada uno las poesias que presentó» (Villarroya 1796: 54). Al no recogerse en este cancionero una única composición de cada uno de los poetas, no se puede identificar el número de autores con la cantidad total de textos. Justo Pastor Fuster (1827: 52) es el único que, con anterioridad a la reedición ampliada de la *Tipografía española* de Méndez al cuidado de Hidalgo, aporta algún dato concreto en cuanto a la aparición de más de una composición de ciertos poetas, al establecer el listado de estos, aunque sin ningún cómputo explícito del total del cancionero. Lo hace en tres ocasiones: «M.ⁿ Barcelo Cavaller = dos poesías», «En Pere Pereç notari = dos» y «Arcis Vinyoles = dos, y otra despues». Los datos eran, sin embargo, limitados y erróneos, puesto que es cierto que anuncia los dos poemas de *mossén* Barceló y los tres de Narcís Vinyoles, incluso matizando que el tercero está desplazado, sin formar unidad con los dos primeros, pero no señala las otras dos duplicaciones de autoría y atribuye al notario Pero Peres dos poemas de este cancionero, a pesar de que solo se recoge uno. Además, recordemos, respecto a los límites de este listado, que, por un lado, Fuster es el único en catalogar a Lluís Despuig como autor y que, por otro lado, olvida incorporar a un poeta, al notario Joan Verdanxa.

Fuster no nos ofrece, por tanto, un cómputo de poemas fiable, ni tan solo implícitamente, ni menos aún lo hace Hain, que, a pesar de indicar que «*Sunt carmina XXXVI variorum auctt., lingua castellana, limusina et italica concinnata*» (1826-1838, I/2: 364, nº 6966), simplemente se ha limitado a reproducir el número erróneo de autores y los datos generales sobre las lenguas que había extraído de Rodríguez, aplicándolos a las composiciones, sin prever que el

266 No quiere decir con ello que hubiese listado alguno, sino que debía de referirse a que en la rúbrica de cada una de las poesías se indicaba el nombre del poeta, a excepción de un poema en castellano, como se ha visto.

cancionero pudiese contener más de un texto de algún poeta, lo que es una evidencia clara de que desconocía el ejemplar. Este no era el caso de José Mª Torres Belda, bibliotecario del fondo que conservaba y conserva el ejemplar único de este incunable, quien, por primera vez, nos ofrece un cómputo concreto de estos poemas a partir del original: «Las composiciones que se presentaron obtando al premio ofrecido, fueron 45, de ellas 41 en idioma valenciano, 3 en castellano y una en toscano» (1874: 47). Aunque la cita tiene dos errores importantes, desde entonces se va a aceptar unánimemente que el número de poemas de este cancionero incunable corresponde a 45, lo que, a su vez, es una descripción sesgada, que parte, precisamente, de la consideración de los poemas centrales del cancionero, aquellos que expresan los loores a la Virgen, que no, por esta razón, debemos catalogar como los que optaron al premio, puesto que una parte de ellos no lo hicieron, sino que, como declaraban explícitamente sus rúbricas, se compusieron y recitaron por el honor de participar en esta fiesta poética, devocional y cívica, una trilogía de adjetivos que justifica, en buena parte, su amplia repercusión socioliteraria. Este era el primero de los errores de Torres Belda, la consideración de todos estos poemas como concursantes del certamen, optando a la *joia*, lo que, en cualquier caso, no afectaba a su cómputo; el segundo de ellos radicaba en la catalogación de solo tres poemas en castellano y no de cuatro, como ya sabíamos desde el repertorio de Josep Rodríguez (1747: 82).

La cuestión lingüística es, de hecho, un *leitmotiv* desde los primeros bibliógrafos ilustrados y es interesante al respecto del cómputo de poesías, porque, en parte, es una de las razones por las que se produce la duplicación de ciertas autorías. Manuel Sanchis Guarner interpretó muy bien el origen de este poliglotismo poético, ya previsto, de hecho, desde el propio *Cartell*, desde la convocatoria del certamen —«Lengua y estil / lo que plasent vo[s sia]»—: «Sembla que cal interpretar tan sols les poesies castellanes d'aquells poetes valencians, com una simple ostentació de poliglotisme, puix que d'altres vegades ells mateixos escrivien versos en italià i llatí» (Sanchis Guarner 1974: XVIII). Aquí radica el hecho de que matizase arriba que la cuestión lingüística justificaba *en parte* la duplicación de poemas de un mismo autor, porque esta circunstancia solo ocurre, en sentido estricto, en el caso de Francí de Castellví y de *mossén* Barceló, que presentan, respectivamente, un poema en castellano y otro en catalán. Pero también es cierto que hay otros dos poetas que escriben una composición en castellano y esta es la única poesía de ambos,[267] mientras que de Narcís Vinyoles, efectivamente, se incluye un

267 En ambos casos, por no ser originariamente valencianos, aunque, siendo platero, como uno de los dos únicos poetas menestrales de este cancionero, es muy probable que estuviese afincado en Valencia (Martí Grajales 1894: 66; Ferrando Francés 1983: 202).

poema en toscano, pero no había necesitado cambiar de idioma para justificar la composición de hasta dos poemas más en catalán, los mismos que presentó en esta lengua Berenguer Cardona, sin tener que recurrir a otra diferente para su duplicación de autoría.[268]

Los cuarenta poetas dan lugar, en definitiva, a cuarenta y cinco composiciones por las dobles autorías de Francí de Castellví (poemas 5 y 6),[269] de *mossén* Barceló (7 y 8) y de Berenguer Cardona (11 y 12), así como por la triple representación de Narcís Vinyoles (19, 20 y 39). La causa de esta sobrerrepresentación de algunos poetas en el certamen radica en una palabra clave referida por Sanchis Guarner en la cita de arriba, en esa demostración de habilidades en cuanto a la destreza en diferentes lenguas poéticas: la *ostentación*, que no está reñida con la devoción, en especial en el caso de poetas de cierto renombre ya entonces. Esto último, precisamente, además de otras razones que van más allá de la literatura, justifican ya no la doble o triple representación de estos autores en el certamen, sino también en el propio incunable, en el cancionero impreso de *Les trobes*. Esto no será un hecho aislado y habrá más de una poesía de algunos autores en los otros cancioneros incunables, de lo que el propio Narcís Vinyoles es un buen ejemplo, si no el más característico de estos casos, un rasgo que llegará, incluso, al mismísimo *Cancionero General* y que evidencia una cierta, si no peculiar, personalidad poética.

Josep Villarroya ya distinguió entre dos tipos de poemas en este corpus central del cancionero: «Unos lo hicieron para ganar el premio ofrecido, y otros con solo el objeto de alabar á la Reina de los Cielos Maria Santisima» (Villarroya 1796: 54). Y es que no todos los poetas participantes optaron al premio, sino que algunos de ellos presentaron sus composiciones *per honor* o alguna fórmula similar, como *per honor de la joia*, que debemos distinguirla claramente de *tirant a la joia* o sus fórmulas abreviadas, *a la joia* o *per la joia*. Así lo hizo el propio Bernat Fenollar (4/2), en cuya rúbrica se matiza con la modalización del adverbio: *sols per honor en lahor de la Verge Maria*. De los 45 poemas en loor de la Virgen incorporados a este cancionero incunable, sorprende que más de un tercio, un total de 17, no

268 Francisco Martí Grajales fue el primero en indicarlo: «Las poesías ascienden á cuarenta y cinco, y la casi totalidad de ellas están escritas en valenciano, á excepción de cuatro; una de Castellví, otra de Barceló, otra de Pedro de Civillar y la de *Hun Castellá sens nom*: en toscano hay una que pertenece a Narciso Viñoles. Castellví y Barceló también tienen una poesía cada uno en valenciano y dos más Narciso Viñoles. Berenguer Cardona tiene dos poesías, ambas escritas en valenciano» (Martí Grajales 1894: 12). Véase también Martí Grajales 1927: 215.

269 Referencio, a partir de aquí, el número de los poemas según la tabla de obras que ofreceré, para una rápida identificación de estos, tanto de manera individual, como en su posición en el cancionero.

opten al premio y se hayan leído en el certamen *per honor*, esto es, *por ostentación* poética, más que por pura devoción, lo que nos permitirá entender algo mejor las circunstancias socioliterarias del certamen y, más aún, si fue el caso, la selección de los textos que se incluyeron en el cancionero impreso resultante.

En el caso de las autorías duplicadas, es interesante comprobar que los cuatro poetas sí que optaron al premio, pero también que lo hicieron con un solo poema, mientras que el otro u otros se presentaron *a l'honor*. También lo es destacar que Narcís Vinyoles *tirà a la joya* con el poema en toscano, por aquello de la destreza en otra lengua poética, como mérito añadido, mientras que los dos en catalán eran simplemente *per honor*. Francí de Castellví y *mossén* Barceló, sin embargo, actuaron en sentido contrario, puesto que ambos concursaron con los poemas en catalán, relegando los castellanos al honor.

Los poemas presentados en honor y loor a la Virgen, más allá de si se optó al premio o no con ellos, fueron, efectivamente, cuarenta y cinco, pero, en realidad, en este corpus central del cancionero había dos composiciones dobles, con poemas de exordio que precedían a los del estricto elogio mariano: las poesías de Bernat Fenollar (4/1 y 4/2) y de Pere Alcanyís (43/1 y 43/2), cuya numeración en la tabla establezco de manera complementaria, para que se refleje, así, la unidad poética de ambas, pero sin renunciar a su relativa independencia. Al calificar anteriormente la descripción de Torres Belda como *sesgada*, me refería, precisamente, a lo mismo que matizo al hablar del *corpus central del cancionero*: además de los 45 poemas presentados para loar a la Virgen y de los que funcionaron como preámbulo en dos de ellos, este cancionero incunable contiene otras composiciones a manera de paratextos poéticos del propio certamen. Me refiero a las poesías del *Cartell* (1), de la respuesta de agradecimiento de la Virgen a los poetas (47) y de las que forman la unidad de la *Sentència* (48/1) y *Dispositio* (48/2), con lo que el cómputo total del cancionero superaría las 45 poemas que tradicionalmente se han establecido, hasta alcanzar los 48 o, incluso, los 51. Si no más.

La singularidad de los poemas dobles de Fenollar y Alcanyís se ve reflejada en la propia métrica. En el caso del poema 4/1 de Fenollar, se trata de un preámbulo dirigido, a manera de elogio, al virrey Despuig, que está formado por una sola estrofa de 12 versos, frente a las cinco estrofas de 10 versos de la poesía mariana (4/2). Por lo que respecta a Pere Alcanyís, la composición de exordio (43/1) se dedica a expresar su incapacidad a la hora de loar a la Virgen y solicitar la intercesión divina para ello, con una copla única de 10 versos, los mismos que tiene cada una de las cinco estrofas del poema central (43/2). Con esto y con la presencia de rúbricas independientes,[270] es obvio, además, que no se pueden computar los exordios como parte del poema dirigido a la Virgen,[271] que se formaban de cinco estrofas y *tornada*, puesto que se habría transgredido la principal norma del certamen, lo que tampoco hubiese sido excepcional. En este sentido, la poesía de Jaume Roig (44), con la que optó a la *joia*, se encontraría en el límite, puesto que cuenta con 6 estrofas y no parece que la primera de ellas deba ser independiente, más allá de aducir posibles ausencias de rúbricas, a la manera de la *cobla esparsa* que, en este mismo sentido, desarrolla Fenollar (4/1), puesto que, a pesar de dirigirse también al virrey, en este caso hay una continuidad temática en el inicio de la segunda estrofa, que no justifica que estemos ante un poema doble.

En el *Cartell*, se nos indicaba que las poesías que se presentasen a este certamen debían ser «En cobles cinch / endreça o torna[da]», pero, en realidad, pocas reglas más había al respecto en cuanto a características formales, lo que dio lugar no solo a una diversidad estrófica importante, sino a una serie de recursos añadidos, especialmente en cuanto a estrategias de combinación de rima, versificación y estrofismo, que sugieren los muy insistentes e injustos prejuicios que, desde el siglo XIX, han afectado a la poesía de (este) certamen, si bien es cierto que, en ocasiones, conviviendo con ciertas notas de elogio, que no han sido suficientes, sin embargo, para corregir la percepción actual sobre este cancionero. Debieron de pesar mucho, para ello, las palabras de Martí de Riquer, que, expresadas en su *Història de la literatura catalana*, funcionaron de catalizador e influyeron, incluso, en quienes entre 1974 y 1983 pusieron su atención en este cancionero incunable:[272]

> Fent excepció de la poesia de Roís de Corella (el qual, com ja sabem, aprofita versos i fragments de la *Vida de la sacratíssima Verge Maria* per a conjuminar la composició presentada al certamen), migradíssim és el valor literari d'aquest conjunt de versos escrits per autors a molts dels quals no es pot negar el fervor i la bona fe. Els defectes i les limitacions de l'escola poètica de Tolosa reapareixen, segle i mig més tard, en aquest concurs valencià, en el qual es fa difícil de trobar versos destacables (Riquer 1964: 374).

---

270 Aunque en el caso de Alcanyís (43/1) se aglutina la rúbrica del poema en respuesta al *Cartell* con la de la *cobla esparsa* de exordio, como evidencia de esa unidad (h. 51[v]). Y, de esta manera, simplemente se indica RESPOSTA, en mayúscula, como rúbrica del poema de loor a la Virgen.

271 En el caso de Fenollar, más evidente aún, al tener un estrofismo independiente.

272 Valga como ejemplo la síntesis que hace Luis Guarner: «Suelen opinar críticos e historiadores que la calidad literaria es baja y los versos, generalmente artificiosos y de circunstancias» (1974a: 23).

En este sentido, aducía Martí Grajales que estas poesías «habían de ajustarse a las condiciones exigidas en el cartel, en el que se señalaban hasta las dimensiones que habían de tener todas ellas, lo cual impedía poderosamente al poeta manifestarse con amplitud y demostrar sus aptitudes para el cultivo de la poesía» (1894: 14), pero hemos visto que, en realidad, se limitaba el número de estrofas y no los versos de estas, lo que permitió cierta libertad y generar composiciones de una extensión notable. Aunque está muy presente la octava clásica en este cancionero, alterna, casi en igualdad de ocasiones, con la estrofa de 9 o 10 versos e, incluso, se llegan a los 12 en las poesías de Joan Roís de Corella (3) y de Antoni Vallmanya (16), y a los 14 en la poesía en toscano de Narcís Vinyoles (19), cada una de cuyas estrofas es, en realidad, un soneto completo. Restricciones pocas, por tanto, más allá de las cinco estrofas y la *endreça* o *tornada*, unas normas que llegaron a transgredirse: la poesía con la que Francí de Castellví optaba a la *joia* (5) tenía 7 estrofas y la de Jaume Roig (44) era de 6, mientras que la última de Narcís Vinyoles (39) contaba con 8, aunque en este caso era un poema *a l'honor*. No solo se transgredieron en cuanto al número de estrofas, sino que el *Cartell* decía claramente *endreça o tornada* y no *endreça y tornada*, por lo que, en sentido estricto, no cumplen esta norma del certamen ocho de las cuarenta y cinco composiciones, al incluir ambos remates del poema: las de Joan de Nájera (10), Berenguer Cardona (11), Joan Moreno (15), Joan de Santcliment (28), Bernat Despuig (38), Narcís Vinyoles (39), Jaume Roig (44) y Pere Bell (45).

En cuanto a la temática, el *Cartell* solo indica que todos los poemas presentados han de tener como objeto el elogio a la Virgen —«Que per lahor / de la senyora no[stra]»—, pero Luis Guarner considera esta propuesta temática, así como las otras normas o bases del certamen,[273] suficiente para justificar que, con ello, se limitó la calidad de estas poesías,[274] más allá de que algunos

273 Normas que no fueron más allá de las cinco estrofas con *tornada* o *endreça*, como hemos visto, pues a las lenguas se les daba libertad.

274 «No voldria caure jo també en un lloc comú de confrontar certàmens i qualitat literària. En realitat, la importància dels certàmens no es troba en el mèrit estètic de les obres que susciten, però no és aquest l'aspecte que privilegien. L'objectiu dels certàmens no és fer que sorgeixi un poeta genial, sinó ensenyar les persones cultes, els literats, a fer poesies ben fetes. La seva finalitat és perpetuar i afavorir la creació poètica divulgant les regles de la versificació i premiant el rigor teològic, lògic, retòric i lingüístic. No incorrem en l'anacronisme de pensar que allò que s'havia de premiar era la innovació, la creativitat i el geni» (Rossich 2006: 69-70). En cualquier caso, el mérito estético y literario no deja de estar ausente en los juicios de algunos de estos certámenes, como está implícito en unos versos de Pere d'Anyó en su impugnación del veredicto del certamen de San Cristóbal de 1488: «Potser sí que ens hem de prendre seriosament, per tant, la protesta del valencià Pere Ansó [=Pere d'Anyó] quan impugna el veredicte del jurat del certamen valencià de Sant Cristòfol

de los poetas en cuestión fuesen autores de otras obras de mayor nivel literario.[275] Manuel Sanchis Guarner fue más allá, desarrollando las críticas de Riquer en cuanto al carácter arcaizante del cancionero de *Les trobes* y centrándolas en la monotonía temática:

> El tema obligat —les llaors de la Verge Maria— imposava, certament, a les composicions concursants el caràcter de lletania, amb la inevitable monotonia de les variacions sobre el mateix tema. Les mateixes llaors, preses de la litúrgia mariana, són repetides per diferents poetes [...]. Però més que no pas la reiteració d'unes lloances inalterables, allò que dóna aspecte de salmòdia a aquest aplec de poemes marians, és la insistència dels poetes en uns cànons literaris de tradició trobadoresca, els quals, a la darreria del segle xv, resultaven ja arcaïtzants (Sanchis Guarner 1974: XXIV).

Y eso a pesar de que incluso los prejuicios decimonónicos[276] de Martí Grajales fueron mucho más moderados, reconociendo defectos, pero también

---

(1488) amb l'argument que això no hauria passat a Barcelona: "Senblant error, per çert, no cau / en Barçelona, / ans donen pris hi la corona / al qui sols fa / les cobles netes hi dret va / per lo libell"» (Rossich 2003: 88). Precisamente reclama Anyó aquí que la mera técnica y el cumplimiento de las normas del *llibell* es suficiente en Barcelona para ganar la *joia*, lo que no ocurriría en Valencia y en ese certamen, donde se habrían aducido otros criterios, entre lo que estarían, en efecto, los retóricos o discursivos, y en ocasiones los teológicos, pero también los estéticos y, quizás, otros de carácter socioliterario, si no para el propio premio, sí para su incorporación al cancionero incunable resultante. Los certámenes comparten, en definitiva, ciertas características, pero, sin duda, se singularizan en otros aspectos según los contextos literarios, geográficos y cronológicos. Valga como ejemplo lo siguiente: «Rubió explica que a la fi del segle xv els certàmens abandonaren el tema amorós per prendre el religiós. Ferrando, però, fa notar que si bé els certàmens valencians i mallorquins del xv sempre són de temàtica religiosa, "els barcelonins encara alternaran aquesta amb la profana al llarg de tota la centúria"» (Rossich 2003: 88). Y lo religioso también tiene muchos matices, desde un modelo de poesía piadosa, al propio debate teológico.

275 «Si los *Cancioneros* —que sincrónicamente proliferaron en los estados peninsulares del siglo xv— pueden darnos el conocimiento de los poetas que dejaron sus obras en las páginas de aquellos centones, no creemos que los repertorios poéticos que constituyen las piezas de cada uno de los certámenes a que acudieron poetas, circunstancialmente reunidos, podamos llegar a conocimiento de la calidad de sus obras, ya que, todos ellos estuvieron constreñidos a un tema propuesto y limitados a unas bases que habían de coartarles cierta espontaneidad» (Guarner 1974a: 23).

276 Albert Rossich hace un buen estado de la cuestión al respecto de estos prejuicios por parte de la crítica del siglo xx: «Els historiadors de la literatura, quan s'han enfrontat a la literatura de certàmens, han hagut de reconèixer el migrat valor estètic d'aquestes composicions. Rubió, a propòsit del certamen a la immortalitat de l'ànima de 1580, escriu: "El valor literari d'aquestes obres és nul" (Rubió i Balaguer 1984-86: II, 29), igualment com en un altre lloc es refereix despectivament a "la fullaraca de

elogiando *imágenes de buen gusto* y un buen uso de recursos métricos, sin ir más allá, pero sí requiriendo una valoración poética que no entrase en anacronismos e interpretase este cancionero fuera de su contexto,[277] lo que nos llevaría a una percepción cualitativa equivocada.[278] No la tiene Antoni Ferrando al singularizar la calidad y variedad métrica de este cancionero incunable, frente al de 1487 y otros posteriores, una puesta en valor del *virtuosismo poético* que contrasta con la percepción negativa y limitada que se había tenido de él:[279]

> Des del punt de vista de la versificació, *Les Trobes en lahors de la Verge Maria* és la més variada de les quatre antologies de certàmens poètics pervingudes fins avui, no pas per la diversitat de metres usats —el cartell prescrivia les tradicionals cinc cobles—, sinó per les filigranes versificatòries d'algunes composicions, que recorden els millors temps de l'Escola de Tolosa [...]. Tals procediments —paranomàsies, epífores, rims capfinits, encadenament de rimes, peus forçats, anàfores, biocs,

---

la poesia de certàmens" (Rubió i Balaguer 1984-86: II, 142). Antoni Ferrando, en una valoració d conjunt, també parla de "producció més aviat mediocre" (Ferrando 1983: 137). I Giuseppe Tavani, a propòsit de la manca de testimonis de l'activitat poètica del Consistori de Barcelona, i que ell atribueix al desinterès dels catalans per conservar-les, conclou: "si els tolosans haguessin fet el mateix, no tindríem documentació de llur activitat, però en canvi haurien estalviat pergamí i paper i nosaltres la feina de llegir, editar, glossar i estudiar poesies tan poc poètiques" (Tavani 1996: 103). Robert Archer, encara, valorant les poesies d'un certamen de 1584, comenta "el nivell poètic [...] lamentable fins i tot per versos de certamen que, a jutjar pels que ens han pervingut, no solen tenir gaire valor literari". Els judicis són unànimes. Potser el més contundent és un de Martí de Riquer, el qual, comentant el judici de Rubió transcrit més amunt, conclou: "Com que jo crec que en una història de la literatura només s'ha de recollir el que mantingui un bri de valor literari, considero que val més no tractar-ne" (Riquer 1984-95: IV, 241)» (Rossich 2006: 67-68).

277 «No están exentas sus producciones de defectos, pero en ellas hay imágenes de buen gusto, la metrificación es correcta y su ritmo bastante armonioso. Además, tanto estas poesías como las restantes del volumen de que venimos tratando, para ser analizadas con acierto hay necesidad de remontarse á la época en que fueron escritas, conocer el gusto predominante en la misma y el estado en que se encontraban las bellas letras, que aun no habían alcanzado entonces su pleno desarrollo» (Martí Grajales 1894: 13).

278 «Si fuéramos á juzgar detenidamente todas las composiciones, aquilatando las bellezas que las esmaltan y poniendo de relieve los defectos que contienen, ateniéndonos para ello al gusto del día, seguramente que éstos habían de superar á aquéllas, obligándonos á formar un concepto equivocado de su valor» (Martí Grajales 1894: 13).

279 Así lo expresa Luis Guarner al referirse a las poesías en valenciano de Narcís Vinyoles: «no salen de la mediocridad de su virtuosismo poético» (Guarner 1974a: 24).

etc.— desapareixen pràcticament a partir dels ideologitzats certàmens immaculistes promoguts per Ferrando Díeç (Ferrando Francés 1983: 153).

La valoración negativa del cancionero en su conjunto, su carácter arcaizante y unas limitadas normas que constreñirían la expresión poética y limitarían su originalidad han acabado relegando al olvido algunas composiciones que, si no hubiésemos conocido a través de este cancionero incunable, asociado a una reiteración de tópicos y a prejuicios sobre la poesía de certamen, se habrían valorado en su justa medida. Es cierto que algunos de los poemas de este cancionero son, digamos, de una cierta discreción literaria, pero otros tienen una calidad estética indudable e, incluso, podrían haberse compuesto con anterioridad e independencia del mismísimo encuentro poético, lo que podría llegar a explicar la transgresión de la norma sobre el estrofismo en algunas de estas poesías. Si las composiciones de Francí de Castellví, por ejemplo, se hubiesen transmitido en un cancionero monográfico de sus obras, de una cierta variedad temática, hoy estaríamos hablando de su producción poética en otros términos. Y es por esto que no solo es importante una edición crítica anotada del cancionero de *Les trobes*, sino la fijación ecdótica del corpus poético de autores con poca producción conservada. Una y otras permitirán restituir su justo valor a esta poesía, analizándola en su conjunto, pero desde la individualidad de los textos y de los poetas.

2.5.4. Premio(s) y sentencia: un giro inesperado

Dice el *Cartell* que el premio ofrecido por Lluís Despuig era un jubón de seda: «Haura de guany / hun bell gipo de seda» (h. 2^{v}). Tres de los poetas llegan a mencionar el premio en la *tornada* o *endreça* en los mismos términos del *llibell*. El hecho de que el anónimo castellano relacione el jubón con la codicia, aunque sea para no desearlo, parece dar la razón a Sanchis Guarner,[280] al destacar el valor material de la *joia*, frente a su consideración como «premi merament simbòlic» (Riquer 1964: 372):

Yo no demando Iubon
A hun que no falta copdicia
Mas antes pido perdon

280 «Ens crida l'atenció el caràcter tan prosaic del premi: "haurà de guany un bell gipó de seda". Per bé que Martí de Riquer considera que tal guardó tenia caràcter merament simbòlic, no hem d'oblidar que l'Edat Mitjana, i encara en la Moderna, com que la roba costava molt cara, les peces de vestir havien de durar molts anys, i el drap de vellut o pelfa n'era el més selecte. cal dir que diversos dels poetes se'n declararen ben interessats» (Sanchis Guarner 1975: 332-333).

Templando como lladron
Delante dela Iusticia$_{x}$ (h. 40^{v}).

Llorenç Diamant y Bertomeu Dimas añaden, en su *tornada* y *endreça*, respectivamente, que el jubón es de seda, en coherencia con lo indicado en el *Cartell*, yendo más allá del anónimo castellano, que no advierte el material de que estaba confeccionado:

Flor deles flors / deman vos per estrena
Que maccepteu / per vostre seruidor
E vostre fill / qui es larch donador
Quem dol gipo / e fendrel per esquena
Sim vendra stret / q*ue* tinch grossa carena (h. 34^{v}).

«No cessare / avos virginal ceptre
Donar lahor / puix sou nostre refugi
Aquil uolra / uestir gippo de seda
Y ami cobriu / de vostra clara tomba$_{x}$» (h. 39^{v}).

El primero de ellos, sin embargo, construye su *tornada* a partir de un motivo, de cierto tono jocoso, que nos confirmaría un dato clave para entender el desarrollo del certamen y, así, muy probablemente, el giro producido en la sentencia y su repercusión en el cancionero incunable. Llorenç Diamant se muestra preocupado por el hecho de que no le viniese bien de talla el jubón y tuviese que partirlo en dos. Resulta destacable, por tanto, que el jubón se entendía como una prenda ya confeccionada por parte de los poetas y en este sentido se sugieren también los versos de Bertomeu Dimas, por lo que llama la atención que, al referirse el premio en la rúbrica inicial del incunable, se indique, sin embargo, que es «hun troç d*e* drap | de uellut negre apte o bastant p*er* hun gipo» (h. 2^{r}), es decir, se innova en dos aspectos respecto a lo anunciado en el *Cartell*: en cuanto a ser una tela y no una prenda confeccionada, y por lo que respecta al tejido, que ya no es seda, sino terciopelo. Y esto último a pesar de que la propia *Sentència* se concluyese refiriendo «Lo pris de seda» (h. 59^{v}). Tal cambio de la *joia* parece haberse adaptado a las circunstancias que vinieron marcando el desarrollo del certamen.

La rúbrica inicial es un paratexto editorial y, por tanto, externo al desarrollo del certamen, redactada para encabezar el incunable y contextualizar sus contenidos, frente a la propia *Sentència*, que debía de estar compuesta con anterioridad y dejaba constancia aún de la *joia* original e, incluso, de la intención prístina de otorgar el premio a un poeta. Es la *cobla esparsa* de la *Dispositio* la que da un giro a la conclusión del certamen y entrega la *joia* a la Virgen, en estos términos y por estas razones:

DISPOSITIO$_x$
Vist que sens vos / nostre cor se reffreda
En ben obrar / mare de deu molt digna
Vist que sens vos / gracies nons consigna
Deu vostre fill / ni iames aquell veda
Lo que voleu
Vist q*ue* sens vos / lo qui*us* ha mils lohada
Dir tan de be / per si no bastaria
Vist que sens vos / lahor tal no*us* daria
Auos donam / la Ioya consignada
Quen mercxeu (*sic*) (h. 59^{v}).

A la luz de la *Sentència*, redactada previamente y aún haciendo referencia a un premio de seda y no de terciopelo, parece que «res no ens autoritza a malpensar que hi hagués hagut cap maniobra premeditada» (Sanchis Guarner 1975: 339).[281] Lluís Garcia, de hecho, pedía a la Virgen su intercesión para ganar el premio, en la *tornada* de su poema.[282] Ahora bien, tampoco podemos irnos al otro extremo, pues no es fruto de una improvisación absoluta. Es cierto que no debió de haberse considerado el 11 de febrero del 1474, cuando se convocó el certamen, pero, antes de la lectura de la sentencia, el 25 de marzo de ese año, día de la Anunciación, era ya conocido que la resolución no iría en los términos previstos, si no por todos, sí por algún poeta. Hay, de hecho, muestra de ello, puesto que el poema de Bernat Despuig, tras su *tornada*, incorpora una peculiar *endreça*, dirigida al virrey:

Endreça al senyor visrey
e mestre de Muntesa
Senyor visrey / e de muntesa mestre
Si del vellut / no*us* par qne (*sic*) sia digne
Lo qual so cert / haueu mes en sequestre
Perque mon dir / de tot no vaian en destre
Carmesim dau / com asenyor insigne (h. 46^{v}).

La *endreça* es muy clara y se debió de añadir muy poco antes del recitado del poema, para reclamar en acto público a Lluís Despuig que *só cert haveu mes en segrest* el premio ('estoy seguro de que [lo] habéis secuestrado'), para no entregarlo a un poeta. De hecho, no podía ser más concreto Bernat

281 Véase también Sanchis Guarner 1974: XXXIII.

282 «Reyna dels Reys / dins en la bandera | Del vostre amor / teniu me cubert | Sino*us* he lohat / segons que volguera | Deman vos perdo / qui sou mare vera | Guarniu me del pris / non reste desert» (h. 45^{r}). Por el pronombre átono (*no·n reste*), sabemos que la ayuda no es para que el premio no quede desierto, sino para que el poeta no se quede sin él.

Despuig, porque identifica el premio con el *vellut*, esto es, con la tela de terciopelo que sustituía al jubón de seda. No hay duda, por tanto, de que se había filtrado la decisión del jurado —o del virrey, pues a él se dirige esta *endreça*, en términos de queja—, aunque, en realidad, este es el único caso en el que se deja constancia de ello en los textos del certamen y no en un paratexto editorial. Era fácil improvisar una *endreça* de cinco versos, rematada con una cierta ironía al solicitar, si sus versos no eran dignos del *vellut [negre]*, para que no vayan *en destre*,[283] al menos que entregue como premio una tela carmesí (*carmesi·m dau*),[284] con el simbolismo que conlleva. La crítica a tal decisión debía ser antes de la concesión de la *joya* a la Virgen, lógicamente, porque, una vez producida, sería indiscutible públicamente. En este sentido, quizás, aquello de que tuvo noticia Bernat Despuig era, simplemente, que iba a quedar desierto el premio y, de ahí, su crítica y el sarcasmo final. Un jubón de seda no tendría sentido como premio si, desde un principio, se hubiese pensado en entregarlo simbólicamente a la Virgen y, por esta razón también, cuando se decidió que así fuese, debía adaptarse a las nuevas circunstancias, lo que se debió de hacer con intención de no levantar suspicacias: manteniendo la idea del jubón como destino de una tela, que ahora no era seda, sino terciopelo, pero que estaba pensada, en realidad, para poder ser ofrecida a quien ganase del certamen.

Las razones generales por las que el certamen acabó evolucionando hacia este veredicto ya las sugirió José Mª Torres Belda en el siglo XIX: «Con esta original sentencia de conceder á la Virgen el premio ofrecido a los poetas, dictámen ingenioso dictado sin duda, mas que por devotas ideas, por el deseo de evitar las críticas de los autores no premiados, termina el libro» (1874: 50). Martí de Riquer apuntó a las particulares, al sugerir la belicosa personalidad de Jordi Centelles,[285] y Sanchis adujo, en este mismo sentido, las

283 *En destre*: 'A lloure, en llibertat' (DCVB), como metáfora relacionada con la brida del caballo. Véase también la acepción 'menat per la brida o ronsal, agafant-lo amb la mà un home que li va al costat', relacionada en última instancia.

284 *Carmesí*: 'Tenyit del color vermell fort extret del quermes animal' o 'Tela tenyida del dit color' (DCVB).

285 «Jordi Centelles, fill bastard del comte d'Oliva, era el 1461 rector d'Oliva i Almenara, i entre 1466 i 1486 és atestat com a canonge de la Seu valenciana i fou home de temperament impetuós com revelen dues anècdotes del *Dietari del capellà d'Alfons el Magnànim*. La primera s'esdevingué el 25 de juliol del 1470 quan "don Jordi Centelles, fill del comte Centelles *[o sia, d'Oliva]*, fonc en la ciutat de Xàtiva en lo monestir de les monges de Montsant, e fonc lo fill de Mossèn Estanya, los quals vengueren a brega, e lo dit Jordi fonc nafrat en lo ventre, e lo Stanya en lo cap". ¿És aludit ací el poeta Mossèn Estanya, que ja coneixem (veg. pàg. 58)? Jordi Centelles sobrevisqué a la ferida del ventre, però més endavant en rebé de més greus en un escandalós fet que ens revela l'existència d'un altre certamen poètic valencià i que hom prenia tan seriosament aquests jocs poètics que arribava a ventilar-los amb

consecuencias que parece que llegaron a tener otras sentencias literarias similares[286] o las presiones que tuvieron los jurados de otros certámenes poéticos, de las que llegó a quedar testimonio.[287]

---

les armes a la mà. Narra el susdit *Dietari* que En Joan Garcia, guarda de la sisa de carn, tenia un fill "bell de persona e molt preat, e gran trobador de la Gaya Sciència, beneficiat en Santa Caterina", i que hom oferí, al monestir del Carme, una joia a qui faria millors cobles sobre el Cos de Crist (el *Corpus Christi*), i que aquell jove hi concorregué "molt altament". Era un dels jutges del certamen el canonge "don Jordi Centelles, fill bastard del comte d'Oliva", el qual no féu cap menció de les cobles del jove beneficiat Garcia, i es deia que no el tenia en molt bona opinió "per esguard d'una monja de la Saidia", rumor que Garcia havia recollit i propalat. Don Jordi li féu donar una coltellada al cap, que no li produí mal perquè Garcia portava cervellera. El 10 de juliol del 1477, a la nit, don Jordi amb gent armada esperà el jove Garcia al carreró de Misser Maroma, on vivia el seu pare. El beneficiat se n'assabentà i llogà gent disposada a combatre, i el grup, il·luminat per una llanterna, entrà al carreró, i Garcia cridà: "Qui va allí?". El canonge, cregut que es tractava de la guàrdia, respongué: "Don Jordi". Garcia, al crit de "Muira don Jordi!" es precipità sobre ell i li donà una gran coltellada al cap, i malgrat la cervellera, li obrí de la galta a la barba, i amb altres cops, el ferí al braç i a la cuixa. Don Jordi restà mal nafrat i "envergonyit tot lo temps de la sua vida per un fill d'En Joan Garcia", com comenta l'autor del *Dietari*, el qual afegeix que el jove beneficiat i els seus companys hagueren de'exiliar-se i viure amb recel i dolor la resta de la vida, "e la folla de la monja estava en son monestir: no pensava en lo mal e dan que s'és seguit en tals persones per causa d'ella"» (Riquer 1964: 374-375).

286 «L'any 1488 mossén Pere Gisquerol organitzà un certamen en llaors de Sant Cristòfol, dotat amb una estatueta del sant en or massís. El premi fon guanyat per En Lluís Roís, però la sentència fou impugnada per mossén Pere Anyó, un prevere no premiat, que l'increpava per haver comptat amb la col·laboració de tres assessors [...]. El guanyador, Lluís Roís, tampoc no es mossegà la llengua en la seua rèplica, i acusà mossén Anyó de mesquindat i d'incomptència [...]. L'incident, però, no acaba aquí, car Lluís Roís era un jueu convers i fou acusat a la Inquisició l'any 1490 per Jeroni Fuster, el guanyador del certamen marià del 1486, d'haver inclòs en un poema en llaors de Sant Nicolau de Tolentí "una conclusió herètica i talmonista", segons ha fet veure recentment Jordi Ventura» (Sanchis Guarner 1975: 341-342).

287 «Encara són més divertits els incidents del certamen que hi hagué l'any 1511 al convent de les monges dominiques en honor de Santa Caterina de Sena. Hi actuaren com a jutges Baltasar Sorió, mestre en Teologia, el canonge Genís fira, que havia participat com a poeta en el de 1474, origen del llibre de les *Trobes*, i el noble don Francesc de Fenollet. de les pressions que rebé el jurat ens parla faceciosament Fenollet, que en redactar la sentència, ens conta que mestre Sorió era amenaçat per un frare company seu, si no atenia la recomanació que li havia fet [...]. També el canonge Genís Fira era assetjat però per la seua majordona, la qual pretenia imposar-li la candidatura d'un nebot seu, i l'ataca, entre altres, pel flanc de la gola [...]. I seguint la broma, Fenollet allarga la facècia fins a ell mateix, i ens conta que la seua muller tenia també un candidat [...]. I com que el marit no cedia a les seues pressions, ella l'amenaça amb represàlies conjugals» (Sanchis Guarner 1975: 342-343).

2.5.5. Título y estructura interna

El cancionero impreso de *Les trobes en lahors de la Verge Maria* reúne 48 poemas —o 51, si individualizamos las tres composiciones dobles— y cuenta con dos importantes paratextos en prosa, que preceden, respectivamente y a manera de rúbrica extensa,[288] por un lado, al *Cartell* y al corpus central de poemas, incluida la respuesta poética de la Virgen, y, por el otro, a los textos de la *Sentència*. Ambos paratextos en prosa son los documentos más valiosos para conocer el desarrollo del propio certamen, el primero de los cuales viene a cubrir la ausencia de portada, en blanco,[289] como hemos podido constatar por la unidad del bifolio externo del primer cuaderno (h. 1-10), con solidaridad entre las dos partes de su filigrana.

Tal ausencia de portada es lo que ha llevado a que el título del cancionero se reconstruya, de manera facticia, a partir de la referencia a los contenidos en esta rúbrica inicial,[290] de la que Rodríguez ya transcribe su íncipit: «*Les Obres, ò Trobes, davall escrites, les quals tracten de Lahors de la Sacratisima Verge Maria; foren fetes, y ordenades, per los Trobadors de ius, è en cascuna de les dites Obres, Escrits, etc.*» (1747: 81). Ximeno manipula ligeramente su textualidad, reduciendo el inicio para transformarlo, por primera vez, en un título abreviado —«*Obres, ó Trobes, les quals tracten de lahors de la Sacratissima Verge Maria*» (1747-1749, I: 59)—, que triunfa y, así, lo reproducen Cerdá y Rico (1778: 318) y Fuster (1827: 52). Con el fin de adoptar un título para este incunable poético, Manuel Sanchis Guarner reflexiona sobre ello en sus ediciones, para lo cual sigue la propuesta de Ximeno, adaptada por Martí Grajales:

> Sembla que si hom volia extraure un títol d'aquest començament del llibre, aquest hauria hagut de titular-se *Trobes de llaors de la Verge Maria*, i així ho feren, més o menys, els bibliògrafs valencians Vicent Ximeno (1747) i Just Pastor Fuster (1827). Però Martí Grajales, el seu primer reeditor, canvià la primera preposició *de* per *en*, probablement a causa de la seua proximitat, i aqueix és el títol que ha prevalgut. Cal

288 De la misma manera que las propias rúbricas de los poemas, también en prosa y, en algunos casos, de una cierta extensión, como la composición de Joan Moreno en nombre de Iolant d'Urleda.

289 Así lo advierte Josep Villarroya, quien fue también el primero en transcribirla (1796: 53-54).

290 No entraré ahora en la cuestión del «*Poeticum certamen*» y de la temática de las obras «*De laudibus Mariae Deiparae Virginis*» (Antonio 1788², II: 305-306, nº 650), ni al debate que suscitó esto último en cuanto al título que le dio Rodríguez «*Certamen poetich, en Lahor de la Concepciò*» (1747: 81), porque ya queda tratado en epígrafes anteriores.

> dir que per bé que la forma normal del modisme *en llaor de*, amb el substantiu en singular, és l'usada per trenta-nou dels poetes del llibre de les *Trobes*, n'hi ha tres que empren el substantiu en plural i diuen *en llaors de*: Francí de Castellví (4), Lluís Alcanyís (8) i Joan Moreno (14); i per això he resistit la forta temptació d'esmenar-ne el títol (Sanchis Guarner 1979: 62-63).

Francisco Martí Grajales (1894), con buen criterio, incluso abrevia más el título propuesto por Ximeno y elimina el verbo *tracten*, con lo que hace innecesario su régimen preposicional y, así, sustituye *de* por *en*, a partir de las rúbricas, donde funciona como predicativo. Mantiene el plural de *lahors*,[291] a pesar de que, como advierte Sanchis, no es la solución más frecuente en las rúbricas particulares de los poemas, a las que había recurrido puntualmente para adaptar el título de Ximeno, del cual parte, en realidad. De aquella propuesta elimina también la dualidad del término principal, *Obres o Trobes*, que, sin embargo, encontraremos aún a lo largo del siglo XX y XXI,[292] a partir, sin duda, de Haebler, que es el primero en generar este híbrido que combina las soluciones de Ximeno y de Martí Grajales: «OBRES o trobes en lahors de la verge Maria» (Haebler 1903-1917, I: 231, nº 488). Martí Grajales añade, además, el artículo inicial, tal y como se adopta en todos los facsímiles de este cancionero incunable (*Trobes* 1945, 1974a, 1974b, 1974c, 1979a, 1979b, 1988, 1997), cuyo título convencional queda fijado, por tanto, desde 1894 como *Les trobes en lahors de la Verge Maria*[293] y así se utiliza, de hecho, en esta monografía.

Se podría decir que la primera estructura interna del incunable viene establecida por Josep Villarroya (1796: 53-58), pero su propuesta es demasiado general, atendiendo a los paratextos poéticos y relegando su cuerpo central al mero listado de los poetas, desordenados por las circunstancias del ejemplar,

---

291 Solo Concheff (1985: 73, nº 757), siguiendo este modelo de Martí Grajales, a través de Sanchis Guarner (1974 y 1979), elimina el plural: «GTIT *Trobes en llaor de la Verge Maria*».

292 Así se recoge en los siguientes repertorios, según el modelo de Haebler, y con la única variación de eliminar la *h* antihiática de *lahors*, muy puntualmente: Palanca Pons y Gómez Gómez 1981: 111, nº 240; García Craviotto 1989-1990, II: 25, nº 4158; Bas Carbonell 1992: 27, nº 1; Romero Lucas 2005a, II: 25-29, nº 6; GW M27366; ISTC im00270500. E, igualmente, en otra bibliografía específica de referencia, como Bohigas 1962: 83-84, Bohigas y Soberanas 1976: 14 y Cabeza Sánchez-Albornoz 2000: 64. También así se titula la entrada correspondiente en Vindel 1946: 3, nº 1, pero en su introducción lo refiere como «*Les Obres en trobes en lahors de la Verge Maria*» (1946: XII).

293 Solo alternando en la tradición sobre bibliografía material con la dualidad del sustantivo *Obres o trobes*, a partir de Haebler, pero con el plural y la preposición *en* adoptada por Martí Grajales (1894).

como hemos visto, y sin atención explícita a los poemas. Es cierto que tal estructura quedaría determinada en la propia edición de Martí Grajales (1894), pero también lo es que no se presenta de manera sinóptica, con atención específica a las poesías que contiene. Sí que ocurre de esta manera, por primera vez, en el catálogo de Marià Aguiló (1923: 536-540, nº 2094),[294] que transcribe los paratextos poéticos y en prosa, así como las rúbricas de cada uno de los poemas, aunque desordenados todavía por la alteración de cuadernos, que no advierte y que lo llevan a concluir que «En el ejemplar que tengo á la vista, único conocido, falta, cuando menos, una composición, de la cual no queda más que la estrofa final y la *Tornada*» (Aguiló 1923: 536-540, nº 2094). Jaume Massó i Torrents (1913-1914: 238-242) es el primero en presentar ordenada esta estructura sinóptica del cancionero, esto es, siguiendo el orden de la edición original y no del ejemplar alterado, para lo que dispuso del texto fijado por Martí Grajales (1894), que Aguiló no llegó a conocer.

Massó i Torrents (1913-1914: 239-242) no solo transcribe y ordena las rúbricas, sino que nos aporta también el íncipit de los poemas y la transcripción completa de los dos paratextos, el primero de los cuales no incluye en su numeración, a diferencia del que precede a la *Sentència* (49).[295] Reconstruye la foliación para localizar los poemas, aunque la inicia a partir de la h. 2, la primera con texto, y no de la portada en blanco. Individualiza los dos poemas de Fenollar, a los que aporta números consecutivos en su tabla (4 y 5) y no complementarios (4/1 y 4/2), pero no hace lo mismo en el caso del poema doble de Pere Alcanyís, que identifica como 44 (43/1 y 43/2),[296] y, aunque distingue la *Sentència* y la *Dispositio* (48/1 y 48/2), no les da numeración. En su *Repertori*, sigue esta misma secuencia, pero elimina las rúbricas e íncipits, para hacer una sinopsis de la estructura a través de las autorías,[297] en lo que supone un retroceso a un recurso propio de los bibliógrafos ilustrados (Massó i Torrents 1932: 47-48).

Ribelles Comín (1915: 229-240) supera, incluso, la primera propuesta de Massó i Torrents (1913-1914: 239-242), ampliando notablemente el número de versos de los íncipits, y, en este mismo sentido, aportando

294 Sin duda, fue el primero en establecer una estructura interna sinóptica de este cancionero incunable, más allá de que su catálogo no se publique hasta mucho después de su muerte, tras disponer de otra bibliografía que supera su propuesta.

295 Y, de la misma manera, la primera es una transcripción paleográfica, mientras que la segunda, las rúbricas y los íncipits no lo son.

296 Lo resuelve indicando «En acabat d'aquesta vé propriament la obra sota l'epígraf *Resposta*» (Massó i Torrents 1913-1914: 242).

297 En el caso de la *Sentència* y *Dispositio*, las aglutina bajo el número 49, que había dado a la extensa rúbrica en prosa que precedía a ambas poesías, las cuales reúne bajo la referencia de «judicatura i sentència» (Massó i Torrents 1932: 48).

también los éxplicits, así como cierta información respecto al número de estrofas y presencia de *tornada* y/o *endreça*, aunque sin referencia a la foliación. A pesar del interés de los datos, la transcripción de los paratextos poéticos y de la extensa rúbrica en prosa que precede a la *Sentència*, así como de las rúbricas y los 8-10 versos de cada poema —incluso más, por la extensión de alguna *tornada*—, hacen perder a la propuesta su carácter sinóptico y no presenta la misma operatividad que la estructura de Massó i Torrents.

BITECA (manid 1548) no solo ofrece la estructura de este cancionero incunable más reciente, sino que, al ser en línea, permite su actualización.[298] Mantiene algunas de las novedades de la propuesta de Ribelles Comín, como indicar la estructura métrica, que está desarrollada, y el éxplicit, del cual, como en el íncipit, recoge un único verso. Sin embargo, por las características de este repertorio, BITECA no incorpora los textos que no son en catalán y la estructura queda, así, incompleta.[299] Numera los textos, desglosando el poema doble de Fenollar, pero no el de Pere Alcanyís ni la *Sentència* y *Dispositio*,[300] sin considerar, lógicamente, las poesías en castellano, ni siquiera en cuanto a la numeración o secuencia de los textos.

Por todo lo indicado aquí, ofrezco una nueva estructura sinóptica del incunable, que complete y/o corrija las anteriores, para lo cual transcribo paleográficamente las diferentes rúbricas, así como el íncipit y el éxplicit de las composiciones, con indicación de los folios en que se encuentran. Mantengo, por su interés tipográfico, la representación del punto astado o aspado ($_x$) cuando se encuentra a final de rúbrica o de poema. Incluyo también la estructura métrica de cada composición, siguiendo el modelo de Brian Dutton (1990-1991), que, esencialmente, indica el número de versos de cada estrofa y, tras un signo *x* de multiplicación, el total de estrofas con ese esquema concreto. Establezco una secuencia numerada de los textos, que no incluye las dos extensas rúbricas en prosa, pero sí todos los textos poéticos, sean paratextos o no. Resuelvo los poemas dobles con una numeración complementaria, manteniendo la secuencia general y distinguiendo

298 Aunque eso no ocurre desde el 7 de noviembre de 2013 [consulta: 06/07/2021].

299 Lo que, normalmente, se resuelve a través de BETA, si son textos en castellano, como ocurre con los que faltan en esta descripción de BITECA, pero no es este el caso, puesto que, aunque este cancionero sí que tiene entrada en BETA (manid 2724), está sin desarrollar aún [consulta: 06/07/2021] y, de hecho, entre los pocos datos que aporta se encuentra el error de localización del ejemplar, que reproducen de Dutton (1990-1991, v: 1, nº 74*LV).

300 Que aglutina hasta el punto de ofrecer una estructura estrófica unificada en ambos casos: 6x10, 1x5 para Alcanyís; y 87 vv. para los textos de *Sentència* y *Dispositio*.

internamente las diferentes poesías que lo forman, tras una barra vertical (4/1, 4/2, 43/1, 43/2, 48/1 y 48/2), con lo que se ponen en relación y, sin embargo, se singularizan, jerarquizándolas y no al mismo nivel que el resto de composiciones. Anoto a pie de página aquellos datos de la descripción que suponen un interés añadido, especialmente la presencia de rúbricas internas, de *tornada* o *endreça*.[301]

Les obres o trobes dauall scrites les quals trac | ten de lahors dela sacratissima verge Maria | foren fetes e ordenades p*er* los trobadors dei*us* e | en cascuna deles dites obres scrits r*e*sponents a | una se*n*tencia o seria d*e*l mes prop insertal libel | o cartell ordenat p*er* lo uenerable mosse*n* Bernat | fenollar preuere e domer dela Seu d*e*la insigne | Ciutat de Valencia de manament e ordinatio | del Spectable senyor frare Luis despuig Me | stre de Muntesa e Visrey en tot lo Regne de | Valencia Lo qual senyor com adeuot dela uer | ge Maria posa en la dita Ciutat de Valencia | una Ioya a tots los trobadors a onze dies del | mes de Febr*er* Any de la natiuitat d*e* n*ost*re senyor | Mil$_x$CCC$_x$Lxxiiii$_x$ ço es hun troç d*e* drap | de uellut negre apte o bastant p*er* hun gipo qui | mils lohara la uerge Maria en qual seuol len | gua la qual Ioya per adir en aquella fonch lo | dit dia posada en la casa d*e*la co*n*fraria de sant | Iordi dela dita Ciutat e Iutgada a $_x$xxv$_x$ del | mes de Mars del dit any Lo tenor o seria del | dit cartell es lo mes prop seguent$_x$ (h. 2^r).

1 *Rúbr.*: LO CARTELL$_x$. *Ínc.*: Lalta sens par / humil verge Maria. *Éxpl.*: Digne visrey / e mestre de muntesa. *Rúbr. final*: Frare luis despu[ig] | Mestre de munte [sa] | Visrey en lo regn[e] | De valencia (4x8) (h. 2^v-3^r).[302]

2 *Rúbr.*: Resposta del noble don iordi sentelles | tirant ala ioya en lahor d*e*la v*er*ge maria. *Ínc.*: De fe damor / la mes encesa flama. *Éxpl.*: Delit segon / sobre tots los delits (5x9, 1x4) (h. 3^v-4^v).[303]

3 *Rúbr.*: Resposta de mestre corel | la ab rims estrains (*sic*) en la | hor dela verge Maria / ti | rant ala Ioya. *Ínc.*: Terme perfet / del etern consistori. *Éxpl.*: Emperadriu / sient ala part dreta (5x12, 1x6) (h. 4^v-6^r).[304]

---

301 Esto último es práctica habitual en BITECA, incorporado en la sección *Note*, que adopto y adapto al formato de nota a pie de página, para no perder la información sobre rubricación interna. La revisión es, en cualquier caso, sobre el original y, cuando hay un error o divergencia, lo resuelvo sin indicarlo.

302 Los paréntesis rectangulares de reconstrucción textual responden a la pérdida de grafías.

303 Con la rúbrica *Tornada* precediendo la estrofa final.

304 Con la rúbrica *Tornada* precediendo la estrofa final.

4/1 *Rúbr.*: De moss*en* B*erna*t fenollar / preambol | dreçat al spectable senyor frare | Luis despuig / mestre de Mu*n*tesa | e Visrey en lo Regne de Valencia. *Íne.*: Mirant senyor / de molta reuerencia. *Éxpl.*: Puig per lohar / la que vos puig lohau (1x12) (h. 6r).

4/2 *Rúbr.*: Respon sols per honor en | lahor dela verge Maria. *Íne.*: Puix deu iames / les gracies nos dona. *Éxpl.*: Auos endreç / homil verge maria (5x10, 1x4) (h. 6v-7v).[305]

5 *Rúbr.*: Respon mossen ffranci de | Castellui en ladors (*sic*) dela v*er*ge | Maria tirant ala ioya. *Íne.*: Mare del fill / al qual sou uera filla. *Éxpl.*: A qui per dot / espos y fill se dota (7x8, 1x4) (h. 7v-8v).[306]

6 *Rúbr.*: Ell mateix moss*en* Franci de castellui | caualler per honor dela Ioya en lahor | dela v*er*ge Maria en leygua (*sic*) castellana. *Íne.*: Del gran redemptor / madre hi esposa. *Éxpl.*: Del fueras ahun / la mas alta y lucida (5x10, 1x5) (h. 9r-10r).[307]

7 *Rúbr.*: Resposta / de mossen barçelo | Caualler / per la Ioya en la | hor / dela verge Maria. *Íne.*: Obriu obriu / senyora vostres coffrens. *Éxpl.*: Sim dau lexarm / que tots los trists exarma (5x8, 1x4) (h. 10r-11r).[308]

8 *Rúbr.*: Ell mateix mossen barçelo caualler | per honor dela Ioya en lahor dela | v*er*ge Maria en lengua Castellana. *Íne.*: O virgen santa senyora. *Éxpl.*: Perdon y mercet te pido (5x10, 1x5) (h. 11v-12r).[309]

9 *Rúbr.*: Resposta de mestre alcanyiç mestre | en medicina en lahors dela verge | Maria per la Ioya. *Íne.*: Per vos loar / he mester vostra força. *Éxpl.*: Detots creats / vos sou complida norma (5x8, 1x4) (h. 12v-13r).[310]

10 *Rúbr.*: Resposta de moss*en* Iohan de nagera p*re*uere | en lahor d*e*la v*er*ge maria p*er* honor d*e*la Ioya. *Íne.*: Molt mes quespectable / senyor virtuos. *Éxpl.*: Mes als mirados / sou pur esmaragde (5x10, 2x5) (h. 13v-14v).[311]

---

305 Con la rúbrica *Endreça* precediendo la estrofa final.
306 Con la rúbrica *Tornada* precediendo la estrofa final.
307 Con la rúbrica *Endreça* precediendo la estrofa final.
308 Con la rúbrica *Tornada* precediendo la estrofa final.
309 Con la rúbrica *Tornada* precediendo la estrofa final.
310 Con la rúbrica *Tornada* precediendo la estrofa final.
311 Con las rúbricas *Tornada* y *Endreça* precediendo, en este orden, las dos estrofas finales.

11 *Rúbr.*: Resposta del honorable e discret en | berenguer cardona notari en lahor | dela verge Maria tirant ala Ioya. *Ínc.*: Sagrat vaxell / archiu sobreycellent (*sic*). *Éxpl.*: Assaboriu / quell laus fara sentir (5x9, 2x5) (h. 14^{v}-15^{v}).[312]

12 *Rúbr.*: Lomateix berenguer | cardona notari ala honor. *Ínc.*: Mare de deu / eternalment preuista. *Éxpl.*: En los cels alt / gloria luminosa (5x9, 1x5) (h. 16^{r}-17^{r}).[313]

13 *Rúbr.*: Resposta den pero pereç notari | en lahor dela verge Maria ala Ioya. *Ínc.*: Qui satraueix / vostres lahors comptar. *Éxpl.*: Quel temple dor / del gran Rey Salamo (5x8, 1x4) (h. 17^{r}-18^{r}).[314]

14 *Rúbr.*: Resposta den Iohan verdauxa (*sic*) | notari ala Ioya / en lahor dela | verge Maria. *Ínc.*: Pont del gran cel / de parahis escala. *Éxpl.*: Mon flach enginy / restant fortifficat (5x10, 1x5) (h. 18^{r}-19^{r}).[315]

15 *Rúbr.*: Resposta feta per Iohan moreno | notari en per sona de vna noble | e deuota senyora apellada yolant | loqual nom esta scit (*sic*) en los p*rin*cipis | deles seguentes cobles / eparla ella | en lahors dela verge Maria | tirant ala Ioya. *Ínc.*: Yo si bem tinch / per indigne seruenta. *Éxpl.*: Yol vos tramet / quey sia fetasmena (5x8, 2x4) (h. 19^{r}-20^{r}).[316]

16 *Rúbr.*: Respon Nanthoni Vallmanya notari | en lahor dela verge Maria / e p*er* honor | dela Ioya / en rims capfinits maridats | encadenats / e ab retronxa. *Ínc.*: Sou Vos sens par / verge dona polida. *Éxpl.*: Pus mare sou / e filla del qui*us* feu (5x12, 1x8) (h. 20^{v}-21^{v}).[317]

17 *Rúbr.*: Resposta feta per luis monyoç | notari en lahor dela verge | Maria per honor dela Ioya. *Ínc.*: Verge sens par / deles castes pus casta. *Éxpl.*: Fent quab los sants / celebre tostemps festa (5x8, 1x4) (h. 22^{r-v}).[318]

---

312 Con las rúbricas *Tornada* y *Endreça* precediendo, en este orden, las dos estrofas finales.

313 Con la rúbrica *Tornada* precediendo la estrofa final.

314 Con la rúbrica *Tornada* precediendo la estrofa final.

315 Con la rúbrica *Tornada* precediendo la estrofa final.

316 Con las rúbricas *Tornada* y *Endreça als iutges* precediendo, en este orden, las dos estrofas finales.

317 Con la rúbrica *Tornada* precediendo la estrofa final.

318 Con la rúbrica *Endreça* precediendo la estrofa final.

18 *Rúbr.*: Respon Iohan gamiça notari en lahor | dela v*er*ge Maria p*er* honor dela Ioya. *Ínc.*: Atu macost / mare del creador. *Éxpl.*: Com inperfet (5x10, 1x5) (h. 23^{r}-24^{r}).[319]

19 *Rúbr.*: Resposta de Arcis (*sic*) vinyoles en | lengua toscana en lahor d*e*la | verge Maria tirant ala Ioya. *Ínc.*: Dilecta da dio / obediente ançilla. *Éxpl.*: Che faccia ame / dalchuna saggia degno (5x14, 1x6) (h. 24^{r}-25^{v}).[320]

20 *Rúbr.*: Lomateix Arcis (*sic*) vinyoles / respon en | lahor d*e*la verge Maria p*er* honor d*e*la Ioya. *Ínc.*: O pur engast / del alt caruoncle feta. *Éxpl.*: Puix mon pregar / alt en lo cel no basta (5x10, 1x5) (h. 25^{v}-26^{v}).[321]

21 *Rúbr.*: Resposta de sobre uero en lahor | dela v*er*ge Maria tirant a la Ioya. *Ínc.*: Perque lohar pugua / vostra senyoria. *Éxpl.*: Aquella qui sola / mon dir se presenta (5x10, 1x5) (h. 26^{v}-27^{v}).[322]

22 *Rúbr.*: Resposta de lançol en lahor dela | Verge Maria tirant als (*sic*) Ioya. *Ínc.*: Alt en lo cel / la geraxia canta. *Éxpl.*: Vos me sereu per tostemps migancera (5x10, 1x5) (h. 28^{r}-29^{r}).[323]

23 *Rúbr.*: Resposta de Genis fira (*sic*) en lahor | dela v*er*ge Maria tirant ala ioya. *Ínc.*: Ans que peccant / general malaltia. *Éxpl.*: Portant los sants / als cels per cenda plana (5x10, 1x5) (h. 29^{r}-30^{r}).[324]

24 *Rúbr.*: Resposta de Miqualot pereç en lahor | de la verge Maria tirant ala yoya (*sic*). *Ínc.*: Del mes alt cel / haueu vbert la porta. *Éxpl.*: Enperadriu / de deu feta germana (5x10, 1x5) (h. 30^{r}-31^{r}).[325]

25 *Rúbr.*: Respon Bernadi vallmanya scriuent | en lahor d*e*la v*er*ge maria tira*nt* ala Ioya. *Ínc.*: Por ab gosar / ardiment e temor. *Éxpl.*: Don so perdut / si merçe no mabrassa$_{x}$ (5x8, 1x4) (h. 31^{v}-32^{r}).[326]

---

319 Con la rúbrica *Tornada* precediendo la estrofa final.
320 Con la rúbrica *Tornada* precediendo la estrofa final.
321 Con la rúbrica *Endreça* precediendo la estrofa final.
322 Con la rúbrica *Endreça* precediendo la estrofa final.
323 Con la rúbrica *Tornada* precediendo la estrofa final.
324 Con la rúbrica *Endreça* precediendo la estrofa final.
325 Con la rúbrica *Endreça* precediendo la estrofa final.
326 Con la rúbrica *Tornada* precediendo la estrofa final.

26 *Rúbr.*: Resposta de mestre Pere de | ciuillar argenter en lahor dela | verge Maria tirant ala Ioya$_{x}$. *Ínc.*: Al tempo que febo / su gran claridat. *Éxpl.*: La sempre lohada / vos del gualardon (5x10, 1x5) (h. 32^{v}-33^{v}).[327]

27 *Rúbr.*: Resposta de mestre Lorenç diama*nt* | mestre descriuere en lahor dela v*er*ge | Maria tira*nt* ala Ioya$_{x}$. *Ínc.*: Lo tan alt grau / pura verge maria. *Éxpl.*: Sim vendra stret / q*ue* tinch grossa carena (5x8, 1x5) (h. 33^{v}-34^{v}).[328]

28 *Rúbr.*: Resposta den Iohan sent climent | nahip*er* en lahor dela verge Maria | p*er* honor dela Ioya en rims estra*ms*$_{x}$. *Ínc.*: Sa*n*cta dels sancts / p*us* sou vengudal segle. *Éxpl.*: Sereu deffes / de caural mal sepulcre (5x8, 2x4) (h. 34^{v}-35^{v}).[329]

29 *Rúbr.*: Resposta den berthomeu saluador | studiant en lahor dela verge | Maria per honor dela Ioya. *Ínc.*: A vos qui nou cors / haglorifficada. *Éxpl.*: Sen vagal peccat / qui tots nos espanta (5x8, 1x4) (h. 35^{v}-36^{v}).[330]

30 *Rúbr.*: Resposta de Iohan verdanxa menor | de dias / enlahor dela verge Maria | en rims estrams ala Ioya. *Ínc.*: Port de virtuts / no perillosa plaia. *Éxpl.*: Perquels p*er*ills / del maluat nom trebuque*n* (5x8, 1x4) (h. 36^{v}-37^{v}).[331]

31 *Rúbr.*: Resposta feta p*er* en Luis catala en la | hor d*e*la v*er*ge Maria tirant ala Ioya. *Ínc.*: En tantes parts / vostra bo*n*dat destilla. *Éxpl.*: Que mereixcam / fruir lo maior be (5x10, 1x5) (h. 37^{v}-38^{v}).[332]

32 *Rúbr.*: Resposta de Berthomeu dimas en la | hor d*e*la v*er*ge Maria en rims estrems (*sic*) | p*er* la Ioya$_{x}$. *Ínc.*: Sim atreuesch / entrar lescura silua. *Éxpl.*: Y ami cobriu / de vostra clara tomba$_{x}$ (5x8, 1x4) (h. 38^{v}-39^{v}).[333]

33 *Rúbr.*: Resposta de hun Castella sens nom lo | qual dix en lohor de la v*er*ge Maria tira*nt* | ala Ioya$_{x}$. *Ínc.*: O misterio muy profundo. *Éxpl.*: Delante dela Iusticia$_{x}$ (5x10, 1x5) (h. 39^{v}-40^{v}).[334]

---

327 Con la rúbrica *Tornada* precediendo la estrofa final.

328 Con la rúbrica *Tornada* precediendo la estrofa final.

329 Con las rúbricas *Endreça* y *Tornada* precediendo, en este orden, las dos estrofas finales.

330 Con la rúbrica *Tornada* precediendo la estrofa final.

331 Con la rúbrica *Tornada* precediendo la estrofa final.

332 Con la rúbrica *Endreça* precediendo la estrofa final.

333 Con la rúbrica *Endreça* precediendo la estrofa final.

334 Con la rúbrica *Tornada* precediendo la estrofa final.

34 *Rúbr.*: Resposta de vilalba en lahor d*e*la | verge Maria dita per honor. *Ínc.*: Alta sens (*sic*) par / santa verge Maria. *Éxpl.*: Saluant los vos / qui sou ver saluador (5x8, 1x4) (h. 41^{r-v}).[335]

35 *Rúbr.*: Resposta de Iohan del bosch | ciutada de xatiua en lahor d*e*la | verge Maria tirant ala Ioya. *Ínc.*: Flach es lenginy / si vos no maiudau. *Éxpl.*: De caritat / virtut perpetual (5x10, 1x5) (h. 42^{r}-43^{r}).[336]

36 *Rúbr.*: Resposta de gaçull en lahor d*e*la | Verge Maria tirant ala Ioya. *Ínc.*: Mare de deu / esser no merexque. *Éxpl.*: Vos me pugeu / hon tot lo be reposa (5x8, 1x4) (h. 43^{r}-44^{r}).[337]

37 *Rúbr.*: Resposta de Luis garcia scriue*n*t | en lahor dela verge Maria | tirant ala Ioya. *Ínc.*: A vos per lohar / dels angels senyora. *Éxpl.*: Guarniu me del pris / non reste desert (5x10, 1x5) (h. 44^{r}-45^{r}).[338]

38 *Rúbr.*: Resposta den bernat deç puig en lahor | dela verge Maria tirant ala Ioya. *Ínc.*: Descuredat / tenint la pensa llesa. *Éxpl.*: Carmesim dau / com asenyor insigne (5x10, 2x5) (h. 45^{v}-46^{v}).[339]

39 *Rúbr.*: Arcis (*sic*) vinyoles per honor | en lahor dela verge Maria. *Ínc.*: Mare de deu / qui sols pogues merexer. *Éxpl.*: Faça*us* Iesus / seruar iust la bala*n*ça (8x8, 2x4) (h. 46^{v}-48^{r}).[340]

40 *Rúbr.*: Respon Ieronim monço p*er* honor e | en lahor dela verge Maria. *Ínc.*: Al enteniment / si gracia laffina. *Éxpl.*: Qui*us* pot satisfer / apres deu primera (5x8, 1x4) (h. 48^{r}-49^{r}).[341]

41 *Rúbr.*: Respon Francesch de sant ramon | p*er* honor e en lahor d*e*la v*er*ge Maria. *Ínc.*: Qual dignitat / ab la vostres egual. *Éxpl.*: Puix sou la font / don tot be proceheix (5x8, 1x4) (h. 49^{r}-50^{r}).[342]

---

335 Con la rúbrica *Tornada* precediendo la estrofa final.
336 Con la rúbrica *Tornada* precediendo la estrofa final.
337 Con la rúbrica *Endreça* precediendo la estrofa final.
338 Con la rúbrica *Endreça* precediendo la estrofa final.
339 Con las rúbricas *Tornada* y *Endreça al senyor visrey | e mestre de Muntesa* precediendo, en este orden, las dos estrofas finales.
340 Con las rúbricas *Tornada* y *Endreça* precediendo, en este orden, las dos estrofas finales.
341 Con la rúbrica *Tornada* precediendo la estrofa final.
342 Con la rúbrica *Tornada* precediendo la estrofa final.

42 *Rúbr.*: Resposta de*n* Matheu esteue en lahor | dela verge Maria p*er* honor dela Ioya. *Ínc.*: Lo gran estat / de vostre alt linatge. *Éxpl.*: Car non se pus / ni viu may taulegia (5x10, 1x5) (h. 50^{r}-51^{r}).[343]

43/1 *Rúbr.*: Rospon (*sic*) mestre Pere alcanyiç metge | d*e* Xatiua per honor dela Ioya / en la | hor dela v*er*ge Maria$_{x}$ | Cobla esparça inuoca*n*t auxili diuinal$_{x}$. *Ínc.*: Altisme deu / vos qui sou nostra via. *Éxpl.*: Lo pris nos pert / com si yol tengues ara (1x10) (h. 51^{v}).

43/2 *Rúbr.*: RESPOSTA. *Ínc.*: Leternal deu / no sent creat labisme. *Éxpl.*: Per puramor / pensant a deu mes plaure (5x10, 1x5) (h. 51^{v}-52^{v}).[344]

44 *Rúbr.*: Respon mestre Iacme roig mestre en | medecina en lahor dela v*er*ge Maria | tirant ala Ioya$_{x}$. *Ínc.*: Visrey pel Rey / nostre Iohan altissim. *Éxpl.*: Prosper vos deu / mare y filla Maria (6x8, 2x5) (h. 53^{r}-54^{r}).[345]

45 *Rúbr.*: Respon mestre Pere bell / en lahor | dela verge Maria dient ala Ioya. *Ínc.*: Clara virtut / mirall de sancta vida. *Éxpl.*: Perque tot hom / avos lo cap inclina (5x8, 2x4) (h. 54^{r}-55^{r}).[346]

46 *Rúbr.*: Respon moss*en* Iohan vidal p*re*uere dela | Seu de Valencia en lahor dela verge | Maria dient ala Ioya$_{x}$. *Ínc.*: Parlar de vos alta senyora nostra.[347] *Éxpl.*: Feu de peccat / sia ma pensa neta$_{x}$ (5x8, 1x4) (h. 55^{r}-56^{r}).[348]

47 *Rúbr.*: Respon la gloriosa verge Maria | presentant la sua coronacio als se*us* | deuots per honor dela Ioya$_{x}$. *Ínc.*: Los quim desiau (*sic*) loar. *Éxpl.*: Deu mon fill ma coronada. *Rúbr. final*: Moss*en* fenollar (1x4, 7x8, 1x4) (h. 56^{r}-57^{v}).[349]

---

343 Con la rúbrica *Tornada* precediendo la estrofa final.

344 Con la rúbrica *Tornada* precediendo la estrofa final.

345 Con las rúbricas *Tornada* y *Endreça* precediendo, en este orden, las dos estrofas finales.

346 Con las rúbricas *Tornada* y *Endreça* precediendo, en este orden, las dos estrofas finales.

347 Sin vírgula como marca de cesura.

348 Con la rúbrica *Endreça* precediendo la estrofa final.

349 Con la rúbrica final de firma *Mossen Fenollar*, que le atribuye explícitamente, por tanto, este poema de la Virgen, de la misma manera que Joan Moreno compone el nº 15 en nombre de la dama Iolant. Asimismo, tal y como nos indica la rúbrica inicial respecto al *llibell* o *cartell*, se explicita que Bernat Fenollar es el artífice de los paratextos del certamen poético que origina este cancionero incunable.

VENGVDA la Iornada als demunt no | menats dehidors assignada ahoyr se*n*-te*n*cia | qui mils d*e*lls hauia lohada la v*er*ge Maria | per los dits senyor Visrey / e mestre de mu*n* | tesa e Iutges per sa spectabilitat assumps | ques co*m*ptaua $_{x}$xxv$_{x}$ dies del mes de Març | any demunt dit Mil$_{x}$CCCC$_{x}$Lxxiiii$_{x}$ | dia d*e*la Incarnatio fonch donada e p*ro*mul | gada ladeuall inserta sentencia per los de | mu*n*t dits Iutges / en p*re*sencia del dit specta | ble senyor Visrey / e dels reuerents senyor | Bisbe de Cristonopol / e mestre Marti en | yego Canonge dela Seu / e d*e* moss*en* Bernat | fenollar / e moss*en* Ioha*n* vidal preueres / e p*er* | los dits Iutges presos per assessors / en po | der del discret Nanthoni cen-dra notari | rebuda / e testifficada instans / e aq*ue*lla pub | licar r*e*quirents los demu*n*t scrits trobadors | o la mes part de aquels a qui presents con | stituits / fonch lesta e ordenada la dita sen | tencia de manam*en*t del dit senyor e Iutges p*er* lo uenerable mossen B*er*n*a*t fenollar p*re*uere e | domer dela dita Seu / sots la forma segue*n*t | dins la casa dela co*n*fraria de sant Iordi de | la dita Ciutat de Valencia$_{x}$ (h. 57^{v}-58^{r}).

48/1 *Rúbr.*: SENTENCIA. *Ínc.*: Dacte semblant / tan virtuos. *Éxpl.*: Lo pris de seda (77 vv.)[350] (h. 58^{r}-59^{v}).

48/2 *Rúbr.*: DISPOSITIO$_{x}$. *Ínc.*: Vist que sens vos / nostre cor se reffreda. *Éxpl.*: Quen mercxeu (*sic*) (10 vv.) (h. 59^{v}).

2.5.6. Génesis y ordenación del cancionero

Tras la extensa rúbrica inicial en prosa y el *Cartell* en verso, se incluyen las respuestas a este por parte de los poetas, como cuerpo central del cancionero, en una secuencia que no debió de ser aquella en la cual se recitaron tales composiciones, al menos en sentido estricto. De hecho, el corpus de los incunables derivados de certámenes estaba encabezado, normalmente, por el poema o texto ganador, un dato que no se conocía en el momento en que se recitaban los poemas, por lo que el cancionero resultante debía de presentar una estructura elaborada *ex professo*, por más que pudiera derivarse de circunstancias de la propia *performance*, especialmente por lo que respecta a los paratextos poéticos, pero, sobre todo, de aspectos literarios o, incluso, socioliterarios. Esta ordenación del cancionero es la que justifica su génesis como colección estructurada de poemas, más allá de la materialidad.

350 Después del verso 17, hay una línea en blanco, que separa esta primera secuencia del resto de versos.

En el segundo de los cancioneros incunables valencianos, impreso en 1487, en el que se entregaron cuatro premios, todas las secciones que se organizaban a partir de ellos venían encabezadas por el ganador, de lo que dejaba constancia la propia rúbrica. Este recurso organizador de los materiales se repitió también con el impreso de 1489 derivado del certamen inmaculista en prosa latina, mientras que en el de 1488, que recogía materiales del certamen en prosa en vulgar o romance, el segundo de esta trilogía, lo que se hizo fue incluir en el incunable el texto del ganador, el mismo Bertomeu Dimas que encontramos en *Les trobes* (32), siendo este el único que se imprimió de los que optaron al premio. Más allá de que el *Cançoner de sant Cristòfol*, derivado del certamen poético de 1488, también adoptara esta práctica, no debe pasarnos desapercibido que la trilogía de incunables inmaculistas fue impresa también por Lambert Palmart y que, a pesar de ser posterior, podría estar apuntando a una solución prevista en 1474.[351] Digo prevista, porque el premio acabó por no entregarse a un poeta, sino a la Virgen María.

Se ha debatido mucho esta cuestión a lo largo, sobre todo, del siglo XX y no incidiré en las consecuencias que podría tener que un hecho de tales características se pudiera llegar a repetir, ni tampoco en lo grave de la decisión, que no creo que fuese una cuestión jocosa,[352] sino todo lo contrario: una solución de compromiso para salvar una circunstancia delicada y que podría enturbiar la que había sido una fiesta cívica de gran eco social y en la que participó una parte importante no ya de los poetas más destacados de la época, que no es poco, sino de la nobleza valenciana.[353]

Estas circunstancias debieron de influir, sin lugar a dudas, en la propia génesis y ordenación de este cancionero incunable. Hablando de estos poetas, decía Joan Fuster que «els més tocats de classicisme arribarien, potser, a abrigar algun fugitiu somni d'immortalitat» (1968[2]: 350) y no es nada desacertada la consideración, porque habría sido unas de las razones por las que llegó a la imprenta en época tan temprana un incunable poético. Más aún si tenemos en cuenta algunos de los datos que la propia estructura del incunable nos deja entrever.

351 Puesto que *Les trobes* acabaron convirtiéndose en un modelo para los certámenes poéticos valencianos del último cuarto del siglo XV y, especialmente, para los cancioneros incunables derivados, más aún si su impresor era el mismo, por lo que los datos de uno pueden llevarnos a entender los rasgos de otro.

352 «Lluís Guarner vol veure un cert humor en tal sentència que burlava obertament els poetes concursants, els quals quedaven també sense possibilitat de reclamar» (Sanchis Guarner 1975: 339). Véase también Sanchis Guarner 1974: XXXIII.

353 «El mateix èxit social d'aquelles justes poètiques marianes, convocades en nom del Virrei, en assolir la participació de personalitats importants, creaven entrebancs que comprometien el veredicte» (Sanchis Guarner 1975: 344).

Si bien Lluís Guarner establece que a Joan Roís de Corella «se le da el sitio de honor en atención al prestigio de su nombre» (1974a: 23), Martí de Riquer usaba con corrección el artículo, puesto que nos habla de que «hom dóna un lloc de preferència» a este poeta (1964: 372). El matiz es importante, porque el lugar de honor, el correspondiente al premiado, se destinó al poema de Jordi Centelles,[354] mientras que el de Corella se incluyó tras él, en segundo lugar, justo antes de la poesía de Bernat Fenollar, con su preámbulo, con la que respondía al *Cartell.* La presencia de los poemas de Centelles y Corella justo antes de quien, muy probablemente, ordenó el cancionero manuscrito que sirvió de original de imprenta, debe de implicar una importante clave de lectura: muy probablemente, la sugerida por Riquer cuando nos hablaba del carácter belicoso de Jordi Centelles, en algún caso en relación con los certámenes, así como la importancia socioliteraria que se daba a estos premios y las consecuencias que podían llegar a tener. Debió de ser Joan Roís de Corella quien mereciese el premio, pero, por decisión propia o del jurado, ante las presiones o quejas de Jordi Centelles, se prefirió no enturbiar la fiesta y que no se cuestionase un veredicto de un cierto ingenio, que salvaba la situación. Es cierto que esta reconstrucción no pasa de la hipótesis, pero también lo es que la propia ordenación de sus poesías lo sugiere, así como la descompensada calidad de ambas o de los perfiles de sus autores, uno no solo respetado, sino, incluso, muy imitado por algunos de los poemas aquí presentados, mientras que del otro se documentan varios episodios que apuntarían en sentido contrario.

Además, el *Cançoner de sant Cristòfol*, derivado del certamen poético de 1488, deja testimonio de la apelación en verso de Pere d'Anyó a la sentencia del premio principal, una estatuilla en oro macizo del santo, el de mayor valor material de todos los conocidos, que, una vez resuelta, mantenía como ganador a Lluís Roís. Se deja entrever, a partir de los tres poemas del proceso, de Anyó, de Roís y de los jueces, incorporados al cancionero incunable tras la sentencia original, el ambiente creado en este certamen, al que no se debió de querer llegar en este de 1474. Es muy posible que lloviese sobre mojado, de

354 Antoni Ferrando retoma la cuestión humorística que Lluís Guarner atribuye a la *Sentència* y que Manuel Sanchis Guarner cuestiona con la sutileza de un «vol veure», para aplicarla, ahora, a la actuación de Fenollar al dotar a este poema del honor de abrir el cuerpo central del cancionero: «Segurament Fenollar, que devia conéixer molt bé el bregós canonge de la Seu, pensà, no sense humor, que una manera d'afalagar-lo i deixar-lo content era reproduir la seua obra en primer lloc. A Això contribuí, sens dubte, la condició aristocràtica de Don Jordi» (Ferrando Francés 1983: 168). Las razones debían de estar lejos del humor. Esta hipótesis se concibe, además, desde la prevención ante el conocido mal carácter de Centelles, pero no contempla suficientemente que se hayan producido reacciones concretas que ya recomendaran un fallo del jurado como el que acabó produciéndose.

hecho, porque en el premio del *radix Jesse* del certamen inmaculista de 1486, ganado por Jeroni Fuster, se incluyó el poema de Pere d'Anyó en segundo lugar. No sabemos si optó al premio del *marsapà* —ganado, precisamente, por Lluís Roís—, de un cierto carácter simbólico, porque no hay constancia de ello en el incunable, que es declaradamente una antología, aunque sí que la hay de aquella con la que *tirà a l'honor* en la carta de navegar.[355] Podríamos pensar que, habiendo aprendido de lo ocurrido en 1474, debió haberse declarado desierto el premio de 1488, pero ya hemos incidido en la cuestión del peligro que suponía que arraigase esta costumbre, con vistas al éxito de futuros certámenes y por las quejas de los propios poetas, de las que, como hemos visto, quedan huellas en *Les trobes*, pero más importante era la cuestión aquí, por tratarse de un certamen plenamente burgués y con un premio de tal valor material.

Del mal ambiente con el que acabó este certamen no solo queda constancia en los tres poemas del proceso de apelación, sino que también dejó huella material en el cancionero incunable. Ante tales presiones, la solución editorial para el poema de Pere d'Anyó, a manera de cierta compensación y para calmar los ánimos, consistió en incorporarlo en segundo lugar, tras el poema del ganador, pero también se ennobleció su poesía considerándola explícitamente como *coronada* y añadiendo también, por ello, un pequeño grabado de una corona precediendo la rúbrica.

En el incunable de 1474, al no haberse entregado la *joia* a un poeta, sino simbólicamente a la virgen, sí que se pudo recurrir a otorgar el lugar de honor, el correspondiente al ganador, a Jordi Centelles, lo que, sin duda, era una manera de honrarlo: «figura en el llibre de les *Trobes* al lloc d'honor (1), davant de mossèn Corella (2); era, doncs, un personatge important en la ciutat, respectat i temut» (Sanchis Guarner 1974: XXXVI). Con esto, se explicita lo sugerido implícitamente en su día por Riquer: «¿No seria per no poder premiar-los sense notòria injustícia —a Centelles i a Roig— que els jutges decidiren no adjudicar la joia debatuda en el certamen?» (Sanchis Guarner 1975: 331). No creo que haya que involucrar a Roig en esta cuestión, pues no solo se le relega al penúltimo lugar del cancionero y su poema, con seis estrofas, no cumple las reglas del certamen, sino que no hay otros datos que puedan apuntar a ello, a diferencia de lo que ocurre con Centelles, a quien se dedica en el cancionero el lugar del premiado, si bien todos sabrían, en realidad, que no lo fue y por qué se le concedió tal privilegio. Compensase o no tal solución

355 Y, por esa razón, dado que el *robí* y la *carta de navegar* eran premios complementarios, sí que debió de participar con un poema al primero de ellos, que era el premio más valioso. Destacaría, por tanto, que su poema no se incluyese en esa sección principal.

para calmar los ánimos, lo que me parece fuera de toda duda es que darle tal honor en este cancionero incunable, así como los términos en que se dictó la sentencia, debían de ser hechos muy relacionados, de la misma manera que lo era relegar a Joan Roís de Corella a un segundo lugar, como reconocimiento singular, probablemente porque era el justo merecedor de la *joia*. No en vano ambos poemas suponen el preámbulo al cuerpo del cancionero, precediendo a la propia poesía de Bernat Fenollar, que encabeza el resto del corpus de respuestas al *Cartell*.

El hecho de que esta composición de Bernat Fenollar se encuentre en una posición tan privilegiada como la tercera, justo después de Centelles y Corella, podría responder a un tema protocolario, pero pensemos que Ferran Dies, en el incunable inmaculista de 1487, incluyó su poema —también sin optar al premio— al final del cancionero, un cancionero impreso, de nuevo, por Palmart. Me parece más bien, teniendo en cuenta la necesidad de dejar constancia de su autoría del *Cartell* en la larga rúbrica inicial, que las razones fueron otras. Hablaba, anteriormente, de la peculiar personalidad que emergía de un Narcís Vinyoles omnipresente y de una necesidad de cierto protagonismo, el mismo que tendría Bernat Fenollar en este cancionero que —no lo olvidemos— él mismo debió de compilar y en el que, justo tras su composición, incluye no una, sino dos poesías de Francí de Castellví y otras dos de *mossén* Barceló. Ambos poetas no solo eran nobles, sino que el primero, era el hermano de Lluís de Castellví (Martí Grajales 1894: 34-35; Ferrando Francés 1983: 173-175), uno de los jueces de este certamen,[356] mientras que al segundo habría que identificarlo con Francesc Barceló, el yerno de Berenguer Mercader,[357] lo que justificaría, en ambos casos, su posición. Los siete primeros poemas de este cancionero dirigidos a la Virgen no

356 El otro era Joan de Pròixida, uno de los participantes en el *Parlament en casa de Berenguer Mercader* (Martos 2001: 270-282), junto a Lluís de Castellví, lo que era muestra suficiente de la estrecha relación entre ambos y el suegro de Francesc Barceló, de manera que es lógico que fuese extensiva a él, más aun teniendo en cuenta su dominio poético, especialmente en la composición en catalán, a pesar de que los dos textos de *Les trobes* sean su única producción conocida.

357 Lo era entonces y lo fue solo dos años más, hasta la muerte de su esposa, como sabemos desde Martí Grajales: «A nombre de *Mossen Barceló caualler*, aparecen dos composiciones en esta justa poética. Indudablemente éste no debe ser otro que el caballero valenciano D. Francisco Barceló, que vivía en aquel tiempo y estaba emparentado con las más importantes familias del reino. Este casó en primeras nupcias con Doña Violante Mercader, hija de D. Berenguer Mercader, en cuya casa hemos dicho repetidas veces se reunían los mejores poetas de su tiempo, de quien tuvo un hijo llamado Vicente Jerónimo. Muerta su esposa en 6 de Noviembre de 1476, habiendo otorgado testamento en el día anterior ante el notario Juan Verdancha, le instituyó por su heredero universal» (1894: 35-36).

presentan una secuencia al azar, sino que responde a razones muy concretas de protagonismo socioliterario, en unos términos relacionados con ese sueño de inmortalidad de que nos hablaba Joan Fuster. Imaginemos la sensación de llegar a la letra impresa, una novedad tal en la Valencia de entonces, con lo que implicaba formar parte de ello, siendo, además, lo nunca visto para la poesía en vulgar en las imprentas hispánicas y lo que no se volverá a conocer hasta 1482, en Zamora.

Destacaba Lluís Guarner que, en la *Sentència*, «el jurado manifiesta que todos los concursantes cumplieron las condiciones impuestas» (1974a: 21-22), pero esto no fue así,[358] como he explicado anteriormente, en cuanto al número de estrofas y a la cohabitación de *tornada* y *endreça* en una misma composición. De hecho, Francí de Castellví optó al premio con un poema de gran calidad poética, pero con siete estrofas, dos más de las permitidas, por lo cual, quizás, no fue firme candidato a él. A pesar de ello, se decidió incluirlo en el cancionero, así como otras composiciones, entre las que se encontraba una de las tres de Narcís Vinyoles y la de Jaume Roig. La concesión a estos tres autores parece que hay que justificarla por razones que irían más allá de la literatura, dos de ellos con más de un poema y el otro, probablemente, añadido a última hora y de una calidad discutida.[359]

Los poemas presentados *per l'honor* emergieron en la estructura del cancionero desde las composiciones de Francí de Castellví y Francesc Barceló, al combinar la voluntad de dotarlos de una posición privilegiada y de incorporar dos poesías de cada uno, de las cuales solo una optaba a la *joia*. Tras ellos, se dio un lugar también especial a Lluís Alcanyís y a Joan de Nájera, antes de comenzar una amplia sección dedicada a notarios, encabezada por Berenguer Cardona, de quien se incluyen también dos poemas, probablemente por ser el mayor de ese grupo de poetas y contar con un importante prestigio, «como ciertamente lo demuestra el hecho de ejercer su profesión desde 1422» (Martí Grajales 1894: 41). Tal sección estaba formada por los notarios Berenguer Cardona, Pero Peres, Joan Verdanxa, Joan Moreno, Antoni Vallmanya, Lluís Monyós y Joan Gamiça. Si Cardona era el mayor

358 Ni siquiera lo es, *stricto sensu*, que se expresara en estos términos la *Sentència*, si no es por lo que se refiere a sus versos 38-69, que se limitan a cuestiones temáticas y no técnicas, como el número de estrofas y la presencia de *tornada* o *endreça* (h. 59^{r-v}).

359 «Una poesía mediocre, de compromiso» (Guarner 1974a: 24); «Però el poema que hi trameté Roig, aleshores ja septuagenari, no ultrapassava la discreció o més bé la mediocritat» (Sanchis Guarner 1975: 344); «No hi ha cap nota d'originalitat ni cap to personal en la composició de Roig. El nostre poeta s'ha limitat a posar en vers uns conceptes bíblico-eclesiàstics aleshores repetits a la sacietat, sempre, naturalment, dins la perspectiva immaculista. Alguns fragments semblen fins i tot una adaptació dels versos marians del seu *Espill*» (Ferrando Francés 1983: 245).

de ellos, Gamiça debía de ser el más joven, puesto que, como documenta Martí Grajales (1894: 48-49), fue nombrado notario público por el príncipe Fernando, el futuro rey Católico, el 5 de octubre de 1472 y habilitado por el *Consell de la ciutat de València* el 19 de marzo de 1474, esto es, con posterioridad a la convocatoria del certamen y solo seis días antes de su celebración, el 25 de marzo. Parece, por tanto, que el criterio cronológico, asociado al prestigio social y/o profesional, era un criterio de ordenación de los materiales.

A continuación, se incluyen, también agrupadas, las dos primeras composiciones de Narcís Vinyoles,[360] primero la que opta al premio y, después, aquella con la que *tira a l'honor*, tal y como encontrábamos en las dobles autorías de Castellví, Barceló y Cardona. Parece encabezar también una sección, dedicada a la burguesía, en el que tienen una presencia notable los aún entonces escribanos, lo que también nos ofrecería un criterio de ordenación de una cierta coherencia, al posponerlos a la sección de notarios: Joan Sobrevero, Joan Llansol, Genís Fira, Miquelot Peres y Bernardí Vallmanya. No obstante, al hablar de Miquelot Peres, Martí Grajales sugiere también otro criterio organizador de esta sección, que, en ese caso, ampliaría sus límites y que, a mi parecer, no es nada aventurado: «Asimismo en el orden de colocación aparece incluído entre Genís Fira, Lansol, Sobrevero, Bernardino Vallmanya y algún otro, en plena juventud todos ellos» (1894: 61).

En el momento de celebración del certamen, Sobrevero aún no era notario, sino solo escribano (Martí Grajales 1894: 57), pues no fue nombrado como tal hasta dos años después, el 29 de febrero de 1476 (Ferrando Francés 1983: 192-193). Aunque Martí Grajales (1894: 58) identifica al segundo de estos poetas escribanos como Joan Llansol Albinés, documentado, de hecho, en relación con Pero Pérez, también participante del certamen, Antoni Ferrando defiende que debe de tratarse, sin embargo, del canónigo de la Catedral, para lo que aduce que precede a Genís Fira, «una importante figura eclesiàstica valenciana del regnat de Ferran *el Catòlic*» (1983: 194), razón por la cual es suficiente con indicar su apellido. De lo primero, hay que tener en cuenta, sin embargo, que Genís Fira «devia ser prou jove quan participà al certamen de 1474» (1983: 194), por lo que, simplemente, podríamos estar ante un estudiante, como Bertomeu Salvador o como Joan Verdanxa *menor de dies*, o un participante muy joven, en la línea de lo sugerido por Martí

360 *Conseller de la ciutat* desde 1468, para cuyo prestigio público, ocupando cargos desde entonces hasta 1517, véase Martí Grajales 1894: 49-57 y Ferrando Francés 1983: 187-192. Asimismo, véase Ferrando 1978, que contiene, además, la edición crítica de su obra completa.

Grajales.[361] Tradicionalmente, se ha identificado a Miquelot Peres con el escritor que ahora sabemos que fue yerno de Joan Roís de Corella (Soler 2014), aunque también había en la época dos notarios homónimos, «uno de los cuales murió el 16 de febrero de 1496, habiendo otorgado testamento en 12 de dicho mes ante Pedro Vilaspinosa» (Martí Grajales 1894: 61).[362] No puede pasarnos desapercibido, al respecto, un dato recientemente descubierto sobre Miquel Peres: su participación en otro certamen en 1488, en prosa latina, del que fue ganador (Martos 2019d). Bernardí Vallmanya, de hecho, es el único de esta sección cuya profesión viene identificada en la propia rúbrica y lo hace como *escriuent*.

Decía que la anterior sección podría tener un epígono en la siguiente, aunque algo más anárquica, donde hay tanto escribanos, como jóvenes poetas —quizás es este el criterio que la unifica—, en la que aparecen también los dos únicos menestrales, uno de ellos castellano y, de ahí, probablemente, que se incluya al otro cerrando esta secuencia de composiciones: el *argenter* Pere de Civillar, el *mestre d'escriure* Llorenç Diamant, el *nahiper* Joan de Santcliment, el *studiant* Bertomeu Salvador, Joan Verdanxa *menor de dies*, Lluís Català, Bertomeu Dimas[363] y *hun castellà sens nom*.

Parece que la estructura sí que sigue, por tanto, unos patrones generales, de prestigio social o estamentario, o de edad, y lo hace con una cierta sistematicidad, que evidencia cuál debió de ser el criterio organizador del cancionero preparado por Fenollar. A partir de aquí, sin embargo, hay cierta heterogeneidad, que es muy probable que debamos interpretar en relación con el hecho de que comienza un cuaderno, en lo que podría ser una última remesa de poetas añadidos —Vilalba, Joan del Bosch, Gassull, Lluís Garcia y Bernat Despuig—, en un momento tan incipiente de la imprenta valenciana y con la inexperiencia de la impresión de textos poéticos antológicos.

Aquí se inicia la que debía de haber sido la última sección del cancionero, correspondiente a una recopilación de los poemas presentador *per l'honor*, encabezada, precisamente, por la tercera de las composiciones de Narcís

361 De hecho, este criterio organizador de la sección contradice en buena medida la propuesta del Llansol canónigo, que sería de edad muy avanzada en 1474, porque ya lo documentaríamos como tal el 1 de diciembre de 1437, como advierte el propio Ferrando (1983: 194).

362 Por la asociación con Pere Vilaspinosa, Antoni Ferrando (1983: 196) se llega a plantear, incluso, que el poeta de *Les trobes* pudiese ser el padre del conocido escritor hagiográfico, aunque lo descarta, en su favor.

363 De Lluís Català y Bertomeu Dimas solo sabemos por este certamen y los organizados por Ferran Dies doce y trece años después, de tema inmaculista, el segundo de los cuales ganó, de hecho, *mossén* Dimas.

Vinyoles.[364] Así ocurre con los otros cancioneros poéticos incunables, que se cierran con los poemas que no optan a la *joia*, si bien aquí, por otros criterios de organización, algunos de estos se han desplazado a secciones previas, tal y como se ha ido viendo. La última de estas composiciones es la doble de Pere Alcanyís, en la que queda huella de una aglutinación de rúbricas, a diferencia de la manera en que se trató esta circunstancia en el poema doble de Fenollar, lo que evidencia una cierta improvisación en el cierre del incunable.

Tras esta sección, que debió de haber sido la última primigeniamente, se añadieron otros tres poemas: el de Jaume Roig, el de Pere Bell y el de Joan Vidal, los tres optando al premio. Debieron de ser olvidos importantes y adiciones de última hora:

a) el caso tan manido de Jaume Roig, que explicaría, por esta razón, su posición avanzada en el cancionero, lo que sorprende, incluso, a los lectores del ejemplar único conservado, puesto que es la única marca de lectura a tinta de cierta importancia, subrayando su nombre en la rúbrica y destacándolo con otras dos señales de la misma tinta en el margen izquierdo, junto a ella y junto al primer verso, respectivamente;
b) el de Pere Bell, que, si tenemos en cuenta que Martí Grajales (1894: 90), a partir de Ferrer y Bigné, lo identifica con un *mestre* en medicina o cirugía, podría explicar que, a partir del médico Pere Alcanyís, se recuerde el olvido de Jaume Roig y que, al restituirlo, se complete la terna con otro médico;
c) y el poema de Joan Vidal, no solo presbítero de la catedral y amigo personal de Fenollar, sino que era uno de los miembros designados, junto a él y otros, como juez,[365] como expresa en el segundo de los paratextos editoriales en prosa: el que precede a la sección de la *Sentència* (h. 57^{v}-58^{r}).

---

364 Es esto lo que podría explicar su desplazamiento, a pesar de su incorporación previa de una secuencia de dos, en la que se aprovechara para aumentar su sobrerrepresentación, sin incumplir la norma utilizada en Castellví, Barceló y Cardona.

365 Lluís Guarner distingue la función de los seis jueces en este sentido: «Designose un jurado de honor, compuesto por relevantes personalidades de la vida valenciana, entre las que figuraba el *Cabiscol de la Seu* (o sea el maestro de las escuelas catedralicias, prefecto de estudios) y los próceres Joan de Próxida y el magnífico Lluís de Castellví, de las familias más relevantes de la ciudad. A este jurado honorífico se añadieron los que hoy llamaríamos técnicos literarios, como el obispo de Cristonopol, Martí Enyego, canónigo de la catedral, y los presbíteros Joan Vidal y Bernat Fenollar, que vino a ser el mantenedor de la fiesta, quien también presentó poesía, pero sin opción a premio, y cerró el certamen como poema en el que se supone que la Virgen María misma agradece a los poetas su participación en alabanzas» (1974a: 21).

La incorporación de Joan Vidal como juez no sería coherente con la presentación de un poema que optase al premio, si no fuese porque la adición de estos cuatro jueces a los dos declarados en el *Cartell* también debió de ser consecuencia de la peculiar sentencia, del cambio de rumbo del certamen, para tomar cierto protagonismo en ella y salvaguardar, así, la actuación de Lluís de Castellví y Joan de Pròxida.

Finalmente, precediendo este texto en prosa y cerrando la sección de poetas que respondieron al *Cartell*, se encuentra el poema de agradecimiento de la Virgen; después de él, en tanto que es la rúbrica general para la última sección, con el veredicto, acaba este cancionero con los poemas de la *Sentència* y la *Dispositio*, todos ellos paratextos que enmarcan la conclusión del certamen, pero no necesariamente fueron estos todos los que se recitaron en ese momento de la festividad, ni siquiera estos son, quizás, la totalidad de los que se llegaron a incluir en este cancionero incunable.

2.5.7. Poesía perdida

No hay duda de que todos los poetas que se incluyen en este cancionero incunable participaron en el certamen, pero no, por ello, fueron, necesariamente, los únicos que lo hicieron, como ya se planteó Martí Grajales: «De cuarenta poetas hay composiciones en este libro (y si al certamen que lo motivó acudieron más, solo de estos se incluyeron)» (1894: 12). En este mismo sentido, Antoni Ferrando aduce que «les referències que llegim a la introducció o cloenda de les impressions de diversos certàmens de l'època, ens fa sospitar que el nombre de poetes devia ser probablement major» (1983: 166). Se debía de referir, fundamentalmente, al incunable impreso también por Lambert Palmart y derivado del certamen poético inmaculista de 1486, el segundo de los cancioneros incunables valencianos, puesto que en uno de sus paratextos, en la *Exhortació de benivolència*, deja constancia de que no se recogen todos los poemas que participaron en ellos (Martos 2019b: 155-156): «Segons posa lo glorios sent johan euange/ | lista/ que moltes e altres diuerses obres feu | iesu crist nostre deu e senyor en lo conspecte | de sos dexebles q*ue* no son escrites poden daci | exemple grandissim pendre/ tots aquells qui | dit hauran/ en laor de tanta senyora/ si en lo | p*re*sent tractat me*n*cionats nos troben co*m* sien | molts/ e sego*n*s lo vulgar p*er*lar/ mal de molts | sia conort d*e* hu [...]» (h. i8^{r}). Explicita la razón de la selección, que no es ofender a nadie, sino buscar la brevedad del opúsculo, lo que debemos interpretar en términos comerciales del producto editorial: «com aço nos es/ | guarde afer ho yo p*er* desalt d*e* negu mas p*er*sola | breuitat mogut» (h. i8^{v}). Se trata de un impreso de 72 hojas, frente a las 60 de *Les trobes*, si bien el primero es *in octavo* y el segundo in *quarto*, cuyos contenidos se podrían considerar, por tanto, de una extensión muy similar y, asimismo, hacer extensivas al impreso de 1474 las consideraciones de Ferran Dies para el de 1487, lo que, en cualquier caso, no deja de ser un argumento más para una hipótesis, a partir de los usos editoriales del segundo de los cancioneros incunables de Lambert Palmart.

Los dos incunables en prosa patrocinados por Ferran Dies, que forman con el cancionero de 1487 una trilogía del mismo impresor derivada de los tres certámenes inmaculistas, tienen una extensión similar, con alrededor de la mitad de hojas que los dos cancioneros incunables previos,[366] lo que sería lógico al tratarse de un tipo de obras que debían de tener menos salida comercial y, por ello, se habría recurrido también a la selección para abaratar el producto. En ambos casos es obvio que fue así,

a) porque en el impreso de 1488 se incluye exclusivamente el texto del ganador, Bertomeu Dimas, así como, entre los paratextos del certamen, a cargo de Ferran Dies, se incorpora también la obra alegórica *Visió a la porta de Nostra Senyora de Gracia* de Joan Roís de Corella con su oración a la Inmaculada como remate y, finalmente, un sermón inmaculista de Felip de Malla, predicado en Barcelona, en Santa María del Mar (Martos 2022a: 151-154);
b) porque en el incunable de 1489 se mencionan al final los oradores que participaron en el certamen, que no coinciden con los textos inmaculistas en prosa latina efectivamente incluidos en él (Martos 2019b: 156).

El caso del tercero de los cancioneros incunables, el que he denominado como *Cançoner de sant Cristòfol*, derivado del certamen hagiográfico correspondiente, que tuvo lugar en 1488 (Martos 2016a y 2016b), sería algo diferente, porque sí que tenemos constancia de que al premio menor se presentaron solo los ocho poetas que se incluyen en él, sin selección, por tanto, pero también es cierto que la otra *joya* era de gran valor, tanto material, como simbólico, por lo que, aunque la mayoría de los poetas debieron de optar a ella, solo se incluyen siete poesías que lo hicieran, una menos que las que concursaron por el *marsapà*, lo que es, a mi parecer, una prueba evidente de que estamos, de nuevo, ante una selección de textos y poetas.

De ello, podríamos deducir que el cancionero incunable de *Les trobes en lahors de la Verge Maria* es una antología y, así, concluir que ciertos poetas quedaron fuera de este cancionero incunable, habiendo participado en el

366 En ambos casos, con plegado *in quarto*. Para la materialidad y los contenidos de estos incunables de 1488 y 1489, véase Martos 2019d, 2021 y 2022a.

certamen, aunque esto no sería más que una deducción de una práctica documentada con posterioridad en otros impresos similares. Cuarenta autores son, de hecho, muchos más de los que vamos a encontrar en los incunables posteriores derivados de certámenes.

Antoni Ferrando destaca «la manca d'altres notables poetes contemporanis, como Pere Vilaspinosa, Miquel Estela i Joan Escrivà» (Ferrando Francés 1983: 166), quizás pensando en la relación con Fenollar, en textos de autoría colectiva o polifónica, especialmente en el debate sobre el *veure*, el *grat*, el *enteniment* y la *voluntat*, en el que intervino junto a Vidal, Verdanxa y Vilaspinosa, y cuyo juez fue Miquel Estela.[367] Verdanxa y Vidal participaron en el certamen, si bien el segundo estuvo a punto de quedar fuera de la selección, como he explicado en el epígrafe anterior, en tanto que cierra el cuerpo de poemas dirigidos a la Virgen y parece incluirse en un grupo de tres poetas incorporados ya avanzada la selección, al menos; de la participación de Vilaspinosa, sin embargo, no hay huella evidente en este cancionero incunable;[368] y del barcelonés Miquel Estela, no era imposible su participación, vista la de Antoni Vallmanya o, incluso, la de Joan de Santcliment, aunque el porcentaje de catalanes en este certamen valenciano, como se ve, fue muy simbólico.[369]

Aduce Ferrando también a Joan Escrivà y, en ese sentido, añadiría yo a Lluís de Vilarrasa, porque compartían escenario en el *Parlament en casa de Berenguer Mercader* con otros tres participantes que bien presentaron un poema *tirant a la joia*, en el caso de Corella —el reportador del convivio

367 Para este poeta y su relación con Fenollar, véase Martínez Romero 2018.

368 Aunque quizás haya que buscarla fuera de él y a ello me referiré en la segunda parte de esta monografía.

369 Precisamente, Miriam Cabré (2002) documenta un certamen en Barcelona al año siguiente, en 1475, con un protagonismo de Joan Fogassot, que comparte debate con Pere Vilaspinosa, el autor de la *Salve Regina* objeto de la segunda parte de este trabajo. Es este ambiente de certámenes lo que, como bien explica Rossich, favorecen la «vertebració cultural per a una àrea concreta, sense unitat política, però que té un tret diferencial en comú: la llengua. O sigui, la llengua literària. O més exactament, la llengua poètica» (Rossich 2006: 70-71). Ese ambiente, esa coexistencia de certámenes, es la razón de ser de esa movilidad de valencianos, mallorquines y catalanes en los diferentes encuentros poéticos, como certifican los diferentes incunables conservados y algunas muestras manuscritas aisladas, o su propia inclusión en antologías posteriores, como el propio *Cancionero General*. Ahora bien, de nuevo Valencia se singulariza para dar un paso más allá de esa vertebración lingüística y da cabida a otras lenguas, el castellano y el toscano, es cierto que en los términos explicados por Sanchis y Ferrando, pero, con ello, también tienen su espacio poetas, ocasionales o no, de procedencia castellana e italiana: véase el *castellà sens nom* de *Les trobes* o Joan Tallante, en el certamen inmaculista de 1486 y en el los *Vint triomfs de Maria*, o el caso de Bertomeu Gentil del *Cancionero General*.

literario—, o bien fueron los jueces elegidos, esto es, Joan de Pròixida y Lluís de Castellví. Además, el hermano de este último y el yerno de Berenguer Mercader, es decir, Francí de Castellví y Francesc Barceló, tienen, como hemos visto, un protagonismo importante en el cancionero incunable,[370] en cuarta y quinta posición, respectivamente, tras las dos primeras composiciones, de Centelles y Corella, y la poesía doble de Fenollar mismo, con una sobrerrepresentación de ambos, al incluir un poema en catalán y otro en castellano cada uno de ellos. Sin embargo, la ausencia de Escrivà y Vilarrasa en el cancionero de *Les trobes* no debe de provenir de una presunta selección de Fenollar, sino, quizás, de la propia ausencia de participación de estos poetas en el certamen poético, porque no queda huella en la producción de ambos de haberlo hecho en otro posterior ni, menos aún, anterior. A esto hay que añadir que, además, si hubiese existido selección, esta no solo afectaría, necesariamente, a los poetas ausentes de este cancionero, sino que, teniendo en cuenta los cuatro casos de dos o tres poemas de Castellví, Barceló, Cardona y Vinyoles, nada descartaría que los autores con una sola composición también hubiesen recitado otras *tirant a l'honor* o, cuando las que se conservan son estas, alguna *tirant a la joia*. Sin embargo, la sobrerrepresentación de estos podría llegar a ser, en realidad, un argumento *a contrario*.

La hipótesis de la antología poética[371] se basa, por tanto, en lo ocurrido en los certámenes posteriores, sobre todo teniendo en cuenta que algunos, que siguieron el modelo de este de 1474, más allá de la evolución que tuvieron, fueron impresos por Palmart también y, así, podrían haber retomado algunas de las soluciones editoriales de este, silenciadas aquí, pero evidenciadas en los otros. Sin embargo, si diésemos por válido lo que anuncia la extensa rúbrica en prosa que precede a la sección final —«VENGVDA la Iornada als demunt no | menats dehidors assignada ahoyr se*n*te*n*cia»—, deberíamos entender que se refiere a los cuarenta poetas incluidos en el cancionero —y no a otros— como aquellos que asistieron a su publicación. Después dice este mismo texto, sin

370 Por razones muy diferentes, como hemos visto: por presiones y cuestiones externas a la poesía el primero; y por méritos literarios, el segundo.

371 Más allá de que no todas optaron al premio, como ya se ha dicho, Torres Belda considera que «Ese libro contiene las composiciones poéticas presentadas para obtar al premio ofrecido en una justa literaria en loor de la Virgen María» (1874: 45), con un uso del artículo determinado femenino plural que, implícitamente, rechaza que pudiera ser una antología, probablemente por no completarlo, pues el primero en sugerirlo fue Martí Grajales (1894: 12), veinte años después. Martí de Riquer, en cualquier caso, también lo indica así, excluyendo y, de hecho, no contemplando la posibilidad de la antología: «Aquest llibre conté *les poesies presentades* a un certamen convocat a València l'11 de febrer del 1474 i jutjat el 25 de març, dia de l'Anunciació» (1964: 372).

embargo, que, en la publicación de la sentencia, no estaban presentes todos, aunque sigue identificando a los poetas participantes en el certamen con los incluidos en el cancionero: «e aq*ue*lla pub | licar r*e*quirents los demu*n*t scrits trobadors | o la mes part de aquels a qui presents con | stituits».

Los contenidos del incunable incluyen poesías de menestrales o de un nutrido grupo de jóvenes, junto a pocos miembros de la nobleza, aunque cercanos y destacados en el cancionero, lo que podría llegar a entenderse como una falta de selección, en un sentido y en el otro: porque sería extraño dejar fuera las poesías de algunos nobles, especialmente ante el peculiar desarrollo que tuvo el encuentro, si no fuese porque ellos mismos, en desacuerdo con la sentencia o por otras razones, decidieron no incluirla; y porque la representación de poetas jóvenes es, quizás, tan notable, que sorprende, así como de autores menestrales o de otras procedencias geográficas, de la misma manera que lo es duplicar y triplicar la participación de algunos poetas, mientras que se dejan fuera del impreso a otros. Y, en este mismo sentido, en un proceso selectivo, sería fácil de entender la incorporación de poemas de calidad literaria muy cuestionable cuando se trata de la nobleza, pero no tanto cuando es de la menestralía o de jóvenes poetas de la burguesía, si no es porque hay una cierta voluntad de exhaustividad.

Si, efectivamente, fuese una selección, nos encontraríamos ante un importante caudal de poesía perdida, difícil de cuantificar, más aún, teniendo en cuenta que, si bien algunos de los poemas derivados de certámenes han emergido en cancioneros manuscritos o en impresos incunables, en unos casos con rúbricas muy clarificadoras y en otros con datos que inducen a pensar en ello, otros, siendo tan general su temática como el elogio mariano, podrían pasarnos desapercibidos dentro del corpus de algunos poetas. Eso o, simplemente, haberse perdido, si es cierto que llegaron a no incluirse.

Sabemos, sin embargo, que el ejemplar único de este cancionero incunable es mútilo y que, al menos, le falta la hoja del último cuaderno conservado, la h. 60, en la que piensa Josep Villarroya[372] que no solo se encontraba el colofón, que aún habrían llegado a ver Josep Rodríguez y Vicente Ximeno, sino también la parte final de la sentencia en verso:[373]

372 El único bibliógrafo que había mantenido lo que aquí se ha confirmado mediante el estudio material del incunable, esto es, la pérdida de un folio, al menos.

373 «Volviendo ahora de esta especie de digresion (si acaso merece tal nombre) al asunto de que estoy tratando, diré que las palabras *SENTENCIA* y *DISPOSITIO*, se hallan puestas en la obra de Mosen Fenollar con letras mayusculas. En la ultima pagina solo queda una linea sin ocupar, y en ella no podia caber la palabra *PUBLICATIO* si habia de ser de la misma letra. Asi que no puede dudarse con racional fundamento que habia de continuar en la siguiente» (Villarroya 1796: 65).

> Sobre el concurso de trovadores y opositores al premio, se formó una especie de pleyto. Los asistentes á la Real cofradia de San Jorge en el dia 25. de Marzo de 1474. suplicaron que se acordase sentencia y procediese á su publicacion. Esta se verificó en efecto, porque en la certificación ó advertencia literalmente se dice, *fonch donada e* PROMULGADA. La publicacion es esencial para que valga el fallo, y aun prescindiendo de la solicitud de los interesados, no hubiera podido omitirse para la formalidad del juicio. El Sabio Rey Don Alfonso, hablando de algunas nulidades de las sentencias, dixo: «Pero antelo deue facer escreuir en los actos, é deuelo leer el mismo (Juez) públicamente, si supiere leer, seyendo assentado en aquel logar que sea conuenible para ello». Y en otra parte: «Esso mismo seria quando judgassen, non seyendo delante las partes, ó non las auiendo emplazadas, que viniesen á oir su juicio». En efecto está la *SENTENCIA*, esto es la Cabecera; está *DISPOSITIO*, esto es el Fallo; pero falta el *PUBLICATIO*, esto es la Publicacion. Luego falta la ultima hoja donde estaba esta, y el lugar y año de la impresion, que vieron Rodriguez y Ximeno (Villarroya 1796: 61-62).

No obstante, los textos alfonsíes que se aducen aquí no contradicen el desarrollo del certamen, puesto que, en efecto, hubo una lectura pública de la *Sentència* y la *Dispositio* que la acompañaba el 25 de marzo de 1474, tal y como indica la extensa rúbrica que precede a esta sección final (h. 57^{v}-58^{r}), en la que se dice claramente que los participantes acudieron *a hoyr sentència*, con lo que, efectivamente, *fonch donada e promulgada*, en *la casa de la confraria de sant Jordi de la dita ciutat de València*, en presencia del virrey y de los jueces, más allá de que se diera por escrito al notario para que diera fe de ella: *en poder del discret n'Anthoni Cendra, notari, rebuda e testifficada instans, e aquella publicar*. Que se publique, no implica que deba haber un texto poético con una rúbrica PUBLICATIO, como cree Villarroya, para lo que aduce, como principal argumento, la sentencia de la *Disputa de viudes i donzelles*:[374]

> Este modo de discurrir ciertamente no nace de sutilezas del ingenio. La formalidad de la publicacion de iguales sentencias, se nota en las contiendas ó certamenes de aquellos tiempos. Al fin de las Poesias de Jayme Roig se halla un pleyto ó disputa entre Mosen Jayme Siurana generoso, y Luis Juan Valenti, Doctor en Medicina, sobre respectivas ventajas y preferencias entre Doncellas y Viudas, de que fue Juez Andres Martí Pineda, Notario público, muy perito en su profesion, celebre Poeta, y Secretario en la justa poetica, que á la Purisima Concepcion de Maria Santisima se celebró en la Parroquia de Santa Catharina Martir en 15. de Diciembre de 1452 (*sic*) (=1532). é imprimió Francisco Diaz Romano en 1533. en 4. Quando el proceso tuvo estado acordó Pineda esta sentencia.

374 A Salvá, sin embargo, no le convencen como argumento: «estos textos aducidos por Villarroya para justificar su creencia, me parecen de poca valia» (1872, I: 140-141).

Definitiva
Que tornen la fama, y gran preeminencia
Á Vergens y Viudes honestes y bones,
Y en altres tants metres, guarnits de eloquencia,
Alegres publiquen la gran excelencia,
Les honres y gracies de totes les dones;
Y puixque entre totes ateny major gloria,
Dels estaments delles tenint lo mes noble,
Mostrant la medulla de nostra memoria,
La palma y trimpho (*sic*), lorer y victoria
Deu rebre la Verge dels Reis y del poble.
Als dos condemnantlos, que dels clar entenga
Que Verge, y no viuda, el amich content prenga.

Lata sententia
Vidit Misser Guardiola.
Vidit M. Luch Ricart.

Scriba
Andres Martinus Pineda Not. (Villarroya 1796: 62-64).

Encontramos un modelo de sentencia similar, precisamente, en la conclusión de *Lo somni de Joan Joan*, con la que comparte, incluso, la rúbrica final: *Lata sentencia*. El punto en común entre las tres obras es, en efecto, la utilización de procedimientos y terminología jurídica de la época,[375] que, sin embargo, no va a desarrollarse de una manera tan protocolaria en el *Debat sobre el veure, el grat, l'enteniment i la voluntat* del *Jardinet d'orats*, para el cual Joan Roís de Corella, como es bien sabido, rechazó la propuesta de ejercer como juez.

La *Lata sentencia* de *Lo somni de Joan Joan* se construye mediante una décima en decasílabos, frente a los versos anteriores en *codolades*, que cumple el mismo papel que la *Dispositio* de *Les trobes* y siguiendo, por tanto, una misma estructura:

A totes elles,[376]
Axi viudes com donzelles,[377]

375 Más allá de que en *Lo somni de Joan Joan* sea para parodiarlos, como ha estudiado con profundidad Llúcia Martín (2009), a cuyo trabajo remito.

376 Incorporo solo un fragmento del final de la extensa *Sentència* de *Lo somni de Joan Joan* (Miquel i Planas 1911: 172-183) para comprobar el contraste métrico, similar al de *Les trobes*, y así lo haré en otros ejemplos que aduciré después.

377 Esta conclusión de la sentencia y la rúbrica posterior, así como otros rasgos de *Lo somni de Joan Joan*, ponen en relación directa este texto y la *Disputa de viudes i donzelles*.

Ab vells casades,
Sens que no sien obligades
A perdre'l dot,
Puguen seguir lo nostre vot,
Si, en jouent,
Ab ells tendran acostament;
Per que [e]s raho,
Puix ells se tallen lo basto
Ab ques castiguen;
Hi, per que mes no les fatiguen
Ab tals empreses,
Los condempnam en les despeses.

LATA SENTENCIA E FI DEL SOMPNI[378]

Y axi les part, – ab paraules corteses,
Qui, marmulant, – mostraua cara trista;
Altres, rient, – refermauen les preses;
Veyeu entrells – rahons hi grans conteses,
Axi de gest, – paraules, com de vista.
Pero nols cal – a les dones res tembre,
Puix per sa part – la sentencia canta;
La qual, per mes – los mals daquelles rembre,
Se poblica – a sis jorns de deembre,
Mil quatrecentes – del any sis e noranta.

Y, ab la remor de la gent tanta,
Y ab laualot,
Que scriure prou del tot nos pot
Lo qual fon gran,
se desperta Johan Johan (Miquel i Planas 1911: 183-184).

No es solo esta obra satírica, tan cercana a Fenollar, la que incorpora un modelo de *Sentència* y *Dispositio* similar a la de *Les trobes*, que no encontramos en el resto de cancioneros incunables valencianos, pero sí en otros dos del siglo XVI, también derivados de sendos certámenes poéticos: los celebrados en loor, respectivamente, de Santa Caterina de Siena (1511) y de la Inmaculada Concepción de María (1532).[379] En ambos casos, como en *Les trobes* y

378 La rúbrica se genera, sin duda, en el taller de imprenta y aglutina la disposición final de la sentencia o *lata sentencia* con los últimos versos en *codolades*, que cierran, con cierta precipitación, la obra.

379 Precisamente a este último aludía Villarroya, aunque con error de fecha, al referirse a Pineda para identificar el texto de la *Disputa de viudes i donzelles*, pero no advirtió las características de su sentencia final.

en *Lo somni de Joan Joan*, se construye la *Sentència* en *codolades* y se remata con una *cobla esparsa* en decasílabos, que en el caso del cancionero de 1511 está formada por nueve versos y en el de 1533[380] por diez:

Vist lo libell lo que demana
e què requir,
vist de cascú lo procehir
y los vocables,
vist los estils tan agradables
plents d'eloqüència,
ab gran temor de la sentència,
gosam fer mostra.

Mas puix tenim davant la vista nostra
aquella lum que·ls cels tots il·lumina,
y avent ja vist cascuna obra vostra,
y vist també la que millor se mostra,
en est parer nostre juhí camina:
Que, puix en dir y en bell estil avança
als altres tots, portant gran milloria,
en lo jutgar tenint egual balança,
jutgam lo pris que de Ferrandis sia (Ferrando Francés 1983: 726-727).

Tant, que mostram nostra sentència
ab gran temor,
dexant ulls, prechs y rar favor,
tenint present
lo Jutge just omnipotent
per clar guió,
mirant la difinició
de la justícia,
qu·és un voler just sens malícia,
clar judicant,
ha cada hú son dret donant
ab pes egual,
vist quan fa veure·n general,
sentenciam,
pronunciam y declaram
d'aquest tenor:

Mirant entre·ls altres ab quanta primor
la reyna sens culpa blasona Pineda,

380 Como ya nos decía Villarroya, el de 1532 lo *imprimió Francisco Diaz Romano en 1533*. El de 1511 parece que se imprimió ese mismo año, salido del taller de Joan Jofré.

volem premiar-lo del pris de la seda
del nom y del títol de just guanyador.
Y puix vem que sembra de metres llavor
l'expert y molt docte, subtil Solivella,
la gran praderia, puxant y molt bella,
pendrà per insígnies de fama y honor.
Miquel Johan Gomiz, qui grans llaors dóna,
s'enporta del resto la palma y corona (Ferrando Francés 1983: 864).

Son muy interesantes los dos últimos versos de la *lata sentencia* de *Lo somni de Joan Joan*, puesto que constituirían la *publicatio*, indicando su fecha exacta, el 6 de diciembre de 1496, de la misma manera que lo hacía la rúbrica en prosa que precedía la resolución de los jueces en *Les trobes*. Esta rúbrica, sin embargo, se añade al cancionero incunable en su proceso editorial, más allá de que la hubiese incorporado o no Fenollar en el original de imprenta manuscrito, pero, en cualquier caso, su carácter narrativo, con verbos en pasado, evidencia que no es un texto leído en el certamen, por lo que no podemos descartar, con absoluta seguridad, que no hubiese un poema, como sugería Villarroya, aunque fuese una *cobla esparsa*, que cumpliese esta función de *publicatio*. Ahora bien, esto no ocurre, como hemos visto, en ninguno de los otros certámenes poéticos que imitan el modelo de *Les trobes*, con una sentencia en *codolades* y una *cobla esparsa* final en decasílabos, tal como la *Dispositio*.

En cualquier caso, el ejemplar está indudablemente mútilo de la h. 60 y, si no hubiese esta poesía con la *publicatio*, ¿qué encontraríamos? ¿Solo el colofón? Son preguntas difíciles de responder a ciencia cierta y lo que se ha podido aducir hasta aquí son argumentos en un sentido u otro, porque no hay evidencias, pero de lo que sí las hay es de la conservación de un texto del certamen de 1474 no incluido en el cancionero incunable de *Les trobes* o, al menos, no conservado en su ejemplar único.

3. La *Salve Regina* de Pere Vilaspinosa

3.1. La *Salve Regina* en el *Abecedarium B* de Hernando Colón

Desde los primeros trabajos sobre pliegos poéticos de Rodríguez Moñino (1958a, 1958b y 1961) es bien conocida la riqueza de datos que, para la investigación bibliográfica, ofrecen el *Regestrum B* (Huntington 1905) y, especialmente, el *Abecedarium B* con su *Supplementum* (Colón 1992), sobre todo en lo que respecta a las pérdidas de testimonios u obras literarias. Así lo evidencia el mero hecho de que, de los doscientos pliegos poéticos desconocidos catalogados por él a partir de estas fuentes,[381] en lo que fueron avances de su corpus más completo (Rodríguez Moñino 1970 y 1997), solo provenían del *Regestrum B* trece entradas, mientras que documentó las otras ciento ochenta y siete a partir del *Abecedarium B* (Rodríguez Moñino 1961: 94). En esta misma línea, Norton (1973 y 1978) llegó a localizar en este último repertorio treinta y ocho post-incunables hispánicos hasta entonces desconocidos, mientras que, años después, Askins catalogó otros treinta y seis incunables extraviados de la biblioteca colombina,[382] reivindicando, ya de manera explícita, su potencial frente al *Regestrum B*,[383] que solo incluía la descripción de

381 «Todos anteriores a 1540, ya que Colón falleció el 12 de julio de 1539» (Rodríguez Moñino 1961: 94).

382 Para el estudio de los ejemplares colombinos perdidos que Askins (1988: 44-47) cataloga como nº 7, 12A y 12B, véase Martos 2019c y 2020b.

383 La difusión en facsímil desde principios del siglo xx (Huntington 1905) favoreció el acceso al *Regestrum B*, lo que dio lugar a numerosas investigaciones que documentaron nuevos impresos (Rodríguez-Moñino 1970, 1976 y 1997; Marín Martínez 1975; Di Stefano 1972 y 1980; Askins 1984, 1985 y 1986; Askins e Infantes 2014). Hay que tener en cuenta que, probablemente fruto de la reivindicación de Askins, si no de la insistencia de otros investigadores, solo desde hace tres décadas disponemos de facsímil también del *Abecedarium B* y de su *Supplementum* (Colón 1992), por lo que Rodríguez Moñino, Norton y Askins catalogaron estas pérdidas bibliográficas recurriendo al original, ante la inercia de otros investigadores, que, por razones obvias, se limitaron al *Regestrum B*, lo que no resta un ápice de valor a los resultados ofrecidos por estos.

4.231 impresos frente a los cerca de 15.300 volúmenes de que se componía el *Abecedarium B*.[384] Ahora bien, a pesar de que disponemos de más entradas en este último, sus contenidos —como es lógico, por las características de ambos repertorios— son mucho más limitados que en el *Regestrum* y esto, de nuevo, puede comportar ciertas dificultades para la identificación de los impresos, como ocurre con algunas de las propias entradas de Askins (1988).

De hecho, el caso que nos ocupa lo ilustra bien, puesto que en el *Abecedarium B*[385] encontramos hasta diez asientos de obras cuyo título explicita que se han construido sobre la *Salve Regina* (f. 388r, col. 1579):[386]

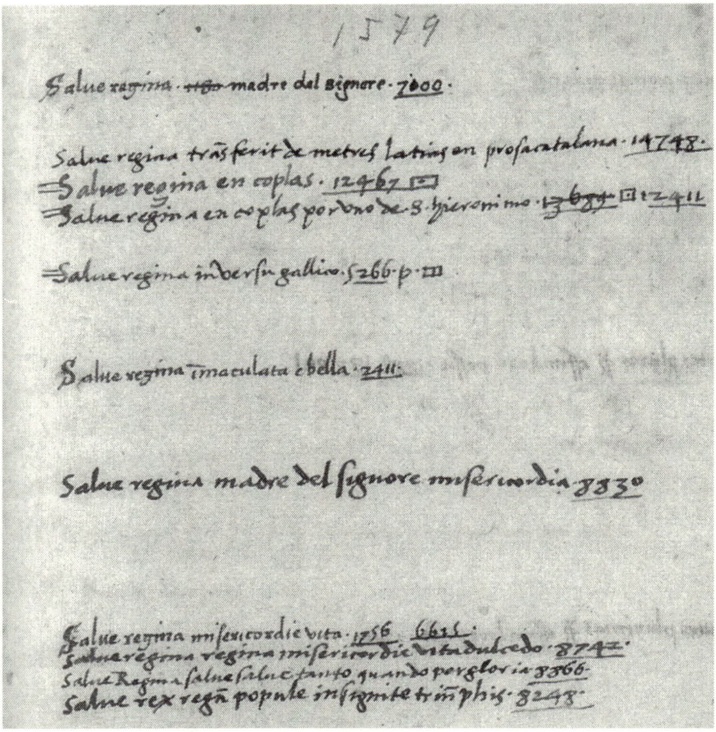
1579

Salue regina madre del signore · 7600 ·

Salue regina trasferit de metres latins en prosa catalana · 14748 ·

Salue regina en coplas · 12467

Salue regina en coplas por dno de s. hieronimo · 13694 · 12411

Salue regina in versu gallico · 5266 · p ·

Salue regina inmaculata e bella · 2411 ·

Salue regina madre del signore misericordia · 8830

Salue regina misericordie vita · 1756 · 6615 ·

Salue regina regina misericordie vita dulcedo · 8747 ·

Salue Regina salue salue tanto quando per gloria · 8366

Salue rex regum populi insignite triumphis · 8248

384 «Es decir que unas 11.000 obras quedaban por añadirse al *Regestrum B*, y la única manera de conocerlas hoy es acudiendo al *Abecedarium B* con su *Supplementum*» (Askins 1988: 37).

385 En el *Supplementum B* solo se ha consignado una entrada general bajo la rúbrica de *Salue regina* (f. 39v), sin añadir ítems concretos.

386 El último de los incorporados en el detalle fotográfico del *Abecedarium B* no es una *Salve Regina*, pero se aglutina a la última sección de esta, si bien, en realidad, podría ser que, simplemente, se hubiesen incorporado los dos últimos asientos en cuestión en el hueco restante y, al hacerlo, se alcanzó la entrada siguiente, que es una *Salve rex regum*.

La mayoría de los textos son en italiano, algunos en latín y otro *in versu gallico*, pero, a los efectos de este trabajo, nos interesa la sección formada por las entradas 2 a 4 de esta lista, en tanto que se agrupan en ella lo que parecen ser textos hispánicos. El primero es, claramente, una traducción catalana en prosa: *Salue regina transferit de metres latins en prosa catalana* (nº 14748).[387] El tercero es la bien conocida *Salue regina en coplas por uno de S. Hieronimo* (nº 12411), impresa en Sevilla por Cromberger *c.* 1511-1515, que ya catalogaron Rodríguez Moñino (1958b: 126, nº 265 y 1961: 102, nº 166) y Norton y Wilson (1969: 22-23, nº 54).[388] Y fue también Rodríguez Moñino (1958b: 126, nº 264 y 1961: 102, nº 165) quien referenció por primera vez el segundo de los asientos de esta secuencia de textos hispánicos: la *Salue regina en coplas* (nº 12467).

De estos primeros listados pasó a *Los pliegos poéticos de la Biblioteca Colombina* (Rodríguez Moñino 1976: 153, nº 303) la entrada bibliográfica en cuestión, pero, sorprendentemente, no se incorporó al primer *Diccionario* (Rodríguez Moñino 1970), aunque sí que la restituyeron Askins e Infantes en el *Nuevo diccionario* (1997: 723, nº 925.5). Sin embargo, ni Norton (1978), ni Martín Abad (2001, 2007, 2016) incorporaron este impreso a sus repertorios de post-incunables hispánicos, sin duda por lo insuficiente de los datos sobre él. No sabemos las razones por las que no lo catalogó en su *Diccionario* de 1970: quizás no fue un olvido o quizás tenía razón de ser que lo restituyeran Askins e Infantes en el *Nuevo diccionario*. Estos añadieron que era en 4º (1997: 723, nº 925.5), un rasgo que Rodríguez Moñino evitó precisar (1958b: 126, nº 264; 1961: 102, nº 165; 1976: 153, nº 303) al estar perdido,[389] aunque, al incorporarlo en sus primeros listados, sí que lo consideró explícitamente un pliego, probablemente porque la extensión de otras glosas poéticas de la *Salve Regina* así lo justificaba.

Poco sabemos, por tanto, de este impreso poético, difícil de identificar con datos tan limitados y tal vez tratándose de una edición u obra perdidas,

387 No he sido capaz de localizar ningún impreso que pueda corresponder a esta entrada y, en realidad, solo podría ser identificable la glosa en prosa catalana que hace Antoni Canals, aunque exclusivamente se conserva en dos testimonios manuscritos y sería extraño, pero no imposible, que se hubiese omitido una autoría de tal renombre. Para la edición del texto de Canals y sus dos testimonios manuscritos, véanse Vives 1956 y Casanova 2010.

388 De estos pasaron a sus repertorios posteriores (Rodríguez Moñino 1970: 525, nº 926; 1976: 153, nº 304; 1997: 723, nº 926; y Norton 1978: 319-320, nº 866). Véase también Martín Abad 2001: 470-471, nº 1378.

389 Y que Wilkinson (2010: 758, nº 19475) asume y mantiene en su base de datos digital (2018-: nº 19475), aunque, en este caso es así porque lo identifica con el pliego que contiene la *Salve Regina* de Pere Vilaspinosa.

que era la única información que se atrevía a añadir Rodríguez Moñino a su transcripción del asiento del *Abecedarium B*: «Desconocido para nosotros» (1976: 153, nº 303).[390] A pesar de ello y de todos los casos de glosas poéticas conservadas —lo que nos puede dar una idea de las desconocidas—, Wilkinson ha concluido, sin embargo, que habría que identificar esta obra e impreso con la *Salve Regina* de Pere Vilaspinosa, a lo que, además, le confiere un carácter indudable,[391] justificándolo a través de una nota generalizada para estos casos: «An exemplar has been referenced in a major analytical bibliography, or inspected book in hand, by a member of the Iberian Books project team or a collaborating institution» (2018-: nº 19475). Al reunir las dos tradiciones bibliográficas, en este catálogo se llega a aducir dos ejemplares de este impreso: uno correspondiente al de Vilaspinosa, conservado en Valencia, del que se deja claro que es «Uninspected», y otro en «Sevilla (ES), Biblioteca Capitular y Colombina», con lo que parece darse por hecho que hoy aún existe. Si uno no se conserva y si el otro no ha sido inspeccionado, poco fundamento tiene, desde luego, la conclusión bibliográfica, por lo que la razón aducida que nos quedaría de esa nota generalizante es que *An exemplar has been referenced in a major analytical bibliography*.

Si atendemos a las cuatro referencias bibliográficas que aporta Wilkinson, además de su catálogo en papel (2010: 758, nº 19475) y del *Abecedarium B* de Colón (nº 12467), esa bibliografía sería la siguiente: los catálogos de Rodríguez Moñino (1976: 153, nº 303; 1997: 723, nº 925.5), que explicitan que es un impreso desconocido; el *Catálogo Colectivo del Patrimonio Bibliográfico Español* (CCPB 000634282-5), en una entrada que se limita al impreso de Vilaspinosa conservado en Valencia y nada dice del colombino; y el *Universal Short Title Catalogue* (USTC 350511), que titula este impreso poético también como *Salve regina en coplas* y aduce, de nuevo, los ejemplares de Sevilla y Valencia,[392] si bien advierte del primero que desconoce su signatura («Shelfmark: Unknown»). Sin embargo, a lo que se refería Rodríguez Moñino con «Desconocido para nosotros» (1976: 153, nº 303) era al propio impreso, con lo que parece, en definitiva, que, simplemente, se haya dado un paso más allá —si no demasiado allá— en la interpretación de los datos de repertorios previos, sin estudio material o de mayor calado que así lo justifique,

390 El *Nuevo diccionario* recoge la indicación —«Desconocido» (Rodríguez Moñino 1997: 723, nº 925.5)— y no se indica ninguna novedad respecto a la entrada en su *Suplemento* (Askins e Infantes 2014).

391 A través del color verde del mecanismo de semáforos de su base de datos en línea.

392 Wilkinson forma parte del equipo del USTC como *steering group*, lo que justificaría la evidente dependencia entre ambos catálogos, para la cual el sentido en que se produce es, en realidad, secundario.

tanto en lo que respecta al propio impreso conservado, como a los datos que nos ofrece el *Abecedarium B*.

Decía, en la primera parte de este epígrafe, que tres de los asientos catalogados bajo el título de *Salue regina* —y no por autor— correspondían a una agrupación de textos hispánicos, el primero de los cuales es sin duda en catalán, aunque quizás desconocido en la actualidad, mientras que el tercero es castellano, identificable con la obra de un impreso hoy conservado:[393] *Salue regina transferit de metres latins en prosa catalana* (nº 14748) y *Salue regina en coplas por uno de S. Hieronimo* (nº 12411). La referencia al texto catalán se escribe en esta lengua e, incluso, se explicita que es una obra *en prosa catalana*, mientras que la tercera de ellas lo hace en castellano. En este caso, no se indica que sea *en coplas castellanas*, pero sí se dice que es *en coplas* —y no *en cobles*—, como ocurre también con el segundo de los textos, la *Salue regina en coplas* (nº 12467), lo que, a mi parecer, es muy significativo. Así lo confirma, de hecho, el ejemplar conservado del nº 12411 (Viena, Österreichischen Nationalbibliothek, 32.T.26), efectivamente en castellano, cuya referencia del *Abecedarium B* era lo suficientemente amplia para lanzar una hipótesis de identificación con cierta solvencia. Y, siendo así en las entradas que la enmarcan, sería extraño que se indicase *en coplas* en el impreso 12467 para una obra en catalán, tratándose de su título o de una versión abreviada de él. Es más, en este sentido, nada descartaría, incluso, que las entradas 12411 y 12467 correspondiesen a una misma obra, cuyo íncipit coincidiría según el *Abecedarium B*[394] y, quizás por esta razón, se incluyó la segunda entre la obra catalana y la castellana, puesto que no deja de ser sintomático que se trate de una mano y una tinta diferentes, de trazo más grueso. Además, sería muy extraño que una entrada tan parca como la *Salue regina en coplas* (nº 12467) correspondiese al pliego poético de Pere Vilaspinosa, siendo tan explícito en el íncipit del impreso el nombre del autor. Sería difícil de explicar que se hubiese decidido no incorporar la autoría a la referencia bibliográfica y, teniendo el dato, se prefiriese dejar como anónima, cuando sí que se recoge, a continuación, una atribución tan general como la de *uno de S. Hieronimo*; y que, sin embargo, en paralelo a la eliminación del autor y su consecuente inclusión en una sección de anónimos, se optase por el castellano para el título abreviado. En definitiva, dudo de que haya que identificar la *Salue regina en coplas* del *Abecedarium B* (nº 12467) con el pliego poético de la *Salve Regina*

393 Sevilla, Cromberger, *c.* 1511-1515 (Norton y Wilson 1969: 22-23, nº 54; Norton 1978: 319-320, nº 866; Rodríguez Moñino 1970: 525, nº 926; 1976: 153, nº 304; 1997: 723, nº 926; Martín Abad 2001: 470-471, nº 1378).

394 Porque, en realidad, el título del impreso conservado es *La salue regina | muy deuota troba | da por vn religioso | de sã Jheronimo*.

de Pere Vilaspinosa o, al menos, no hay nada que nos induzca a ello, sino todo lo contrario.

Frente a la ambigüedad de ese asiento del repertorio colombino, que, difícilmente, pueda aportar luz al estudio de la literatura o de la bibliografía perdida, si es que no se trata del mismo impreso sevillano que se entra a continuación de él, nos encontramos con la prioridad que supone el estudio del pliego poético de Pere Vilaspinosa. Su interés bibliográfico ha sido correspondido con una escasa y limitada atención, que ha generado incógnitas y datos contradictorios desde finales del siglo XVIII. Es por esta razón que el estudio material y socioliterario de este impreso es uno de los objetivos principales de este trabajo.

3.2. La emergencia de un ejemplar único

3.2.1. El legado de Vicente Hernández

Aunque desde los inicios del Estudio General de Valencia se contaba con una biblioteca universitaria, de lo que dejó constancia Luis Vives en sus *Diálogos*,[395] también parece ser que «de aquellos manuscritos e incunables no queda ninguno, por ser todos los que se conservan aportados después de este siglo» (Palanca Pons 1958: 255),[396] esto es, del siglo XVIII, cuando se produjo el

395 «Entremos yo os enseñaré la librería pública de esta Universidad. Esta es la librería, que según reglas de hombres grandes mira azia donde sale el Sol en el Estio. [...] todos los caxones y estantes de los libros son de carrasca u de cipres, con sus cadenillas y los mismos casi todos son de pergamino y pintados de diferentes colores» (Vives 1767: 205, *apud* Palanca Pons 1958: 255). Mª Cruz Cabeza desarrolla esta cuestión e identifica el diálogo concreto de Vives: «Sabemos, a través de los *Diálogos* de Luis Vives, que la Universidad de Valencia en el siglo XVI cuenta con una magnífica Biblioteca, concretamente es en el "Diálogo sobre la Escuela", cuando Espudeo y Tyro van hablando sobre la enseñanza y al pasar por delante de la Universidad, Espudeo dice a Tyro: "Entremos, yo os enseñaré la librería pública de esta Universidad. Esta es la librería, que según reglas de hombres grandes, mira azia donde sale el sol en el Estío" y Tyro, admirado, exclama: "¡Oh qué libros, que de buenos autores, oradores, griegos, latinos, poetas, historiadores, theologos, y retratos de los autores!". Espudeo continúa la conversación comentando los retratos de los autores y con la descripción: "...todos los caxones, y estantes de los libros son de carrasca, o ciprés, con sus cadenillas, y los mismos libros, son casi todos, en pergamino, y pintados de diferentes colores"» (Cabeza Sánchez-Albornoz 2000: 17).

396 Lo que es cierto, pero no implica, necesariamente, que no hubiera otros posteriores, como cree entender Mª Cruz Cabeza (2000: 22-23) al referir unas palabras de Campomanes, en las que dice que la librería universitaria *se enriqueció* con el legado de Pérez Bayer. No se aportan, en cualquier caso, datos documentales ni bibliográficos.

nacimiento reglado de las bibliotecas universitarias como un proyecto ilustrado de ámbito estatal impulsado por Carlos III.[397] Es bien conocido el carácter fundacional que tuvo, para ello, la donación en vida de parte de la biblioteca de Francisco Pérez Bayer,[398] realizada en 1785, como recoge la disposición legal del monarca específica para este fondo: el *Plan de estudios aprobados por S. M. y mandado observar en la Universidad de Valencia*, redactado por el conde de Floridablanca dos años después.[399]

La compra y las donaciones fueron las principales vías para abastecer los nuevos fondos bibliotecarios de las universidades, con lo que la de Valencia se debió de incrementar notablemente, ante las intensas gestiones, sobre todo, de Pérez Bayer y del rector Vicente Blasco.[400] Sin embargo, el incendio del

397 «El 14 de marzo de 1760, ordenaba Carlos III el establecimiento de bibliotecas en las Universidades del Reino "*por requerirlo así el esplendor y enseñanza*". Disposiciones posteriores, como el Real Decreto de 27 de febrero de 1767 y la Pragmática de 2 de abril del mismo año que ordenaban la incautación de las temporalidades de la Compañía y la expulsión de los regulares, y la Real Provisión de 2 de mayo de 1772 por la que los libros contrarios al dogma, a la religión, buenas costumbres, regalías de su Magestad, etc. de los regulares expulsos de la Compañía se entregaban a las universidades, proporcionarían libros para aquellas bibliotecas» (Moralejo Álvarez 1998: 288).

398 Porque, en realidad, legó solo una parte de su biblioteca, consistente en 116 volúmenes manuscritos y 82 legajos (Cabeza Sánchez-Albornoz 1994 y 2000: 29-31). Véase *el Indice de los Mss. que el I[ustrisi]mo S[eñ]or Dn. Franc[isc]o Perez Bayer dio a la M. Il[us]t[r]e Ciudad de Valencia, juntam[en]te con su exquisita Bibliotheca para uso de la Vniversidad Literaria*, realizado por Domingo Mascarós y Segarra tras ser nombrado bibliotecario por el propio Pérez Bayer. Se cataloga como Ms. 58 de esta Biblioteca Històrica y está disponible su digitalización en *Somni*: https://roderic.uv.es/handle/10550/41770.

399 La creación y puesta en funcionamiento de esta biblioteca universitaria, en concreto, se estableció en el *Plan de estudios aprobados por S. M. y mandado observar en la Universidad de Valencia*, que precisaba lo siguiente: «Los Bibliotecarios serán tres por ahora, el Bibliotecario mayor y dos segundos. Si creciere por el tiempo la Biblioteca, se aumentarán los bibliotecarios segundos, de modo que haya uno en cada sala. Luego que esté enteramente colocada la exquisita y copiosa Libreria que Don Francisco Perez Bayer ha dado á la Ciudad de Valencia para que la coloque en su Universidad, se nombrarán los Bibliotecarios. El primer nombramiento y los que ocurran mientras viva Don Francisco Perez Bayer, los hará este; así porque de su sabiduría se debe esperar una acertada elección, como por reconocimiento a tan señalado beneficio» (Floridablanca 1787: 25). A continuación, se indica la manera en que «después de sus días se harán los nombramientos», los horarios y el calendario de asistencia a la biblioteca, el sueldo y las obligaciones de los bibliotecarios, así como sus sanciones por incumplimiento, si fuese el caso, y la categoría de estos en el organigrama universitario (Floridablanca 1787: 25-28). Digitalización disponible en *Somni*: https://roderic.uv.es/handle/10550/74871.

400 Ya Pérez y Bayer compró bibliotecas completas a particulares y obras concretas a libreros extranjeros a cargo de la Universidad de Valencia (Cabeza Sánchez-Albornoz

edificio histórico de la universidad valenciana durante el asedio de la ciudad en la guerra contra los franceses, el 7 de enero de 1812, causado por el bombardeo dirigido por el mariscal Louis Gabriel Suchet, debió de reducir notablemente este caudal bibliográfico.[401] Tras la salida de Valencia de las tropas francesas, había que reconstruir la universidad, propiamente dicha, y, con ella, sus fondos bibliográficos. Por orden del monarca, se solicitó en 1827 «que la Biblioteca se abriese con los elementos de que se pudiera disponer, hasta que se lograra darle "más extensión, en el modo y forma que estaba la antigua"» (Llorca 1933: 127), aunque hubo que esperar al 7 de enero de 1837, cuando «la Biblioteca se abrió definitivamente al público, y, según el rector Francisco Villalba, con los libros adquiridos, permutados y legados, poseía la Universidad la mejor biblioteca de la capital y de la provincia» (Cabeza Sánchez-Albornoz 2000: 68).

El punto de partida para su reconstrucción fueron, por tanto y sin duda, los fondos salvados del incendio. A estos se añadieron otros por las vías que ya la habían nutrido anteriormente —por compra, donativo o intercambio—, pero también por otras nuevas, como fue el caso, principalmente, de la desamortización de Mendizábal, que, como hemos visto, dio lugar a que, procedente del convento de Santo Domingo, llegase a la Biblioteca de la Universitat de València una de sus principales joyas literarias: el cancionero incunable de *Les trobes en lahors de la Verge Maria*.

Más allá de las compras, potenciadas precisamente por él y que, con posterioridad, solo se retomaron muy puntualmente,[402] destaca el propio legado del

---

2000: 31-33), una tarea que el rector Vicente Blasco potenció como vía de ampliación del fondo universitario, además de los numerosos donativos y legados recibidos durante su período gestor (Llorca 1933: 84-106). Destaca su propuesta de compra de la biblioteca de los hermanos Mayans y Siscar. Aunque Gregorio muere en 1781, con quien Pérez Bayer tenía una estrecha relación, no es él quien la ejecuta antes de su muerte en 1794, porque esta biblioteca privada había pasado a manos de su hermano Juan Antonio. Es al fallecer este en 1801 cuando se gestiona la compra de esta colección. Fernando Llorca (1933: 102-103, n. 3) mantiene que no se llegó a producir, pero hoy existen fondos de aquella colección en esta biblioteca (Martos 2016: 238).

401 Así lo explicita Justo Pastor Fuster solo unos años después en el *Prólogo* a su *Biblioteca valenciana*: «Dos Bibliotecas públicas poseíamos en esta Ciudad, la una en el Palacio Arzobispal, que el celosísimo Prelado D. Andrés Mayoral habia establecido y que aumentaron sus sucesores; y la otra en la Universidad Literaria, dádiva del Ilmo. Sr. D. Francisco Perez Bayér, con que dejó un digno monumento de generosidad, de desprendimiento y de amor á las letras y á su patria: tan copiosa la una como selecta la otra, ambas quedaron incendiadas por el bombardeo que sufrió esta Ciudad en la gloriosa guerra de la independencia» (1827: s. p.).

402 De compras posteriores al incendio de 1812, solo tenemos datos sobre aquellas hechas per Marià Aguiló i Fuster, jefe de la Biblioteca Universitària de València entre

rector Vicente Blasco,[403] junto al cual se registran otras donaciones menores en el acta del claustro de 24 de mayo de 1835. Donaciones y legados se multiplican desde entonces, sobre todo de personajes vinculados a la Universitat de València, entre los cuales Fernando Llorca (1933: 128-129) destaca los casos de Domingo Mascarós y de Joaquín Llombart en 1823; de Salvador Perellós y del también rector Juan Castillo Carroz en 1830; y los de Onofre Soler[404] y Vicente Villacampa en 1835. Abelardo Palanca recoge muy sucintamente algunos de estos legados, para completarlos, en esta misma línea, con otros posteriores: «las cesiones y entregas de don Vicente Hernández Máñez, don Giner de Perellós, Marqués de Dos Aguas, notabilísimo por sus fondos literarios, muchos del siglo XVI,[405] Aparici, Lamarca, Liñán, etc.» (Palanca Pons 1958: 258).[406] Y, aunque destaca, con razón, la donación del Marqués de Dos Aguas, a cuya biblioteca perteneció el ejemplar incunable del *Tirant lo Blanc* conservado en este fondo (Valencia, Nicolau Spindeler, 1492), es el primero de estos bibliófilos el que interesa a los fines de este trabajo.

El desinterés por la figura de Vicente Hernández Máñez ha sido notable hasta fechas muy recientes, a pesar de que el Arxiu de la Universitat de València (AUV), a la que perteneció, cuenta con documentación que ayuda a su estudio e, incluso, con una muy pequeña parte de su legado, cuya investigación ha hecho emerger y concretar sus datos biográficos. El desconocimiento ha

---

1858 y 1861, y por su inmediato sucesor, Francisco Escudero y Perosso, que ejerció como tal entre 1861 y 1862: «Durante la dirección de D. Mariano Aguiló Fuster, se adquirió en septiembre de 1860, en una librería de lance, el *Comprehensorium* de "Ioannes Grammaticus" según consta en una nota escrita en la hoja de guarda firmada por él. También compró por 200 reales el *Crestià. Dotzén llibre o Tractat de regimen dels prínceps* de Eiximenis, impreso en Valencia por Lambert Palmart, y pagó 100 reales por la caja que conserva el *Tirant lo Blanch*. Según D. Abelardo Palanca, siendo director Francisco Escudero y Perosso se adquirió el incunable *Margarita Philosophica*, impreso en Heidelberg en 1496, y las cartas de Felipe II sobre fortificaciones de plazas de España de Vespasiano Gonzaga Colonna, que figura en el inventario de libros antiguos» (Cabeza Sánchez-Albornoz 2000: 50).

403 Por cláusula de su testamento, de 18 de marzo de 1813, solo unos meses después del bombardeo, que se hizo efectiva tras su muerte, el 6 de septiembre de 1834.

404 Su biblioteca ha significado una de las más importantes donaciones, sensibilizado por el desastre, como el rector Blasco, a quien sucedió en el cargo en 1813, tras abandonar los franceses la ciudad. Para este importante legado, véanse Cabeza Sánchez-Albornoz 2007 y Martos 2014a.

405 Palanca Pons destaca este legado con razón, puesto que a la biblioteca del marqués de Dos Aguas perteneció el incunable de *Tirant lo Blanc* conservado hoy todavía en este fondo. Véase un listado más amplio de las obras más importantes de este legado en Cabeza Sánchez-Albornoz 2000: 80-81.

406 Para una revisión amplia y pormenorizada de los legados durante el siglo XIX, véase Cabeza Sánchez-Albornoz 2000: 80-90.

generado gazapos múltiples alrededor de su figura, lo que no es infrecuente en la historia bibliográfica valenciana. Incluso BITECA duplica la entrada de este antiguo poseedor en dos referencias diferentes (bioid 2230 y bioid 6806), en la primera de las cuales se le identifica como *rector* y en la segunda como *bibliotecario*, en ambos casos de la Universitat de València. El error de identificación en el primero de los *bioid* responde, sin duda, a cierta suerte de generalización por el hecho de que los legados bibliográficos de esta universidad provienen, sobre todo, de rectores y bibliotecarios, pero Vicente Hernández solo ocupó este último cargo: había ejercido como bibliotecario segundo de esta librería universitaria desde 1853,[407] mientras que, en 1862, fue nombrado bibliotecario primero y, como tal, dirigió este fondo, hasta que lo sucedió en el cargo Feliciano de Egusquiza.

Palanca Pons dice, primero, que «Don Vicente Hernández, en 1862, Don Feliciano de Egusquiza, en 1864 y Don Antonio de Cossío, en 1867, estuvieron al frente de este Centro» (1958: 259). Sin embargo, en la tabla final en la que reúne los datos de su estudio, indica que, dentro del cuerpo facultativo de archiveros, Vicente Hernández fue bibliotecario primero o, lo que es lo mismo, director de la biblioteca universitaria valenciana solo durante el año de 1862, mientras que Feliciano de Egusquiza lo fue entre 1862 y 1866 (Palanca Pons 1958: 266). Mª Cruz Cabeza (2000: 162) se limita a reproducir esta última tabla, sin cuestionarla, y de ahí que le atribuya el cargo solo durante unos meses de ese 1862.[408] Sin embargo, recientemente, se han documentado y, de esta manera, se han corregido implícitamente y se han concretado tales fechas, contradictorias e imprecisas, así como las que afectan al propio legado de Hernández:

> ARV, Protocolos notariales, 8693 (Manuel Cubells Casanova), f. 594 ss. Según anotación al margen, Vicente Hernández murió el 29 de diciembre de 1866. Solo unos años antes, en 1862, había pasado a ser bibliotecario primero de la Universitaria de Valencia, cargo equivalente al de director, y se había jubilado, ya enfermo, en 1865. Los documentos relativos a su legado testamentario, que supuso un logro más que

407 «Su presencia entre el personal de la institución desde la fecha indicada puede constatarse en AUV, *Biblioteca Universitaria*, caja 3/38 (3): "Estado del personal y material de las bibliotecas públicas de este Distrito Universitario"» (Cruselles Gómez *et al.* 2018: 64, n. 48).

408 A pesar de que en nota advierte «que fue bibliotecario entre 1852 y 1865 en que cesó por jubilación, *Registro general de títulos de nombramientos de personal de la Universidad de Valencia, 1852 a 1881*. AUV, l. 447, fol. 66» (Cabeza Sánchez-Albornoz 2000: 84, n. 116). Cruselles Gómez *et al.* (2018: 64, n. 48) determinaban el año de 1853 como incorporación y, de haber considerado este dato de jubilación en 1865 al citar a Palanca Pons, Mª Cruz Cabeza misma habría advertido el error que reproducía de este.

notable para la institución en la que había prestado sus servicios, se conservan en el Archivo de la Universidad de Valencia (AUV) (Cruselles Gómez *et al.* 2018: 53, n. 5).

Fue bibliotecario mayor de la Universitat de València, por tanto, entre 1862 y 1865, aunque no murió hasta un año después, el 29 de diciembre de 1866. Sabemos, asimismo, que este legado testamentario se estableció ante notario en 1860 y que, tras su fallecimiento, se hizo efectivo.[409] La investigación que aporta estos datos se desarrolla, en realidad, teniendo como objeto de estudio los 114 legajos que se conservan en el AUV, procedentes del desaparecido archivo del tribunal valenciano del Santo Oficio, que formaban parte de un conjunto documental más amplio en poder de Vicente Hernández en 1860 y que este donó a Isabel II,[410] cuyo «traslado a Alcalá se produjo entre finales de 1861 y principios de 1862 [...]. Sin embargo, Vicente Hernández Máñez había conservado en su propia casa una parte relativamente pequeña aunque significativa del viejo archivo del Secreto: 114 legajos de "papeles"» (Cruselles Gómez *et al.* 2018: 66).[411]

Pero, además de estos materiales que se encuentran en el AUV, formaban parte del legado testamentario de Hernández Máñez «casi tres mil libros» más, hoy conservados en la Biblioteca Històrica de esta universidad, inventariados, junto a estos legajos de la Inquisición, «en 1867 por Félix Eguzquiza

409 «En el Archivo de la Universidad de Valencia (AUV) encontramos un importante conjunto documental agrupado originalmente en 114 legajos que proceden del legado testamentario de Vicente Hernández Máñez, bibliotecario de la institución, realizado ante notario en 1860 y sustanciado tras su muerte en 1866» (Cruselles Gómez *et al.* 2018: 53).

410 «La primeras noticia que tenemos de que el antiguo archivo del Secreto se guardaba en los locales universitarios data de 1860. Aparece en la documentación relacionada con la donación que Hernández Máñez hizo a la reina Isabel II de aquel fondo documental que, según se indica, había adquirido "al acaso", una expresión que daba cuenta de la forma accidental, no regulada, en que se había llevado a cabo la transacción. Una actuación espontánea, imprevisible, que había supuesto la salvación de un "tesoro histórico" condenado de otro modo a desaparecer» (Cruselles Gómez *et al.* 2018: 65).

411 La primera en dar noticia de estos materiales fue Irene Manclús Cuñat, directora del AUV: «Los fondos universitarios se han visto incrementados con diversas donaciones [...]. Una de las más importantes y más antiguas es la donación de Vicente Hernández Máñez, ayudante del Cuerpo de Archiveros y Bibliotecarios, y bibliotecario primero de la Biblioteca Universitaria de Valencia en 1862, contiene una parte de los documentos que se conservan del Tribunal de la Inquisición de Valencia» (2013: 154-155). Con posterioridad, ha formado parte del equipo que los ha investigado y, para ello, remito a Cruselles Gómez *et al.* 2018, de cuya autoría compartida participa.

y el propio sobrino del testador, Cayetano Hernández Pizcueta» (Cruselles Gómez *et al.* 2018: 66).[412] Pude consultar este *Inventario de los libros y papeles legados por D. Vicente*[413] *Hernández y Máñez a la Biblioteca de esta Universidad literaria* en 2011 en el despacho de la entonces directora del fondo, Mª Cruz Cabeza, en uno de cuyos armarios se custodiaba físicamente esta colección de *Manuscrits (Inventaris)*, de la cual este es el número 17, si bien en el catálogo general de la BHUV recibe la signatura Ms. 1073(05).[414] Está disponible su digitalización en *Somni*,[415] donde se anota que es «Posterior a 1862 any en què Hernández Máñez va deixar la direcció de la Biblioteca»,[416] lo que, por tanto, debe ser corregido, puesto que hoy sabemos que, en realidad, abandonó el cargo en 1865 y que no murió hasta el 29 de diciembre de 1866, además de que, muy probablemente, el inventario se puede datar en el primer tercio de 1867, dado que el 4 de abril de ese año ya se había hecho efectivo el legado.[417]

Se ha destacado, con razón, que es uno de los legados de mayor valor, en tanto que contiene muchos ejemplares únicos, de tal rareza y riqueza, que sorprende en una sola colección de quien, todavía siendo bibliotecario segundo, tenía ya en sus manos el importante corpus documental proveniente del archivo del Santo Oficio en Valencia, donado a la Corona por él mismo en 1860 y del cual se desgajaron esos 114 legajos que se acabaron quedando en su biblioteca particular y que, por ello, aún se conservan en el AUV, al que me refería anteriormente. La manera como llegaron estos documentos a sus manos no debió de ser las más ortodoxa:

> La compra realizada por Vicente Hernández Máñez fue lo bastante irregular como para que ninguna de las partes quisiera dejar constancia de ella: ni el Estado, que

---

412 Como sabemos gracias a que «En la *Gaceta de Madrid* de 4 de abril de 1867, se hacía público el legado y el reconocimiento de la reina a Cayetano Hernández Pizcueta, sobrino de Vicente Hernández, por "el escrupuloso cuidado con que ha cumplido la voluntad del testador"» (Cruselles Gómez *et al.* 2018: 66, n. 54).

413 En el título del documento (f. 1^{r}), el original escribe primero *Manuel*, lo cancela y sobre ese nombre indica *Vicente*: ~~Manuel~~ <Vicente>.

414 En marzo de 2022, volví a consultar el original, para una revisión de todos sus asientos, de difícil lectura en la versión digitalizada por el trazo demasiado fino de la tinta.

415 https://roderic.uv.es/handle/10550/53204.

416 Recogiendo el dato, explícitamente, de Cabeza-Sánchez Albornoz 2000: 162.

417 No está editado todavía este *Inventario*, cuyo estudio completo sobrepasaría los límites de esta investigación. Los datos que tenemos se derivan, por tanto, del cotejo directo y aleatorio de los ejemplares concretos, que contienen el sello del legado que la BHUV estampó, al menos, en la primera hoja de los libros que proveían de él, de manera que, de esos casi 3.000 ejemplares, por ejemplo, en BITECA se catalogan 33 bajo el *bioid* 2230 y 5 en el *bioid* 6806.

se desprendió de unos documentos de los que era custodio, ni el rescatador, suponemos que obligado por la natural discreción que el asunto requería; sin embargo, tuvo como feliz consecuencia la conservación de una cantidad muy importante de documentación (Cruselles Gómez *et al.* 2018: 68).

Esta cierta irregularidad pudo haberse extendido a la formación del resto de su biblioteca, a la luz de esa variedad y rareza de materiales bibliográficos. Sin embargo, no es aquí el lugar para juzgarlo, ni menos aún haciéndolo desde una perspectiva actual que, no sin cierta anacronía, interprete desde el siglo XXI las prácticas decimonónicas sobre el patrimonio, sino que lo que interesa ahora es poner en valor la riqueza de aquella biblioteca privada, muchos de cuyos libros eran desconocidos para la bibliografía ilustrada y romántica. Desde 1867 han dejado de serlo gracias a su legado, puesto que, desde entonces, están en acceso público en la Biblioteca Històrica de la Universitat de València y hoy, incluso, se encuentran digitalizados en abierto en *Somni.*

De esos ejemplares raros y únicos, destaca Mª Cruz Cabeza *un tomo de varios* y algunos de los manuscritos:

> Entre ellos hemos de citar los contenidos en el *Nazareno*, nombre con que es conocido desde el siglo pasado un tomo de varios[418] [...], del que se han reproducido en facsímil algunas de sus obras; los únicos manuscritos árabes con que cuenta la Biblioteca; y un legajo que contiene dos manuscritos autógrafos de Santo Tomás de Villanueva. Su inventario, uno de los más extensos, está compuesto por 68 folios, y en el verso del último se relacionan los manuscritos (Cabeza Sánchez-Albornoz 2000: 84).

Entre estos últimos se recogen, además de otros, esos «Doce libros manuscritos, en árabe, de diferentes tamaños» que se referían arriba, los «Ciento catorce legajos de procesos en su mayor parte formada por la Inquisición de Valencia»[419] estudiados por Cruselles Gómez *et al.* (2018) y «Un libro

---

418 Así se refirió a él, por primera vez, Francisco Martí Grajales: «En un tomo de varios que se guarda en nuestra Universidad» (1927: 469).

419 «Fue suprimida finalmente el 15 de julio de 1834 por el gobierno de la regencia, que un año más tarde, el 1 de julio de 1835, acabó también con las Juntas de Fe. En el ARV se conservan diversas cuentas del periodo 1824-1835, cuando los bienes de la Inquisición eran administrados por la Subdelegación de expolios y vacantes. Haliczer recurrió a ellas para señalar que, en 1830, el administrador de los bienes del tribunal, Vicente Mora, vivía en una de las dependencias del palacio de la plaza de Sant Llorenç, y que las otras habían sido alquiladas a diversos particulares. Aunque estaba dispuesto a exprimir el patrimonio inquisitorial hasta los últimos reales, no parece que este funcionario tomara la decisión de vender el archivo del Secreto a peso de papel, pues no es probable que la liquidación se produjera antes de la supresión definitiva del tribunal en 1834. Lo único que sabemos a ciencia cierta es que

manuscrito en lemosin titulado libro de animales de Caça».[420] Los manuscritos se incluyen al final del inventario de su legado (f. 68^{v}), cuyo escaso número es suficiente para hacernos una idea clara del apabullante protagonismo que tuvieron los impresos en la colección privada de Hernández Máñez.

Es por ello que se deduce fácilmente que ese *tomo de varios*, conocido como el *Nazareno*, al que se refería Mª Cruz Cabeza, es, en efecto, una colección de impresos, cuyo interés radica en la antigüedad de estos y en el hecho de tratarse, en buena parte, de ejemplares únicos. Sin embargo, ninguno de ellos se recoge explícitamente, ni siquiera el *Nazareno* como unidad, si no es que se sobreentiende que son uno de esos volúmenes *de varios* con que acaba el inventario en cuestión, justo antes de la breve sección de manuscritos:

BHUV, Ms. 1073(05), f. 68^{r}

Muchos de los impresos del *Nazareno* son poéticos y, además, la mayor parte entraría en la horquilla cronológica delimitada por Brian Dutton (1990-1991), hasta 1520, en tanto que contiene numerosos incunables y post-incunables, todos ellos en catalán. De ahí deriva una parte importante de mi interés por este corpus de impresos poéticos, la mayoría valencianos, entre los cuales se encuentra el ejemplar único del pliego objeto de este trabajo.

treinta años más tarde, en 1860, una parte importante del material se encontraba en manos de un propietario privado, Vicente Hernández Máñez, que lo había depositado en la Biblioteca de la Universidad de Valencia, donde ejercía como bibliotecario segundo desde 1853» (Cruselles Gómez *et al.* 2018: 64).

420 «La donació a la Biblioteca sembla que estava constituïda per exemplars especialment valuosos i rars, com el *Libre de caça*, i a hores d'ara no hi ha dades sobre el procés pel qual el bibliotecari va poder adquirir aquestes obres. Una altra hipòtesi seria, com ens diu la mateixa M. Cruz Cabeza, que podria tractar-se d'un volum que Hernández estava treballant poc abans de la seua mort, que potser procedia del fons de la biblioteca napolitana, i que es restituiria amb la donació a la BHUV. En qualsevol cas, no queda clara la pertinença del *Libre de caça* al fons de la biblioteca del duc de Calàbria» (Garcia Sempere *et al.* 2013: 23).

3.2.2. El *Nazareno*: un facticio de impresos (poéticos)

El *Nazareno* o *Natzaré* es un volumen facticio de veintiún impresos antiguos, conservado en la Biblioteca Històrica de la Universitat de València y cuya signatura actual es CF/4, lo que es buena muestra por sí misma del valor de este volumen, en tanto que anuncia su (antigua) conservación en la caja fuerte, donde también se encontraban, como hemos visto, *Les trobes en lahors de la Verge Maria* (CF/1). Consideraba Mª Cruz Cabeza que se le conocía con este nombre desde el siglo XIX «por el color morado del terciopelo de su encuadernación» (2000: 84), un rasgo material que también recogen algunos catálogos recientes;[421] sin embargo, ese terciopelo ya ajado que cubre la cubierta de este *tomo de varios* es, en realidad, de color rojo y tono burdeos, lo que no solo destaco por mera precisión de la descripción material, como veremos más adelante. Una confusión similar es la que se debió de producir en el Ms. 759 de la BHUV, cuya encuadernación original indica Gutiérrez del Caño que es en «Terciopelo morado» (1913, I: 32, nº 82), cuando, en realidad, se trataría también de un rojo parecido al *Nazareno*,[422] como lo es el de los otros dos volúmenes con cubiertas similares conservados en este fondo: el Ms. 886 y el post-incunable con signatura Z-08/137,[423] con encuadernaciones ambos que se consideran, respectivamente, de «terciopelo carmesí» (Gutiérrez del Caño 1913, I: 96, nº 231) y «en vellut roig» (Catàleg *Trobes*). La variedad cromática es, por tanto, evidente en la descripción de las cuatro encuadernaciones y lo más probable es que, siendo todos los impresos de tema religioso,

421 Incluso la asociación entre el color y el nombre del facticio: «Volumen facticio el Nazareno, así llamado por el color morado de su encuadernación» (Romero Lucas 2005a, II: 1119, nº 247). Con más detalle en la descripción material de BITECA: «*Binding*: moderna, coberta de vellut morat, amb talls daurats i les guardes folrades amb acabat nacrat» (manid 1816).

422 El volumen está hoy restaurado y, en este proceso, se encuadernó de nuevo («Actual, vellut vermell sobre fusta», Catàleg *Trobes*), en la década de los setenta, según me indica Silvia Villaplana desde la BHUV, a quien agradezco también que me facilitase el dato respecto a este manuscrito y al Ms. 886, recogidos en el *Catálogo de manuscritos* de Gutiérrez del Caño (1913). Del post-incunable dantesco, tuve noticia por la exposición *Malferits*, que tuvo lugar del 19 de mayo al 4 de septiembre de 2022 en la sala Duc de Calàbria de la BHUV. No tendría sentido que, en un proceso de restauración reciente, se sustituyese la encuadernación por otra de un color diferente, más aún cuando hay constancia de la confusión entre el morado y el rojo burdeos de las cubiertas del *Nazareno*, que son originales y similares a las de este manuscrito.

423 Las *Opere del divino poeta Danthe con suoi comenti*, impresas en Venecia por Bernardino Stagnino da Trino de Monferra el 28 de marzo de 1520 (Gisbert Terol y Ortells Pérez 1992, I: 39-40, nº 117 y Catàleg *Trobes*).

de ahí pudiera venir también su nombre, si no del material de sus cubiertas, pero, desde luego, no de su color.

No hay ningún estudio de conjunto, ni un catálogo que los agrupe, divididos y reordenados internamente en el de incunables (Palanca Pons y Gómez Gómez 1981) y en el de impresos del siglo XVI (Gisbert Terol y Ortells Pérez 1992) de este fondo, así como en el actual catálogo en línea de la BHUV (Catàleg *Trobes*), sino atomizados por impresos,[424] de la misma manera que ocurre en el Repositorio *Roderic*, en cuya colección digital de fondo antiguo *Somni* están mal delimitados, incluso, los impresos CF/4(8) y CF/4(10), por el desorden de una hoja del segundo, a pesar de que tal circunstancia se indica a lápiz en el original, lo que, sin embargo, no ha evitado el error de digitalización. Además, si bien todas las obras del *Nazareno* son en lengua catalana, ni siquiera parece que BITECA recoja todos estos impresos y textos,[425] también presentados de forma individual, como es lógico, por otro lado, en este y en otros catálogos, en tanto que la colección facticia de impresos es meramente circunstancial.

Es por todo ello que ofrezco un listado abreviado de los impresos que contiene este volumen facticio, con la secuencia interna en que están cosidos, como refleja su signatura particular, así como el título o rúbrica principal de cada uno de ellos, lo que nos permite hacernos una idea del caudal bibliográfico que contiene y conserva, así como de los problemas o limitaciones que, en este mismo sentido, presenta:

CF/04(1) Obres contemplatiues y de molta | deuocio nouamente trobades en | loors dela sanctissima creu ab | altres piadoses cobles dela in | temerada verge Maria d*e*les | dolors y dela soledat molt | vtils y profitoses ala sa// | lut deles animes y con | sciences nostres ab | vns versos latins | loant al sacra// | tissim arbre | dela vera | creu.

CF/04(2) [Història de la passió de N. S. Jesu Christ en cobles] Contemplacio a Jesus crucifficat feta per Mossen | Joha*n* scriua mestreracional: e per Mosse*n* fenollar.

424 Si bien Gisbert Terol y Ortells Pérez sí que aducen la referencia a los veinte impresos con los que está encuadernado cada uno de ellos, que es la solución bibliográfica más adecuada, como podemos ver en el caso de la *Salve Regina*: «Encuadernado con los nos 341, 449, 631, 771, 949, 950, 951, 952, 1025, 1274, 1691, 2301, 2574, 3584, y también con [los seis considerados incunables]» (1992, II: 456-457, nº 3594). El catálogo en línea de la BHUV solo indica que esta edición se encuentra «Relligada amb altres obres» (Catàleg *Trobes*).

425 En concreto, no he podido localizar en BITECA cuatro impresos del *Nazareno*: los que tienen la signatura CF/4(05), CF/4(07), CF/4(09) y CF/4(15).

CF/04(3) Omelia sobre lo psalm del Miserere mei | deus: Ordenada per lo Magnifich mossen | Narcis vinyoles Ciutada de Valencia.

CF/04(4) Cobles nouelles de la passio de je | su christ complides.

CF/04(5) Co*n*templacio en honor y Re | uerencia d*e*les set vegades quel nostre redemptor Jesus escam | pa la sua preciosissima sanch ab les propietats de cascuna | feta per Andreu marti pineda notari.

CF/04(6) Prolech de vna no poch deuota adoratio d*e* ih*esus* | rede*m*ptor nostre crucificat endrecada ala se*n*yo | ra molt v*ir*tuosa dona ysabel d*e* Castelui viuda.

CF/04(7) Cobles nouament empri | mides dela salutacio de nostra senyora.

CF/04(8) Lo plant dela verge Maria | ab les dolors y llahors de aquella: y | moltes altres obres molt d*e*uotes | y co*n*te*m*platiues nouame*n*t esta*m*pades.

CF/04(9) Cobles fetes a vn principi antich que diu | destrohiulo de qua*n*t te al gran Turch verge Maria *et*c. pro// | cehint per quinze inuocacions de aquella. Pregant la per | la destructio del gran Turch/ y sos sequaçes. O perla con// | uersio de aquells ala sancta fe catholica.

CF/04(10) Oracio molt deuota y depreca | tiua ala verge maria deles vir | tuts lloant aquella: fetes | p*er* lo reuerent mose*n* | borguonyo.

CF/04(11) Aue Maria: gra*tia* | plena d*omin*u*s* tecu*m* | Benedicta tu i*n* | mulierib*us*. *et* be | nedict*us* fruct*us* ve*n*tris tui | Ih*esu*s v*ir*go mat*er* dei ora p*ro* | nob*is* peccatorib*us*. Amen.

CF/04(12) Salue regina feta p*er* lo discret en Pere vilaspinosa notari d*e* valen | cia la q*ua*l el mateix p*er* honor d*e*l loable co*n*sistori lo dia q*ue*s publica la de | vall scrita sente*n*cia d*e*la d*e* mu*n*t dita joya d*e*les lahors dela verge ma// | ria aq*ue*lla spa*n*di e publica e dreça aq*ue*lla al molt spectable e reuere*n*t se*n* | yor frare Luis d*e* puig mestre d*e*l orde e (*sic*) caualleria d*e* mu*n*tesa e d*e* sant | jordi lochtine*n*t general en lo regne d*e* vale*n*cia la q*ua*l fo*n*ch feta a seruey | d*e*nostre se*n*yor deu e a honor e gloria dela gloriossisima mare sua p*er* | manamen*t* e consolacio del dit spectable senyor visrey.

CF/04(13) Coples noues | dela v*er*ge. Maria.

CF/04(14) Cobles dela verge maria dela soledat | ab la Aue maris stella en pla.

CF/04(15) Los dolors dela gloriosa ma/ | re de deu: los quals se cantan los dissaptes dela quaresma | enla Incarnacio.

CF/04(16) Los goigs dela gloriosa mare | de Deu dela Concepcio: los quals se cantan | enla Encarnacio.

CF/04(17) Omelia sobre lo psalm de p*ro*fundis.

CF/04(18) La ystoria de Joseph fill de Ely e spos de | la sacratissima verge Maria: traduyda de | lati en romanç de diuersos doctors: e orde | nada p*er* lo reueren*t* m*est*re Joha*n* carbonel pre | uere: e indigne maestre en sacra theologia.

CF/04(19) La historia de Joseph fill | del gra*n* patriarcha Jacob | ordenada per lo reuerend | mestre Joan roiç de corella caual | ler e mestre en sacra theologia.

CF/04(20) Al estimat germa matheu de sancli | ment francesch alegre enla passio de iesucrist.[426]

CF/04(21) La vida de sa*n*t | Vicent Ferrer.

Los veintiún impresos son todos, como decía, de tema religioso y en catalán, así como ilustrados con xilografías en su mayoría, lo que podrían ser tres criterios que justifican el interés del poseedor por compilarlos y reunirlos, aunque hay un cuarto de cierta importancia, especialmente para el objeto de este trabajo: la mayoría de ellos son impresos poéticos. Un número tan amplio como catorce de estas ediciones lo son estrictamente, solo con obras en verso,

426 Es la *Passió de Jesucrist* de Francesc Alegre, cuya portada falta y de ahí que se incluya este íncipit, que corresponde a la primera hoja del ejemplar conservado. Se ha extraído, probablemente de la portada, una xilografía y se ha pegado en la hoja previa.

y en otros cuatro casos más alternan la poesía y la prosa, con una presencia importante de poemas en tres de ellos y solo testimonialmente, con dos breves epitafios poéticos de dos y cuatro versos, en el cuarto.[427] De esta manera, solo tres de los veintiún impresos no incluyen poesía.

Poesía	Poesía y prosa	Prosa	Número de hojas
CF/4(1)			32
CF/4(2)			10 [de 82]
	CF/4(3)		16
CF/4(4)			4
CF/4(5)			2
	CF/4(6)		8
CF/4(7)			2
CF/4(8)			8
CF/4(9)			2
CF/4(10)			2
CF/4(11)			2
CF/4(12)			4
CF/4(13)			6
CF/4(14)			2
CF/4(15)			1
CF/4(16)			1
	CF/4(17)		8
		CF/4(18)	18
	CF/4(19)		26
		CF/4(20)	16
		CF/4(21)	26

Esta tabla evidencia, a simple vista, la cierta voluntad de organización de los materiales de este volumen facticio a la hora de reunirlos para su encuadernación conjunta, con dos secciones muy marcadas. La principal estaría formada por los 17 primeros impresos, todos ellos poéticos, encabezada por el más amplio de ellos —con diferencia, en tanto que duplica al segundo más largo de esta sección—, tras el cual se incorporaron los dos que le siguen en extensión: un ejemplar mútilo del conocido incunable de *Lo passi en cobles*, que solo contiene 10 hojas de las 82 originales, del cual se ha eliminado limpiamente la extensa *Istòria de la Passió* de Bernat Fenollar y Pere Martines, para conservar aquí la *Contemplació* de Bernat

427 Para estos últimos poemas funerarios y su transmisión manuscrita e impresa, véase Martos 2019e.

Fenollar y Joan Escrivà, junto a la *Oració* de Joan Roís de Corella, que remata la edición;[428] a continuación, se incorpora el segundo impreso poético más extenso, de solo 16 hojas, el incunable con la *Omelia sobre lo psalm del Miserere mei* de Narcís Vinyoles, similar a la *Omelia sobre lo psalm De profundis* que cierra esta primera sección y sirve de transición a la siguiente. Ambos impresos son valiosos ejemplares de testimonio único, como lo es también, sin duda, el incunable *sine notis* de la *No poch devota adoratió de Jhesús*, con los que comparte el hecho de ser los tres que combinan la prosa con un número notable de poemas, además de ser testimonio, a mi parecer y como he explicado en otro contexto, del subgénero de la *homilía literaria*, que se desarrolló en Valencia en las dos últimas décadas del siglo XV y del que participó, impulsó y debió de ser modelo a seguir el mismísimo Joan Roís de Corella.

Entre ambos ejemplares de las homilías, se incorporan impresos muy breves, la mayoría formados por pliegos de cuatro hojas, por medios pliegos e, incluso, por un solo folio —si no es que están mútilos, aunque nada hay que lo justifique—,[429] todos con esa voluntad de alta difusión. En ese cierto carácter popular de estos impresos no solo incide su materialidad y su precio, ni tampoco lo hace únicamente su temática religiosa, como productos para la devoción y contemplación íntima, sino que la propia métrica es evidencia de ello, en tanto que se recurre, a menudo, al heptasílabo, al octosílabo e, incluso, a las *codolades*, que combinan este metro con el tetrasílabo, lo que contrasta con el primero de los impresos, de un cierto carácter culto, que entronca con la tradición de los certámenes poéticos religiosos, hasta el punto de que alguno de sus poemas proviene de ellos, como indica la propia rúbrica.

La brevísima extensión de los impresos poéticos de esta subsección justifica, asimismo y en buena parte, el interés de esta colección de impresos, cuyas dificultades de conservación, por su entidad física, se resolvió aquí al encuadernarse juntos, como ocurre con otros volúmenes similares, de los que uno de sus ejemplos más paradigmáticos son los conocidos como *Pliegos de Praga* (Biblioteca Nacional de Praga, 9.H.231) (Menéndez Pidal 1960), si bien los materiales del *Nazareno* llegan a ser bastante más antiguos. El volumen se cierra con una última sección en prosa, en la que se incluyen impresos hagiográficos, como los que recogen la vida de San José y la de San Vicente Ferrer; o el desarrollo que nos ofrece Joan Roís de Corella de la vida

---

428 Después se volverá sobre ello, a propósito de la integridad del pliego de la *Salve Regina* de Vilaspinosa.

429 Aguiló (1923: 589, nº 2232) aglutina los impresos CF/04(15) y CF/04(16), y se refiere a ambos como unidad. Los catálogos de la BHUV sí que los desglosan.

del José soñador del *Génesis*, el hijo de Raquel, que, como veíamos, contiene, excepcionalmente, seis versos divididos en dos poemas; y, finalmente, pero no en esta misma secuencia, la *Passió de Jesucrist* de Francesc Alegre. En los cuatro casos se trata de ediciones que alcanzan o superan la extensión de dos cuadernillos con dos pliegos conjugados, esto es, las 16 hojas, siguiendo el modelo de otros impresos breves de tema religioso frecuentes en la imprenta valenciana de la época.

Más extraños fueron, al menos en época incunable, los impresos brevísimos de una a cuatro hojas a la manera de los que encontramos en el *Nazareno*, la mayoría de ellos de testimonio único o, si acaso, con muy pocos ejemplares conocidos, como ocurre con el resto de las ediciones reunidas en él, que el destino ha querido que hoy se conserven, lo que hace de este volumen facticio una verdadera joya bibliográfica para la poesía en catalán del paso del siglo XV al XVI y para la historia de la imprenta en Valencia durante esta misma época.[430]

Once de estos impresos están datados gracias a la existencia de colofones completos o, al menos, con una referencia cronológica explícita, que nos permite enmarcarlos en una horquilla temporal que va desde 1490 hasta 1535, lo que evidencia que estamos ante un importante corpus de impresos antiguos, de los que se documentan fehacientemente, al menos, tres incunables y seis post-incunables, así como dos ediciones ligeramente posteriores:

Impresos datados

1490	**CF/04(17)**	Omelia sobre lo psalm de p*ro*fundis. Valencia, Lambert Palmart.
1493	**CF/04(2)**	[Història de la passió de N. S. Jesu Christ en cobles] Contemplacio a Jesus crucifficat... Valencia, [Pere Hagenbach y Leonard Hutz], Jacobo Vila (editor).
1499	**CF/04(3)**	Omelia sobre lo psalm del Miserere mei | deus: Ordenada per lo Magnifich mossen | Narcis vinyoles Ciutada de Valencia. València, Nicolau Spindeler.

430 Al menos, en tanto que los colofones solo documentan la impresión en esta ciudad, pero es posible, si tenemos en cuenta ciertas sugerencias bibliográficas, especialmente las de Marià Aguiló (1923), que algunos de los impresos pudieran haber salido de prensas barcelonesas.

1502	**CF/04(10)**	Oracio molt deuota y depreca | tiua ala verge maria deles vir | tuts lloant aquella: fetes | p*er* lo reuerent mose*n* | borguonyo. Valencia, Joan Joffre.
1502	**CF/04(18)**	La ystoria de Joseph fill de Ely e spos de | la sacratissima verge Maria... orde | nada p*er* lo reuere*n*t m*es*-*t*re Joha*n* carbonel... Valencia, Cristòfol Koffman.
1510	**CF/04(21)**	La vida de sa*n*t | Vicent Ferrer. Valencia, Joan Jofre.
1511	**CF/04(8)**	Lo plant dela verge Maria | ab les dolors y llahors de aquella: y | moltes altres obres molt d*e*uotes | y co*n*te*m*platiues nouame*n*t esta*m*pades. [s.l.], [s.i.].
1515	**CF/04(1)**	Obres contemplatiues y de molta | deuocio nouamente trobades en | loors dela sanctissima creu ab | altres piadoses cobles... Valencia, Joan Joffre.
1519	**CF/04(13)**	Coples noues | dela v*er*ge. Maria. [s.l.], [s.i.].
1521	**CF/04(5)**	Co*n*templacio en honor y Re | uerencia d*e*les set vegades quel nostre redemptor Jesus escam | pa la sua preciosissima sanch... feta per Andreu marti pineda notari. [s.l.], [s.i.].
1535	**CF/04(7)**	Cobles nouament empri | mides dela salutacio de nostra senyora. [s.l.], [s.i.].

Los diez impresos restantes son *sine notis*, lo que no implica que los bibliógrafos no les hayan atribuido fechas de impresión o, incluso, pies de imprenta completos, no siempre con un estudio específico que los avale, sino, a menudo, por mera asociación a la producción temática de ciertos impresores o, incluso, por error material en la delimitación de cada ejemplar: bien por presentar algún problema la propia encuadernación del *Nazareno*, bien por la secuencia de dos pliegos sin colofón que difumina sus límites,[431] o bien por razones incluso más peregrinas.

---

431 En tanto que algunos impresos poéticos llegan a ser misceláneos y a presentar diferente disposición de los textos e, incluso, diferente tipografía, lo que confunde en otros casos más regulares.

Impresos sin datación explícita

CF/04(4) Cobles nouelles de la passio de je | su christ complides.

c. **1501**[432]
Catàleg *Trobes*

c. **1515**
Miquel i Planas 1915-1920, II: col. 119-120

c. **1518** [Barcelona, Pere Posa II]
Norton 1978: 86, nº 211
Millares Carlo 1982: 569
Martín Abad 2001: 200, nº 424
Wilkinson 2010 [y 2018-]: nº 3462
Lamarca 2015: 1518, nº 146
BITECA manid 2567

CF/04(6) Prolech de vna no poch deuota adoratio d*e* ih*es*u*s* | rede*m*ptor nostre crucificat... [= *Adoració de Jesús crucificat*]

c. **1480-1490**
Ribelles Comín 1915-1920, I: 643-644, nº 313
Aguiló 1923: 542-543, nº 2097
Kurz 1931: 15, nº 19
Palanca y Gómez 1981: 23, nº 1
Bas Carbonell 1992: 30, nº 41
GW 00226
Catàleg *Trobes*

c. **1494**
García Craviotto 1989-1990, I: 8, nº 31
Wilkinson 2010 [y 2018-]: nº 10688
GW 00226
ISTC ia00053800

CF/04(9) Cobles fetes a vn principi antich que diu | destrohiulo de qua*n*te al gran Turch verge Maria...

c. **1525**
Catàleg *Trobes*

---

432 Solo incorporo en esta tabla los repertorios o catálogos que datan el impreso.

***c.* 1525-1535**
Aguiló 1923: 588, nº 2229
Wilkinson 2010 [y 2018-]: nº 2317

CF/04(11) Aue Maria: gra*tia* | plena d*omin*u*s* tecu*m*...

***c.* 1491-1500**
BITECA manid 2703

***c.* 1501**
Catàleg *Trobes*

***c.* 1505-1510** [Valencia, Cristobal Cofman]
Norton 1978: 416, nº 1158
Martín Abad 2001: 124, nº 149
Wilkinson 2010 [y 2018-]: nº 1380

CF/04(12) Salue regina feta p*er* lo discret en Pere vilaspinosa...

***c.* 1474-1478**
BITECA manid 1893

***c.* 1482**
Ribelles Comín 1915: 598-599, nº 297
GW M50468

***c.* 1501**
Catàleg *Trobes*

1519
Ortiz 1782: 40v-41r
Fuster 1827: 66-67

***c.* 1525**
Romero Lucas 2005a, II: 1119, nº 247

CF/04(14) Cobles dela verge maria dela soledat | ab la Aue maris stella en pla.

***c.* 1491-1530**
BITECA manid 2591

***c.* 1510**
Catàleg *Trobes*

c. **1510-1520**
Aguiló 1923: 587-588, nº 2228

c. **1518** [Valencia, Joan Joffre]
Norton 1978: 436-437, nº 1208
Martín Abad 2001: 200, nº 421
Wilkinson 2010 [y 2018-]: nº 3461

CF/04(15) Los dolors dela gloriosa ma/ | re de deu: los quals se cantan los dissaptes dela quaresma | enla Incarnacio.

c. **1501**
Catàleg *Trobes*

c. **1540**
Wilkinson 2010 [y 2018-]: nº 4837

c. **1540-1550**
Aguiló 1923: 589, nº 2232

CF/04(16) Los goigs dela gloriosa mare | de Deu dela Concepcio: los quals se cantan | enla Encarnacio.

c. **1501**
Catàleg *Trobes*

c. **1501-1550**
BITECA manid 2682

c. **1525**
Wilkinson 2010 [y 2018-]: nº 19474

c. **1540-1550**
Aguiló 1923: 589, nº 2232

CF/04(19) La historia de Joseph fill | del gra*n* patriarcha Jacob | ordenada per lo reuerend | mestre Joan roiç de corella...

c. **1500**
Salvá y Mallén 1872: 638, nº 3434, nota
Haebler 1903-1917: I, 163; II, 281-282, nº 588
Ribelles Comín 1915-1920, II: nº 1060
Aguiló 1923: 29-30, nº 39
Bohigas y Soberanas 1976: 75, nº 79
Palanca y Gómez 1981: 125, nº 277

Bas Carbonell 1992: 33-34, nº 74
GW M39161
Catàleg *Trobes*

c. **1501-1502**
Norton 1978: 441-442, nº 1218
García Craviotto 1989-1990, II: 414, nº PI-231
Martín Abad 2001: 455, nº 1134
Wilkinson 2010 [y 2018-]: nº 16135
ISTC ic00909470

c. **1510**
Serrano y Morales 1898-1899: 229

CF/04(20) Al estimat germa matheu de sancli | ment francesch alegre enla passio de iesucrist [= *Passió de Jesucrist*]

c. **1493-1495** [Barcelona, Pere Miquel]
García Craviotto 1989-1990, I: 37, nº 233
Wilkinson 2010 [y 2018-]: nº 283
GW 0085705N
ISTC ia00369100
BITECA manid 1032

c. **1495-1500**
Aguiló 1923: 292, nº 892
Palanca y Gómez 1981: 30, nº 22
Catàleg *Trobes*

Dos de estos impresos sin datación explícita se consideran unánimemente incunables [CF/04(6) y CF/04(20)] y otro de ellos post-incunable [CF/04(4)], pero las horquillas que se dan en muchos otros contempla ambos períodos [CF/04(11), CF/04(12), CF/04(14) y CF/04(19)][433] o, incluso, se llegan a fechar durante toda la primera mitad del siglo XVI, alcanzando sus cincuenta años al completo [CF/04(15) y CF/04(16)] o con una propuesta de datación posterior

433 En este último caso muy afinado cronológicamente, entre 1500 y 1501, más allá de la propuesta singular y poco sólida de Serrano y Morales, quien, a partir de *La vida de Sanct Vicent Ferrer*, que cierra el *Nazareno* [CF/4(21)] y que tiene colofón completo, atribuye su fecha y taller también a la *Vida de Sanct Onofre* y a *La història de Joseph de Roís de Corella*: «Por la identidad de los caracteres tipográficos, abreviaturas &. de dicha obra, y los que se usaron en las dos siguientes, que carecen de lugar y nombre de impresor, creemos que éstas fueron estampadas por Jofré y probablemente hacia el mismo año 1510» (1898-1899: 227-228).

a 1520 [CF/04(9)]. En muchos de estos impresos se ha resuelto ya la cuestión cronológica y/o la adscripción a un taller concreto, más allá de las variables bibliográficas establecidas, pero no es así en todos y es sintomático, precisamente, lo ocurrido con el impreso poético objeto de este trabajo, la *Salve Regina* de Pere Vilaspinosa [CF4(12)], que se ha datado en un período tan amplio y poco resolutivo como *c.* 1474-1525, normalmente sin adscribirlo a ningún impresor y, cuando así ha sido, sin un estudio tipográfico que lo avale. Este breve impreso, de hecho, ha generado más dudas que resultados, en muchos casos contradictorios, con lo que ello implica para el estudio bibliográfico y literario. La mayoría de estas variables se encuentran, a día de hoy, sin resolver y el punto de partida para ello será, necesariamente, su estudio material e interno.

3.2.3. La encuadernación del *Nazareno*

La colección de impresos del *Nazareno* está encuadernada en terciopelo[434] tintado de rojo burdeos —y no morado—,[435] con los cortes dorados y las contraguardas forradas de tela blanca nacarada,[436] de una destacada riqueza, por tanto.[437] Esta encuadernación no solo es previa a la llegada de este volumen en 1867 al fondo bibliográfico que lo custodia en la actualidad, sino que, por las razones que aquí se aducirán, habría que datarla con anterioridad, incluso, a su incorporación a la biblioteca privada de Vicente Hernández Máñez.

Aún en el siglo XVIII, se encarga a José Mariano Ortiz (1782) un informe sobre el Palacio del Real de Valencia, que da lugar a una publicación cuyo título abreviado es *Descubrimiento de las leyes palatinas y derechos que V. M. tiene como á Rey de Aragon en vuestro Palacio del Real de Valencia.*[438]

434 Para la encuadernación antigua con tejidos, véase los trabajos de Crespí de Valldaura (1995) y Rodríguez Peinado (2017).

435 Como ya he matizado, lo que tiene ciertas implicaciones que se desarrollarán en este epígrafe.

436 «Probablemente las contraguardas textiles fueron habituales en los códices medievales» (Rodríguez Peinado 2017: 25).

437 «El textil estaría reservado para ejemplares de lujo perdiendo su funcionalidad. Los terciopelos y brocados guarnecidos con bullones y cierres metálicos en las tapas y borlones en las esquinas aumentaban su valor y convirtieron estos libros en una expresión de piedad y orgullo, en una exhibición ostentosa de piedad» (Rodríguez Peinado 2017: 28).

438 El encargo, como se especifica en los preliminares, se produjo en los siguientes términos: «Josef Mariano Ortiz, Escribano por V. M. de la Alcaydia de vuestro Real Palacio, buréo y jurisdiccion de la ciudad de Valencia á V.s R.s P.s expone reverente: Como cumpliendo con el orden que se le ha comunicado, para que con arreglo á los mas autorizados Documentos, Registros, Diplomas y Escrituras informe sobre quándo se erigió, ó adquirió el Real de Valencia; en qué siglos se amplió, quiénes

El informe en sí ocupa solo una parte, relativamente breve, de este impreso (Ortiz 1782: 8r-25r) y, aunque estaba previsto que contase con más artículos, se limitó finalmente a los cinco que anunciaba en los preliminares,[439] cuyos

lo han gobernado, con qué leyes ú ordenanzas; si lo han habitado Personas Reales; quándo se fundó la Capilla y Capellanías; quién ha dirigido sus asuntos, si con Bula especial, ó con las que goza vuestra Corona de Aragon; qué Gefe han tenido los Capellanes; quién exerce la jurisdiccion Real ordinaria den Palacio y su buréo, jardines, huertas, veredas y continente; con qué título, y para ante quién admite las apelaciones, con lo demás que resultáre de los Instrumentos correspondientes á el asunto, y fuere digno de notarse, ha reconocido con la mayor reflexîon vuestros Reales Archivos del Real de Valencia y Regio Patrimonio, para cumplir con el encargo. Este, Señor, era propio de un talento superior al del Informante, y de otra mas bien cortada pluma; no obstante, para desempeño de lo mandado ha copilado con la mayor actividad y zelo quanto ha hallado conducir al intento; y reduciendolo á un breve concepto, lo presenta á V. M., para que enterado de su contexto, mantenga el Palacio del Real en la posesion de sus prerrogativas y facultades; y en su conseqüencia mande no se entrometa Tribunal alguno á conocer en el uso y ejercicio de los actos y funciones que le ocurran; porque seria gravemente perjudicial á la Corona el que otros Juzgados tomasen conocimiento sobre las acciones y derechos de la Regalía mas apreciable que V. M. posee en la Corona de Aragon. Justo es, Señor, que cada uno defienda el derecho de lo que con legítimo título tenga adquirido, por no ser razon, que despues de una larga posesión, lo pierda por omision ó descuido. Llevado de este consejo produce la prueba de lo que V. M. posee en su Real de Valencia, como á Rey de Aragon, en virtud de Bulas Pontificias, Indultos Apostólicos, y Contratos paccionales celebrados por vuestros gloriosos precedesores y la Sede Apostólica, literal y expresamente exceptuados en la derogacion de los Fueros por vuestro invicto padre con Real Cedula de 7 de Septiembre de 1707, para no ser despojado ni perturbado con persona alguna» (Ortiz 1782: 1r-v).

439 «Con lo que se ha dado la idéa del presente Informe, que se distribuye en cinco Artículos. En el primer se funda la adquisicion del Palacio Real de Valencia; se descubre la ereccion de Capilla con la dotacion del Capellan del Rey, el establecimiento de varias Reales Ordenanzas relativas al gobierno espiritual y político de ella; y entrego que hicieron las Personas Reales á sus alcaydes y Lugares-Tenientes. En el segundo se prueba como la Real Persona exerce por Burlas y Rescriptos Pontificios la jurisdiccion eclesiástica y espiritual; establece fiestas; asigna oblaciones; elige Predicador; y concede facultad á los Delegados para dar licencias de confesar, y predicar. En el tercero se justifica la fundacion de las Capellanías Reales; supresión de unas, y ereccion de otras; dotacion, provisiones, posesiones, su observancia hasta el año de 1559 y tiempos posteriores; las qualidades que deben tener los obtentores, y qué Gefe tuvieron hasta la nueva planta de las Leyes de Castilla en vuestro Reyno de Valencia. En el quarto se prueba como todos estos actos, y otros más, ha exercido V. M., ó vuestros Alcaydes ó Delegados, como Lugares-Tenientes; y como á Regalía, que es vuestra jurisdiccion eclesiástica y espiritual, debe defenderla el Real Fisco. Y en el quinto se manifiesta la jurisdiccion Real ordinaria, que el Alcayde exerce por V. M. en el Real, su buréo y partido, con inhibicion de todo Tribunal, y con las apelaciones únicamente para la Sala de Justicia de vuestro Real Consejo» (Ortiz 1782: 2v-3r).

contenidos nos pueden dar una idea del objetivo de este documento, así como ocurre con sus conclusiones, por lo que remito a ellos:[440] debió de haber un conflicto de poder, entre monarquía e iglesia, en lo que respecta al Real de Valencia y, en especial, a su Capilla, que, sin duda, justificó su redacción. A continuación del informe propiamente dicho, se incluye una breve sección de notas, con una serie de tablas,[441] y otra más amplia, hasta el punto de que duplica el volumen en extensión, con una colección diplomática.[442]

Ambas secciones vienen a ser fundamentos del propio informe y, como podemos imaginar, poco tienen que ver con la literatura, a excepción de la última de las notas, cuyo objetivo se explicita en su rúbrica de la siguiente manera: «Nota VII. *Pruebase que el Poëta Jayme Roig, Medico de la Señora Reyna Doña Maria, floreció en el siglo* XV*; como fue coëtaneo del Poëta Ausias March, y ambos familiares de Palacio, ó de la Casa Real; de la*

440 «Con lo que se ha insinuado, parece queda probado la adquisición del Palacio Real, su ampliacion, gobierno, ser la Capilla de vuestro Patronato por su ereccion y dotacion; exercer vuestra Magestad la jurisdiccion eclesiástica y espiritual por concesion Apostólica; practicar, ó mandar executar todos los actos, y funciones que se ofrecen e ella; dar licencias y presentar las Capellanias Vos ó vuestros Delegados, sin intervencion de los Ordinarios, por serlo vuestra Magestad de los Capellanes Reales esentos, como lo declaró el Señor Don Felipe IV con Real Cedula de 8 de Agosto 1685; quedar las disposiciones del Concilio en esta parte abrogadas *per dissuetudinem*, que es no haberse puesto en práctica una ley canónica, por la propuesta que en tiempo del Señor Don Felipe II hicieron los Fiscales Reales de la Corona de Aragon, de no admitir el Concilio de Trento en todo lo que se opusiese á la Regalía, ó perjudicára los derechos Patrimoniales; reconocer por Regalía lo que pertenece á vuestra Real Persona por costumbre ó Privilegios Apostólicos; y por esta razon conocer vuestra Magestad, y vuestros Ministros ó Cámara de Aragón, en todo lo eclesiástico tocante al Patronato Real, mediante las Cedulas de 1588, 1593, 1603, y otras posteriores; y exercer vuestros Delegados ó Alcaydes la jurisdiccion Real ordinaria en el Real de Valencia, su bureo, distrito, veredas, caminos, ó calles de la alameda, y en todos sus subalternos peculiar y privativamente, con inhibicion absoluta de todo Tribunal y vuestra Real Audiencia; como lo decidió vuestro glorioso Padre año 1723. Esto, Señor, es lo que resulta de los citados documentos, lo que vierten los AA. de mayor nota sobre lo que pide el Informe, y quanto se le ofrece al Informante poner en la Real consideracion de vuestra Magestad por mano de vuestro Secretario de Estado, conforme lo prescribe la Cedula del año 1768 para que resuelva vuestra Magestad su debida observancia, con lo demás que fuere de su Real agrado. Dios guarde V. R. P. para la felicidad de la Monarquia y bien del vasallo. Madrid y Septiembre 8 de 1782» (Ortiz 1782: 24^{v}-25^{r}).

441 «Notas de ilustración al informe» (Ortiz 1782: 25^{r}-41^{v}), seguidas de varias tablas cronológicas de cargos relacionados con el Real de Valencia (Ortiz 1782: 42^{r}-46^{v}).

442 «Copilacion diplomatica, en que se funda el antecedente informe» (Ortiz 1782: 1^{r}-51^{r}), cuya foliación es independiente de la primera parte. Se numeran hasta 31 documentos, si bien en algunas entradas hay más de uno.

que tambien lo fueron Jorge del Rey, y Mosen Jayme Febrer» (Ortiz 1782: 37^{v}-41^{v}). Esta nota final, de una cierta digresión, se justifica, en cualquier caso, por la asociación de Jaume Roig a la reina María de Aragón, esposa del Magnánimo, en dos de los documentos incluidos en la colección diplomática que cierra el impreso,[443] para demostrar, en última instancia, que este poeta «floreció por la mitad del siglo XV, y no antes, como suponen algunos» (Ortiz 1782: 38^{v}). No esperemos encontrar mucha crítica o historia literaria en ella, ni menos aún de cierta calidad,[444] en tanto que el objetivo es solo demostrar que el estado de la lengua de Roig es similar al de autores de mediados del Cuatrocientos, para lo que se refieren otros poetas anteriores y posteriores. Y así, al intentar justificar la antigüedad de las *Trobes* de Jaume Febrer, que entonces se creían medievales, respecto de las poesías de Ausiàs March y Jaume Roig, alude, como argumento complementario, a dos incunables poéticos:

> Sin que pueda obstar la reflexion de éstos, de no concordar el idioma de los trobos de Mosen Febrer con el de los siglos anteriores; porque si hubieran leido con reflexion las obras de Ausias March, y Jayme Roig, que vivieron, y escribieron á un mismo tiempo, notarian la diferencia en el estilo, metro, voces y expresion de una y otra; y mas si cotejáran las dos con los trobos de la Homilia del Psalmo *De profundis*, que hizo Mosen Gerónimo Fuster, Beneficiado de la Santa Iglesia de Valencia, impresos en ella por Lamberto Palmart Alemany año 1490; y *Salve Regina*, que Pedro Villa-Espinosa, Escribano de Valencia, compuso año 1519 en honor de la Virgen de los Angeles de la Capilla del Real Palacio, y dedicó al Virrey (Ortiz 1782: 40^{v}-41^{r}).

Los impresos en cuestión forman parte en la actualidad del *Nazareno* y el hecho de que se encuentren aquí, de igual manera, asociados, está lejos de ser una casualidad. Se trata de la *Omelia sobre lo psalm De profundis* [CF/04(17)], en el primero de los casos, del que no hay duda de que es un impreso y no un manuscrito, porque Ortiz aporta su pie de imprenta (Valencia, Lambert Palmart, 1490). Lo era también el segundo de ellos, la *Salve Regina*

---

443 «*Codicilos de la Señora Reyna Doña Maria, Muger del Señor Don Alfonso el V*» (Ortiz 1782: 27^{r}-29^{r}, documento 15/2) y «*Ultimo Testamento de la misma Señora Reyna Doña Maria*» (Ortiz 1782: 29^{r}-31^{r}, documento 16).

444 Nos puede dar una idea de ello la síntesis que hace de la producción de Jaume Roig: «Escribió en lengua Valenciana las poesias en versos decasílabos, ó de sonetos, siguiendo el estilo Catalán Prohenzal» (Ortiz 1782: 38^{v}). Parece ser, en cualquier caso, que esto no afecta solo a aspectos de crítica o, incluso, historia literaria: «Lo cierto es que muchos escribanos argumentan y sostienen pleitos con informaciones de Ortiz, a quien no suelen citar si bien, en ocasiones, lo aportan como prueba» (Roca Traver-*DB~e*).

feta per lo discret en Pere Vilaspinosa [CF/04(12)], si bien, de este, no se aduce lugar ni impresor —porque no los contiene el pliego poético—, aunque sí que se data aquí en un año concreto, como veremos.

Es la primera vez que se documenta lo que, sin duda, es el ejemplar del pliego poético objeto de este trabajo y lo hace, de una manera muy circunstancial, asociándolo a otro que también se recoge en el *Nazareno*. Podríamos pensar que el hecho de mencionar solo estos dos incunables sería prueba de que estarían reunidos en una biblioteca, pero no, necesariamente, formando parte del *tomo de varios* en cuestión o, incluso, siendo ejemplares diferentes a los recogidos en él. Sin embargo, la selección tendría razón de ser para los objetivos de la nota de Ortiz, que busca datar la producción de Roig a partir de la comparación con otros textos valencianos escritos en catalán: por un lado, la *Omelia* es el impreso poético más antiguo del *Nazareno* con datación explícita, además de ser obra de Jeroni Fuster, del que destaca Ortiz que es *Beneficiado de la Santa Iglesia de Valencia*, lo que no es baladí al objeto de su informe, como no lo es, por otro lado, que la *Salve Regina* de Vilaspinosa estuviese compuesta, precisamente y según él, *en honor de la Virgen de los Ángeles de la Capilla del Real Palacio*.[445]

Pero un razonamiento tan lógico como este quizás sería insuficiente para justificar que ya entonces estuviesen reunidos ambos impresos cosidos en un mismo volumen y que este fuese, en efecto, el *Nazareno*, a diferencia de lo que ocurre con otro argumento que, sin embargo, me parece definitivo: Ortiz data el poema y/o el impreso de Vilaspinosa en 1519. Podríamos pensar que, para ello, disponía de algún dato hoy perdido, quizás otra edición, que hoy desconocemos, teniendo en cuenta la concreción de la apuesta cronológica, pero nada más lejos de la realidad.

Una de las características del *Nazareno*, la reunión y/o aglutinación de impresos y la consecuente dificultad para delimitarlos jugó una mala pasada a Ortiz, quien no debió de tener claros los límites materiales de la *Salve Regina* y acabó atribuyéndole la datación del impreso siguiente: las *Coples noves de la verge Maria*. A ello debió de contribuir, sin duda, que este último contenía poemas en tipografía de diferente tamaño, como veremos más adelante. Este impreso, como el pliego poético de la *Salve Regina*, no indica lugar ni impresor, pero en este caso sí que se data explícitamente, en posición de colofón, en ese año de 1519 que, por error, Ortiz atribuye a la edición de Vilaspinosa:

445 No hay nada que lo justifique, si no es que Ortiz asocia la figura del virrey con el Palacio Real, en tanto que lo destaca como dedicatario del poema, y de ahí que genere una relación, ciertamente, peregrina, que sería un ejemplo más de la poca precisión de algunos de sus datos.

Coples noues dela vge. Maria

De aquell diuinal li.
que ses fera esta peça
y filada ab tal endreça
que no sen perde vn bri
per que li era tan fi
que daçots fon rastellat.
per vestir lo despullat

Patriarques lespiauen.
profetes feren capdels
y parlauen ells ab ells
en linfern com lesperauen
los sants pares lo cridauē
vingal que ses incarnat
per vestir lo despullat

Texidora foren vos
per vestir lo despullat
ab tela de pietat

Los bordis en consentir
fon lo bordim la humanitat
la trama diuinitat
que tal drap volgue vestir.
per lo mon tot redemir
ab sanch de vostra puritat
per vestir lo despullat.

La lançadora fon damor
que anaua y tornaua
y mirant com se tractaua.
deu y home y redemptor
per cobrar lo pecador
enla creu teler parat
per vestir lo despullat

Fon peçol com se ligua
esta diuinal persona
y lo pinte la corona
com a rey se corona.
y lalna ab ques mesura
fon la lança enlo costat
per vestir lo despullat

Esta tela bescanceja
ab lo gran sol de justicia
de jueus ab gran malicia
enla creu com sestira.
ab les lagremes se banya
que la mare ha plorat
per vestir lo despullat

Per lo que. Adam menja
tots restarem empenyorats
dela gracia despullats

BHUV, CF/4(13), h. 1r

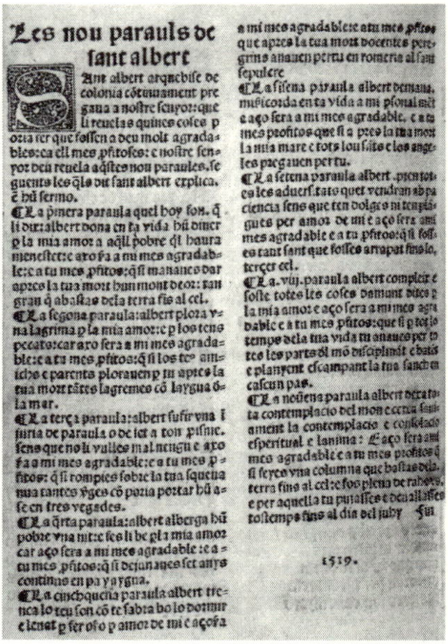

Les nou parauls de sant albert

Sant albert arquebisbe de colonia contunuament pregaua a nostre senyor: que li reuelas quines coses poria fer que fossen a deu molt agradables: e als mes profitoses: e nostre senyor deu reuela aquestes nou paraules. seguents les quals dit sant albert explica. en hun sermo.

La primera paraula quel hoy fon. que li dix: albert dona en ta vida hun diner per la mia amor a aquell pobre qui haura menester: e aço fa a mi mes agradable: e a tu mes profitos: que si manaues dar apres la tua mort hun mont de or: tan gran que abastas dela terra fins al cel.

La segona paraula: albert plora vna lagrima per la mia amor: e per los teus peccatos: car aço sera a mi mes agradable: e a tu mes profitos: que si los teus amichs e parents plorauen per tu apres la tua mort tantes lagremes com laygua dela mar.

La terça paraula: albert sufir vna injuria de paraula o de fet a ton prosime. sens que no li vulles mal nengu e aço fa a mi mes agradable: e a tu mes profitos: que si rompies sobre la tua squena tantes verges com poria portar hun ase en tres vegades.

La quarta paraula: albert alberga hun pobre vna nit: e fes li be per la mia amor car aço sera a mi mes agradable: e a tu mes profitos: que si dejunaves set anys continus en pa y aygua.

La cinchquena paraula albert trenca lo teu son com te sabra bo lo dormir e leuat per fer oro per amor de mi e aço fa a mi mes agradable: e a tu mes profitos que apres la tua mort docentes peregrins anauen per tu en romeria al sant sepulcre

La sisena paraula albert demana misericordia en ta vida a mi personalment e aço sera a mi mes agradable. e a tu mes profitos que si apres la tua mort la mia mare e tots los sants e los angeles pregauen per tu.

La setena paraula albert. porta totes les aduersitats quet vendran ab paciencia sens que ten dolgues ni tempta[illegible] gues per amor de mi e aço sera a mi mes agradable e a tu profitos: que si fosses tant sant que fosses arrapat fins lo terçer cel.

La. viij. paraula albert complir e fosse totes les coses demunt dites per la mia amor e aço sera a mi mes agradable e a tu mes profitos: que si per tot lo temps dela tua vida tu anaues per totes les parts del mon disciplinat e batent e planyent escampant la tua sanch en cascun pas.

La nouena paraula albert [illegible] la contemplacio del mon e cerca [illegible] ament la contemplacio e consolacio espiritual e lanima: E aço sera a mi mes agradable e a tu mes profitos que si feyes vna columna que bastas dela terra fins al cel e fos plena de [illegible] e per aquella tu pujasses e deuallasses tostemps fins al dia del juhy Fin

1519.

BHUV, CF/4(13), h. 6v

La dificultad para delimitar los impresos CF/04(12) y CF/04(13), que dio lugar a tal confusión, solo se explicaría si ambos estaban ya encuadernados y, de hecho, en esta misma secuencia, como creía también Aguiló i Fuster, al considerar que Ortiz «incurrió en el error de suponerle compuesto en 1519, sólo por hallarle encuadernado con otro folleto de esta fecha» (Aguiló 1923: 554, nº 2107). No hay duda, por tanto, de que Ortiz habría manejado ya entonces el *Nazareno*, probablemente tal y como lo conocemos hoy, lo que implica que su encuadernación como facticio es anterior a 1782, al menos. Lo peregrino de recurrir a ambos impresos de una manera tan concreta, siendo tan poco representativos en la historia literaria y sin relación directa con Jaume Roig, así como el cierto impresionismo de sus pinceladas literarias en esta nota, que reúne referencias tan diversas, hace pensar en unos materiales que tenía de primera mano, lo que es de cierto interés para la historia de estos ejemplares.

El tratamiento estrictamente literario, como decía, no es lo más interesante de esta nota de Ortiz, pero sí las noticias que emergen en ella como primicia bibliográfica, que no solo se limitan a estos dos impresos del *Nazareno*, sino que se menciona también una antigua tragedia manuscrita, que propone fechar, con acierto, a finales del siglo XIV:[446]

446 «Siga com siga, hi ha un terme *a quo* de còpia del miscel·lani A, i és la data de la traducció de les Regles d'amor, que segons A. Pagès, pot ser entre el 1387 i el 1389.

A estos precedió Don Domingo Mascó, Consejero del Señor Don Juan I de Aragon, Autor de la Tragedia del *Hom enamorat, y la fembra satisfeta*, alusiva al amor que profesaba el Rey Don Juan á Doña Carroza, Dama de la Reyna, que se representó en el Real de Valencia el Abril de 1394, la que original con varias notas de la misma letra posee el Informante; con lo que es visto, que en el siglo XIV ya se hallaba recibido el uso de las Tragedias en Valencia (Ortiz 1782: 39r).

No entraré a valorar ahora el interés de esta tragedia del *Hom enamorat y la fembra satisfeta* de Domènec Mascó[447] para la historia literaria, que, sin duda lo tiene por su carácter temprano, para no desviarme del objeto de este trabajo, pero sí que querría destacar que Ortiz deja bien claro que posee una copia manuscrita y anotada de esta en su biblioteca particular. El dato no es baladí, porque confirma que las obras literarias que refiere en su nota, incorporadas de una manera más o menos forzada, son materiales que tiene muy a mano: tan a mano como podría ser su propia biblioteca. Ahora bien, ese orgullo bibliófilo con el que menciona poseer el manuscrito de la tragedia no aparece al referirse a los dos impresos del *Nazareno*, de los que no anota su procedencia, lo que no deja de ser sintomático, aunque no definitivo.

Y es que, en este mismo sentido, Ortiz explicitaba también que su informe lo haría «con arreglo á los mas autorizados Documentos, Registros, Diplomas y Escrituras», así como que «ha reconocido con la mayor reflexîon vuestros Reales Archivos del Real de Valencia y Regio Patrimonio, para cumplir con el encargo» (1782: 1r). Manejó, por tanto, los fondos del propio Palacio del Real, de los que podría haber formado parte el *Nazareno*.

Francisco Gimeno (1992) explicó en su día el periplo que sufrió este ejemplar manuscrito de la tragedia de Mascó perteneciente a Ortiz, que acabó reuniéndose en un códice facticio al cual se incorporó en medio de las dos secciones originales[448] y que hoy se conserva en la Biblioteca del Palacio Real, con signatura ms. II-3096 (*olim* 2.Ll.1).[449] No sabemos nada de estos

---

Si la traducció es va fer durant aquests anys, fora ben possible que aquestes *Regles d'amor* s'hagueren representat al "Real de Valencia el abril de 1394", segons que informa J. M. Ortiz» (1992: 179).

447 *Marco*, según el manuscrito (Gimeno Blay 1992: 176).

448 Es muy posterior a Ortiz la reunión de ambos códices, que incorpora el segundo de ellos entre las dos secciones del original, formado por dos tragedias de Séneca traducidas por Vilaragut y por la obra de Domènec Mascó citada la nota sobre Jaume Roig: «El 1826 apareixen citades per primera vegada les dues bres que integren el miscel·lani A, i de forma separada, és a dir, formant dos volums manuscrits». No participó Ortiz, por tanto, en la construcción del facticio, por lo que no se puede aducir como argumento para erigirse como artífice para la creación del *Nazareno*, que debía de ser (bastante) anterior.

449 De la que entró a formar parte entre el 1826 y el 1829 (Gutiérrez del Caño 1914: XXVIII, *apud* Gimeno Blay 1992: 181).

materiales manuscritos hasta 1826, cuando se recupera la pista de ellos, tras la muerte de Ortiz el 21 de mayo de 1799. Del *Nazareno*, sin embargo, no tenemos noticia exacta de procedencia hasta su llegada a la Biblioteca de la Universidad Literaria, en 1867, por lo que, si hubiese pertenecido a la colección privada de José Mariano Ortiz, es probable que hubiese estado en ella hasta su fallecimiento. No está documentado, en cualquier caso, cómo habría llegado a poseerla Vicente Hernández, aunque parece ser que, precisamente por ello, se habría quedado en Valencia hasta entonces.

En el caso de haber formado parte de los fondos del Palacio del Real, habría que tener en cuenta que, con el inicio de su destrucción, el 1809,[450] causada y rematada por la guerra de la Independencia, comenzó también su saqueo y, así, el posible periplo de este volumen de impresos. Quizás pueda parecer muy peregrino relacionar la disputa entre el poder regio y el eclesiástico, en términos de patrimonio, que dio lugar al informe de Ortiz, cuyo objeto era que el monarca «mande no se entrometa Tribunal alguno á conocer en el uso y ejercicio de los actos y funciones que le ocurran» (1782: 1ᵛ),[451] con el Santo Oficio de Valencia y, a su vez, esta circunstancia con la posesión de su documentación por parte, también, de Vicente Hernández Máñez, como el propio *Nazareno*. O quizás no, pero faltan muchos datos para poderlo sostener.

En cualquier caso, la peculiar encuadernación del *Nazareno* podría apuntar en un sentido específico y justificar una de estas procedencias. Si tenemos en cuenta que el rojo burdeos es un tipo de púrpura y el púrpura, en la Edad Media, como símbolo del poder y de la monarquía,[452] acaba especializándose en tonos rojizos, de la misma manera que el terciopelo le ofrece el brillo que, como tal, lo identifica,[453] esto explicaría fácilmente la recurrencia a este

450 Así lo indica Justo Pastor Fuster, al referirse, precisamente, a la *Salve Regina* de Vilaspinosa: «Este se derribó en 1809, por las ocurrencias de la revolución y cautiverio de nuestro Rey Fernando VII» (1827: 67).

451 Véanse sus conclusiones (Ortiz 1782: 24ᵛ-25ʳ).

452 «En la Edad Media era un término identificado con el poder, con la excelencia social y de alto valor simbólico, asumiendo solo alguno de los rasgos propios del significado de la palabra que en origen permitía evocar tanto al color como la materia de la que este se obtenía» (Rodríguez Peinado 2014: 472).

453 «Purpúreo indicaba brillo y refulgencia, cualidades referidas al concepto de belleza, porque participan de la metafísica de la luz al ser una emanación divina, y se reafirmó como uno de los símbolos de poder identificado con la realeza y los príncipes de la Iglesia. Es difícil establecer una única tonalidad cromática, porque esta se halla en función del imaginario colectivo y, por tanto, es susceptible de sufrir variaciones por tratarse de un color impreciso desde su origen. Es por esto que el color de la púrpura en la Edad Media tanto puede ser de tonos violáceos o semejante a la sangre coagulada que decía Plinio, pero según avanza este periodo son los rojos más intensos los que se identifican con el color por ser el quermes la sustancia tintórea más preciada

material para encuadernar este volumen facticio de impresos, más aún cuando el término *púrpura* acaba designando también un tejido.[454] Para unos aspectos y otros, solo hay que revisar los numerosos ejemplos medievales que aduce Laura Rodríguez Peinado y cómo la mayoría de ellos identifican el púrpura con la tonalidad del terciopelo del *Nazareno*, entre los cuales es sintomático, a mi parecer, el caso de «la *Virgen de los Reyes Católicos* (Museo Nacional del Prado, Madrid, inv. P01260),[455] donde destaca por su intensidad el manto de la reina Isabel con tonalidades que sugieren las más valoradas en Roma si atendemos a los escritos de Plinio» (2014: 494).

La encuadernación textil era habitual, de hecho, en la Edad Media[456] y hasta el siglo XVII, como símbolo de poder y lujo,[457] de lo que dan buena

para su obtención [...]. Haciendo nuestras las palabras de Pastoureau, "el color no es solo un fenómeno físico y perceptivo, también es una construcción cultural compleja [...] el color es, ante todo, un fenómeno social". La importancia de los colores atiende fundamentalmente a su significado dentro de un contexto cultural o ritual, porque transmiten códigos que ejercen una profunda influencia. Así en la Edad Media, donde hay una especial sensibilidad a la luminosidad, densidad y contraste, se produce la identidad entre color y luz, el color se concibe como brillo que se atenúa en función de los medios u objetos que la luz atraviesa y se valora por su posición entre el blanco y el negro, entre la claridad y la oscuridad. Los términos medievales de color no atienden a matices, al considerarse que estos son consecuencia de la incidencia de la luz o la sombra sobre los colores puros, que los hace parecer diferentes. Los colores puros son luminosos, sólidos y brillantes, por lo que son merecedores de cumplir funciones visuales y rituales y por eso todos los colores no tienen el mismo prestigio y estatus, produciéndose una compleja jerarquización. Este es el sentido en el que tenemos que interpretar la importancia del púrpura, por sus calidades cromáticas y la riqueza de los materiales con que se producía. Por eso a lo largo de la Edad Media no ocasionaría ningún conflicto la sustitución de unas materias tintóreas por otras de similares calidades que conllevaban mantener su suntuosidad avalada por su alto coste» (Rodríguez Peinado 2014: 495).

454 «En la Edad Media, además de con un color, el vocablo se vinculó con un tipo de tejido determinado, no necesariamente de tonos purpúreos, sino de colores afines que asumieron asimismo un estatus de prestigio» (Rodríguez Peinado 2014: 472).

455 Cuya imagen se reproduce en el epígrafe 3.3.2.

456 «En la documentación medieval se mencionan libros con encuadernaciones textiles de sedas, brocados, terciopelos y bordados, pero los ejemplares más antiguos conservados son de los últimos siglos de la Edad Media» (Rodríguez Peinado 2017: 27).

457 «Tradicionalmente, las encuadernaciones textiles han sido consideradas como un símbolo de poder y riqueza (López Serrano, 1974, pp. 50-58), razón por la cual este tipo de cubiertas alcanza una gran difusión entre los siglos XV y XVII», si bien es cierto, aunque no es el caso del *Nazareno*, como hemos visto, en el siglo XIX, «el uso de telas ricas para encuadernar continúa empleándose en encargos particulares para colecciones privadas» (Vilalta Moret 2018: 33).

muestra los inventarios de la monarquía y de la nobleza.[458] De hecho, en este mismo sentido apuntan los otros ejemplares encuadernados en un terciopelo similar de la BHUV. El Ms. 759 provenía de la biblioteca de San Miguel de los Reyes, como se indica en un exlibris manuscrito (f. 2r) y, por tanto, no solo habría pertenecido al duque de Calabria, Ferran d'Aragó, sino que, dentro de su rica capitular inicial, con orla de oro y que abarca toda la hoja, se ilumina a color «el escudo de los Soberanos de Nápoles» (Gutiérrez del Caño 1913, II: 32, nº 82), por lo que estaríamos, de manera indudable, ante un códice de procedencia regia. El post-incunable Z-08/137 perteneció a Valerià Boyl, señor de Massamagrell y, después, a Giner de Perellós, el marqués de Dos Aigües, a través de cuyo legado bibliográfico llegó a esta biblioteca universitaria en 1843 (Catàleg *Trobes*). Y el tercero de estos volúmenes, precisamente, lo hizo también gracias al legado de Vicente Hernández Máñez, en 1867, como el *Nazareno*, con el que podría haber compartido, por tanto, una misma procedencia regia o nobiliaria.

Es paradójico, teniendo en cuenta las características del *Nazareno*[459] que sea, precisamente, la aparición de la imprenta la que acabe desplazando este modelo de encuadernación en tela por otros con materiales de mayor resistencia:

> Terciopelos, brocados y telas de oro se usaron para cubrir importantes manuscritos. Fue a partir de la aparición de la imprenta cuando la piel fue sustituyendo al textil y los ricos materiales que habían constituido una seña de distinción de los códices más estimados. Asimismo la constitución de bibliotecas donde los libros se disponían en anaqueles con los lomos hacia fuera fue una de las causas principales para suprimir muchas de las encuadernaciones textiles aderezadas con aplicaciones metálicas, borlones y otros adornos. Pero esto no fue óbice para que durante los siglos sucesivos los tejidos preciosos y los bordados continuasen ocupando un lugar importante en el campo de la encuadernación (Rodríguez Peinado 2017: 31).

En cualquier caso, y en definitiva, a una de estas dos bibliotecas —la del Palacio del Real o la particular del redactor del informe— debió de pertenecer este *tomo de varios*, lo que implicaría que, entre 1799 y 1810, o muy poco después, el *Nazareno* cambió de manos,[460] porque parece fuera de toda duda

458 «Aunque se hayan conservado en pequeño número, las telas ricas tuvieron una importante presencia durante el periodo medieval en la encuadernación de los códices más preciados, y así se refleja en los inventarios de la realeza y de la nobleza» (Rodríguez Peinado 2017: 31).

459 Y el impreso post-incunable de 1520 de este mismo fondo (Z-08/137).

460 Veremos en el epígrafe siguiente que, cuando Justo Pastor Fuster (1827: 66-67) consultó este ejemplar, ya estaba encuadernado, pero no indica en qué biblioteca se encontraba entonces, entre estas fechas y la de publicación de su *Biblioteca valenciana*.

la proximidad de estos materiales a Ortiz, por su manera de actuar con ellos, porque él mismo así lo declara y por la selección, variada y escasa, de referencias a obras literarias concretas. Y todo ello, su historia externa, parte de un rasgo físico del volumen y las conclusiones al respecto acaban repercutiendo en él, en tanto que queda probado que su encuadernación es antigua y, desde luego, anterior a 1782, cuya peculiaridad material, en púrpura —por el color y por el tono burdeos, así como por el propio uso del terciopelo—, podría llegar a justificar, incluso, su procedencia regia.

3.3. La materialidad de la edición y del ejemplar

3.3.1. Historia bibliográfica

La primera noticia que tenemos del pliego poético de la *Salve Regina* de Vilaspinosa es, por tanto, independiente del *Nazareno*, al menos de manera explícita,[461] pero no recoge ningún rasgo material de la edición ni del ejemplar propiamente dichos. Para eso tenemos que esperar medio siglo, cuando Justo Pastor Fuster, en la entrada de su *Biblioteca valenciana* dedicada a Vilaspinosa, incorpora la referencia a la *Salve Regina* y aduce por primera vez su formato de plegado: «es tomo en 4º» (1827: 66).[462] Así lo confirman, efectivamente, los corondeles horizontales y el hecho de estar encuadernado en volumen facticio con otros impresos con los que comparte ese formato,[463] algo ya implícito en la manera de referirse a él Fuster, como *tomo*, lo que sería suficiente para justificar que lo habría tenido en sus manos físicamente —a pesar de conocer y referir a Ortiz (1782: 40^{v}-41^{r})—, si no fuese porque, de hecho, lo explicita él mismo: «el egemplar que he visto» (Fuster 1827: 66). No indicaba en qué biblioteca lo había consultado, aunque nos da una pista de ello lo que advierte en el *Prólogo* a su *Biblioteca valenciana*, sobre los fondos a los que recurrió para elaborar su repertorio, que —además de las dos grandes bibliotecas públicas de la ciudad existentes en el primer cuarto del siglo XIX, la arzobispal y la universitaria—[464] fueron los siguientes:[465]

461 Aunque es el punto de partida y uno de los argumentos que justifican su incorporación a él ya en el siglo XVIII, al menos.

462 No es el único rasgo material que aduce Fuster, sino que también advierte que es un impreso *sine notis* y con letrería gótica, pero a ello me referiré después.

463 Como he podido comprobar físicamente sobre todos los originales de estos impresos, que comparten la disposición de corondeles y de filigranas, cuando las hay, en el centro del cosido.

464 Entonces destruidas pero parece ser que visitadas antes de los bombardeos franceses.

465 Que aún no había vuelto a abrir, tras su destrucción en la Guerra de la Independencia.

> En el Convento de Padres Agustinos Calzados, existía tambien una librería abundante en libros impresos en el siglo XV, y que el P. M. Fr. Juan Facundo Sidro Villaroig habia aumentado con la compra de parte de la Biblioteca Mayansiana, y la entera del Dr. D. José Molins, célebre literato que murió siendo Rector del Colegio llamado de la Ciudad, cuyo edificio ya no existe, porque todo desapareció en la entrada del egército frances en Valencia. También teníamos las famosas librerías de Santo Domingo, la más rica en libros de todas, la de Cármen Calzado, del Sacro Convento de Montesa, del Monasterio de S. Miguel de los Reyes, preciosa por sus manuscritos que dejó el Duque de Calabria. Frecuenté todas estas bibliotecas, y formando varios extractos y anotaciones, aumentaba considerablemente el caudal para la obra que meditaba (Fuster 1827: s. p.).

Para volver a encontrar una referencia a la *Salve Regina* de Vilaspinosa tenemos que esperar hasta el *Catálogo de obras en lengua catalana impresas* de Aguiló i Fuster, que, si bien había recibido el premio de la Biblioteca Nacional de España el 20 de diciembre de 1860 y se llegó a comenzar a imprimir en febrero de 1865, su edición se interrumpió cuando se habían tirado 17 pliegos, con tan solo 249 ítems de los 3016 totales, un proyecto que se retomó a instancias de Marcelino Menéndez Pelayo y cuya publicación definitiva no vio la luz hasta 1923.[466] La entrada correspondiente a este pliego poético ofrece, por primera vez, su transcripción completa, así como ciertos aspectos de datación, tipografía y materialidad (Aguiló 1923: 550-554, nº 2107), que, en algunos casos, suponen errores de cierto calado que se mantienen a día de hoy en otros catálogos, como veremos. En cualquier caso, son muy pocos los que han prestado atención a esta edición y, cuando se ha hecho, en la mayoría de las ocasiones ha sido con escasa profundidad, quizás por la propia entidad física del pliego, quizás por el carácter único del ejemplar y su encuadernación en un facticio, que incluso acaba cuestionando su integridad física, o quizás por las dificultades de atribución y datación que ha tenido hasta hoy.

De Aguiló pasó la referencia a la mayoría de estos repertorios o catálogos, si no a todos, de manera directa o indirecta —en este caso, sobre todo, a partir de Ribelles Comín—, y de ahí que la bibliografía que trata el pliego de la *Salve Regina* sea, fundamentalmente, específica de literatura o bibliografía catalanas, centradas o no en la producción valenciana. También lo era la anterior a Aguiló, en el caso de Ortiz y Fuster, más allá de que, para el conocimiento del *Nazareno*, en concreto, debió de ser fundamental que este bibliógrafo catalán coincidiese con Vicente Hernández Máñez, como bibliotecarios ambos, en la entonces Biblioteca Provincial y

466 Véase, para ello, la introducción de Àngel Aguiló al *Catálogo* de su padre (1923: VII-XI).

Universitaria de Valencia, cuando este *tomo de varios* aún pertenecía a su colección privada.[467]

De esta manera, dedican una entrada a este impreso de la *Salve Regina* los repertorios bibliográficos de Ribelles Comín (1915: 598-599, nº 297), Martí Grajales (1927: 468-469) y Massó i Torrents (1932: 62), que, en este último caso, presenta el interés de aportarle la referencia v^4 para la tradición catalana de fuentes poéticas antiguas.[468] Palau y Dulcet llega a generar, sin duda por error, una doble entrada para la *Salve Regina*, la primera, más extensa, bajo el antropónimo *Vilaspinosa* (Palau 1948-1977, 27: 79, nº 366010), dependiente de Ribelles Comín, y una segunda, más breve y, en realidad, anterior, bajo la forma *Villaspinosa* (Palau 1948-1977, 27: 239, nº 368842), que recogía Ortiz (1782: 40^v-41^r) en exclusiva, de quien parte para su redacción, así como, sobre todo y sin duda, de Fuster.[469] Ambas entradas de Palau difieren hasta el punto de datar el mismo impreso con casi cuatro décadas de distancia, además de que la primera recoge y ahonda en los errores de Ribelles y, en especial, en el que afecta al grabado, como veremos más adelante en un caso y en el otro. Tras estos repertorios bibliográficos, tenemos que esperar hasta la *Bibliography of Old Catalan Texts* de Concheff (1985: 138, nº 1446), que es el germen de BITECA (manid 1893),[470] dependientes ambas de manera directa y unívoca del

467 Aguiló volvió a Barcelona en 1861, para encargarse de la Biblioteca Provincial y Universitaria. Para este período en la biografía de Aguiló, véase el trabajo de Margalida Tomàs (2016). Es precisamente por esta razón, por encontrarse en manos privadas aún en 1860, cuando recibió el premio, y haberlo consultado directamente de la biblioteca de Vicente Hernández, que Aguiló describe con minucia el pliego, pero no indica su procedencia. Eso no justifica, sin embargo, la excesiva y exclusiva dependencia del catálogo de Aguiló por parte de Concheff, quien desconoce en 1985, incluso después del trabajo de Ferrando (1983), el lugar en que se conserva el ejemplar único de la *Salve Regina*: «PREL Unavailable» (Concheff 1985: 138, nº 1446); «PREL (Localització actual)» (Concheff 1985: IX).

468 No aparecía aún en *Bibliografia dels antichs poetes catalans* de Massó i Torrents (1913-1914), donde las entradas de fuentes poéticas impresas alcanzaban tan solo hasta la letra *t*, ni tampoco en la introducción de Martí Grajales (1894) a su edición de *Les trobes*, que fue el germen de su *Ensayo de un diccionario biográfico y bibliográfico* (1927), porque, *sensu stricto*, la *Salve Regina* no se recogía en ellas, más allá de que pudo haber formado parte originalmente del certamen, como veremos.

469 A quien cita explícitamente en la entrada de la otra obra adscrita por él a este autor: [Villaspinosa (Pedro)] «Goigs a la Concepcio, *Valencia*, 1525, 4º (Fuster)» (Palau 1948-1977, 27: 239, nº 368843).

470 Como declara en su presentación: «Por lo que respecta a la extensión del corpus, era nuestra intención mantener la base material que conformaba la primera edición del BOOCT, compilada por B. J. Concheff, aunque, al orientar la investigación fundamentalmente hacia los textos literarios, hemos omitido provisiones reales, bulas, testamentos, inventarios de bienes y *capbreus*». Incide en ello en los párrafos

Catálogo de Aguiló,[471] como es el caso también de Romero Lucas (2005a, II: 1118-1120, nº 247), mientras que el *Gesamtkatalog der Wiegendrucke* (GW M50468) lo llega a incorporar como incunable, aunque con una entrada sin desarrollar todavía, que también depende de la *Bibliografía* de Ribelles Comín.[472]

Estos son los únicos repertorios que recogen el pliego poético de la *Salve Regina*, a los que habría que sumar los catálogos específicos de la Biblioteca Històrica de la Universitat de València (Gisbert Terol y Ortells Pérez 1992, II: 456-457, nº 3594; Catàleg *Trobes*). Asimismo, desde una perspectiva de historia literaria, se ha estudiado la obra en cuestión y se han recogido algunas conclusiones sobre el impreso en sí en el estudio de conjunto sobre los certámenes poéticos valencianos a cargo de Antoni Ferrando Francés (1983: 165-166 y 345-360), que le dedica una capítulo específico.[473]

3.3.2. Formato y papel

Este pliego poético se conserva en ejemplar único, con la signatura específica CF/04(12) de la Biblioteca Històrica de la Universitat de València,[474] del cual disponemos de reproducción digital en línea y en abierto.[475] Está formado por cuatro hojas, como indicó por primera vez Aguiló (1923: 554, nº 2107). No tiene signatura de cuaderno ni foliación impresa,[476] pero sí manuscrita, aunque esta afecta a todo el *Nazareno*, a lápiz y centrada a pie de página,

---

siguientes, al delimitar su metodología y características a partir del catálogo original de 1985.

471 De manera general, pero también, específicamente, en esta entrada, en la que solo se aporta este repertorio como referente bibliográfico.

472 Como indica la *M* inicial de la referencia. El GW parte de las antiguas fichas manuales, que se numeran con un sello de cambio automático posteriormente y, a esta numeración moderna, se le añade una *M* de 'manuscrita' al incorporarlas a la *Database*. Esta *M* inicial se elimina de la referencia cuando se desarrolla la entrada bibliográfica en el catálogo en línea. De todos los incunables cuyas entradas aún no estaban desarrolladas y con número de GW definitivo, se decidió ofrecer escaneada la ficha en septiembre-octubre de 2003, cuando se puso en marcha la web. Es el caso de esta entrada, por tanto, que no incluye la referencia de Ribelles Comín en la ficha digital, pero sí en la manuscrita.

473 En la *Història de la literatura Catalana* de Martí de Riquer (1964: 323-325) y en el capítulo de Martínez Romero (2015: 348) de la dirigida por Lola Badia, se hace breve mención a la obra en sí, pero sin consideraciones de bibliografía material.

474 El primero bibliógrafo en señalar su localización actual es Francisco Martí Grajales: «(Biblioteca Universitaria)» (1927: 468).

475 En *Somni*, la *Col·lecció digital de fons históric* de la Universitat de València, dentro de *Roderic*: https://weblioteca.uv.es/cgi/view.pl?sesion=2022011711134428571&source=uv_in_i17247573&div=1.

476 Como advierte, por primera vez, Aguiló: «sin foliación ni signaturas» (1923: 554, nº 2107).

según la cual este pliego suelto ocupa desde el f. 89 hasta el 92. Asimismo, al tratarse de un *tomo de varios* con cierta dificultad para la delimitación entre impresos, se marca a lápiz en la esquina superior derecha de cada uno de ellos la cifra correspondiente a su secuencia y, de esta manera, la *Salve Regina* presenta en esa posición el número 12.[477]

La edición tenía, al menos, 186x132 mm, que son las medidas del papel del ejemplar conservado, así como 148x120 mm de caja, tomadas ambas de la h. a1ʳ,[478] con 30 líneas potenciales y 27 con escritura. La caja de escritura de la columna alcanza su máxima amplitud[479] en la h. a2ʳ (col. b, estr. 2, v. 8), correspondiente a 128 x 58 mm. En la h. a1ʳ se encuentra el texto inicial, a línea tirada y justificado, que ocupa el ancho completo de la caja de escritura, mientras que el poema en decasílabos, por su extensión, se presenta centrado en la hoja y, a continuación, se inicia la imposición a dos columnas, una impaginación sobre la que volveremos más adelante. No es, por tanto, todo el impreso a doble columna, como han generalizado los diferentes bibliógrafos, desde Aguiló, que fue el primero en advertirlo,[480] mientras que el resto de hojas prevén una imposición regular, de dos columnas, con tres estrofas de ocho

477 En este mismo sentido, por lo que respecta al volumen completo, encontramos también la advertencia de que la segunda hoja del impreso CF/4(10), que contiene el colofón y que está mal encuadernada, al final de CF/4(8), en cuya esquina superior derecha se advierte a lápiz: «ojo: al | nº 10».

478 BITECA (manid 1892) toma las del papel de la h. a2, con una diferencia insignificante («185x130 mm»), mientras que para la caja de escritura establece «128x120 mm», que no lo es tanto, porque se trata de 20 mm en el alto, coincidente con el mismo dato limitado a las columnas: «128x58». Probablemente, por la necesidad de establecer este último dato, se han tomado las medidas de la h. 2ʳ, para la cual son, en efecto, correctas. El dato del catálogo de impresos del siglo XVI de la BHUV difiere aún más y es mucho más laxo en cuanto a sus medidas, tomadas en centímetros y solo del largo: «4 h. 4º (19,5 cm.)» (Gisbert Terol y Ortells Pérez 1992, II: 456, nº 3594).

479 La altura de la caja de escritura de las columnas de tres estrofas es siempre regular, de 128 mm.

480 «En 4º, letra gótica; á dos columnas; cuatro hojas, sin foliación ni signaturas» (Aguiló 1923: 554, nº 2107). Con este mismo alcance general refieren la doble columna del impreso Martí Grajales (1927: 468), Concheff (1985: 138, nº 1446), Romero Lucas (2005a, II: 1119, nº 247) y BITECA (manid 1893). Estos últimos aportan, incluso, las medidas de la caja de escritura de cada columna y su separación: «A dos columnas de 58 mm. cada una, con 4 mm. de intercolumnio» (Romero Lucas 2005a, II: 1119, nº 247); «*Page Layout* 2 columnes [...] columna 128 × 58 mm» (BITECA manid 1893). Tenemos que esperar a Antoni Ferrando para que se matice el alcance de la doble columna: «un plec gòtic en quart, de quatre fulles, sense foliació ni signatures, que reprodueix, a dues columnes, la *Salve Regina* de Pere Vilaspinosa» (Ferrando Francés 1983: 345).

heptasílabos cada una, lo que genera veinticuatro líneas de texto y otras dos potenciales, correspondientes a la separación entre estrofas.

El papel es de buen gramaje, de cuya filigrana solo da noticia Aguiló, aunque de una manera muy generalizada y por comparación, al identificarla con la de *Les trobes en lahors de la Verge Maria*: «El papel, en ambos impresos, tiene la misma marca» (1923: 554, nº 2107). De esto y refiriendo el catálogo de Aguiló, concluye Concheff que «the same paper was used as that of *Les Trobes en laors de la Verge*» (1985: 138, nº 1446) y pasa en estos mismos términos a BITECA: «es tracta del mateix paper que es féu servir per a *Les trobes en laors de la Verge*, edició de 1474» (manid 1893). Y eso a pesar de que ni Concheff ni BITECA detectan siquiera la presencia de filigranas, a las que no aluden de manera específica.

El papel de este pliego poético, en realidad, sí que contiene esa marca de agua a la que se refería Aguiló de una manera tan general. Al ser en 4º, se conserva en el centro del plegado, en concreto en el bifolio exterior, distribuidas la parte superior en la h. a1 y la base en la h. a4:

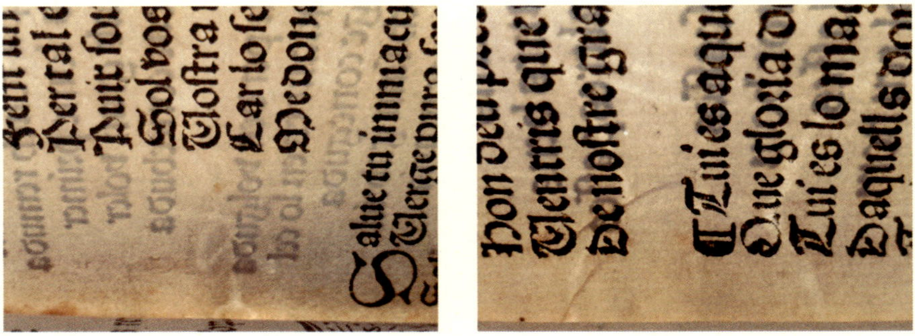

BHUV, CF/4(12)

Responde al modelo de la mano, como se puede comprobar, en este caso enguantada y con estrella o flor de seis puntas o pétalos, a diferencia de lo que encontramos en *Les trobes*, donde en todos los casos, como hemos visto, son de cinco puntas o pétalos. Por tanto, *Les trobes* y la *Salve Regina* no comparten la misma filigrana, aunque respondan ambas a diseños de la mano con flor o estrella, ni mucho menos se trata del mismo papel, como, en un paso más allá respecto de Aguiló, sugieren Concheff y BITECA.

El ejemplar presenta los bordes del papel dorados, fruto de su lujosa encuadernación antigua. De una mala praxis en algún proceso de restauración del volumen facticio deben de provenir los problemas con los cortes delanteros, que llegan a afectar al texto, incluso, en las dos últimas hojas.[481] No documento la intervención, pero estoy plenamente seguro de ella, porque no solo este pliego deja muestras de haber guillotinado los márgenes del volumen, sino que las pérdidas textuales de la glosa manuscrita del *Ave Maria* (ff. 58^r-59^r) confirma que es una mutilación producida, probablemente, en el siglo XX, puesto que algunos de sus versos, que han desaparecido hoy, sí que eran todavía visibles en el último cuarto del siglo XIX, en tanto que los llegó a transcribir Marià Aguiló (1873-1900) en su edición en letra gótica para bibliófilos (Martos 2022b).

Aunque el estado de conservación, más allá de esto, es bueno, presenta ligeras manchas de humedad y, sobre todo, de uso, que afectan a la primera página y a la última, lo que podría indicar que se conservó un tiempo sin encuadernar, no necesariamente prolongado. Más allá de esto y de las numeraciones a lápiz correspondientes al fascículo y a la foliación, la única intervención destacable en este ejemplar[482] es la nota manuscrita a tinta, tras el *Finis* que concluye el poema, alineada con la caja de escritura de la columna final, sobre la que volveremos después.

3.3.3. Decoración ¿e ilustración?

El impreso de la *Salve Regina* de Vilaspinosa conservado en el *Nazareno* presenta, sin lugar a dudas, un cierto tono adusto, solo roto, si acaso, por la variada *mise en page* de los textos en la primera página. Se inicia, como veíamos, con un título de una cierta extensión, con ocho líneas de escritura y a línea tirada, seguido de un poema de una estrofa en decasílabos a una columna, en el centro de la caja de escritura, tras el cual se incluyen las dos primeras estrofas de la *Salve Regina* propiamente dicha, en verso corto y, precisamente por ello, a doble columna.[483] Además de los calderones que preceden al íncipit de cada estrofa,[484] el único rasgo de decoración tipográfica sería la capitular

481 Com ya había advertido BITECA: «els ff. 91v-92v han perdut part de l'inici dels versos de la primera columna en estar retallat el marge inferior» (manid 1892).

482 El sello del *ex dono* de Vicente Hernández no se encuentra en el ejemplar de este impreso, sino en otros cinco, correspondientes a las signaturas CF/4(1), CF/4(3), CF/4(5), CF/4(17) y CF/4(21), en concreto en las hojas numeradas manualmente como 1, 5, 41, 65, 104 y 155. Tampoco se recoge en él ni el sello antiguo de la biblioteca, a tinta negra, ni el más moderno, a tinta roja, el primero de los cuales se encuentra en las hojas 1 y 15 del *Nazareno*, mientras que el segundo lo hace en las hojas 27^r, 171^r y 196^v.

483 A partir de la h. 1^v y hasta el final del impreso, la impaginación es regular, como hemos destacado anteriormente, con dos columnas de tres estrofas cada una.

484 A excepción, como es lógico, de la primera de la *Salve*, donde la inicial impresa sustituye la función de ordenación ornamental y tipográfica del texto.

impresa con la que se inicia el primer verso de la *Salve Regina*,[485] una inicial lombarda[486] de dos líneas de medida: «S²alue tu immaculada».[487]

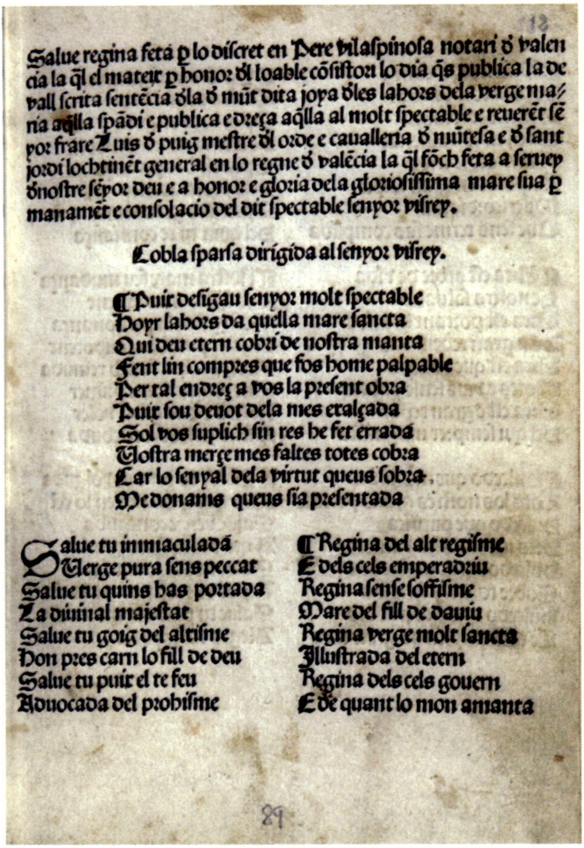

BHUV, CF/4(12), h. 1r

Salue regina feta p lo discret en Pere vilaspinosa notari d valencia la ql el mateix p honor dl loable cosistori lo dia qs publica la deuall scrita sentecia dla d munt dita joya dles labors dela verge maria aqlla spadi e publica e dreça aqlla al molt spectable e reuerent senyor frare Luis d puig mestre dl orde e cauallería d muntesa e d sant jordi lochtinent general en lo regne d valecia la ql foch feta a seruey d nostre senyor deu e a honor e gloria dela gloriosissima mare sua p manament e consolacio del dit spectable senyor visrey.

Cobla sparsa dirigida al senyor visrey.

Puix desigau senyor molt spectable
Hoyr labors da quella mare sancta
Qui deu etern cobri de nostra manta
Fent lin compres que fos home palpable
Per tal endreç a vos la present obra
Puix sou deuot dela mes exalçada
Sol vos suplich sin res he fet errada
Vostra merçe mes faltes totes cobra
Car lo senyal dela virtut queus sobra
Me donanis queus sia presentada

Salue tu immaculada
Verge pura sens peccat
Salue tu quins has portada
La diuinal majestat
Salue tu goig del altisme
Hon pres carn lo fill de deu
Salue tu puix el te feu
Aduocada del probisme

Regina del alt regisme
E dels cels emperadriu
Regina sense soffisme
Mare del fill de dauiu
Regina verge molt sancta
Illustrada del etern
Regina dels cels gouern
E de quant lo mon amanta

485 La capitular, como el propio calderón, pertenece al ámbito de la decoración del libro y no al de su ilustración, «y, por lo mismo, debe ser considerada en estrecha relación con la tipografía y la apariencia general de la obra, dependiendo su mayor o menor acierto de su armonización mejor o peor con esa apariencia» (McKerrow 1998: 137). Es por ello que, «sin duda, se trata de un elemento decorativo, ornamental, que embellece y da valor al producto, encareciéndolo, pero también aportándole una función tipográfica muy concreta, puesto que su fácil enfoque visual permite que se reconozca ágilmente la estructura del impreso, a manera de conector u organizador textual» (Martos 2016a: 216).

486 «*Inicial no ornamentada*», dice Romero Lucas (2005a, II: 1119, nº 247).

487 Como habían señalado Diego Romero (Romero Lucas 2005a, II: 1119, nº 247) y BITECA (manid 1893) al transcribir el íncipit del poema.

Poca decoración impresa, por tanto, y ninguna ilustración, a pesar de lo cual Ribelles Comín aduce lo siguiente en su estudio material del pliego: «Precede á la port. un grabado que representa á la Virgen, con el niño Jesús, y a las Santas Dorotea, Eulalia y dos más» (1915: 599, nº 297). En la existencia y descripción de esta xilografía incide Palau y Dulcet, tres décadas después, al describir este impreso, aunque bien es cierto que la literalidad con la que reproduce las palabras de Ribelles hace pensar en una dependencia directa, sin que hubiese consultado el presunto original;[488] sin embargo, aduce un dato nuevo, que podría tener cierto interés: «El único ejemplar y aun incompleto lo tuvo Aguiló» (Palau 1948-1977, 27: 79, nº 366010). Si el conservado en Valencia no contiene tal xilografía, ¿nos encontramos ante una edición desconocida, con ejemplar mútilo —*incompleto*, decía Palau—, que pudo haber manejado también Ribelles Comín y que, habiendo pertenecido a la colección privada de Aguiló, hoy estuviese perdido?

Ese grabado de la Virgen al que se refieren Ribelles y Palau responde al diseño que Julián Martín Abad (2018: 466) cataloga como 167.3 en su *Cum figuris*, a propósito del incunable de *La vida de Sancta Catherina de Sena* de Cristóbal Cofman,[489] cuyo ejemplar único se encuentra también en la Biblioteca Històrica de la Universitat de València:[490]

488 «Prece[de] a la port. un grabado que representa a la Virgen, con el niño Jesús, y a las Santas Dorotea, Eulalia y dos más» (Palau 1948-1977, 27: 79, nº 366010).

489 Para su reproducción digital, véase la biblioteca digital *Somni* en *Roderic*, el repositorio de la Universitat de València: https://weblioteca.uv.es/cgi/view.pl?source=uv_in_i17245400. Para su edición crítica, véase Arronis 2007: 107-167; también se ofrece la fijación del texto en Ferrando Francés y Wittlin 2011: 138-167.

490 No existe ejemplar en la Biblioteca de Catalunya, como sugieren Ferrando y Wittlin (2011: 124), a pesar de que Palau y Dulcet advertía que «el único ejemplar conocido se encuentra en la Biblioteca Universitaria de Valencia» (1948-1977, 13: 21, nº 219430). Carme Arronis (2007: 64) así lo confirma.

BHUV, CF/3(2), h. 1r

El grabado se localiza en la misma hoja del colofón, pero en su vuelto, a página completa. Diego Romero Lucas lo describe con más precisión que

Ribelles y Palau, que se habían limitado a identificar tan solo a las dos santas cuyo nombre se explicitaba en las filacterias de la xilografía:[491]

> En una cámara la Virgen María está sentada en un trono, coronada y con el niño Jesús en brazos. A los pies del trono, en el suelo, marcada una letra «b». A los dos lados del estrado, cuatro santas, dos de ellas con el nombre encima, las dos que están más cerca de la Virgen. A un lado santa Dorotea, con una cesta de flores en la mano izquierda y con una pluma grande en la mano derecha. Al otro lado, santa Eulalia, con una pluma y con dos trozos del madero. Arrodilladas, frente a santa Dorotea, santa Catalina de Alejandría con corona, que lleva en la mano derecha una espada y a su lado en el suelo, una rueda dentada partida. Frente a santa Eulalia, santa Catalina de Siena, con una corona de espinas en la cabeza, que lleva en la mano derecha un crucifijo. Es el grabado de mayor medida, de 167x120 mm,[492] de

491 Con más detalle, si cabe, lo hace Carme Arronis, con especial atención a la iconografía hagiográfica: «El segon gravat (*e*9v) simbolitza al·legòricament el paradís i evoca el que sembla una escena cortesana. L'escenari representa una mena de sala d'un palau —amb el sostre i els arcs de les finestres molt decorats— en el centre de la qual la verge Maria, sobre un pedestal, asseguda en el tron i coronada d'una bella diadema, té el nen Jesús sobre la falda. Al voltant d'aquests, i com si foren les donzelles que acompanyen la reina, es veuen quatre santes: a l'esquerra de la imatge santa Dorotea i, davant d'ella, santa Caterina d'Alexandria; a la dreta, santa Eulàlia i, davant, santa Caterina de Siena. Sobre les santes situades en la part posterior es veuen dos filacteris amb els seus noms escrits: "Santa Dorotea" i "Santa Eulàlia". Totes quatre amb l'auréola que representa llur santedat, i representades amb els símbols que les identifiquen. Santa Dorotea porta a la mà esquerra el cistell de pomes i flors, símbol del jardí del paradís, que entrega mitjançant un nen als seus botxins com a prova de l'existència del regne dels cels; a la mà dreta la palma símbol del martiri. Santa Eulàlia també duu la palma a la mà dreta, mentre que a l'esquerra veiem els taulells de fusta que representen el seu martiri, ja que fou cremada en la foguera. Santa Caterina d'Alexandria també és representada amb els elements del seu martiri: davant d'ella, a terra, la roda amb la qual tractaren de torturar-la, trencada gràcies a la intervenció divina, i a la mà esquerra sosté l'espasa amb què fou decapitada. Finalment, santa Caterina de Siena sosté a la mà dreta un crucifix i a l'esquerra un llibre. És l'única entre aquestes santes que no va ser martiritzada; tanmateix, el crucifix que porta a la mà pot representar el martiri que ella mateixa s'imposà en vida per sofrir els mateixos dolors que patí Jesucrist. El gravat ens sembla especialment interessant si considerem que de totes aquestes santes es destacava la seua virtuositat com a oradores i coneixedores de la teologia. Efectivament, en l'escena recreada, sembla que dialoguen, i que en aquest moment siga santa Caterina d'Alexandria qui s'expressa, segons es dedueix del moviment del seu braç i de la mirada atenta de Maria i de Jesús cap a ella» (2007: 68-69).

492 Frente a ello, el catálogo de la exposición de la Biblioteca Nacional de España sugiere otras medidas algo menores: «1 estampa: xilografía a fibra; 157x112 mm» (*Grabados alemanes* 1997, I: 36, nº 5). Las medidas del grabado del incunable son 160x115 mm, según me confirman desde la BHUV, lo que les agradezco, pues no las tomé directamente en mis diferentes visitas. Están tomadas del filete exterior,

la época incunable valenciana. Como hemos comentado, la calidad del trazado es excelente y podemos adscribirlo a otro taller, en concreto alemán (Romero Lucas 2005b: 1409-1410).[493]

La identificación de las otras dos santas como Santa Catalina de Alejandría y Santa Catalina de Siena relacionan el grabado, por tanto, de manera directa con el incunable hagiográfico, más allá de que pudiese provenir de alguna edición catalana previa, de un texto latino sobre esta última santa, hoy perdido, de los que está plagada la imprenta hispánica.

No entraré aquí en la errónea identificación del grabador,[494] derivado de una mala lectura paleográfica, aunque es el punto de partida para una reinterpretación del origen de grabado en cuestión, a partir de criterios iconográficos y de la propia historia del arte hispánico.

En la introducción del propio catálogo de *Grabados alemanes* ya se sugiere una cierta relación con la *Virgen de los Reyes Católicos*, del Museo

más intenso, por lo que parecen corresponder a las mismas medidas del grabado independiente de BNE, que debieron de establecerse a partir del filete interior, más delgado. En cualquier caso, nada explica la extensión sugerida por Romero Lucas, cuyas medidas extrae también a partir del ejemplar único del incunable de Cofman.

493 Las descripciones posteriores del grabado se hacen en términos similares a los de Romero: «En el folio *e* viiij verso se reproduce, llenando toda la página, un grabado en madera, que representa a la Virgen, coronada, con su hijito desnudo en la falta, sentada en un trono. A su alrededor aparecen santa Catalina Mártir, sosteniendo la espada del martirio, y santa Catalina de Siena, con un crucifijo, arrodilladas a sus pies, y, detrás de ellas, santa Dorotea y santa Eulalia, con sendas palmas martiriales, en la misma posición» (Ferrando Francés y Wittlin 2011: 124). «Estampa, dentro de un marco de doble filete, grueso y fino, representando a la Virgen María con el Niño Jesús en brazos, entronizada; a uno y a otro lado aparecen en primer plano, arrodilladas, Santa Catalina de Alejandría y Santa Catalina de Siena, y en segundo plano, de pie, de acuerdo con la leyenda que figura en la respectiva filacteria sobre sus cabezas: "Sancta dorothea" y "Sancta Eulalia"» (Martín Abad 2018: 466, nº 167).

494 En concreto, Hans Baldof o Baldus, como se deduciría del anagrama «b», a partir de G. K. Nagler (1966, 1: 710, nº 1068), tal y como se aduce en el catálogo de la exposición *Grabados alemanes*: «Firmada con una b minúscula, con puntos a los lados. —El monograma podría ser el 1698 de Nagler, que corresponde a Hans Baldof o Baldus» (*Grabados alemanes* 1997, I: 36, nº 5), que, a su vez, se cataloga en *Grabados alemanes* 1997, II: 634. Así lo recogen también Romero Lucas (2005b: 1310, n. 7) y Martín Abad (2018: 466, nº 167). Eso a pesar de que Ainaud de Lasarte 1962: 257 y Gallego Gallego 1979: 40 ya habían advertido algo tan obvio como que la grafía no era una *b*, sino una *h*, como destaca Carvajal González, que incide en «la falta de cierre en la parte inferior del cuerpo de la letra y la presencia de un punto en el interior, por lo que la relación con Hans Baldus parece poco probable» (2017: 35).

del Prado,[495] una tabla destinada al oratorio del cuarto real del monasterio de Santo Tomás de Ávila, datada entre 1490 y 1493.[496] Frente a ello, Helena Carvajal González (2017: 234-237) sugiere como posible modelo para esta estampa la tabla hispano-flamenca de la *Mare de Déu i àngels* de Pere Garcia de Benavarri,[497] pintada *c.* 1470 y conservada hoy en el Museu Nacional d'Art de Catalunya. «Probablement va ser la taula central d'un retaule dedicat a la Mare de Déu», como advierte el propio catálogo en línea del museo, por lo que es muy probable que estuviese expuesta al público en el altar de alguna iglesia catalana, si no de la propia Barcelona, de fácil acceso, por tanto, y bien conocida por el artista del grabado que acabó ilustrando el incunable valenciano de 1499.[498] La propuesta es muy sugerente, porque la propia presencia de Santa Eulalia justificaría una tradición local y no europea, que apunta, sin duda, a Barcelona.[499]

---

495 «Menos conocidos que Schongauer y Durero fueron en España otros grabadores como el Monogramista "b" y el Maestro E. S., ambos del siglo xv. Del primero creemos observar relación entre su grabado de la *Virgen y el Niño con Santa Dorotea y Santa Eulalia* (cat. nº 5), con la *Virgen de los Reyes Católicos*, del museo del Prado» (*Grabados alemanes* 1997, I: 18). Se presentan acaradas ambas estampas, respectivamente, en *Grabados alemanes* 1997, I: 14-15.

496 Así lo advierte la propia descripción de la obra en la ficha correspondiente de la colección en línea del Muso del Prado: «Por lo que afecta a la cronología, el mejor elemento de juicio es la indumentaria a la moda que lucen los reyes y sus hijos —en especial Isabel la Católica—, que no debe ser anterior a 1490. Además de esto, también ayuda saber que el convento de Santo Tomás de Ávila se concluyó en 1493, aunque esta tabla, destinada al oratorio del Cuarto Real, se pudo hacer algo antes. Si a lo anterior se suma la edad que parece tener el príncipe Juan, nacido en Sevilla el 30 de junio de 1478, entre trece y quince años, todo apunta a que debió de ejecutarse entre 1491 y 1493», https://www.museodelprado.es/coleccion/obra-de-arte/la-virgen-de-los-reyes-catolicos/6be8122a-7cc8-4438-b16d-15d1a03be0eb [consulta: 14/03/2022].

497 «Documentat a Saragossa, Benavarri, Barcelona, Lleida i Barbastre, 1445-1485», según la descripción en línea del Museu Nacional d'Art de Catalunya, a cuya página concreta remito: https://www.museunacional.cat/ca/colleccio/mare-de-deu-i-angels/pere-garcia-de-benavarri/015817-000 [consulta: 14/02/2022].

498 El trasvase de grabados entre la imprenta catalana y valenciana fue habitual, de hecho, en la última década del siglo xv y encontraremos en Valencia ediciones con estampas religiosas que incluyen advocaciones propias del Principado, como es el caso Santa Eulalia, pero también, incluso, de la propia Virgen de Montserrat.

499 Como ha advertido con acierto Carvajal González: «Por otra parte, mientras que ambas Catalinas y Dorotea son santas de amplio culto en todo el orbe cristiano medieval, Santa Eulalia de Barcelona, por el contrario, aunque reconocida por la Iglesia Católica y la Ortodoxa, es una santa especialmente ligada a la Corona de Aragón y con escasa veneración fuera de estos territorios. Su aparición en el grabado, identificada no solo por una cartela, elemento que como es bien sabido puede y suele ser

Virgen de los Reyes Católicos, anónima
Museo del Prado, sala 051A

Mare de Déu i àngels de Pere
Garcia de Benavarri
Museu Nacional d'Art de
Catalunya, sala 28

Al testimonio del grabado que encontramos rematando el incunable valenciano de Cristóbal Cofman, añade otro la propia Carvajal:[500] el post-incunable de les *Obres fetes en lahor de la seraphica Senta Catherina de Sena* impresas en Valencia por Joan Joffre en 1511, como producto del certamen poético celebrado el año anterior, que utiliza directamente la matriz original para estamparla en el vuelto de la portada, en la cual había otra xilografía, una imitación

---

fácilmente alterado, sino por su símbolo parlante, la cruz en aspa, indica que muy probablemente el taco carece de una relación directa con el mundo centroeuropeo y se abrió *ex professo* en la Península, con vistas a su utilización en la edición mencionada, traducción de la biografía de la santa italiana incluida en el *Chronicon* de San Antonio de Florencia realizada por el entonces *clavari de censals* y escribano extraordinario de la curia real, Miquel Peres» (2017: 35).

500 En realidad, parte de él para llegar, después, al incunable: «Tras comprobar el ejemplar in situ para la realización de este trabajo, pude constatar que se trataba, en realidad, de la portada del opúsculo "*Obres fetes en lahor de la seraphica senta catherina d'sena en lo seu sagrat monestir deles monges dela insigne ciutat de Valencia per diuersos trobadors narrades lo dia de sent miquel del any m.d.xi*", impreso, según Norton, por Juan Joffré, en 1511 en la ciudad de Valencia, obra que reutiliza material de la *Vida de Santa Catherina de Siena* impresa en la misma ciudad en 1499 por Christoph Kaufmann de Basilea» (Carvajal González 2017: 34).

de la que inauguraba el incunable, con Santa Catalina de Siena y las monjas de la orden dominica,[501] aunque de menor tamaño y calidad. Contrasta, por tanto, la dependencia iconográfica de la edición de 1511 respecto del incunable, con diferente tratamiento de las imágenes: la primera como imitación, quizás por el mal estado de la matriz original, y la segunda con recurrencia al mismo taco xilográfico.

Aunque Martín Abad no refiere esta reutilización del grabado, al ser ya en un impreso post-incunable, sí que aduce también el caso de una «estampa suelta», conservada en la Biblioteca Nacional de España con la signatura Invent/35428, de la que ya había dado noticia el catálogo de *Grabados alemanes* (1997, I: 36, nº 5). En su vuelto no hay texto, por lo que es evidente que no puede proceder de un ejemplar perdido de *La vida de Sancta Catherina de Sena*, ni tampoco del post-incunable de 1511.[502] De estos no, pero sí de otro impreso, porque esta xilografía se vuelve a reproducir en la *editio princeps* del *Spill* de Jaume Roig, con el título *Libre de consells* y salido de las prensas valencianas de Francisco Díaz Romano en 1531.[503] De nuevo lo hace como remate del impreso, en una de las localizaciones que, junto a la contraportada, solía tener a menudo el grabado en la imprenta valenciana incunable y del primer tercio del siglo XVI:

> Era habitual en la incunabilística valenciana col·locar els impresos en la contraportada, de manera que el text pogués començar en el *recto* del foli següent. En tractar-se d'un imprés amb més d'una obra i amb una dedicatòria inicial, ací no es tractava pròpiament de la portada, però sí que hi acomplia aquesta mateixa funció. Per aquesta raó, no sols s'hi va incorporar al davant de la *Istòria de la Passió*, sinó que es reaprofità per precedir la *Contemplació*, de la mateixa manera que l'*editio princeps* de *Lo somni de Joan Joan* (València, Lope de la Roca, 1497) va optar uns anys després per reutilitzar el gravat inicial també com a tancament de volum, repetint-lo dues vegades en un incunable ben ric en aquest tipus d'il·lustracions.
> De fet, el primer gravat que apareix en un incunable valencià ho fa, precisament, amb aquesta funció de rematada, tancant un imprés en el qual hi hauria romàs el darrer full en blanc. Amb això, s'ennoblia amb una il·lustració de grandíssima qualitat i bellesa, com és el gravat marià que apareix, fins i tot després del colofó, en l'incunable de la *Omelia sobre lo psalm «De profundis»* de Jeroni Fuster (València,

---

501 Les «germanes de l'orde terciari, ja que totes porten l'hàbit blanc i negre característic, colors que en l'orde dominic simbolitzen la puresa i la humilitat respectivament», como explica Carme Arronis (2007: 68), quien, aquí mismo, describe con detalle el grabado en cuestión.

502 Con texto o portada ilustrada, respectivamente, en su vuelto.

503 José Enrique Serrano y Morales (1898-1899: 106) ya había señalado esta reutilización del grabado del incunable de 1499 en la *editio princeps* del *Spill* o *Libre de Consells* de Jaume Roig.

> Lambert Palmar, 1490). «Este hecho es totalmente excepcional en este impresor, pues en los casi veinte años en que imprimió en esta ciudad, este grabado es el único elemento decorativo con que adornó sus libros, pues no llegó a utilizar tampoco ninguna capital impresa» (Romero Lucas 2003: 1408), tan excepcional que dubte que la idea depengués directament de l'impressor, sinó, més aïna, de l'editor comercial. Si a l'inici de la darrera dècada del segle XV els incunables valencians es començaren a rematar amb gravats que aportaren un al·licient comercial afegit als impresos, Jaume de Vila, simplement, preferí d'incorporar amb aquesta funció el poema de Joan Roís de Corella, de gran ressò, perquè degué pensar que devia generar major interés que no la repetició una tercera vegada d'una mateixa il·lustració, per molta qualitat que tingués. Si ho hagués fet, el *recto* del darrer foli hagués quedat emplenat i no hauria calgut introduir cap composició en vers, però això mateix és el que justifica que, tot i que aquestes addicions partien d'aspectes tan circumstancials com la sobra de paper, adquirien una funció comercial, enriquint el producte, en darrera instància (Martos 2014b: 497-498).

No solo servía de remate también para esta edición del *Libre de consells*, sino que, a diferencia del incunable de *La vida de Sancta Catherina de Sena*, en esta ocasión el colofón se encontraba cerrando la hoja anterior, con lo que el grabado se imprimía en la hoja siguiente, con su vuelto en blanco:

Jaume Roig, *Libre de consells*, Valencia, Francesc Díaz Romano, 1531
Biblioteca de Catalunya, 7-III-34, h. 141[r-v]

Es probable, por tanto, que esa estampa suelta de la BNE, de taco o matriz cuatrocentista, proviniese de un ejemplar mutilado de este impreso de Díaz Romano, como podría ser cualquiera de los dos conservados en la Biblioteca Històrica de la Universitat de València (R-1/195 y R-2/2901), a los que faltan sus grabados finales y, en uno de los casos, también el de la portada, con la imagen de la Inmaculada. Al hablarnos, precisamente, de este último, del que abre la *editio princeps* de Jaume Roig, Serrano y Morales había advertido que este impreso, en realidad, reproducía aquí el grabado de la portada de un post-incunable de Joan Vinyau, el *Liber conceptu virginali*, aunque, en esta ocasión, sin embargo, no se trata de la misma matriz.[504]

Liber de conceptu virginali in quo ipam dei matrem purissimã sine aliqua originalis peccati labe esse conceptam rationibus necessarijs patet.

Nec dum erant abyssi

Et ego iam concepta eram.

En ego cintillis Contra hostes

Liber de conceptu virginali
Valencia, Joan Vinyau, 1518, h. 1r
Biblioteca de Catalunya, 5-II-69

Sicut lilium inter spinas sic amica mea inter filias.

Gaudium annunciavit universo mundo.

Concepcio tua dei genitrix virgo

Libre de consells. Fet per lo magnific mestre Jaume roig/los quals son molt profitosos y saludables axi per regiment y orde de ben viure com pa augmentar la devocio ala puritat y concepcio dela sacratissima verge Maria.

Jaume Roig, *Libre de consells*
Valencia, Francesc Díaz Romano, 1531, h. 1r
Biblioteca de Catalunya, 7-III-34

Serrano y Morales no solo nos aporta este dato, ya de un cierto interés —aunque para los objetivos de otro trabajo—, sino que localiza esta misma xilografía de la edición de 1531 del *Libre de consells* en otro impreso poético:

504 «(Grab. en mad. casi igual, aunque algo más perfecto, que el que lleva el *Liber de Conceptu virginali* impreso por Vinyau» (Serrano y Morales 1898-1899: 106).

«El facsímil de la port. puede verse en el Cat. de Heredia, núm. 1838, y el grab. que en ella se halla es también igual al que llevan en la 1ª h. *Los goigs de la gloriosa Mare de Deu de la Concepcio los quals se cantan en la sglesia de la Encarnacio. Estampats en la noble e leal ciutat de Valencia*» (1898-1899: 106). Casualmente o no, este impreso vuelve a ser uno de los veintiuno reunidos en el *Nazareno* [CF/4(16)]. Ahora bien, la portada de esta edición desmiente, *sensu stricto*, lo concluido por Serrano y Morales, porque nos encontramos ante una tercera matriz diferente de este mismo diseño, de mucha menor calidad y detalle, en esta ocasión, y además, en espejo:

Los goigs dela gloriosa mare
de Deu dela concepcio: los quals se cantan
enla Enc[a]rnacio.

Ab eterno preeleta
mare del verb diuinal
tostemps fos pura y neta
de peccat original.

Dins lo vostre elet ventre
se mesclaren les farines
luna vostra daquest centre
ab laltra deles diuines:

Per ço fos tostemps perfeta
puix del pa celestial
foren pasta pura y neta
del peccat original.

En linstant foren mesclades
fon perfet lo pa santissim
y l donas tenint tancades
les portes del forn purissim

BHUV, CF/4(16), h. 1r

Serrano y Morales no es el único que identifica el grabado de este impreso con el de Díaz Romano de 1531, sino que Ribelles Comín incide en ello y da un paso más allá, al describir esta edición: «Precede a la port. un grabado, cerrado por una orla, que representa á la Virgen María con algunos de los títulos con que se le invoca (Reina de los mártires, de los ángeles, de los confesores, etc.), con este lema, de rojo, a los lados: "Sicut lilium inter spinas sic + amica mea inter filias. Cōceptio + tua Dei genitrix virgo + gaudium annūciavit vniverso mūdo. +". S.l., a. n. i.» (Ribelles Comín 1915: 599, nº 299). Sin embargo, ni ese *lema, de rojo, a los lados*, ni *los títulos con que se le invoca* en las filacterias se encuentran, en realidad, en el grabado de esta edición de los *Goigs* conservada en el *Nazareno*, sino que su descripción correspondería a la de la estampa que inaugura la *princeps* del *Spill* o *Libre de consells* de 1531. Da un paso más allá Ribelles, decía, porque, en realidad, identifica este impreso del *Nazareno* con otro desconocido —si es que no se trata de una edición fantasma—, precisamente atribuido a Pere Vilaspinosa por Justo Pastor Fuster, quien lo refería por primera vez: «2 *Gozos á la Concepcion*. En lemosin, impresos en Valencia en 1525. En 4º» (1827: 67). De hecho, la entrada de *Pedro Vilaspinosa* en la *Biblioteca valenciana* de Fuster, ordenada cronológicamente, como los repertorios valencianos que la precedieron, se incorpora en 1525 y lo hace a propósito de estos *Gozos*; después, le debió de llegar la noticia de la *Salve Regina* y la antepuso a ellos, sin modificar la secuencia de Vilaspinosa en la obra general, de catalogación bastante tardía.[505]

Al ser desconocido el ejemplar que habría visto Fuster, Ribelles relacionó su noticia con los *Goigs a la Concepció* anónimos del *Natzaré*, que acabó atribuyendo a Vilaspinosa,[506] a cuya producción los incorpora, con un cierto sincretismo de datos (Ribelles Comín 1915: 599, nº 299). De esta identificación duda, sin embargo, Francisco Martí Grajales, con la prevención de no identificarlos necesariamente e, incluso, de atribuir la noticia de los *gozos* de Vilaspinosa a Fuster, de la siguiente manera:

> En 4º. Esto asegura Fuster (Tomo I, pág. 67). Pero en el año anda equivocado dicho bibliógrafo, pues Vilaspinosa ya no existía. Tal vez fuera el pliego que vió una reimpresión, si es que en él constaba el nombre del autor. En un tomo de varios que se guarda en nuestra Universidad hemos hallado la siguiente hoja: «Los goigs de la gloriosa mare de Deu de la Concepcio: los quals se cantan en la Encarnacio» (*Convento de Carmelitas*). En 4º, a dos columnas, letra gótica, sin lugar ni año de

505 De ello, Romero Lucas (2005a, II: 1119, nº 247) acaba concluyendo un «c. 1525» como posible fecha de impresión también para el pliego de la *Salve Regina*.

506 Los transcribe y, efectivamente, son estos *goigs* del *Nazareno*, con el íncipit «Ab eterno preeleta | Mare del Verb divinal» (Ribelles Comín 1915: 599-600, nº 299).

impresión. No consta tampoco el nombre del autor. Empieza: «Al eterno preeleta / mare del verb diuinal / tostemps fos pura y neta / de peccat original». A esta cuarteta siguen siete octavillas y *tornada* de cuatro versos. ¿Serán estos *gozos* los mismos que indica Fuster? (Martí Grajales 1927: 469).

Es demasiada coincidencia, a mi parecer, que haya dos discrepancias bibliográficas en cuanto a los grabados de los *Goigs* y de la *Salve Regina*, dos impresos que no solo se encuentran en el *Nazareno*, sino que el propio Ribelles Comín atribuye a Pere Vilaspinosa y que, en ambos casos, incluirían xilografías que se encontrarían en otras ediciones y, en especial, en la *editio princeps* del *Spill* de Jaume Roig, que las reúne. Y no solo eso, sino que ambos impresos ilustrados se habrían reproducido en el *Cançoner de les obretes en nostra lengua materna mes divulgades durant los segles xiv, xv e xvi* de Marià Aguiló i Fuster (1873-1900), como insistentemente se refiere, tanto para el impreso de la *Salve Regina*,[507] como para el de los *Goigs*.[508] Hay, por tanto, un hilo del que tirar para comprobar esa presunta existencia de ejemplares perdidos de tales ediciones, uno de los cuales, el de la *Salve Regina*, habría formado parte, incluso, de la biblioteca particular de Aguiló, si diésemos validez —y no la doy— a la afirmación de Palau y Dulcet (1948-1977, 27: 79, nº 366010).

En efecto, en este cancionero facticio que recopila el hijo de Marià Aguiló se encuentran incorporados los textos correspondientes a estos impresos del *Nazareno*: la *Salve Regina* [CF/4(12)] y los *Goigs* [CF/4(16)]. No son los únicos procedentes de este *tomo de varios*, sino que también se reproducen de él otros cinco impresos [CF/4(7), CF/4(9), CF/4(11), CF/4(14) y CF/4(15)], todos ellos recogidos en la primera de las tres secciones de este *Cançoner*, la correspondiente a les *Cobles religioses*,[509] si atendemos a la tabla final, que Àngel Aguiló reconstruye siguiendo, según

507 «La misma obrita y grabado han sido reproducidos en el "Cançoner de les obretes" en nostra lengua materna més divulgades durant los segles xiv, xv e xvi, recullit e ordenat per Marian Aguilo y Fuster.-Barcelona MCM» (Ribelles Comín 1915: 599, nº 298). «Hizo esta reimpresión don Mariano Aguiló y forma parte del *Cançoner de les obretes en nostra lengua materna més divulgades durant los segles xiv, xv e xvi*. (Librería del autor)» (Martí Grajales 1927: 468-469). «Hizo una reproducción, *Barcelona*, 1873, 40 pts. Peiró 1951» (Palau 1948-1977, 27: 79, nº 366010).

508 «Reimpresos en tipos góticos, á semejanza de la primera edición, por el Sr. Aguiló en su *Cançoner de les obretes mes divulgades en nostra lengua materna durant los segles xiv, xv e xvi*» (Serrano y Morales 1898-1899: 106).

509 Encabezan la sección, precisamente, los *Goigs* del *Nazareno*. Las otras dos, en este orden, se estructuran como *Cobles històriques* y *Cobles morals, satíriques y de costums*.

él, una clasificación ensayada por su padre, para ordenar los pliegos independientes[510] de los impresos sin numerar,[511] que habían comenzado a publicarse en 1873 y que en 1900, tres años después de la muerte de Marià Aguiló, se encarga de acabar de imprimir, con los paratextos editoriales.[512]

La portadilla previa a la portada estricta lo define como *Cançoneret d'obres vulgars* y explica Aguiló la razón del título, contraponiendo y distinguiendo la poesía *popular* de la *vulgar*, justificando su interés y relacionando esta última con la *literatura de canya i cordeta*, es decir, exactamente lo mismo que singularizaba el proyecto editorial de José Sancho Rayón,[513] al que me referiré después. En efecto, es la poesía proveniente de pliegos sueltos de carácter popular, aquellas «fulles anònimes i semipopulars» (Aguiló 1873-1900: X), lo que encontramos en este *Cançoner*, junto a otros textos poéticos de transmisión manuscrita extravagante.[514]

> Més una vegada separats los dos gèneros de poesía, la verament popular de la vulgar, coneguí que aquesta última no era del tot merexedora del menyspreu que inspirava. Que era mester ferne una tría de bell nou y amb més ample criteri de les *garbelladures* separades y salvar totes aquelles cançons que dexessen entreveure

---

510 Marià Aguiló explicita que procedió de esta manera para que los propios bibliófilos le diesen noticia de otros pliegos poéticos o impresos breves de estas características: «Ho volguí publicar per plechs y séns foliació, esperant que havía de trobar noves fulles y que m'avisarien l'existencia d'altres los curiosos» (1873-1900: XV).

511 Así lo explica Àngel Aguiló en el *Advertiment* inicial, previo al *Pròlech* de su padre (Aguiló 1873-1900: s. p.).

512 «Res més puch afegir a esta nota, que m'ha semblat precisa pera evitar les confusions a que naturalment podía donar lloch la vista d'un seu pròlech publicat tres anys aprés de la seva mort, y de l'ordenació y compliment de est aplech, pera los quals he seguit en absolut les indicacions que ell mateix havía dexat escrites» (Aguiló 1873-1900: s. p.).

513 «José León Sancho Rayón, aunque jamás citó su segundo nombre quizá para evitar molestas cacofonías y posibles juegos de palabras» (Infantes 2016: 15). En el caso de este bibliófilo, sin embargo, el interés por este formato en pliego o folleto parece derivar de meros aspectos técnicos, como sugiere Víctor Infantes: «Al principio, ante tal complejidad y el carácter experimental de la nueva técnica, ensaya con portadas, hojas sueltas, colofones y grabados, los mismos que reunirá posteriormente en sus citados *Ensayos*. Una vez familiarizado con el medio —él mismo preparaba los fotolitos—, acomete empresas de mayor envergadura eligiendo, según sus propias palabras, "pliegos y otros folletos", cuyo formato y características resultaban idóneos para sus fines» (Infantes 1982: 17). Sea como fuere, es del producto resultante de Sancho Rayón y de su estrategia de difusión que debió de surgir el interés de Aguiló por este tipo de materiales y genera su propio proyecto editorial centrado en la tradición catalana.

514 «Que tot sovint se troben aprofitats los blanchs que dexà'l trellador o escrivent del llibre, per mans desconegudes» (Aguiló 1873-1900: VIII). Véase Martos 2022b.

> la fesomía de qualsevol de les branques del estament popular; que'l seu estudi no era temps perdut, puix si a voltes mancaven d'artística bellesa, sa utilitat històrica y llingüística eren visibles.
> Esta poesía, generalment menyspreada y desconeguda que anomenàm *vulgar*, és la que forma les planes d'est cançoner. té fesomía pròpia en el fondo y en la forma; generalment anònima com la popular, és feta per encàrrech y miserablement retribuhida. Un editor eque moltes vegades no sab de llegir dóna'l tema de la composició que desitja, a algú que, séns professió de les lletres, se creu capaç d'exir airós de l'empresa. Feta estampar y corretgir molt com se vulla y ab sos gravats o histories (com deyen abans) corresponents, els romancistes y cegos cuiden d'escamparla per tot arreu. Los primers duhen ses parades per les fires y mercats de les viles y aprofiten les parets que poden per les places y cantonades de les ciutats. Alguns ne diuen *literatura de canya y cordeta*, per la manera ab ue surt a la venda pública, distinta de la manera ordinaria (Aguiló 1873-1900: VII-VIII).

Este es el objetivo del *Cançoneret d'obres vulgars*, por tanto, de cuyos contenidos y fuentes advierte que «la raretat d'aquestes fulles justifica'l cas que n'he fet» (Aguiló 1873-1900: XVI). Esa rareza de los impresos y de las poesías en cuestión se debe, en una parte importante, a la naturaleza popular de los textos y de las propias ediciones, que desembocan en la precariedad de su conservación, un rasgo de este tipo de literatura que ha salvado, en parte, su reunión en el *Nazareno* y de ahí que, para la sección de poesía religiosa, recurra a él en un porcentaje tan alto: siete pliegos de las diecisiete entradas de esta sección del *Cançoner*; siete de los veintiún impresos del *Nazareno*.[515]

Si el *Nazareno* es una fuente de gran riqueza para este tipo de impresos en catalán, el propio *Cançoner* de Aguiló acabó funcionando de catalizador para el conocimiento de estas obras y de sus fuentes. Buena prueba de ello es la edición de estos textos, entre los que destaco, por razones obvias, la inclusión de la *Salve Regina* de Vilaspinosa en el volumen de poesía de la *Crestomatia catalana* de Antoni Bulbena i Tosell (1907, 2: 246-248),[516] primándola respecto de la producción de autores como, por ejemplo, Joan Roís de Corella, que no se recoge; pero también son múltiples las referencias al *Cançoner* en los repertorios bibliográficos, que, sin embargo, no consideran las características de los impresos originales y acaban generando errores bibliográficos de importante calado científico, al considerar la reproducción como fuente primaria.

515 Que, a su vez, son siete de los doce exclusivamente poéticos y con ocho hojas o menos. Aguiló deja fuera de esta nómina, tan solo, los impresos CF/4(4), CF/4(5), CF/4(8), CF/4(10) y CF/4(13).

516 Aunque, en realidad, solo edita ocho estrofas: las tres primeras y las cinco últimas, precedidas, sin embargo, de la *Cobla sparsa dirigida al senyor visrey*.

En su prólogo, Marià Aguiló ya advierte esos rasgos que definen su peculiar antología poética, como es la recurrencia a la letra gótica y las razones para ello, una edición que busca la belleza bibliográfica y rehúye de esas *apariencias científicas de moda* de entre siglos:

> Me proposí al publicar est Cançoner donar lo major atractiu possible a les obres antigues de per sí, destriant-les y allunyant d'elles lo segell del nostre temps y de tota personalitat. Publicar aquestes rimes que he arrencades com qui diu a les cuynes dels pagesos (y que molts la saben de memoria), a les apariencies científiques que s'han fet de moda, m'hauria semblat ridícol. He preferit recordar la forma antiga de la impressió, puix una vegada resolt a produhir-les, era mester conservarles tot lo que les caracterisa; d'altra manera fóra esborrarles la fesomía. Per altra part la lletra gòtica sembla que és un vel pera cobrirla cruesa y nuditat d'expressió que caracterisa aquesta poesía quan dexa la corda religiosa (Aguiló 1873-1900: XIV-XV).

En efecto, es una edición con letra gótica, pero a imagen y semblanza, sin duda, del proyecto editorial de José Sancho Rayón, conocido por el sobrenombre del Culebro,[517] quien, desde 1871 hasta 1874,[518] empezó a editar ediciones fotolitográficas[519] de impresos breves o pliegos sueltos

517 «Ese mote de "El Culebro" con el que le calificó el benemérito Bartolomé José Gallardo, el gran Patriarca de la bibliofilia decimonónica, parece ser que se debe a su innata habilidad para moverse en el mundo del mercado del libro a través del cambalache, el trapicheo y el recoveco dentro de los complicados entresijos de la compraventa de libros y manuscritos valiosos; dicho en otras palabras "culebreando" entre librerías, tenderetes, mercadillos, libreros de renombre, traperos y cualquier lugar donde hubiera un papelajo que comprar o un libro que adquirir, bien para quedárselo en su biblioteca, bien para hacer negocio posterior con él» (Infantes 2016: 11-12). Véase también Infantes 1982: 10, n. 5.

518 «Ardua es también la tarea de su datación, sobre la que se han aventurado fechas tan disparatadas como 1849, cuando la fotolitografía europea daba sus primeros pasos y Rayón contaba apenas diecinueve años, o 1900, fecha en que fallece, sin haber cumplido el primer mes del nuevo siglo. Otras veces, con más cautela, pero sin aclaraciones, se ha remitido a la segunda mitad del siglo XIX o se ha aventurado una fecha concreta más aproximada» (Infantes 1982: 10). Sin embargo, «Nuestro editor, en una carta a Menéndez Pelayo fechada en 1898, le confiesa que en los años de 1871 a 1874 había hecho varias reproducciones de pliegos y otros folletos más o menos raros y, al tiempo, le remite una lista de ellos; el dato es irrefutable y el único que tenemos... seguro» (Infantes 1982: 12). Para la transcripción de la carta a Menéndez Pelayo y el listado de obras, véase Infantes 1982: 88-89. Para la ordenación y datación de las 27 reproducciones en cuestión, véase la propuesta de Víctor Infantes (1982: 89-90), que fundamenta en «los once títulos numerados en cursiva, por Rayón y el *Libro de Registro* de la Biblioteca Nacional ya citado» (1982: 90).

519 Para los aspectos estrictamente técnicos de la reproducción por fotolitos, véase Infantes 1982: 16-17.

castellanos,[520] con las mismas características que los pliegos de Marià Aguiló:[521]

> La segunda aventura editorial de estos años fueron sus curiosísimas *Reproducciones fotolitográficas*, una colección de impresiones facsimilares de pliegos sueltos e impresos (más o menos) breves que hacía por puro placer, en tiradas cortísimas y que regalaba a sus amigos bibliófilos. Experto en las técnicas de la reproducción fotográfica y fascinado por las inmensas posibilidades que ésta ofrecía para la producción de facsímiles de libros y manuscritos a través de la preparación de las planchas por medio de la fotolitografía, se arrojó a editar una serie de facsímiles de obras verdaderamente raras y peregrinas, tanto de las que él mismo poseía, como de las que pasaban por sus manos o pedía a sus amigos. Durante 1871 y 1874 editó unas 40 obritas, de las cuales unas 27 fueron una serie más o menos ordenada por el propio autor, aunque nunca tuvo una denominación concreta; esta titulación se la otorgué en mi estudio sobre ellas por fuentes indirectas[522] y por supuesto sin datos identificativos de edición (lugar, imprenta, fecha). Fue la primera colección española sistemática de facsímiles (Infantes 2016: 22-23).[523]

O como, décadas después, Octavi Viader reproduce el incunable del *Psalteri* de Joan Roís de Corella,[524] con la diferencia de que su portada explicita que es una *Edición gótica imitada sobre el incunable veneciano de 1490.* Una edición pseudo-gótica, por tanto, una imitación y no un facsímil, como

520 «Rara vez sus reproducciones superan el límite de las veinte hojas, siendo la extensión más frecuente de ocho o diez. El formato elegido es el de 4º y los cuatro folletos que no se ajustan a él (en 8º y en 16º) son reducciones del original ajenas a nuestra colección» (Infantes 1982: 17).

521 «En primer lugar, se trata de la primera colección española de facsímiles —anteriormente sólo encontramos ejemplos aislados—; en segundo lugar, los originales elegidos son obras, asimismo, muy raras; y, por último, las reproducciones son de gran calidad y belleza» (Infantes 1982: 9).

522 «Dado que el autor no les asignó en su día un título global, nosotros, interpretando quizá su deseo, proponemos el que encabeza estas líneas con la única finalidad de diferenciarlas de sus *Ensayos fotolitográficos*, error en el que cayó Antonio Palau y que ha sido copiado fielmente en catálogos de librería y en trabajos menos livianos que una simple lista de venta» (Infantes 1982: 10).

523 «Como colofón de estas actividades fotolitográficas en 1873 publica, en tirada de 100 ejemplares, una pequeña joya bibliográfica, pues se trata de un libro curiosísimo, sorprendente (y bien raro de encontrar), los *Ensayos fotolitográficos* [Madrid: s. i., 1873], colección de reproducciones de obras y manuscritos, sin orden ni concierto, pero que constituye un valiosísimo testimonio de la labor facsimiladora de Sancho Rayón; y, como señalaba acertadamente un crítico, un "verdadero tesoro para los conocimiento [añado yo: bibliofílicos] de la época"» (Infantes 2016: 24).

524 Aunque con procedimientos diferentes a los de Sancho Rayón y Aguiló i Fuster, pero me refiero aquí a su carácter imitado y no estrictamente facsimilar, al menos en sentido estricto.

se encarga también de precisar Jaume Barrera en el estudio que la acompaña: «la nueva impresión gótica del *Psalteri*, si en rigor no es una edición facsimilar, es exactamente una edición imitada» (Barrera 1928: XXIII). A pesar de ello, Palau y Dulcet se refiere a ella como «una fiel reproducción en facsímil» (1948-1977, 2: 220),[525] lo que nos puede dar una idea del cuidado que hay que tener en la interpretación de sus datos en lo que afecta al pliego poético de la *Salve Regina*. Se trata, por tanto, de un entretenimiento tipográfico, de una edición que imitaba artesanalmente el proceso de cajas con tipos góticos móviles: «Aquest experiment buscaria més el plaer dels bibliòfils —i, fins i tot, de l'impressor—, que no la difusió de l'obra en cercles aliens als erudits afeccionats a llegir i posseir obres antigues» (Martos 2013: 109-110). Esta es la función del proyecto editorial de Aguiló, a mi parecer, y no la cierta burla que Víctor Infantes vio en la colección de Sancho Rayón.[526]

La imitación de los impresos en este *Cançoner* no solo afectaba a la tipografía e, incluso, a la propia impaginación de los textos, muy diferente respecto del original, por ejemplo, en el caso que nos ocupa de la *Salve Regina*, sino a otros rasgos, como son su decoración e ilustración, en los mismos términos que hemos visto en las *Reproducciones fotolitográficas* de Sancho Rayón.[527]

525 Antoni López i Quiles aún afirma recientemente que se trata de una «versió facsímil del "Psalteri"» (2007: 41), como parecía pensar también Margherita Morreale cincuenta años antes (1958: 273).

526 Ya declarada desde el propio título de su monografía —*Una colección de burlas bibliográficas*—, mantenida en sus dos ediciones (Infantes 1982 y 2016), lo que, en cualquier caso, no acabo de compartir, como objetivo último de un proyecto de estas características, ni siquiera en estos términos: «Rayón había sorteado con habilidad los límites de la falsificación en un inocente desafío a los bibliófilos contertulios» (1982: 20). Menos aún en estos otros: «De sus devaneos con la reproducción facsimilar se le ha acusado de "poco ortodoxo" y de "manipulador", cuando creemos que lo único que pretendía no era más que "divertirse", "bromear" y dejar en ridículo al neófito y al incauto, pues nunca cobró un duro por sus "arreglos" facsimilares ni presumió públicamente de ello» (2016: 27). El propio hecho de que no «participó a alguno su secreto» y que, «si Barbieri o Gayangos o el Marqués de la Fuensanta del Valle lo supieron, lo guardaron con diligente complicidad» (1982: 20), apuntaría a ello, porque, en realidad, no habría ningún tipo desafío, burla o trampa bibliófila, sino un ennoblecimiento editorial de unos impresos, entendido en un contexto decimonónico, que no implicaría un demérito del producto para sus receptores, sino más bien al contrario, dada, además, la corta tirada y el carácter no venal de estos pliegos. Otra cosa muy diferente es que ciertos *neófitos o incautos*, en palabras de Infantes, generaran gazapos y fantasmas bibliográficos; el problema es que estos, como veremos aquí también para la colección de Aguiló, se multiplicaron.

527 Aunque, en este caso, se limitaba sobre todo a las cubiertas: «edición facsimilar impresa en distintos papeles y protegida por cubiertas de diferentes colores con adornos y detalles tipográficos ajenos a las obras originales» (Infantes 2016: 140).

Àngel Aguiló explicitaba en la advertencia inicial que «les orles, caplletres y gravats, alguns d'ells autèntichs, altres fidelment reproduhits, eren coleccionats ab lo doble intent d'aprofitar-los també per a la Bibliografía Catalana» (Aguiló 1873-1900: s. p.). Y su padre, al respecto de esta cuestión, nos advertía en su prólogo de los límites de la reproducción,

> sense que la imitació sia complerta en cada obreta, fòra d'aquells gravats més característichs trets de la composició que reproduhiem; d'alguns d'aquests estan forçats fins en les obres més series [...] y se veu que aquells gravats no pertanyien al llibre; [...] són gravats que desèrten l'interés d'un jeroglífich, puix a ben segur quiscun ha de tener la seva historia (Aguiló 1873-1900: XV).

Ni era una imitación completa, ni todos los grabados incorporados en cada impreso provenían de su original, ni, añado yo, eran una reproducción exacta de los que ilustraban otras fuentes, sino que se trataba de nuevas estampas inspiradas en esas xilografías antiguas, pero no idénticas, a las que se aplicaba cierta estética posterior, de regusto decimonónico, especialmente notable en la decoración añadida. En efecto, las ediciones de Aguiló de estos pliegos pseudo-góticos de los *Goigs* y de la *Salve Regina* contienen las estampas que Serrano y Morales, Ribelles Comín, y Palau y Dulcet aducen, pero en los términos que se explica en los paratextos del propio *Cançoner*.

En ambos casos, los pliegos antiguos originales no contienen, en efecto, tales xilografías y las portadas de Aguiló, más allá de los grabados, se reconstruyen por completo, muy probablemente tomando prestadas como modelo las estampas de la edición de 1531 del *Libre de consells* o *Spill* de Jaume Roig, que las reunía. La mala praxis bibliográfica, recurriendo a reproducciones decimonónicas y no a originales, llevó a generar tales noticias falsas por parte de Serrano, Ribelles y Palau, que, incluso, ponían sobre la mesa la posible existencia de ediciones perdidas. La modernidad de ciertos rasgos decorativos, en las dos portadas y, especialmente, en la de la *Salve Regina*, hace más inexplicable aún tal error, por la obviedad, y obliga a resolverlo para no perpetuar esos fantasmas bibliográficos. Víctor Infantes se sorprende, con razón, ante una circunstancia tan inexplicable para la recepción bibliográfica de las *Reproducciones fotolitográficas* de Sancho Rayón, cuyas palabras hago mías para expresar lo ocurrido, en este mismo sentido, en cuanto a los pliegos poéticos de Aguiló que acabaron formando su *Cançoneret*: «¿Cómo pudieron algunos bibliógrafos confundir los facsímiles con los originales? ¿Cómo eruditos tan avezados como Vindel cayeron en las alambicadas trampas de Rayón? ¿Cómo los principales manuales de bibliografía citan estos ejemplos como prueba de originales perdidos?» (Infantes 1982: 20).

No queda aquí la intervención de Aguiló en sus ediciones pseudo-góticas, sino que, incluso, llega a reconstruir colofones inexistentes en los impresos originales, hasta en cuatro de los siete impresos imitados del *Nazareno*, con lo que, ante lo visto hasta ahora, nos podemos hacer una idea de cómo esta información pudo llegar a incorporarse a los repertorios bibliográficos de referencia:

Signatura	**Título**	**Colofón de Aguiló**
CF/4(7)	*Cobles de la Salutació de Nostra Senyora*	«Fi de les Cobles novament emprimides en Valencia. Any MDXXXV».[528]
CF/4(9)	*Cobles fetes a un principi antich*	«Estes cobles foren estampades en la noble ciutat de Valencia: regnant lo invicte Emperador dels Romans don Carles, y la serenissima Emperatriu dona Isabel, catholics Reys de Espanya».

528 En este pliego, el año también se incorpora en la portada: «any MDXXXV». En realidad, en este caso, sí que se recoge en el original, pero, siendo un impreso de 1535, se incorpora a la portada en estos términos: «Cobles nouament emprimides de la salutació de nostra senyora. Any MDXXXV». Aguiló solo mantiene el año en la portada, pero en otra posición, y reconstruye, con el resto de la información, un éxplicit, que incluye la información propia del colofón.

CF/4(14)	*Cobles de la Verge Maria de la Soledat*	«Estampades en la molt noble ciutat de Valencia, per Johan Joffre»
CF/4(15)	*Les set dolors de la gloriosa Mare de Déu*	«Valencia»

Podríamos considerar que esto ocurre también en un quinto pliego, aunque en este caso el pie de imprenta se indica en la portada, en el caso de los *Goigs*, una información que Serrano y Morales (1898-1899: 106) y Ribelles Comín (1915: 599-600, nº 299) transcriben literalmente, atribuyéndolo al impreso original, a pesar de que lo hayan obtenido, como el propio título, a partir de la reconstrucción de Aguiló:

Signatura	**Título**	**Colofón de Aguiló**
CF/4(16)	*Los goigs de la gloriosa Mare de Déu de la Concepció*	«Estampats en la noble e leal ciutat de Valencia»

Los otros dos impresos del *Nazareno* en este *Cançoner*, la *Salve Regina* y la *Glosa del Ave Maria*, no reconstruyen estrictamente un colofón, sino que, en su lugar, Aguiló añade una anotación bibliográfica desarrollada:

Signatura	**Título**	**Colofón de Aguiló**
CF/4(11)	*Glosa de l'Ave Maria*	«No's conexerien tots los cayres de nostra poesia vulgar antiga, si no inclouiam en est Cançoner algunes de les gloses piadoses que tant s'estilaren en los segles XV y XVI. De les tres que hi donam per mostra, la primera sembla estampada'l mateix any que la d'en Vilaspinosa, y el Ms. de la segona, y la mortaldat de que parla, la fan creure composta en 1490, quant Mestre Loys de Alcanyiz, metge y poeta, publica lo "Regiment preservatiu e curatiu de la pestilència", que comença: "Mirant natura humana sotsmesa a tants innumerables perills e cassos mortals, no he vist de totes les causes de morir nenguna mes trista, mes aguda e mes cruel que aquesta epidemia, que axi prestament e amagada per nostres membres principals devalla (segons que per diverses experiencies se comprova) mortificant les obres del cor, ceruell e fetge, en

		tal grau que l'anima no tenint dispositio complida de instruments necessariament lo desempara...”».
CF/4(12)	*Salve Regina feta per lo discret en Pere Vilaspinosa*	«A dit Visrey Despuig se deu lo certamen publicat en MCCCCLXXIIII que conte les Trobes en lahor de la Verge Maria, fetes per una quarentena de trobadors y conservades en lo llibre de estampa mes antich de Espanya. Del certamen a que pertany la present composicio no'n conexem mes que'l quadern incomplert de hont la havem treta, que tenim per estampat en la ciutat de Valencia en 1482».

Era esta la manera de incorporar este tipo de notas, con letra gótica y en posición de paratextos editoriales, pero con estética arcaizante, de manera que no implicase una distorsión en el producto tipográfico resultante, para salvar, así, los problemas técnicos que aducía en su prólogo, relacionados con la tipografía gótica: «Hem escassejat més de lo que deviem les notes a les obretes que incloem per mancarnos lletra més menuda per anotar les composicions» (Aguiló 1873-1900: XIV, n. 1).

Por la anotación final del *Ave Maria*, sabemos que Aguiló imprimió las obras de estos pliegos del *Nazareno* al mismo tiempo que una tercera glosa poética, en este caso manuscrita. En ella no solo nos habla de un conjunto de obras, sino también de su secuencia concreta: una primera impresa, una segunda manuscrita y una tercera también impresa, en este caso a cargo de Vilaspinosa. El primero de estos poemas es la *Salve Regina* de Vilaspinosa, que esta nota original de Marià Aguiló localizaba en tercer lugar de esta colección de glosas poéticas de oraciones. No debió de tenerlo en cuenta Àngel Aguiló al intentar convencernos de que respetaba la secuencia prevista por su padre, porque esta anotación complementaria es una evidencia de todo lo contrario: la ordenación de los pliegos se iniciaba con la *Glossa de l'Ave Maria* y se cerraba con la *Salve Regina*, es decir, el orden inverso del que propone la tabla reconstruida por él:

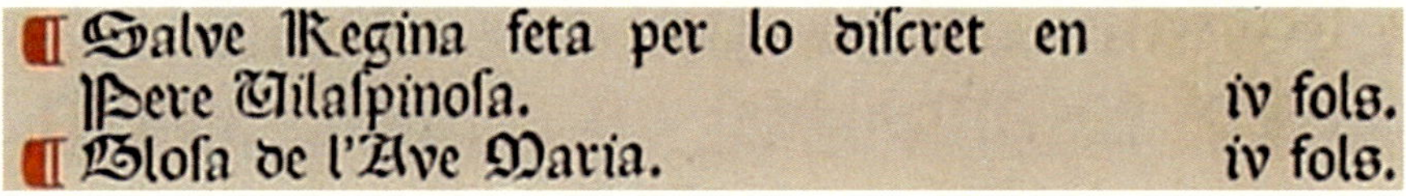
¶ Salve Regina feta per lo diſcret en Pere Vilaſpinoſa. iv fols.
¶ Gloſa de l'Ave Maria. iv fols.

Ahora bien, estamos hablando de dos fascículos o pliegos de su *Cançoner*, pues no hay un tercero que, explícitamente, recoja una oración trovada o glosa piadosa, ni menos aún proveniente de un testimonio manuscrito. Eso es porque, en realidad, el fascículo de la *Glossa de l'Ave Maria* es, asimismo, híbrido o facticio, en tanto que no solo reproduce, imitándolo, el pliego suelto original del primero de los textos, sino que añade a él una segunda glosa al *Ave Maria*:

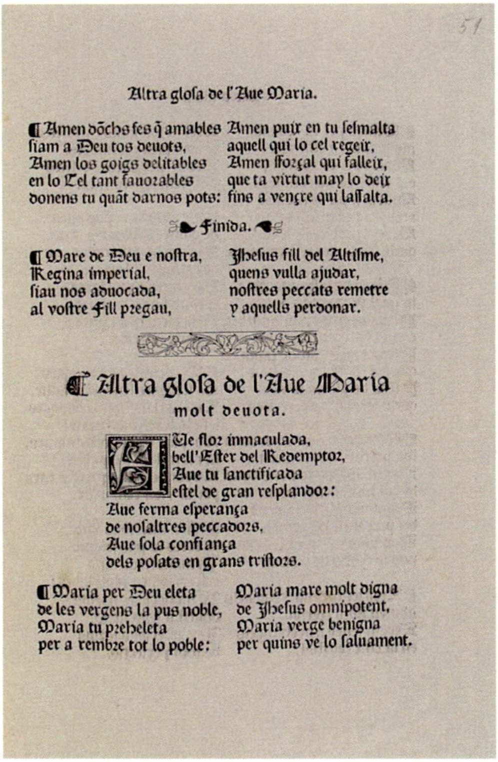
Altra gloſa de l'Aue Maria.

¶ Amen dōchs fes q̄ amables
ſiam a Deu tos deuots,
Amen los goigs delitables
en lo Cel tant fauorables
donens tu quāt darnos pots:

Amen puix en tu ſeſmalta
aquell qui lo cel regeix,
Amen fforçal qui falleix,
que ta virtut may lo deix
fins a vençre qui laſſalta.

Finida.

¶ Mare de Deu e noſtra,
Regina imperial,
ſiau nos aduocada,
al voſtre Fill pregau,

Jhesus fill del Altiſme,
quens vulla ajudar,
noſtres peccats remetre
y aquells perdonar.

¶ Altra gloſa de l'Aue Maria
molt deuota.

AUe flor inmaculada,
bell'Ester del Redemptor,
Aue tu ſanctificada
eſtel de gran reſplandor:
Aue ferma eſperança
de noſaltres peccadors,
Aue ſola confiança
dels poſats en grans triſtors.

¶ Maria per Deu eleta
de les vergens la pus noble,
Maria tu prebeleta
per a rembre tot lo poble:

Maria mare molt digna
de Jhesus omnipotent,
Maria verge benigna
per quins ve lo ſaluament.

Este segundo poema, en efecto, provendría de un testimonio manuscrito[529] y nos confirmaría la secuencia original de Marià Aguiló, lo que entra en conflicto con el hecho de que Àngel Aguiló atribuya a su padre la estructura interna del *Cançoner*.[530] Esta nota final del pliego dedicado al *Ave Maria*

529 Para un estudio de este pliego de Aguiló de la *Glossa de l'Ave Maria*, construido a partir de la reunión de dos fuentes diferentes, véase Martos 2022b, donde, asimismo, se ofrece una edición crítica del poema originalmente manuscrito.

530 «La unitat d'aquest aplech que desijava realisar, sense noure a la veritat de cada una d'exes cobles, d'índole individualíssima, lo preocupà durant tot lo temps de sa publicació. No volguent numerarles, ensajà una classificació més o menys ajustada,

desmiente, por tanto, dos de los supuestos que nos traslada Àngel Aguiló: ni todos los fascículos eran independientes conceptual o genéticamente,[531] ni la clasificación definitiva, reflejada en la tabla final que se añade como paratexto editorial en 1900, responde a una estructura prevista por su padre.

Precisamente de la otra de esas notas editoriales de Marià Aguiló, la que remata la *Salve Regina*, debió de extraer Palau la idea de que «el único ejemplar y aun incompleto lo tuvo Aguiló» (Palau 1948-1977, 27: 79, nº 366010), algo que no refleja, exactamente, lo que se aduce en ella: «no'n conexem mes que'l quadern incomplert de hont la havem treta».[532] Y, en este mismo sentido, a partir de aquí Ribelles Comín (1915: 598-599, nº 297) y Palau y Dulcet (1948-1977, 27: 79, nº 366010) atribuyen el impreso a Valencia, como pie de imprenta fehaciente, mientras que indican que es *sine notis* de impresor y recogen la propuesta de fecha de impresión, que asume, incluso, el *Gesamtkatalog der Wiegendrucke* (GW M50468).[533]

Es irónico que Serrano y Morales hubiese caído en esa praxis bibliográfica que denunciaba, con «equivocaciones que, aceptadas como ciertos hechos, pasan á veces de una á otra generación y no son fáciles de rectificar» (1898-1899: 73). Esta praxis de recurrir a reproducciones o, todavía peor, a imitaciones tipográficas para describir originales y dar los datos por ciertos ha creado muchos fantasmas bibliográficos que, como bien explica Serrano, son complicados de detectar y, más aún, de corregir. A eso nos ha llevado la referencia a grabados en un impreso de la *Salve Regina*, puesto que apuntaba a un ejemplar perdido de una edición desconocida, con ilustraciones, y la cuestión debía ser resuelta. Queda desmentido, por tanto, como falsa noticia bibliográfica.[534]

---

que servís pera incluirles en la llista que donàm a la fi d'est aplech. Sense voler justificarla, creyem que servirà per son objecte, que no és altre que lo de donar una colocació ordenada a les fulles d'est Cançoner, difícils per altra part de subjectar a una classificació rigorosa, de la que'n fugen per sa espontaneitat y pel caràcter ab que foren escrites» (Aguiló 1873-1900: s. p.).

531 Sino que podían presentar unidades superiores, reunidas a través del colofón, como ocurría, de igual manera, en la imprenta antigua, en la que se imprimieron de manera individual, al menos en su concepción unitaria o dependiente, más allá de la materialidad estricta.

532 También extrae la relación de la obra con *Les trobes en lahors de la Verge Maria*, desarrollada en la primera parte de la nota de Aguiló, aunque la recoge con problemas de redacción y errata de año: «En dicha reproducción Aguiló afirma quizá por primera vez que el libro impreso en España es el que se publicó bajo los auspicios del Virrey de Valencia Despuig en 1874 (*sic*), afirmación que hoy sigue siendo válida en el sentido estricto de libro, no de impreso» (Palau 1948-1977, 27: 79, nº 366010).

533 Y al propio *Catálogo* de Aguiló, que explicita el porqué de ella (1923: 554, nº 2107).

534 Ahora solo falta que tal conclusión no caiga en terreno árido y que no se reproduzca lo ocurrido con las *Reproducciones fotolitográficas* de Sancho Rayón, que, más de

3.3.4. La integridad del impreso

En esa nota de Aguiló que remata su imitación tipográfica del impreso de la *Salve Regina*, a la que me refería arriba, se hace mención explícita de que el pliego original podría ser tan solo un cuaderno extraído físicamente de una edición más amplia. Es la materialidad del impreso,[535] por tanto, la perspectiva de estudio en este apartado, aunque son los contenidos, como veremos en otro epígrafe, lo que lleva a sugerir ya a Justo Pastor Fuster la posibilidad de «estar manco el egemplar que he visto» (1827: 66) y a desarrollar Aguiló esta hipótesis en su *Catálogo*, donde se plantea si «estas cuatro hojas, ¿son parte de un libro?» (1923: 554, nº 2107).[536] En ello incide, de hecho, el *Gesamtkatalog der Wiegendrucke*, cuando, ya sin interrogantes, refiere el pliego como «Fragment eines umfänglichen Druckes» (GW M50468). No cuestionan su entidad independiente, sin embargo, Ribelles Comín (1915: 599, nº 297), Martí Grajales (1927: 468), Massó i Torrents (1932: 62), Palau y Dulcet (1948-1977, 27: 79, nº 366010), Ferrando Francés (1983: 345), Concheff (1985: 138, nº 1446), Gisbert Terol y Ortells Pérez (1992, II: 456, nº 3594), Romero Lucas (2005a, II: 1119, nº 247), BITECA (manid 1893) ni el propio Catàleg *Trobes*. La cuestión no es baladí y, por ello, se le dedica aquí un epígrafe específico, que determine la integridad física del impreso en cuestión o si, por el contrario, se trata de un cuaderno que se ha separado de una edición más amplia.

Es cierto que la reunión de los veintiún impresos en el volumen facticio del *Nazareno* difumina sus límites y establece dudas sobre la integridad de algunas de las ediciones que forman parte de él, especialmente en los ocho casos en que su extensión se limita a dos hojas [CF/4(5), CF/4(7), CF/4(9), CF/4(10), CF/4(11) y CF/4(14)] o, incluso, a una [CF/4(15) y CF/4(16)]. En esto parece incidir como argumento la evidencia de que uno de esos impresos, el CF/4(2), sea una mutilación de otro más extenso, adecuada a los límites de las obras que se han seleccionado o, más bien, que se han rescatado. Si no

---

tres décadas después de su primera monografía, aún se referían estos facsímiles imitados como originales o, incluso, se hacían nuevos facsímiles a partir de ellos, como fuente primaria: «la peregrina singularidad de las obras que eligió, refrendada por la edición de nuevos facsímiles en estos dos decenios, reproducidos *directamente* de los de Sancho Rayón, sin decirlo en la mayoría de los casos. Vale» (Infantes 2016: 134); «a lo largo de estos años he visto [...] seguir citando (en algún caso todavía) los facsímiles por originales (¡qué se le va a hacer!)» (Infantes 2016: 132).

535 Y no del ejemplar, que, como hemos visto, está ligeramente mútilo, afectando muy ligeramente al texto, en el corte delantero de las dos hojas finales.

536 Palau y Dulcet (1948-1977, 27: 79, nº 366010) se refería a él como ejemplar incompleto, pero seguía a Aguiló, como hemos visto.

fuésemos más allá, todo ello parecería avalar la tesis de Aguiló, recogida,[537] con mayor decisión, por el *Gesamtkatalog der Wiegendrucke*, pero hay datos que hacen pensar lo contrario.

El segundo de los impresos del *Nazareno* es, en efecto, parte del incunable valenciano de Hagenbach y Hutz, de 1493, que reúne, en esta secuencia, la *Istòria de la Passió* de Bernat Fenollar y Pere Martines, la *Contemplació* de Bernat Fenollar y Joan Escrivà, y la *Oració* de Joan Roís de Corella, todas ellas en verso.[538] La mayor parte de la edición se dedica a la primera de estas obras, la más extensa con diferencia, mientras que las otras dos, más breves, solo ocupan diez hojas, frente a las ochenta y dos originales del impreso. Son estas diez hojas las que se conservan en el fragmento incluido en el *Nazareno*, una delimitación de contenidos que no se corresponde exactamente con los límites materiales de los dos últimos cuadernos.

A diferencia del pliego poético de la *Salve Regina*, en este fragmento del incunable de *Lo Passi en cobles*[539] sí que hay evidencias de que formaba parte de un impreso más amplio, porque la edición cuenta con signaturas de cuaderno y la sección conservada corresponde a los fascículos signados como *k* y *l*. Lo avanzado de tales signaturas es, en sí mismo, una evidencia material de su carácter mútilo, pero es que, en este caso, además, contamos con más ejemplares conservados que así lo confirman,[540] con la siguiente colación total del impreso: a-h^8 i-l^6.

Los dos textos de esta sección final están completos, incorporados a los dos últimos cuadernos, ambos de seis hojas cada uno, aunque de este ejemplar faltan la primera hoja del *k* y la última del *l*. Se ha incluido en el *Nazareno*, por tanto, tan solo el fragmento que contiene el texto de estas obras, muy probablemente

537 Pero no avalada necesariamente, porque es una ficha sin desarrollar y el original, además, no se ha consultado, sino que cita los datos de Aguiló como autoridad en bibliografía catalana.

538 Para la edición crítica completa de este incunable, véase Garcia Sempere 2002.

539 Como se le conoce por el ejemplar conservado como INC/2113 en la Biblioteca Nacional de España, en cuya primera hoja se incluye este título, recortado, en principio, del original y pegado a una hoja restaurada.

540 Como el INC/2113 de la Biblioteca Nacional de España, casi completo, con la primera hoja perdida casi por completo, como hemos visto, así como la última, en blanco, pero también perdida; y el INC/517, con falta de las hojas a2, g4 y g5, y l6. En la propia Biblioteca Històrica de la Universitat de València se conserva otro ejemplar con faltas (Inc. 304), entre ellas algunas de las hojas conservadas en el *Nazareno*. BITECA (manid 2053) refiere otros tres, respectivamente en la Biblioteca Capitular y Colombina de Sevilla (14-3-6), en la biblioteca de la Università di Cagliari (Inc. 143) y en la Bibliothèque Mazarine de París (Rés. 58907); aduce, asimismo, la posible existencia de otro ejemplar en la Biblioteca Lambert Mata de Ripoll (copid 1381).

porque el ejemplar del que se extrajo, como la mayoría de los conservados,[541] estaba mútilo y, ante las faltas de *La istòria de la Passió*, se acabó desechando y se seleccionó esta última sección con texto completo, a manera de fascículo que, por su extensión, tenía perfecta cabida en esta colección de impresos breves o pliegos.[542] La primera hoja del cuaderno *k* contenía en su recto el final de la obra de Fenollar y Martines, que bien se eliminó para depurar el fragmento, limitándolo, así, a las dos conservadas completamente, o bien, al contener un grabado su vuelto, esto determinó su pérdida previa o su conservación exenta. De esta manera, el fragmento que hoy se signa como CF/4(2) debía de haberse originado al rescatar dos obras de una edición mútila y, en cualquier caso, su contenido primó para su delimitación y conservación en el *Nazareno*.

Son también los contenidos de la *Salve Regina*, a mi parecer, uno de los argumentos que justifican su independencia como pliego poético, en tanto que, como es habitual, estos soportes de carácter semipopular adaptan su materialidad al texto, especialmente en su época temprana y así se ha destacado, precisamente, en relación con este impreso.[543] La adaptación de la materialidad del pliego poético al texto que recoge hay que entenderla, sin embargo, en un sentido general y suponen un buen muestrario al respecto los diferentes especímenes del *Nazareno* y su variada extensión. En efecto, los pliegos poéticos valencianos en catalán que se nos han conservado raramente son de 4 hojas, su extensión material más obvia o etimológica,[544] aunque sí que los llegamos a encontrar en la tradición catalana e, incluso, entre los propios impresos del *Nazareno*: les *Cobles novelles de la Passió de Jesuchrist* [CF/4(4)], *sine notis*, pero impresa en Barcelona por Pere Posa, el sobrino, *c.* 1518 (Norton 1978: 86, nº 211; Millares Carlo 1982: 569; Martín Abad 2001: 200, nº 424; Lamarca 2015: 1518, nº 146; BITECA manid 2567).[545] Ahora bien, eso no implica

541 En realidad todos, si somos estrictos, porque al más completo, de BNE (INC/2113) le falta casi toda la portada y la última hoja en blanco. Véase BITECA (manid 2053) para sus descripciones.

542 No tenía razón de ser incorporar una obra tan extensa como *La istòria de la Passió* en un tomo de varios con impresos breves, menos aún si estaba mútila; en realidad, el proceso era el inverso: si se hubiese conservado en buen estado, se habría mantenido unificado el impreso de 1493.

543 «La extensión de cuatro hojas in-4º del ejemplar conservado —divergente de la tradición material del pliego en catalán— evidencia, por lo demás —y como en el caso anterior—, una adaptación del impreso al texto y no a la inversa propia de estos primeros "pliegos", cuestión observable, igualmente, en el corpus en castellano» (Puerto Moro 2021: 37).

544 Véase Infantes 2007^2.

545 A diferencia de lo que indica el propio Catàleg *Trobes*, que lo data *c.* 1501, sin atribución a taller, frente a Miquel i Planas (1915-1920, II: col. 119-120) que propone, sin embargo, *c.* 1515, una fecha más cercana a la unánimemente aceptada desde Norton.

que debamos descartar, en los términos absolutos en que se ha hecho, una adaptación del texto a ese formato, una vez que el criterio inicial aplicado haya sido, en efecto, el primero. En realidad, la adaptación de la materialidad al texto es solo una primera fase, digamos, de apreciación general, pero, después, se requiere un mayor trabajo tipográfico con una cuenta del original, por bien que sea precaria o limitada para el pliego, que no siempre acaba funcionando en el proceso de impaginación y distribución de los contenidos en las formas, con lo que ello puede implicar para su repercusión en la propia textualidad. De hecho, este podría ser el caso de la *Salve Regina*.

La primera plana del impreso de Pere Vilaspinosa se inaugura con el breve texto inicial en prosa, a manera de título explicativo, y con el poema de envío o dedicatoria al virrey Despuig, seguido de las dos primeras estrofas de la *Salve Regina*, que inician su imposición a doble columna. A partir del vuelto, el resto del impreso será absolutamente regular y cada plana estará formada por dos columnas con tres estrofas cada una, de manera que contamos con un total de seis coplas por página, incluida la última de ellas. Esta distribución del texto parece confirmar, en definitiva, la adecuación perfecta del impreso a la obra, que, desde luego, no contiene huella material alguna de haber formado parte de una edición más amplia y mucho menos de la conservada de *Les trobes*, que se imprime en letra redonda, frente a la gótica del pliego. La ausencia de signaturas de cuaderno y de colofón no pueden ser un argumento *a contrario* de tal independencia, porque, precisamente, son un rasgo definitorio —pero no necesario, ni discriminador— del propio pliego suelto, por su brevedad, ni tampoco puede erigirse como tal, en este mismo sentido, la propia ausencia de grabados, a diferencia de otros pliegos, en este caso por su carácter temprano.[546]

Quizás sería suficiente lo aducido hasta aquí para demostrar que, en efecto, estamos ante una edición completa, como pliego poético y, por tanto, de cierto alcance popular, pero todavía hay un rasgo más del impreso que, a mi parecer, lo hace irrefutable. La situación de la filigrana, en la primera y la

546 «Dos son, entendemos, los parámetros a la hora de establecer lindes. En primer lugar, la aplicación de un criterio material subsumido en la denominación misma de "pliego suelto poético:" desde él, hablamos siempre de una extensión reducida para estas "menudencias," y de inicial y sistemática ausencia de pie de imprenta —entendible desde la no aportación de prestigio para el taller—; específicamente para el caso del "pliego suelto poético", nos las habemos con una frecuente codificación sobre un pliego natural —cuatro hojas—, formato en cuarto, embellecimiento de la primera plana a través de grabado o grabados y texto poético a dos columnas, junto con letrería gótica durante la mayor parte del Quinientos; rasgos, todos ellos, aislados ya por Norton & Wilson (5),10 y esencialmente imbricados con la reutilización de letrerías y xilografías» (Puerto Moro 2012: 259).

última hoja, no solo confirmaría un plegado en cuarto, sino que el pliego en cuestión no podría estar conjugado con otro en un cuaderno de ocho hojas o más.[547] Este rasgo material, unido a la adecuación entre los contenidos y la extensión del impreso, puesto que el texto poético se transmite completo[548] en estas cuatro hojas, confirma que, al menos en esta edición, la *Salve Regina* sería un pliego independiente, haya dependido o no, como antígrafo u original de imprenta, de una edición miscelánea de la que hubiese formado parte junto a otras obras.

3.4. Contenidos y estructura interna

3.4.1. La *Salve Regina* como oración trovada

La amplia difusión de los textos devocionales en la imprenta tiene su origen, sin duda, en su carácter penitencial y en su implicación directa con el ejercicio piadoso. Este tipo de oraciones o himnos, relacionados con la liturgia y/o con el desarrollo íntimo de la piedad, no solo se traducen y glosan desde perspectivas estrictamente teológicas, sino que, a menudo, dan un paso hacia la creación poética en vulgar, a manera de glosa o, incluso, como *contrafactum*,[549] si no como mera oración trovada, muy fiel al original latino, del cual se podría considerar, *sensu stricto*, una traducción poética.[550] Estas piezas

547 Como práctica generalizada de plegado y conformación de cuadernos en la imprenta gótica valenciana, pero tampoco de seis hojas, con un pliego y medio.

548 Con los matices que se aducen en el siguiente epígrafe.

549 En este sentido es esencial la monografía de Folke Gernert (2009), que amplía los límites hasta la tradición románica y hasta el siglo xvi, centrada, fundamentalmente, en los *contrafacta*, con especial atención a las versiones paródicas.

550 Margherita Morreale destaca la diferencia entre estos dos subproductos, pero también con otras manifestaciones más limitadas textualmente, que utilizan expresiones o pasajes concretos que dependen de estas oraciones latinas, directamente o a través de los materiales evangélicos que subyacen: «Dejamos para otros o para otra ocasión la tarea de recopilar más textos del avemaría en castellano, cuyo cotejo, para nuestros fines, podrá ir parejo con el de las traducciones y glosas de Lc. 1:28 y 42 y de los apócrifos PsStg. 11:2 y PsMt. 9:2, y con el de la imitación de los himnos de salutación que arrancan de Ave para enumerar en son de alabanza los títulos y prerrogativas de la Virgen, y de los cuales, la glosa del Ave María es un subtipo. Esta, y las glosas de Lc. 1:28, 42, no han de confundirse, según muchas veces se ha hecho, pero pueden aprovecharse las expresiones verbales que tienen en común. Agréguense las avemarías en verso, para uso especialmente de mujeres, como la de Juan del Encina» (Morreale 1984: 14-15). Esta tarea, interrumpida para la tradición castellana y casi inédita para la catalana, es la que he retomado desde hace un tiempo, limitándola a las oraciones trovadas y/o glosadas en verso, de la cual este trabajo y

acaban llegando a la imprenta, en algunos casos siendo esta su vehículo para una cierta popularización literaria, precisamente por su función pragmática y la aceptación socioliteraria, normalmente a través de pliegos sueltos o impresos de cierta brevedad.

Solo hace falta recurrir a algunas búsquedas en catálogos y repertorios bibliográficos para hacernos una idea de la cantidad de producción teológica y/o literaria que llegó a generarse alrededor de la *Salve Regina* en época medieval, puesto que estos incunables son, sin duda, una muestra muy limitada de la que llegó a existir. El *Gesamtkatalog der Wiegendrucke*[551] y el *Incunabula Short Title Catalogue*,[552] por ejemplo, nos ofrecen hasta quince resultados específicos, con exposiciones teológicas o comentarios en latín y griego, así como incunables con textos en francés, toscano, bajo alemán y castellano, en este último caso limitado al pliego poético 87*LS, de Luis de Salazar (GW M3936610; ISTC is00020500). A estos quince incunables, el *Gesamtkatalog der Wiegendrucke* añade otro más, en catalán: precisamente, la *Salve Regina* de Pere Vilaspinosa (GW M50468), un impreso del que, sin embargo, no se aportan datos materiales en su ficha catalográfica.[553]

En este sentido, como glosas o traducciones poéticas, contextualiza Martí de Riquer el poema de la *Salve Regina* de Pere Vilaspinosa, al considerar «que recorda les nombroses oracions "trovadas" que apareixen als cançoners castellans de l'epòca» (1964: 324-325). En efecto, la poetización de textos litúrgicos o devocionales, como las oraciones o himnos, así como de salmos, arraigó en la segunda mitad del siglo XV y en la primera del XVI,[554] especialmente, con perspectivas de construcción poética y

---

otro reciente (Martos 2022c) son sus primeros resultados, aunque espero que pueda ofrecer pronto una monografía al respecto. Precisamente, destaca Morreale el interés socioliterario de estas manifestaciones poéticas, con destinatario femenino, fundamentalmente, pero dudo que de manera exclusiva, dedicadas, en cualquier caso, al desarrollo de la piedad en la lectura íntima.

551 GW 3101, 4021, 4738, 10422, M17095, M18803, M19862, M19864, M3976810, M39769, M3976910, M41750 y M46183.

552 ISTC ia01407500, ib00400600, ib00892400, ib00892500, if00325900, il00068000, il00288650, im00022000, im00022200, is00103300, is00103400, is00103500, ISTC is00471000 e it00262000.

553 Tampoco lo hace en la ficha manuscrita antigua, que se reproduce, en tanto que, como indica la *M* inicial de la referencia provisional, es una entrada que aún no se ha desarrollado. El ISTC ni siquiera cataloga este incunable poético.

554 Valga como ejemplo el cuarto de los apéndices que González Cuenca (2004, 5: 577-595) incorpora a su edición del *Cancionero General* de Hernando del Castillo, una antología poética que, entre todos esos poemas derivados de prácticas litúrgicas y devocionales, incluye una versión anónima castellana de la *Salve Regina* (2004, 1: 380-384, nº 40).

estrategias de translación muy diferentes.[555] Los más habituales fueron el *Ave Maria*, el *Pater Noster*, el *Credo* y, precisamente, la *Salve Regina*, la antífona mariana de mayor alcance litúrgico,[556] el único de los cuatro himnos dedicados a la Virgen María que se canta todo el año, frente al *Alma Redemptoris Mater*, al *Ave Regina Coelorum* y al *Regina Coeli*,[557] cuyo texto queda establecido litúrgicamente por el *Liber usualis*:[558]

> Salve, Regina, mater misericordiae: Vita, dulcedo, et spes nostra, salve.
> Ad te clamamus, exsules, filii Hevae.
> Ad te suspiramus, gementes et flentes in hac lacrimarum valle.
> Eia ergo, Advocata nostra, illos tuos misericordes oculos ad nos converte.
> Et Jesum, benedictum fructum ventris tui, nobis post hoc exsilium ostende.
> O clemens: O pia : O dulcis Virgo Maria.[559]
> Ora pro nobis sancta Dei Genitrix
> Ut digni efficiamur promissionibus Christi (*Liber usualis* 1942: 279).[560]

---

555 La primera se canta desde el Adviento hasta Navidad; la segunda, desde la Candelaria hasta el Miércoles Santo; y la tercera, hasta Pentecostés.

556 «La *Salve* es una oración mariana cantada como antífona en el Oficio litúrgico. Se atribuye su composición, entre otros, al obispo compostelano Pedro de Mezonzo o al monje benedictino Herman Contracto († 1054). Lo cierto es que esta antífona se difundió enseguida y ya en 1135 Pedro el Venerable la introdujo en Cluny como cántico de procesión; San Bernardo la introdujo en la orden cisterciense» (González Cuenca 2004, 5: 578). Precisamente a este último, a Bernardo de Claraval, se atribuye la invocación final, con rima diferente al resto, añadida ya en la primera mitad del siglo XII.

557 Con el ID 6072 de Brian Dutton (1990-1991, 5: 155-156), quien la atribuye a Tapia (1990-1991, 7: 239), aunque González Cuenca lo pone en duda (2004, 1: 380, n. 2), con razón. Se encuentra en la primera sección del *Cancionero General*: entre sus *Obras de devoción y moralidad*.

558 A pesar de que la transmisión medieval generaba cierta inestabilidad, que se refleja en las cartillas y doctrinas cristianas, aunque en este caso mucho menor que en otras oraciones. Para la funcionalidad del estudio filológico de todos estos materiales, especialmente para el tema de las oraciones trobadas, que nos afecta aquí, véase Morreale 2004a. Para las cartillas de lectura de finales del siglo XV y del siglo XVI, véase Infantes 1998, con estudio introductorio y los facsímiles correspondientes. Y, en concreto, para la *Salve Regina* en estos impresos, remito a Morreale 2004b; y para el *Ave Maria*, a Morreale 2002.

559 «La traducción, de los antiguos catecismos de Gaspar de Astete y de Jerónimo de Ripalda, es la siguiente: "¡Dios te salve, reina y madre de misericordia! Vida y dulzura, esperanza nuestra, ¡Dios te salve! A ti llamamos los desterrados hijos de Eva. A ti suspiramos, gimiendo y llorando en este valle de lágrimas. ¡Ea, pues, señora, abogada nuestra! Vuelve a nosotros esos tus ojos misericordiosos y, después de este destierro, muéstranos a Jesús, fruto bendito de tu vientre. ¡Oh clementísima! ¡Oh piadosa! ¡O dulce Virgen María!"» (González Cuenca 2004, 5: 578-579).

560 González Cuenca (2004, 5: 578-579) no reproduce la oración o invocación final que se añade a la *Salve Regina*, como canto final de la antífona y que, como veremos, sí que se recoge en los textos poéticos hispánicos a los que nos referiremos.

Son ejemplos paradigmáticos de estas *oraciones trovadas* castellanas de las que nos habla Riquer tanto uno de los pliegos poéticos más tempranos, como una amplia sección del *Cancionero* de Juan del Encina, en ambos casos incluyendo poemas que se construyen también sobre la *Salve Regina*, así como contamos con otras dos reelaboraciones en verso del himno en cuestión:[561] la glosa poética que hace de ella Pero Íñiguez (ID 0049 G 7483),[562] transmitida por cinco cancioneros manuscritos (GB1, PN4, PN8, PN12 y SA10a), y la versión anónima castellana de la *Salve Regina* en el *Cancionero General* de Hernando del Castillo (ID 6072) (11CG) (González Cuenca 2004, 1: 380-384, nº 40),[563] más allá de otros textos inspirados en ella, con menor dependencia textual.[564]

No sé si sea demasiada casualidad que este pliego poético de 1487, dedicado a una serie de oraciones trovadas, todas ellas de Luis de Salazar, haya sido impreso en Murcia, precisamente, por Lope de la Roca, uno de los principales referentes de la imprenta incunable valenciana, durante un breve paréntesis de su largo ejercicio profesional en la ciudad de Valencia. Debió de ser un aval para su amplia difusión en el contexto valenciano no solo el impresor, sino también por el propio clima que ofrecía la ciudad, como espacio de producción y recepción de la poesía, en general —y de la religiosa, en particular—, además de la circunstancia de formar parte y de contribuir a él ciertos poetas de origen murciano,[565] como Joan Tallante,[566] Isabel Suaris o el propio Adelantado de Murcia. Este círculo, de hecho, tendrá amplia representación en el *Cancionero de Rennert* (LB1)[567] y quizás sea este el hilo del que haya

---

Su traducción es esta: «Ruega por nosotros santa Madre de Dios, para que seamos dignos de alcanzar las promesas de nuestro Señor Jesucristo».

561 Así como de la cita del propio texto latino en una poesía de Francisco Imperial (ID 1384) incluida en el *Cancionero de Baena* (PN1).

562 O de Pedro Guillén de Segovia, según se derivaría de uno de sus cinco testimonios: el cancionero SA10a. A partir de ahora, me refiero a él solo con la autoría de Pero Íñiguez, pero queda implícita en ello esta otra posible autoría. Este es el único texto castellano de la *Salve Regina* que aduce Álvaro Bustos (2009: 127).

563 Ya desde su *editio princeps* (11CG), en la primera sección dedicada a las *Obras de devoción y moralidad*, y mantenida en el resto de ediciones.

564 Margherita Morreale (2004: 150-151) sugiere tres de ellos, uno del *Cancionero musical de Palacio* (Romeu Figueras 1965) y otros dos del *Cancionero de Baena* (Dutton y González Cuenca 1994).

565 Lo que es buena muestra de los flujos poéticos entre ambas ciudades, mucho más complejo que esta mera bidireccionalidad.

566 Para su relación con los certámenes poéticos valencianos, véase Martos 2018.

567 Para la descripción codicológica de LB1, véase Manuel Moreno 2012, especialmente en lo que respecta a su estructura interna y la presencia de obras de Tallante y el Adelantado de Murcia.

que tirar para entender su relación con los materiales del *Cancionero General* (11CG),[568] si no con las propias relaciones entre impresores afincados en Valencia y su efímera producción murciana,[569] de manera directa o indirecta.

Desde Brian Dutton (1990-1991, 5: 8), conocemos el pliego poético de Luis de Salazar como 87*LS, al cual, sin embargo, le dedica muy poca atención y aglutina los poemas bajo un único identificador (ID 4694), quizás porque no siempre hay rúbricas claramente delimitadoras en el propio impreso, aunque sí en su título general: las oraciones trovadas son cinco, puesto que, además de esta de la *Salve Regina*, que se recoge en tercer lugar (h. a3r-a4v), incluye también las del *Credo*, el *Pater Noster*, el *Ave Maria* y el *Ave Maris Stella*.

La estrategia utilizada por Luis de Salazar será frecuente en composiciones construidas sobre otras oraciones o, incluso, sobre textos escolares, como es el caso del impreso de *La traslación del doctor Catón* de Martín García (90*DC).[570] Se escoge un fragmento del texto latino original, que se transcribe a manera de rúbrica antepuesta a cada estrofa, en la cual se desarrolla la cita.[571] Este es, también, el recurso utilizado en el resto de oraciones del pliego, así como en la *Salve Regina* de Pero Íñiguez, aunque en este último caso no son versos completos o, incluso, unidades que los superan, sino que se incorporan fragmentos más breves, de una extensión similar a la utilizada en el poema de Vilaspinosa, aunque no siempre coinciden los límites de la selección.

---

568 Para la relación entre ambos cancioneros, Carlos Alvar (1991) fue pionero y desarrolló la hipótesis, si no la matizó, Manuel Moreno (1997 y 2014). Véanse también los trabajos de Beltran (2010 y 2012). La relación no es directa y queda por reconstruir este círculo que recopiló, leyó y transmitió unos materiales y otros, del que la sugerencia que aquí lanzo es, a mi parecer, la punta del iceberg, bajo la cual hay que bucear.

569 Por las circunstancias de persecución inquisitorial aducidas para ello, aunque es extraño que justifiquen un período tan breve, o por cualquier otra de carácter comercial, literario o teológico, si no todas ellas.

570 Véanse, al respecto, los trabajos de Juan Francisco Mesa Sanz sobre el propio incunable (2020) y sobre el método de la glosa poética (2021).

571 Margherita Morreale ofrece una primera sistematización de estas técnicas, aunque lo hace a partir del *Ave María*, que, en cualquier caso, son extrapolables: «El denominador común de todo el género es el texto mismo del *Ave*, adoptado tal cual, o citado a modo de rúbricas entre las estrofa (así en F. Pérez de Guzmán, Talavera y otros), o entreverado en el texto (así en P. López de Ayala y probablemente en J. Ruiz), en segmentos más o menos inteligibles. E algunas de las imitaciones vernáculas se cita textualmente en latín (así en J. Ruiz, F. Pérez de Guzmán y H. de Talavera), en otras en español (así P. López de Ayala y nuestro poeta [Juan del Encina]» (Morreale 1981: 277, n. 14).

La *Salve Regina* del *Cancionero* de Juan del Encina[572] forma parte de una amplia sección de características aparentemente muy similares a las del pliego poético de Lope de la Roca, con un total de dieciocho composiciones (desde ID 4411 a ID 4428),[573] entre las que se encuentran también las dedicadas a los mismos cinco textos que glosa Luis de Salazar.[574] De hecho, la secuencia final reúne cuatro de ellas y se cierra con la versión poética castellana de otra de las cuatro antífonas marianas, la *Regina Coeli*, a continuación, precisamente, de la *Salve Regina*. Las obras en cuestión son las siguientes, según la estructura interna del cancionero impreso 96JE, establecida por Ana M. Rodado, de la que reproduzco esta sección (2020b: 354-355):

> [ID4411] *Memento homo quia cinis es et in cinerem reuerteris.* / Juan del enzina. / *Inc.*: «Acuerda desacordado...» *Exp.*: «...si nuestra alma aca desliza.» (30x9) [e xxv^{r}-xxvi^{r}].
> [ID4412 S 4411] *Quicum*que *vult saluus esse. etcetera* / *Inc.*: «Qualquiera que quiere ser...» *Exp.*: «...es impossible salvarse.» (20x9) [e xxvi^{v}-xxvii^{r}].

---

572 De la que se ha cuestionado su calidad poética, que, aunque con más sutileza, emerge incluso cuando se intenta revertir la tendencia: «La crítica ha prestado mucha más atención a la traducción enciniana de las *Bucólicas* de Virgilio antes que a estas sencillas versiones de materia religiosa. Se considera a estos textos "d'un prosaïsme désespérant" y en general, poco inspirados. Es posible que no brillen tanto como otras composiciones, pero debemos ser cautelosos, como dijimos al principio de este capítulo, ante determinadas lecturas de los textos religiosos de Encina (y, en general, de nuestros poetas cortesanos). Vale la pena, por eso, un mínimo acercamiento, por modesto que sea. Por otro lado, este grupo singular de textos plantea una cuestión interesante: la finalidad que pudo proponerse el salmantino con estas traducciones. Merecen también, según creo, algún comentario acerca de su organización en 96JE y de su factura estilística y literaria; en mi opinión, no estaría de más concederle a Encina un cierto mérito como traductor de textos religiosos y litúrgicos» (Bustos Táuler 2009: 110). No quisiera caer en el otro extremo, de un cierto paroxismo que ensalce el Encina oracional frente al resto de su obra, pero es que, precisamente, la visión que se pueda tener de esta sección religiosa está influenciada, si no lastrada, por la calidad de su producción, valorada desde esta perspectiva, pero, si contextualizamos este tipo de poemas encinianos en el género de las oraciones trovadas, tal calidad emerge de manera incuestionable y es, como ha demostrado Morreale (1981), coherente con el resto de su obra poética, incluso en las propias consonancias elegidas.

573 Véase Dutton 1990-1991, 5: 25-26, que no transcribe los textos extensos, así como la estructura interna sinóptica establecida por Ana M. Rodado (2020: 354-355). Para su estudio, véase Bustos 2009: 109-128.

574 Lo que no deja de ser sintomático, en tanto que ambos impresos distan casi una década, con mayor antigüedad del pliego poético, aunque no necesariamente por relaciones directas, dada la vitalidad de este tipo de poemas y las claras diferencias de composición.

[ID4413 S 4411] *Miserere mei deus. etcetera. / Inc.*: «Duelete señor de mi...» *Exp.*: «...en tu altar te serviras.» (10x8) [e xxvii^{v}].

[ID4414 S 4411] *Benes dictus deus israel. etcetera. / Inc.*: «Bendito dios de Ysrael...» *Exp.*: «...fuessemos encaminados.» (6x8) [e xxvii^{v}-xxviii^{r}].

[ID4415 S 4411] *Magnificat anima mea. etcetera. / Inc.*: «La mi anima engrandece...» *Exp.*: «...Abrahan y a su simiente.» (5x8) [e xxviii^{r}].

[ID4416 S 4411] *Nunc dimittis. etcetera. / Inc.*: «Agora que ya cumpliste...» *Exp.*: «...y en todos siglos Amen.» (3x8) [e xxviii^{r}].

[ID4417 S 4411] *Aue maris stella. etcetera. / Inc.*: «Dios te salve clara estrella...» *Exp.*: «...señor dios glorificado.» (7x8) [e xxviii^{v}].

[ID4418 S 4411] *Quem terra pontus. etcetera. / Inc.*: «A quien tierra cielos mar...» *Exp.*: «...venida muy desseada.» (4x8) [e xxviii^{v}].

[ID4419 S 4411] *O gloriosa domina. etcetera. / Inc.*: «O gloriosa señora...» *Exp.*: «...gente mas que redemida.» (3x8) [e xxviii^{v}-xxix^{r}].

[ID4420 S 4411] *Memento salutis autem. etcetera. / Inc.*: «Acuerda te ques verdad...» *Exp.*: «...para siempre con amor.» (3x8) [e xxix^{r}].

[ID4421 S 4411] *Uexilla regis. etcetera. / Inc.*: «Ya la vandera parece...» *Exp.*: «... pues tu mesmo los criaste.» (8x8) [e xxix^{r-v}].

[ID4422 S 4411] *Te deum laudamus. etcetera. / Inc.*: «A ti señor alabamos...» *Exp.*: «...que no perdere la fe.» (11x10) [e xxix^{v}-xxx^{r}].

[ID4423 S 4411] *Gloria in excelsis deo. etcetera. / Inc.*: «Gloria sea alla en el cielo...» *Exp.*: «...en la gloria de dios padre.» (5x9) [e xxx^{r}].

[ID4424 S 4411] *Pater noster. etcetera. / Inc.*: «Padre nuestro tu que estas...» *Exp.*: «...libra nos de perdicion.» (2x9) [e xxx^{r}].

[ID4425 S 4411] *Aue maria. etcetera. / Inc.*: «Que te salve dios te digo...» *Exp.*: «...y por todo pecador.» (1x10) [e xxx^{r}].

[ID4426 S 4411] *Credo in deum. etcetera. / Inc.*: «Creo en dios muy glorioso...» *Exp.*: «...vida de vida eternal.» (5x10) [e xxx^{v}].

[ID4427 S 4411] *Salue regina. etcetera. / Inc.*: «Dios te salve reyna que eres...» *Exp.*: «...por las promessas de cristo.» (4x9) [e xxx^{v}].

[ID4428 S 4411] *Regina celi letare. etcetera. / Inc.*: «Goza te reyna del cielo...» *Exp.*: «...*Deo gratias*.» (1x11) [e xxx^{v}].

El poema de Encina es, sin embargo, una traducción poética, una oración trovada cuya brevedad responde a su dependencia literal y no a un desarrollo glosado.[575] Quizás se podría considerar cercana a la versión de Luis de Salazar, aunque este dedica cada estrofa a secuencias algo menores del original, por lo que el mecanismo entre la traducción y la glosa se difumina en este pliego poético. A diferencia de él, Encina no incluye citas al texto latino de la *Salve Regina*, sino que se podría extrapolar una versión castellana, a la manera en que Margherita Morreale lo hizo para el *Ave María*.[576] La brevedad y literalidad de su versión poética, además, permite al receptor reconocer tras ella el texto original de la antífona, por su amplia difusión litúrgica, un hipotexto que funciona como base para una especial técnica ecdótica que he delimitado recientemente como *collatio* subyacente (Martos 2022b).

Este de Encina es el caso opuesto, por tanto, al del poema anónimo del *Cancionero General*. Si lo consideramos en términos comparativos con la *Salve Regina* del pliego valenciano objeto de este trabajo, uno y otro son los extremos de la técnica utilizada por Vilaspinosa, que no solo glosa la antífona original, como el resto de poetas, a excepción de Encina, sino que, al citar el texto latino, lo disecciona en pasajes muy breves a la manera de Pedro Guillén de Segovia, pero, a diferencia de él y como en el anónimo del *Cancionero General*, tales pasajes no se incluyen como rúbrica de la estrofa en cuestión, sino que se incorporan como parte de los versos. Ahora bien, no siempre la extensión de los fragmentos latinos, aunque breves, es la misma, ni Vilaspinosa se limita a inaugurar la estrofa con él, sino que lo incluye al principio de todos sus versos impares,[577] siempre en latín, a diferencia, de

575 Ya había destacado Álvaro Bustos esta manera de actuar de Encina respecto a esta sección de oraciones trovadas, en comparación con la praxis de Fernán Pérez de Guzmán, que, en efecto, recurre a la glosa poética: «Las diferencias con Encina (por ejemplo el salmantino no hace paráfrasis sino que traduce casi literalmente, como veremos)» (Bustos Táuler 2009: 54).

576 «Avemarías propiamente dichas, en verso, son composiciones como la aludida de Encina, que se ciñe al texto. De ahí sacamos el tenor del Ave (que constituye buena parte del dictado) en estos términos: "Que te salve Dios... María... llena de gracia... el Señor Dios es contigo. Bendita entre las mugeres. Bendito el fruto... de tu vientre... Jesucristo"» (Morreale 1984: 17).

577 Lo que no debe interpretarse como un síntoma de poca calidad, una opinión generalizada para este tipo de poesía y que, en el caso de Juan del Encina, ha generado prejuicios injustificados (Martos 2022c). Así lo ha destacado Antoni Ferrando para Vilaspinosa, con acierto: «Tot i les limitacions imposades per l'ús del metre curt i per la contínua repetició de les paraules llatines de la *Salve*, i malgrat l'acumulació

nuevo, del poeta anónimo de 11CG, que, solo en algunos casos, los traduce al castellano.[578]

Las oraciones trovadas, sin embargo, no son exclusivamente castellanas, como parecía deducirse de las palabras de Riquer y, por tanto, la *Salve Regina* de Vilaspinosa no es una *rara auis* en la literatura catalana y, sobre todo, valenciana, lo que no implica, sin embargo, que sea ajena a aquella tradición poética. De hecho, el propio impreso que le precede en el *Nazareno* [CF/4(11)], con el que se le ha relacionado tipográficamente, es una glosa del *Ave Maria*; o, incluso, podrían incluirse en este grupo los incunables de las homilías de los salmos penitenciales del *Miserere Mei* [CF/4(3)] y del *De profundis* [CF/4(17)], aunque en este caso la poesía se alterna con la prosa.[579] Podríamos aducir un número amplio de obras de estas características, pero, para hacernos una idea de su frecuencia, sería suficiente con limitarnos a las construidas a partir de la *Salve Regina*. Además del poema de Vilaspinosa (texid 1978) y del impreso que lo recoge (manid 1893), BITECA cataloga muchas otras composiciones en catalán construidas sobre esta misma antífona,[580] como traducción o glosa, teológica o poética, en prosa o en verso,[581] lo que, por un lado, es buena muestra de la vitalidad del motivo en la literatura catalana medieval, mientras que, por el otro, también evidencia ciertas dificultades para identificar algunos textos, por lo parecido de sus títulos. Simplemente a partir de la revisión de catálogos y repertorios, por tanto, se podrían generar muchos errores, lo que se agrava ante la limitación de datos o la antigüedad de ciertas fuentes bibliográficas, así como por el hecho de tratarse, en ciertos casos, de obras o testimonios perdidos.

Buen ejemplo de esto último, de la confusión entre obras literarias a partir de su título similar, es lo ocurrido con la *Salve Regina* de Miquel Ortigues respecto de este texto de Vilaspinosa. El impreso poético CF/4(08) del *Nazareno*,

---

de metafòriques lloances i retòrics tòpics, Vilaspinosa ha assolit en els seus àgils i elegants versos uns remarcables efectes musicals i una certa emotivitat religiosa, especialment en les estrofes més deprecatòries» (1983: 347).

578 Lo que merecería un estudio, con repercusiones literarias o, incluso, ecdóticas, en tanto que podría tratarse de variantes de imprenta.

579 O, incluso, la glosa manuscrita del *Ave Maria* que se copia en las hojas de guarda finales de uno de estos impresos, el CF/4(3), y que he editado recientemente (Martos 2022b). La precede, de otra mano, otra oración trovada, en este caso del *Magnificat*, que también acaba de ser objeto de edición, en este caso a cargo de Joan Mahiques (2021).

580 Véase, asimismo, BETA para textos castellanos (texid 1746, 2077, 3470, 4761, 10964 y 13164).

581 Texid 1305, 1857, 2638, 2866, 2868, 3649, 3714, 3751, 4102, 4604, 5570 y 9913. La mayoría de las obras son anónimas, a excepción del texto de Pere Vilaspinosa (texid 1978) y de la traducción de Antoni Canals, respecto del texto del pseudo-Buenaventura (texid 1857).

de 1511, es el precedente de otra edición de este autor,[582] salida de las prensas de Joan Rosembach en Barcelona en 1528, que Miquel i Planas decidió denominar *Cançoner devot d'en Miquel Ortigues*.[583] Tanto en esta edición de 1528,[584] como en el *Cançoner sagrat de vides de sants*, en este caso manuscrito,[585] se incluye esta *Salve Regina* de Ortigues,[586] que no es, por tanto, el poema de Vilaspinosa, con el que se ha llegado a confundir,[587] ni tampoco, siquiera, debía de ser una consecuencia directa de él, en términos de fortuna literaria, por todo lo dicho hasta aquí, ya advertido de manera más general por Riquer, respecto de la amplia tradición de las oraciones trovadas. De hecho, no solo por eso, sino porque el propio poema se aleja del modelo glosado de la *Salve Regina* de Vilaspinosa y es, más bien, una breve traducción poética, a la manera de la que nos ofreció Juan del Encina.[588]

3.4.2. Estructura interna del pliego poético

La atención bibliográfica recibida por este pliego se ha centrado, especialmente, en sus contenidos, ya desde su primera mención, por parte de

582 Más amplia o no, dado que este ejemplar único está mútilo y desconocemos, por tanto, su alcance real como cancionero impreso.

583 Como denomina su amplio artículo sobre él en *Bibliofília* (Miquel i Planas 1915-1920, 2: cols. 1-56) y como explicita después: «Aquest aplec de composicions religioses, batejat per nosaltres an el títol CANÇONER DEVOT *d'en Miquel Ortigues*, fou reimprès varies vegades en distintes localitats del territori català durant els segles XVII y XVIII, conservant la disposició que va donar-li en Rosembach y duent sempre el nom de la primera de les obres que'l formen, o sia, el *PLANT DE LA VERGE MARIA*» (Miquel i Planas 1915-1920, 2: col. 46).

584 Y en las que de ella dependen, para las cuales remito a Miquel i Planas (1915-1920, 2: cols. 1-56) y a Garcia Sempere (2016).

585 Pero dividido en dos códices separados y conservados hoy en bibliotecas diferentes (Biblioteca de Catalunya, Ms. 3 y Biblioteca Municipal de València Serrano Morales, 6519-18-8). Para su edición completa, véase Foulché-Delbosc y Massó i Torrents 1912. La *Salve Regina* se encuentra en los ff. 29v-30v del códice de la BC.

586 Mal editada tanto por Foulché-Delbosc y Massó i Torrents (1912: 49-51, nº VIII), como por Miquel i Planas (1915-1920, 2: cols. 41-42), que no establecen estrofas de ocho versos en el cuerpo central del poema, sino de cuatro, a imitación del *respost* y la *tornada* final, rompiendo, así, el esquema de los *goigs*, que sigue, a su vez, el de la *dansa*. Es por ello que ofrezco una edición al final de este epígrafe.

587 «La *Salve* de Vilaspinosa degué assolir un notabilísim èxit a l'època, car figura en diversos cançoners religiosos, adés manuscrits, com el *Cançoner Sagrat de Vides de Sants*, adés impresos, com el *Cançoner Devot*, aquest darrer molt reeditat al llarg del segle XVI» (Ferrando Francés 1983: 346).

588 Para una edición de los textos de Encina y Ortigues, que comparten estrategia de composición poética, por el grado de fidelidad textual, véase Martos 2022c.

José Mariano Ortiz, quien, brevemente, refiere la obra principal y su autor, así como el poema en decasílabos que la precede, dirigido al virrey Lluís Despuig.[589] Transcribe esta composición por primera vez, aunque lo hace con notables variantes, que afectan no solo a aspectos ortográficos menores, entre otros, sino que, incluso, falta el noveno verso, mientras que el primer hemistiquio del décimo es absolutamente diferente al que encontramos en el impreso.[590] Podríamos pensar que el testimonio manejado por Ortiz era otro y no la edición conservada en el *Nazareno*, pero se han aducido y se aducirán argumentos que evidencian lo contrario y, sobre todo, el propio Justo Pastor Fuster, que conoce las *Leyes palatinas* y que consulta este mismo impreso, sí que ha transcrito sus dos últimos versos, con el primer hemistiquio del décimo a partir, sin duda, de la versión del pliego conocido, aunque con una variante. Y es que, aunque avanza respecto de Ortiz, genera nuevas erratas de transcripción, entre las cuales destaca la del décimo verso, que pone en evidencia la dificultad de la lección. Debió de ser esto, su dificultad de lectura, por una sencilla errata tipográfica, lo que habría generado la variación textual e intervencionismo de Ortiz en la conclusión del poema, más aún cuando no eran criterios filológicos los que lo guiaban, sino históricos e, incluso, en última instancia, jurídicos. De ahí que optase por transcribir solo este texto, con mención expresa al virrey, como destinatario del poema.

Marià Aguiló (1873-1900) reconstruyó este impreso en su *Cançoneret d'obres vulgars*, recreándolo, en realidad, en una edición de bibliófilo con tipografía gótica, que, como hemos visto, ha tenido bastante repercusión en la bibliografía posterior. Así ocurre, incluso, en cuanto a la propia textualidad, puesto que, también en este caso, se generan numerosas variantes, que pasan a la temprana edición de Bulbena i Tosell (1907, 2: 246-248) y a la transcripción que, para su entrada bibliográfica, ofrece Martí Grajales, en ambos casos, en efecto, tomando como original el experimento bibliográfico de Aguiló, inexacto, con signos tironianos y otros rasgos que difieren del original, además de generar una cuarta versión del primer hemistiquio del último verso. Tenemos que esperar a Marià Aguiló para encontrar la primera transcripción

---

589 «*Salve Regina*, que Pedro Villa-Espinosa, Escribano de Valencia, compuso año 1519 en honor de la Virgen de los Angeles de la Capilla del Real Palacio, y dedicó al Virrey, según el siguiente verso» (Ortiz 1782: 40^{v}-41^{r}). La decisión de atribuir la composición del poema en honor a la Virgen de la capilla del Palacio del Real parece responder a los intereses de relacionar el texto con los objetivos de su trabajo, que a una documentación real de ello, lo que, además, acabará negando su propia relación con el certamen de 1474, como veremos.

590 Marco en cursiva las variantes y variaciones de cada transcripción; y, cuando es en la rúbrica, en redonda.

fiel de este poema,[591] aún paleográfica; y, seis décadas más, para disponer de una edición completa del pliego que, además, partía fehacientemente de él,[592] con acentuación y puntuación moderna, a cargo de Antoni Ferrando (1983: 349-360).

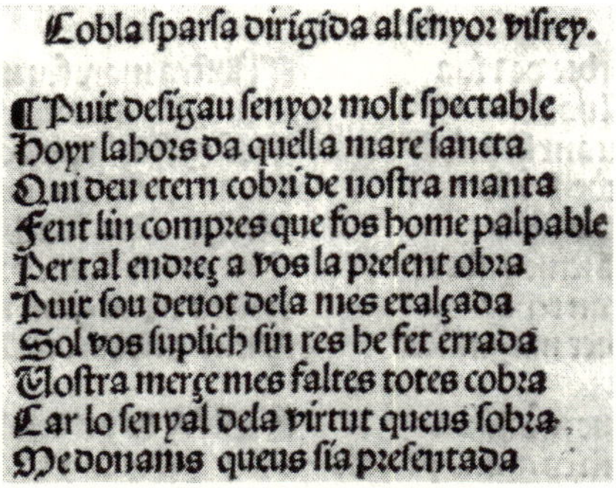
Cobla sparsa dirigida al senyor visrey.

Puix desigau senyor molt spectable
Hoyr lahors da quella mare sancta
Qui deu etern cobri de nostra manta
Fent lin compres que fos home palpable
Per tal endreç a vos la present obra
Puix sou devot dela mes exalçada
Sol vos suplich sin res he fet errada
Vostra merçe mes faltes totes cobra
Car lo senyal dela virtut queus sobra
Me donanis queus sia presentada

BHUV, CF/4(12), h. 4v

«*Copla sparsa dirigida al Senyor* Visrrey.

Puig desigau Senyor molt spectable,
Hoyr *lahor* da quella Mare Sancta,
Qui Deu etern cobrí de nostra manta,
Fent lin comprés, que fos home palpable,
Per tal *endres*, á vos la present obra,
Puix sou *debot* de la mes *realçada*,
Sols vos suplich, sin res hé fet errada.
Vostra merçe mes faltes totes cobra,
[...]
E perdonau, que us sia presentada»
(Ortiz 1782: 41r).

«*Cobla* Sparça *dirigida al Senyor Vis-Rey.*

Puix *desijau* Senyor molt spectable
hoyr lahors d'aquella Mare Sancta
qui Deu etern cobri de nostra manta,
fentlin comprés que fos *homs* palpable;
per tal endres à vos la present obra
puix sou devot de la mes *exelzada*.
Sols vos suplich, sin res he fet errada
vostra *mercè* mes faltes totes cobra
car lo senyal de la virtut que*os* sobra
me *deman* que us sia presentada»
(Fuster 1827: 66).

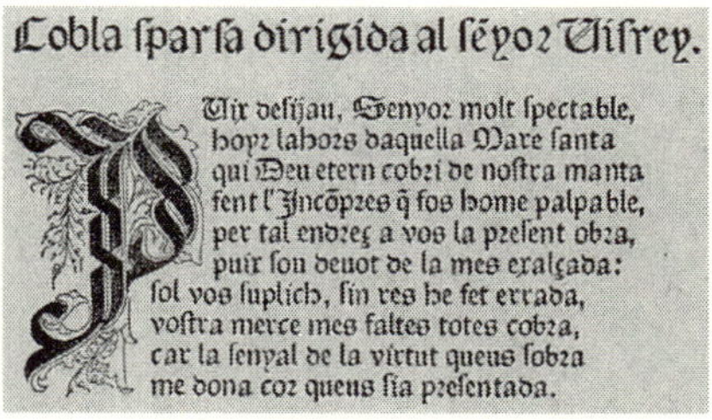
Cobla sparsa dirigida al sēyor Visrey.

Puix desijau, Senyor molt spectable,
hoyr lahors daquella Mare santa
qui Deu etern cobri de nostra manta
fent l'Incōpres q̄ fos home palpable,
per tal endreç a vos la present obra,
puix sou devot de la mes exalçada:
sol vos suplich, sin res he fet errada,
vostra merce mes faltes totes cobra,
car la senyal de la virtut queus sobra
me dona cor queus sia presentada.

Aguiló 1873-1900

591 A pesar de lo cual, Ribelles Comín depende todavía de Fuster, reproduciendo las mismas variantes, como ocurre también con la primera estrofa de la *Salve Regina*, pero, para el título en prosa, sigue a Aguiló (Ribelles Comín 1915: 598-599, nº 297), lo que aún resulta más extraño.

592 Un matiz que no es baladí, porque no es así ni en un caso ni en el otro en lo que respecta a la ofrecida por Bulbena y Tosell a principios de siglo, puesto que se establecía a partir de una reproducción que la imitaba, con variantes, y porque esta edición, en cualquier caso, no era completa, como hemos visto, sino una muestra breve, inferior al veinte por ciento del extenso poema de la *Salve Regina*.

«Cobla sparsa dirigida al senyor visrey.

Puix desigau senyor molt spectable
Hoyr lahors daquella mare sancta
Qui deu etern cobri de nostra manta,
fent lincompres que fos home palpable
Per tal endreç a vos la present obra
Puix sou devot dela mes exalçada
Sol vos suplich sin res he fet errada
Vostra merçe mes faltes totes cobra
Car lo senyal dela virtut queus sobra
Me donauis queus sia presentada»
(Aguiló 1923: 550-554, nº 2107).

«Cobla sparça dirigida al senyor visrey.

Puix *desijau* Senyor molt spectable
hoyr lahors daquella mare *santa*
qui Deu etern cobri de *uostra* manta,
sentliu cōpres q̄ fos home palpable
per tal endreç a vos la present obra
puix sou deuot *de la* mes exalçada
sol *uos* suplich sin res he fet errada
uostra *merçe* mes faltes totes cobra
car *le* senyal *de la* virtut queus sobra
Me *dona cor* queus sia presentada»
(Martí Grajales 1927: 468).

Fuster (1827: 66) nos aporta por primera vez el texto del extenso título en prosa, interesante, como lo es el propio poema dirigido a Despuig, para entender la génesis y filiación de este impreso. Lo hace con alguna variante, que podría responder a criterios de regularización, así como con dos paréntesis en los que traduce un término y anota el rasgo principal de esta rúbrica, que, como veremos después, se ha extraído literalmente de un testimonio más amplio. Incluso la transcripción paleográfica de Aguiló (1923: 550, nº 2107) contiene alguna imprecisión menor, limitada a grafías, pero esto no las eximió de que sirviesen de catalizador para el conocimiento bibliográfico de este pliego poético, cuyo título no solo lo contextualizaba, sino que también era revelador, al haber mantenido información sobre su antígrafo u original de imprenta. Esta misma función cumplieron ambos respecto al texto central del impreso, a la *Salve Regina*, aunque Fuster (1927: 66) solo transcribió su estrofa inicial, reconstruyendo una rúbrica inexistente «(*Sigue la Salve:*)», frente a Aguiló (1923: 550-554, nº 2107), que nos ofreció su edición paleográfica completa.

La estructura interna de contenidos es sencilla, por tanto, y está formada por tres elementos textuales, fundamentalmente: el extenso título inicial, que funciona como paratexto editorial; la poesía que acompaña y precede a la central, ambas de Pere Vilaspinosa; y la propia composición de la *Salve Regina*, la más extensa de las dos y objeto último del pliego. Del primero ofrezco su transcripción completa, mientras que de los poemas[593] aporto la rúbrica, cuando la hay, el íncipit y éxplicit, así como su estructura métrica abreviada:[594]

593 Que numero siguiendo el mismo método aplicado en la descripción interna de *Les trobes* para composiciones dependientes entre sí, porque el poema de envío y dedicatoria a Despuig no se entiende sin la propia *Salve Regina*.

594 Para la cual respeto el modelo de Brian Dutton (1990-1991), como en la estructura interna de *Les trobes*.

Salue regina feta p*er* lo discret en Pere vilaspinosa notari d*e* Valen | cia la q*ua*l el mateix p*er* honor d*e*l loable co*n*sistori lo dia q*ue*s publica la de | vall scrita sente*n*cia d*e*la d*e* mu*n*t dita joya d*e*les lahors dela verge mar// | ia aq*ue*lla spa*n*di e publica e dreça aq*ue*lla al molt spectable e reuere*n*t se*n* | yor frare Luis d*e* puig mestre d*e*l orde e caualleria d*e* mu*n*tesa e d*e* sant | jordi lochtine*n*t general en lo regne d*e* vale*n*cia la q*ua*l fo*n*ch feta a seruey | d*e*nostre se*n*yor deu e a honor e gloria dela gloriosissima mare sua p*er* | manamen*t* e consolacio del dit spectable senyor visrey (h. 1ʳ).

1/1 *Rúbr.*: Cobla sparsa dirigida al senyor visrey. *Ínc.*: Puix desigau senyor molt spectable. *Éxpl.*: Me donanis[595] queus sia presentada (1x10) (h. 1ʳ).

1/2 *Ínc.*: S²alue tu immaculada. *Éxpl.*: Puix dels morts guia tan feta (44x8) (h. 1ʳ-4ᵛ).

3.4.3. Los límites de la puesta en página: la mutilación del texto

El pliego de cuatro hojas se adecua con precisión al contenido poético incorporado a él, para lo cual habría renunciado a posibles grabados —si es que se planteó en un pliego poético tan temprano—,[596] pero, sobre todo, tuvo que iniciar la disposición a dos columnas ya en la primera plana, a pesar de que cada una de ellas solo contenía una estrofa. En caso contrario, no se habría podido distribuir el resto del poema en el papel sobrante, al menos con esta tipografía, dado que su cómputo regular, de veinticuatro líneas de texto, con dos espacios de pauta interestrófica, era lo que permitía la caja de escritura de este pliego en cuarto de cuatro hojas. La distribución de contenidos por página y columna es tan regular en este impreso, que debió de haber obligado a desechar la *tornada* de la *Salve Regina*, porque interrumpía la sistematicidad de la impaginación a partir de estrofas completas. Buen ejemplo de ello es lo ocurrido en *Les trobes* o, mejor, por su carácter más tardío y siendo ya con tipografía gótica, en los otros dos cancioneros poéticos incunables que son producto de estos certámenes valencianos,[597] donde cualquier voluntad de regularidad se acabó incumpliendo ante la presencia de *tornada* o *endreça*, al tener estas la mitad de extensión que las estrofas centrales del poema, lo que rompía el cómputo. Eso, por un lado, mientras que, por el otro, hay ejemplos de actuación sobre

595 Un error de confusión de grafías *u*/*n* por caja sucia que ha dado lugar a los diferentes errores de los bibliógrafos, desde principios del siglo XIX, en lo que respecta a la transcripción de este primer hemistiquio.

596 Temprano, avanzo, como veremos en los epígrafes de datación, tipografía y adscripción a un taller.

597 La *Obra de la sacratíssima Conceptió de la intemerada mare de Déu* (GW 08343) y la *Obra a llaors del benaventurat lo senyor sant Christòfol*. Para la impaginación y estructura interna del impreso inmaculista, véase Martos 2019a y 2019b; y para el dedicado a San Cristóbal, Martos 2016 y 2016b.

estos márgenes del poema, como es la *editio princeps* de Ausiàs March (Valencia, Joan Navarro, 1539), que ilustra la sistemática eliminación de la *tornada* por criterios editoriales, sobre todo de *mise en page* (Martos 2014c).[598]

La supresión de la *tornada* de la *Salve Regina* habría permitido, por tanto, un fácil y sistemático recuento por coplas o versos,[599] con vistas a la puesta en página. Nos induce a pensar que así ocurrió, entre otros argumentos de género poético y estrofismo, la propia evidencia de que una mano, más o menos coetánea, probablemente del siglo XVI,[600] copiara una *tornada* al final de este ejemplar,[601] considerando la necesidad de restituirla, tras el *Finis* que, a manera de éxplicit, concluye el poema, alineada con la caja de escritura de la columna final: «Tu q*ui* se*us* ala mandreta | edels cels tens los archi*us* | tu*m* fes seure ala ho*n* vius | per merce que*m* tingues feta».[602]

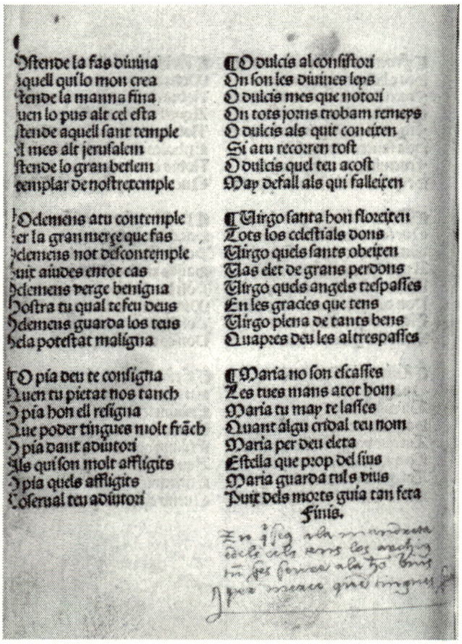
Dstende la fas diuina
quell qui lo mon crea
tende la manna fina
uen lo pus alt cel esta
stende aquell sant temple
l mes alt jerusalem
stende lo gran betlem
templar de nostre temple

Oclemens atu contemple
er la gran merçe que fas
clemens not desconteple
uit aiudes en tot cas
clemens verge benigna
ostra tu qual te feu deus
clemens guarda los teus
ela potestat maligna

O pia deu te consigna
uen tu pietat nos tanch
pia hon el resigna
ue poder tingues molt frãch
pia dant adiutori
ls qui son molt affligits
pia quels affligits
oserual teu adiutori

O dulcis al consistori
On son les diuines leys
O dulcis mes que notori
On tots jorns trobam remeys
O dulcis als quit conciten
Si atu recorren tost
O dulcis quel teu acost
May defall als qui falleixen

Virgo santa hon floreixen
Tots los celestials dons
Virgo quels sants obeixen
Vas clet de grans perdons
Virgo quels angels trespasses
En les gracies que tens
Virgo plena de tants bens
Quapres deu les altres passes

Maria no son escasses
Les tues mans a tot hom
Maria tu may te lasses
Quant algu cridal teu nom
Maria per deu electa
Estela que prop del sius
Maria guarda tuls vius
Puix dels morts guia tan feta
Finis.

BHUV, CF/4(12), h. 4v

598 Y, si acaso, por la necesidad de modernización de los textos con vistas a su traducción a cargo del comendador Escrivá, en cuyas composiciones castellanas ya no tenían cabida (Martos 2014d).

599 Más allá de haber tenido que desplazar a la primera plana dos estrofas en esa breve disposición a doble columna.

600 Como delimita, con acierto, BITECA: «de mà del segle XVI» (manid 1892).

601 «Una mena de tornada del poema», dice BITECA (manid 1892).

602 La transcripción es mía, en la que corrijo dos errores en la lectura paleográfica de BITECA: *Tu* por *En* y *tun* por *tum*, en el primer y último verso de la tornada, respectivamente.

Es lógico pensar que ese lector o poseedor habría incorporado la *tornada* original de la *Salve Regina*, extraída de otro testimonio manuscrito o impreso, más aún tratándose de una mano antigua, si no coetánea y, todavía más, siendo el mismo copista de la *Glossa sobre l'Ave Maria molt devota* al final del tercero de los pliegos del *Natzaré* (CF/4, ff. 58^{r}-59^{r}), cuya técnica de composición era muy similar, si no idéntica, al poema de Vilaspinosa (Martos 2022b).

Desde una perspectiva de contenidos, además, los cuatro versos de la *tornada* corresponden a una invocación a la Virgen María, que depende, en última instancia, del canto final de la antífona de la *Salve Regina* y, aún más importante, que está presente también en las otras manifestaciones del género a las que hemos aludido.

Si Juan del Encina dedica tres estrofas al cuerpo central del himno latino en cuestión, la cuarta se centra en esta invocación, esto es, un 25% del texto, y, por eso mismo, de un cierto desarrollo mayor respecto de la fuente en comparación con el resto del poema. Aunque Luis de Salazar cierra su composición con dos estrofas, en realidad, solo la primera corresponde a este cántico final de la *Salve Regina*, que, como es habitual en este pliego, va precedida por los dos versos del texto latino correspondiente, mientras que la segunda estrofa, con la rúbrica *Invocación*, es ajena ya a la propia fuente, pero no necesariamente a su desarrollo litúrgico. El texto anónimo del *Cancionero General* distribuye esta invocación en dos estrofas, cada una de ellas a partir de uno de sus dos versos latinos, que, respectivamente, las preceden a manera de rúbrica, a diferencia del texto de Salazar, quien los reunía encabezando la única estrofa que, en efecto, ofrecía su versión poética. Finalmente, el poema manuscrito de Pero Íñiguez comparte,[603] en realidad, rasgos de los otros tres y es, sin duda, no solo el que más desarrolla esta *oración trovada* de la *Salve Regina*, sino que, como hemos visto, es el más cercano[604] al texto de Vilaspinosa en cuanto a la técnica de composición.

En los cuatro poemas, se incluye, por tanto, una sección final dedicada a la exhortación o invocación de María, dependiente del texto latino en cuanto a su desarrollo litúrgico, a la cual destinan dos estrofas Pero Íñiguez y el anónimo de 11CG, mientras que Salazar y Encina lo concentran en una. Ahora bien, el poema de Pero Íñiguez desarrolla dos estrofas más, encabezadas por la rúbrica *Oremus* y *per omnia secula seculorum*, además de una tercera con el *Amén* que cerraba la invocación latina. Esto es, cinco estrofas en total para esta sección final, a la que hay que añadir una *finida* que lo concluye, a

603 No a partir de ellos, puesto que mi tratamiento no es en términos cronológicos, sino de desarrollo poético.

604 Y solo eso, con matices, porque, en sentido estricto, no siguen exactamente el mismo proceso de composición.

manera de envío al rey don Juan, a quien se dedica esta composición en honor a María. Ya habían dejado constancia de esto último las dos estrofas iniciales del poema,[605] antepuestas a la propia glosa de la antífona, que, a diferencia de todos los otros textos castellanos, no comienza aquí en la primera copla, sino en la tercera. Y no puede pasarnos desapercibido este envío o dedicatoria explícita que encabezaba la propia oración trovada de Íñiguez, porque es similar, aunque con otra métrica y con una cierta independencia, a lo que encontraremos en la *Salve Regina* de Pere Vilaspinosa: en uno caso dirigida al rey don Juan y en el otro al virrey Despuig.

La *Salve Regina* presenta, como decía arriba, concomitancias técnicas con el poema de Pero Íñiguez en cuanto al desarrollo de la glosa, pero también lo hace respecto a la composición atribuida a Miquel Ortigues,[606] aunque aquí en términos métricos y de rima, de género poético, en última instancia, porque ambas comparten rasgos propios de los *goigs*. Entre ellos, la existencia de la *tornada* en términos de invocación, que, en ambos casos, retoma la rimas de la estrofa anterior:

Tu, qui seus a la man dreta
e dels cels tens los archius,
tu·m fes seure alà hon vius
per mercè que·m tingues feta.
Vilaspinosa

Dau-nos donchs virtuts insignes,
Verge pura sens peccat,
contra·ls enemichs malignes
de la vostra sanctedat.
Ortigues

Los *goigs* incorporan, además, un *respost* o *tornada* inicial, que sí que encontramos en la *Salve Regina* de Miquel Ortigues e, incluso, en la respuesta de la Virgen —explícitamente compuesta por Bernat Fenollar— agradeciendo el singular veredicto del certamen que dio lugar a *Les trobes*:[607]

Puix per vós, Verge Maria,
en lo cel regnam sens fi,
vostra alta senyoria
loar vull dient axí:
Ortigues

Los quim desijau loar,
mirau quant só trihumphada,
que Regina singular,
Déu, mon fill, m'à coronada.
Fenollar

605 Aludiendo a la devoción particular del rey hacia la Virgen María.

606 Para la edición crítica de la *Salve Regina* de Miquel Ortigues, véase Martos 2022c.

607 Esta última, como es lógico, por los rasgos del género, también cuenta con una *tornada* final, que, por el juego poético establecido en cuanto con el veredicto y la perspectiva del poema, en boca de la Virgen, hace que esta sea quien se ofrezca como objeto de invocación en términos de intercesora ante Cristo: «Donchs vullau-me suplicar, / peccadors com advocada, / que Regina singular, / Déu, mon fill, m'à coronada».

Sería lógico pensar que también habría sido así en el poema de Vilaspinosa, quizás inaugurado con un *respost*, a semejanza del género y siguiendo el modelo de los otros poemas sobre esta antífona. Sin embargo, se podría aducir como argumento contrario que la mano que copió la *tornada* final no lo recogió e interpretar que eso sería prueba fehaciente de que no existió, pero también es cierto que no hay espacio material para incorporar estos cuatros versos encabezando la primera estrofa, con solo una línea de separación respecto de la *Cobla sparsa* en decasílabos, que dejaban, también, márgenes laterales insuficientes. Los *goigs* lo incorporan en su estructura y, así, lo hace también el poema de Ortigues, el más cercano al de Vilaspinosa en cuanto a técnica estrófica y métrica, de la misma manera que la *Salve Regina* de Íñiguez, una de las más próximas conceptualmente a la de Vilaspinosa, junto al poema anónimo de 11CG, también inaugura su texto con dos estrofas a manera de introducción, un rasgo excepcional en la tradición castellana de esta oración trovada. A pesar de todo, las pruebas de su existencia no me parecen suficientes para una repercusión ecdótica, más aún porque se materializaría en la indicación de un pérdida inicial que, simplemente, incidiría en la numeración de los versos.

Sería diferente el caso de la *tornada* final, puesto que sí que se ha conservado un texto en su lugar correspondiente, aunque haya sido reintroducido de manera manuscrita, también en versos heptasílabos y con rimas que retoman las de la *coda* de la estrofa anterior: *-eta* (*eleta*, *feta*, *dreta*, *feta*). Las coplas de ocho versos de la *Salve Regina* de Vilaspinosa se alejan de la estructura de rima encadenada más habitual de los *goigs* (*ababcdcd*), que sí se mantiene en el *front* (*abab*), para combinarla con un esquema de rima *croada* de la *coda* (*cddc*). De esta manera, cuando Vilaspinosa retoma la rima externa de la *coda* de la estrofa anterior, es decir, la rima *c*, la redistribuye en un esquema diferente, el propio del *front*. Son estas circunstancias, de una cierta excelencia de rimas, tanto en concordancias, como en estructuras, lo que lleva también a una *tornada* que reproduce no solo la rima externa de la coda de la estrofa anterior, sino todo su esquema completo.[608] Y esto no es una singularidad de Vilaspinosa, porque así ocurre también, por ejemplo, en la *Salve Regina* de Miquel Ortigues, con la reproducción completa del esquema y de las

608 Incluso no debería extrañarnos la repetición de un *mot-rima* (*feta*) en esta concordancia, que se pudiera esgrimir como argumento *a contrario*, porque así ocurre hasta en dos ocasiones más en el propio cuerpo del poema: en los enlaces de las estrofas 31 y 32 (*viure*, *scriure*, *escriure*, *desliure*) y en el caso de las estrofas 35 y 36 (*imperi*, *cativeri*, *imperi*, *magisteri*). Se podría aducir, también, el caso de las estrofas 16 y 17, donde se produce una rima derivativa (*colpa*, *encolpa*, *desancolpa*, *polpa*).

concordancias de la coda de la estrofa anterior —incluso siendo aquí, entre la estrofa conclusiva y la *tornada*, el único momento en que esta poesía retoma la rima entre estrofas—, de la misma manera que lo hacen los famosos *Goigs* del impreso CF/4(16) del *Nazareno*.[609]

El grado de adecuación de la materialidad del impreso al texto es tan ajustado, por otro lado, que cualquier intento de incorporar una *tornada* del original habría requerido su ampliación material, por lo que, a la hora de conformar este pliego suelto, se podría haber sacrificado las estrofas de cuatro versos que iniciaban y remataban el poema, de una de las cuales se nos ha dejado testimonio manuscrito en este ejemplar. En definitiva, hay razones literarias y tipográficas para pensar que, al menos, se eliminó esta última, simplemente por cuestiones pragmáticas, en el sentido material y práctico del término, lo que, siendo así, debería tener consecuencias en la propia fijación crítica del texto.

Pero no solo faltaría(n) esta(s) estrofa(s) del poema original, sino que el ajustado proceso de impaginación podría haber dejado otra sin incluir, en este caso del cuerpo central de la *Salve Regina*: justo en el paso del recto al vuelto de la primera hoja, tras la doble columna de una sola estrofa, falta la tercera de ellas. Podría parecer arriesgada la hipótesis, al tratarse de un testimonio único, pero la clave se encuentra en el hipotexto latino y, de nuevo, por tanto, en el proceso de *collatio* subyacente.[610] La incorporación de esta estrofa perdida en el proceso editorial ya habría sido suficiente para que el pliego no se adecuase al poema o viceversa, mucho más aún si, al menos, falta también la *tornada* final, como parece que ocurre. En ese caso, si se hubiese deseado mantener íntegro, se tendría que haber renunciado a la incorporación del poema en decasílabos, que era uno de los alicientes del impreso y, desde luego, una de las claves para su contextualización literaria, como veremos, o bien haber optado por un pliego de seis hojas, que no se habría llegado a completar textualmente.

La eliminación de la *tornada* debió de ser, sin duda, una decisión consciente, pero es probable que no ocurriese así con la tercera estrofa, por la situación en que se encontraría y por las características inherentes al hecho de tratarse de un pliego suelto: solo hay que ver la descuidada praxis en cuanto al título del pliego, que proviene y mantiene literalmente la rúbrica de su fuente sin adaptarla al nuevo producto. Tal es el grado de improvisación de este impreso,

609 Aunque, en realidad, repiten el esquema de rimas del *respost* en todas sus estrofas, en un complejo juego, en este caso, en el que se llegan a retomar algunas de las palabras-rima.

610 Como explico en otro trabajo en el que, además, ofrezco la edición crítica del texto (Martos en prensa).

un rasgo propio, en última instancia, del propio género editorial y, me atreveré a decir, del taller que lo genera, al que me referiré después. En cualquier caso y por lo que respecta a la cuestión que aquí se trata, el poema se adecua, en efecto, a la materialidad del pliego, pero lo hace porque se ha mutilado el texto.

3.4.4. Los paratextos y el certamen poético

La *Salve Regina* de Pere Vilaspinosa viene enmarcada en el pliego poético por dos paratextos, uno editorial en prosa y otro poético en verso, que, en un caso y en el otro, acaban aportando cierta luz a la contextualización del poema, sin los cuales no sería más que otra oración trovada de las tantas conservadas en la literatura hispánica de los siglos XV y XVI. Al componerse el pliego, se decidió mantener el poema en decasílabos que precedía a la *Salve Regina*, sin el cual sí que habría sido posible incorporar la tercera estrofa y la *tornada* mutiladas en el proceso editorial, puesto que, considerando el título, hubiese quedado libre el espacio de dos estrofas en heptasílabos a doble columna. Con esto, se habrían completado, de igual manera, las columnas dedicadas a la *Salve* y, simplemente, la última estrofa hubiese sido algo más breve, en tanto que se trataba de la *tornada*. Esta *cobla esparsa* en decasílabos explicita en su rúbrica que la *Salve Regina* se dirige a un virrey y en el cuerpo del poema destaca su devoción por la Virgen María:[611]

Cobla sparsa dirigida al senyor visrey

Puix desigau, senyor, molt spectable,
hoyr lahors d'aquella mare sancta
qui Déu etern cobrí de nostra manta,
fent l'Incomprés que fos home palpable,
per tal, endreç a vós la present obra,
puix sou devot de la més exalçada.
Sol vos suplich, si·n res he fet errada,
vostra mercé mes faltes totes cobra,
car lo senyal de la virtut que us sobra
me don avís que us sia presentada.

Las razones por las que se mantuvo esta estrofa no debieron de ser fruto de ningún proceso de reflexión, sino que responderían a una cierta inercia en la transcripción fiel del original a la hora de componer el pliego, hasta el punto de

611 Ofrezco aquí su edición crítica, a partir de Martos en prensa, que permite considerar su puntuación y la corrección de errores, más allá de la transcripción paleográfica. De este mismo trabajo procede la cita del título en prosa que cito a continuación.

que su título en prosa contiene referencias endofóricas a los textos anteriores y posteriores de la fuente en cuestión, que no se encontrarían en este impreso:

> [h. 1r] *Salve Regina, feta per lo discret en Pere Vilaspinosa, notari de València, la qual el mateix, per honor del loable consistori, lo dia que·s publicà la devall scrita sentència de la demunt dita joya de les lahors de la Verge Maria, aquella spandí e publicà. E dreçà aquella al molt spectable e reverent senyor frare Luís Despuig, mestre de l'orde e cavalleria de Muntesa e de sant Jordi, lochtinent general en lo Regne de València, la qual fonch feta a servey de nostre Senyor, Déu, e a honor e glòria de la gloriosíssima mare sua, per manament e consolació del dit spectable senyor visrey.*

Esa cierta desatención a la hora de componer los pliegos sueltos, sin duda por su carácter económico, de transmisión editorial menor y a menudo en manos de operarios de cierta inexperiencia, deja aquí, sin embargo, una huella del original de imprenta que aporta datos para contextualizar este brevísimo impreso. No solo es evidente, con lo que se indica en este título, que la *Salve Regina* formó parte de un certamen poético, sino también del libro que recogía los poemas presentados en él, puesto que habla de una *joia* y de una *sentència* copiadas por escrito, una con anterioridad a esta antífona trovada de Vilaspinosa y la otra con posterioridad a ella: «la devall scrita sentència de la demunt dita joya». Ya Justo Pastor Fuster advirtió esta incoherencia del título, a pesar de que la justificaba por una mutilación del ejemplar[612] y no por un error editorial.

Pero el título nos aporta otro dato esencial: el nombre del virrey, aunque en una lección deturpada (*de puig*) que no solo incide en el descuido del pliego, sino en un cierto desconocimiento del personaje por parte de quien lo compuso, sin duda porque habría fallecido años atrás. Se trataba de Lluís Despuig, al que se ha dedicado un epígrafe en esta monografía al hablar del certamen de 1474 y de *Les trobes en lahors de la Verge Maria*, porque fue patrocinador de ambos, lo que podría apuntar, en efecto, a ese contexto de producción para la *Salve Regina* de Vilaspinosa. El título del pliego nos ofrece también los cargos ocupados por Despuig, como *mestre de l'orde e cavalleria de Muntesa e de sant Jordi, lochtinent general en lo Regne de València*, de interés indudable para acotar el período en que se tuvo que haber celebrado tal certamen. Sabemos que el día 5 de enero de 1473 había jurado su cargo como virrey o *lochtinent* de Valencia,[613] solo tres días después de haber entrado en la ciudad, mientras que había fallecido el 2

612 «Por estar manco el egemplar que he visto, ni antes ni despues hay tal sentencia ni joya» (Fuster 1827: 66).

613 Lluís Despuig es *mestre de l'orde de Muntesa* desde 1453 hasta la fecha de su muerte, con lo que es el cargo de virrey de Valencia, que ocupó con posterioridad, el que permitirá acotar el arco temporal en que tuvo lugar el certamen que enmarca la *Salve Regina* de Pere Vilaspinosa.

de octubre de 1482, es cierto que siendo aún virrey, pero solo durante un breve período de tres meses y una semana, tras un amplio paréntesis de cuatro años.[614]

Es la fecha de su muerte lo que, probablemente, habría llevado a Marià Aguiló, a partir de la noticia generada por Vicente Ximeno, a remitir a un hipotético certamen poético mariano de 1482,[615] que se habría dedicado a los veinte triunfos de María.[616] Pero el arco temporal para la datación del certamen al que perteneció el poema de Vilaspinosa es desde enero de 1473 hasta octubre de 1482, si bien es más probable que hubiese tenido lugar entre 1473 y 1478, por la brevedad de su segundo período en el cargo, como establece Ferrando al considerar el origen de esta *Salve Regina*.[617] Contempla, en cualquier caso, todas las hipótesis, tanto la adscripción al propio certamen de 1474, como a otro desconocido, considerando la posibilidad, asimismo, de que se pudiese llegar a datar en 1482, hasta el punto de que abre un capítulo, el segundo de su amplia monografía, dedicado a este presunto «*Certamen en llaors de la Verge Maria.* València, 1473-1482», cuyo primer epígrafe titula «¿Un altre certamen convocat pel virrei Despuig?» (Ferrando Francés 1983: 345).[618]

614 «Fra Lluís Despuig jurà el càrrec de virrei de València el 5-I-1473, i l'exercí, per primera vegada, fins el 1478, i per segona vegada, entre el 28-VI-1482 i el 3-X-1482, en que morí» (Ferrando Francés 1983: 345).

615 «Vide, para el artículo *Salue regina p lo discret Pere Vilaspinosa*, etc., la biografia de Ferrando Diez en la *Biblioteca Valentina* del Dr. Ximeno, tomo I, pág. 53, y la de Balthasar Joan Balaguer, en el mismo, pág. 70. Hablan de otra Justa poética, efectuada en el año de 1482» (Aguiló 1923: 554, nº 2107).

616 «Ni el certamen poético de 1482 fue patrocinado por Ferran Dies, ni concurrieron a él textos en verso y en prosa, como concluye erróneamente Ximeno al atribuir a este mismo consistorio todas las obras del manuscrito autógrafo perdido de Baltasar Joan Balaguer. Las veinte coplas de las dos primeras composiciones indexadas en él, según la estructura interna descrita por Ximeno, y el hecho de que ambas deban asociarse a un certamen concreto, apunta a que este debió de ser el dedicado a los veinte triunfos de María» (Martos 2019c: 553).

617 «A petició del virrei Despuig, amb motiu del certamen marià de 1474 o d'algun altre certamen convocat pel mateix virrei entre el 1473, any en què es féu càrrec del govern de València, i el 1478, any del seu cessament. Com que Lluís Despuig morí el 1482, després d'una brevíssima segona etapa virreinal, en tot cas la composició no deu ser posterior a aquesta data» (Ferrando Francés 1983: 165).

618 Tomàs Martínez resume muy bien esta doble hipótesis, aunque limitando la del posible certamen desconocido a 1478 como *terminus ante quem*, como ya hizo Marià Aguiló (1923: 554, nº 2017) y a lo que se inclinaba explícitamente Antoni Ferrando, aunque, por prudencia, hubiese preferido contemplar ese año de 1482 como final del arco temporal: «Aquestes paraules han fet pensar en la possibilitat que fos llegida després de la celebració del 1474 i que Fenollar no la inclogués en el volum imprès per ser aliena a l'acte poètic esticte; o que fos fruit d'alguna altra convocatòria mariana, avui desconeguda, entre el 1473 i el 1478, data del virregnat de Despuig» (Martínez Romero 2015: 348).

Marià Aguiló es mucho más categórico y, en principio, no deja abierta las tres variables, sino que se inclina, primero, por 1478 frente a 1482, para decantarse por el certamen de 1474 como origen último de esta *Salve Regina* trovada: «Dedicado á Dr. D. Luis Despuig, octavo Maestre de la Orden de Montesa, y *llochtinent general en lo regne de Valencia*, esta composición es anterior á 1478, en que dejó el virreinato; y como no se sabe que Despuig promoviese y presidiese otro Certamen poético que el de 1474, es de presumir que estas *Cobles* son de aquel año» (Aguiló 1923: 554, nº 2107). Sin embargo, esta afirmación entra en conflicto no solo con su referencia bibliográfica al certamen de 1482 sugerido por Vicente Ximeno, a la que me he referido anteriormente, sino que, a partir de ella y asumiéndola, concluye, aunque en otro contexto,[619] que el impreso de Vilaspinosa, en tanto que derivado de ese concurso poético, habría que datarlo en esa misma fecha:

> A dit Visrey Despuig se deu lo certamen publicat en MCCCCLXXIIII que conte les Trobes en lahor de la Verge Maria, fetes per una quarentena de trobadors y conservades en lo llibre de estampa mes antich de Espanya. Del certamen a que pertany la present composicio no'n conexem mes que'l quadern incomplert de hont la havem treta, que tenim per estampat en la ciutat de Valencia en 1482 (Aguiló 1873-1900, *Salve Regina*).

Antoni Ferrando parece inclinarse por la hipótesis de 1474 para el certamen de la *Salve Regina*, identificándolo con el de *Les trobes*, aunque no se cierre a otras, aludiendo al mismo argumento que Aguiló, como punto de partida, esto es, la falta de documentación fehaciente de otro certamen patrocinado por Despuig diferente a este de 1474,[620] lo que le «indueix a concloure hipotèticament que la *Salve Regina* fou llegida el 25 de març de 1474, després

619 En la nota final, en gótica, de la *Salve Regina* de Vilaspinosa en su *Cançoner de les obretes en nostra lengua materna mes divulgades durant los segles xiv, xv e xvi*, cuyos pliegos imitados se comenzaron a imprimir en 1873. Su *Catálogo* original ganó el premio de 1860 de la BNE, por lo que es anterior al *Cançoner*. Sin embargo, pasan más de sesenta años hasta su edición impresa, en 1923, con intervenciones como la que afecta a esta cuestión, que deja huella de su primera apuesta por un certamen de 1482 para el poema de Vilaspinosa en su referencia bibliográfica a Ximeno, lo que demostraría que el original manuscrito del *Catálogo* y el *Cançoner* contenían una hipótesis compartida, diferente a la versión impresa del siglo XX.

620 «La rúbrica ens diu que Vilaspinosa "spandí e publicà e dreçà aquella [la *Salve Regina*] al molt spectable e reverent senyor frare Luis Despuig" el mateix dia del certamen en "lahors de la Verge Maria", paraules que semblen al·ludir al concurs poètic de 1474. De fet, durant algun temps, Vilaspinosa fou considerat l'artífex del susdit certamen marià. Per altra banda, no coneixem altre certamen valencià de l'època "en lahors de la Verge Maria"» (Ferrando Francés 1983: 165).

de la celebració del certamen. Però ¿per què no la reproduí Fenollar en el llibre de *Les Trobes*?» (Ferrando Francés 1983: 165). Incluso da argumentos que así lo confirmarían, como el papel especial que, por amistad, habría dado Fenollar a Vilaspinosa en la clausura del certamen o la extrañeza de que no se encontrase su nombre entre los poetas de *Les trobes*,[621] a lo que añade la propia referencia al término «lahors de la Verge Maria» en el título en prosa del pliego. Todo ello, unido al argumento de Aguiló, apunta, en efecto, a que deba ser el certamen de 1474 aquel que originó la *Salve Regina* de Vilaspinosa, como intentaré demostrar en las conclusiones de este trabajo, precisamente a partir de las razones que devuelven a Antoni Ferrando sus dudas: «Però ¿per què no la reproduí Fenollar en el llibre de *Les Trobes*? Potser Fenollar pensà que la *Salve* de Vilaspinosa no tenia res a veure amb el tipus de poesia del certamen. O potser la *Salve Regina* revela l'existència d'un altre certamen en "lahors de la Verge Maria" que ens és avui totalment desconegut» (Ferrando Francés 1983: 165). El *quid* de la cuestión no radica en la adscripción del poema de Vilaspinosa al certamen de 1474, sino en su ausencia en el incunable de *Les trobes en lahors de la Verge Maria*. Pero son cuestiones diferentes.

3.5. Datación, tipografía y adscripción a un taller

3.5.1. La fecha del pliego y la atribución a Cofman

El pliego poético de Pere Vilaspinosa no presenta indicación de lugar, impresor ni año, a pesar de lo cual contamos con diferentes propuestas bibliográficas que reconstruyen este pie de imprenta, con mayor o menor variación según la información editorial que consideremos. Es buen ejemplo lo ocurrido con su datación, que contempla una horquilla de propuestas que abarca, prácticamente, todo el período incunable y post-incunable, incluso superando ligeramente este último, desde 1474 hasta 1525.

Una de las dataciones más tardías del pliego, en 1519, es la primera que emerge, ya en el siglo xviii, de mano de José Mariano Ortiz, contextualizando la redacción del poema en un ámbito diferente al de los certámenes poéticos, a pesar de lo indicado en el propio impreso: «*Salve Regina*, que Pedro Villa-Espinosa, Escribano de Valencia, compuso año 1519 en honor de la Virgen de los Ángeles de la Capilla del Real Palacio, y dedicó al Virrey, según el siguiente verso» (Ortiz 1782: 40^{v}-41^{r}). Aunque Justo Pastor Fuster refiere

621 «La manca d'altres notables poetes contemporanis, com Pere Vilaspinosa, Miquel Estela i Joan Escrivà [...] ens fa sospitar que el nombre de poetes devia ser probablement major» (Ferrando Francés 1983: 166).

esta propuesta de datación, sin cuestionarla e, incluso, aportando datos sobre la desaparición del Palacio del Real,[622] al referirse sucintamente a la materialidad del impreso, incluida cierta generalidad tipográfica, y a su carácter *sine notis*, sugiere, sin embargo, que se podría tratar de un incunable: «Es tomo en 4º, sin lugar ni año de impresión, aunque parece de fines del siglo XV. Letra de tortis» (Fuster 1827: 66). A pesar de ello, la datación más tardía de este pliego depende, en realidad, de su *Biblioteca valentina*, puesto que Fuster la ordena cronológicamente a partir de los autores y cataloga a Vilaspinosa en 1525,[623] incluso habiendo fallecido dos décadas antes, al menos, de lo que Romero Lucas (2005a, II: 1119, nº 247) acaba concluyendo un «c. 1525» también para el pliego de la *Salve Regina*.[624]

Marià Aguiló no solo atribuye el error a Ortiz, exclusivamente, sino que justifica su origen, aunque sin identificar la fuente de la que este extrajo la fecha para datar el pliego de la *Salve Regina*: «El primero incurrió en el error de suponerle compuesto en 1519, sólo por hallarle encuadernado con otro folleto de esta fecha» (Aguiló 1923: 554, nº 2107). El impreso en cuestión es, como hemos visto en el epígrafe 3.2.3., el que le sigue en el *Nazareno*, les *Cobles noves de la Verge Maria* [CF/4(13)], un pliego poético de seis hojas a doble columna, que, en efecto, en el vuelto de su última hoja y al final del texto, esto es, en posición de colofón, indica la fecha de 1519.

Dudo, sin embargo, de que Ortiz hubiese sido consciente del préstamo de fecha y consecuente error de datación, sino que, en realidad, no debió de tener claros los límites de los impresos al encontrarse encuadernados juntos ya entonces, lo que, por sí mismo, es otra prueba más —a mi parecer definitiva— de que ya existía el *Nazareno*, al menos, en 1782, aunque muy probablemente antes, con los veintiún impresos reunidos y encuadernados en el mismo orden

622 Con lo que parece avalarlo: «Según D. José Mariano Ortiz en su obra *Descubrimiento de las leyes palatinas*, pág. 41., compuso Vilaspinosa esta Salve el año 1519 en honor de la Virgen de la Capilla del Real Palacio de Valencia. Este se derribó en 1809, por las ocurrencias de la revolucion y cautiverio de nuestro Rey Fernando VII» (Fuster 1827: 67).

623 A partir de la otra obra de Vilaspinosa catalogada por Fuster, los *Goigs*, que cree que son de esta fecha.

624 Martí Grajales es uno de los pocos bibliógrafos que ofrecen datos biográficos sobre Pere Vilaspinosa, que, sin duda, son los más completos: «Entre los muchos notarios que cultivaron la poesía durante la segunda mitad del siglo XV figura muy honrosamente Pedro Vilaspinosa. Comenzó a ejercer su profesión en mayo de 1458 y en 1500 aún continuaba autorizando escrituras. En 27 de mayo de 1480, a propuesta de la parroquia de San Bartolomé, fué elegido consejero de la Ciudad. En 1481, 89 y 95 volvió a serlo, pero en estos años fué designado por sus compañeros de profesión. En 1475 y 1481 era uno de los cuatro mayorales de notarios. Su muerte debió de ocurrir poco después de 1500, pues con posterioridad a esta fecha nada se sabe de él» (Martí Grajales 1927: 468).

que hoy conocemos. A tal falta de delimitación habría ayudado, sin duda, que el pliego CF/4(13) estuviese formado por diferentes poemas e, incluso, con diferentes tipografías para el cuerpo de los textos, como se puede ver comprobando las dos hojas externas del impreso, más allá de los tipos mayores de las rúbricas, si bien es un rasgo que llega a darse en una misma hoja, como es el caso de la cuarta del impreso, en su recto y su vuelto, donde la oración en verso que remata el poema es de tipografía menor.

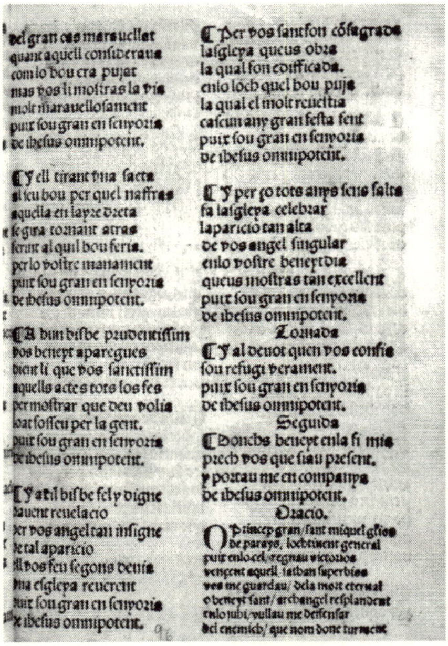

BHUV, CF/4(13), 4[r]

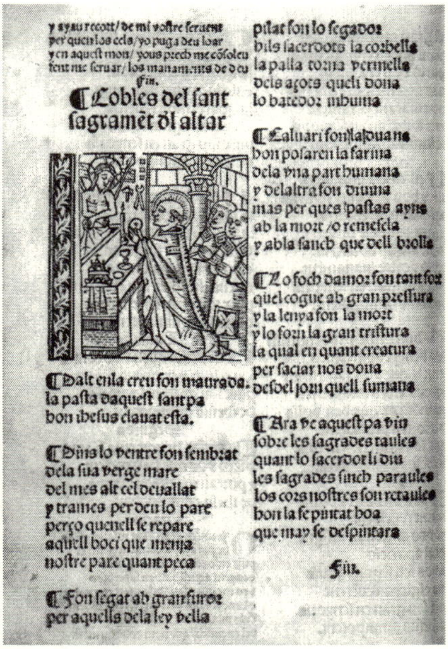

BHUV, CF/4(13), 4[v]

El carácter misceláneo y el hibridismo tipográfico debió de ser determinante para la identificación de CF/4(12) y CF/4(13) como un mismo impreso, porque este último no era el único datado del *Nazareno*. Si no hubiese sido así, no tendría sentido que Ortiz se hubiese limitado a él para fechar el pliego de la *Salve Regina*, ya que el arco temporal de los impresos con datación explícita de este tomo de varios —once de los veintiuno totales— alcanzaba desde 1490 hasta 1535.

No tuvo éxito, por tanto, la propuesta de datación del pliego en 1519,[625] porque Aguiló detectó pronto el error de Ortiz, pero no ocurrió así con los

625 A excepción de una de las entradas duplicadas de Palau, donde lo data «hacia 1520» (1948-1977, 27: 239, nº 368842).

generados por él mismo, dado que su *Catálogo* se convirtió en un catalizador para la bibliografía antigua en catalán, cuyas virtudes y cuyos gazapos se han reproducido a lo largo del siglo XX e, incluso, del XXI. Decíamos en el epígrafe anterior que había huella en su *Catálogo*, a pesar de decantarse explícitamente por 1474, de una primera hipótesis que identificaba el certamen de la *Salve Regina* con uno que habría tenido lugar ocho años después, en 1482, que es la fecha que encontramos en la nota que cierra la imitación de este pliego en su *Cançoner*, donde data el impreso original en este mismo año, «que tenim per estampat en la ciutat de Valencia en 1482» (Aguiló 1873-1900, *Salve Regina*).

Esta datación explícita del pliego poético de Vilaspinosa en 1482 pasa a Ribelles Comín, aunque con interrogante, tras la transcripción de la rúbrica o título en prosa,[626] quien, sin embargo, recoge, sin citarla, la hipótesis de Ortiz de 1519,[627] probablemente a partir de Fuster, puesto que también aporta —como suya— la propuesta de datación a finales del siglo XV, a la que añade su carácter indudable.[628] La coexistencia de tres fechas en un mismo bibliógrafo nos puede dar una idea de la incertidumbre al respecto y de la poca reflexión en su proceso de acumulación de datos. De la misma manera, Palau recoge esta misma datación de 1482, de nuevo con interrogante, en una de sus dos entradas para este pliego, porque, como hemos visto, llega a duplicarlas.[629] Es desde esta bibliografía posterior que llega la hipótesis al siglo XXI, a través del *Gesamtkatalog der Wiegendrucke*,[630] con el riesgo que supone el alto alcance de su influencia.

La *Bibliography of Old Catalan Texts* de Concheff distingue entre la fecha específica de producción del manuscrito o impreso (SPDT)[631] y la datación de

626 «Valencia (1482? S. n. de i.)» (Ribelles Comín 1915: 598-599, nº 297).

627 De la misma manera que hará años después Francisco Martí Grajales: «Don José Mariano Ortiz, en su obra *Descubrimiento de las leyes palatinas* (Madrid, Andrés de Sotos, 1872, pág. 41), asegura que compuso Vilaspinosa esta *Salve* el año 1519 en honor de la Virgen de la Capilla del Real Palacio de Valencia. Como en su epígrafe se manifiesta, fué escrita para una justa organizada por fray Luis Despuig, el cual murió en Valencia el día 3 de octubre de 1482, y es, por tanto, anterior a esta última fecha» (1927: 468).

628 «Don José Mariano Ortiz, en su *Descubrimiento de las leyes palatinas*, página 41, cree que Vilaspinosa compuso esta Salve, en 1519, en honor de la Virgen de la capilla del Real Palacio de Valencia, siendo así que la impresión de la misma es, indudablemente, de fines del siglo XV» (Ribelles Comín 1915: 599, nº 297).

629 «Valencia (s. n. de impresor, ¿1482?)» (Palau 1948-1977, 27: 79, nº 366010). Frente a *c.* 1520 en la otra (Palau 1948-1977, 27: 239, nº 368842).

630 «Vilaspinosa, Pedro: Salve Regina. [Valencia, 1482(?)]» (GW M50468), si bien es cierto que se trata de una entrada sin desarrollar y esperemos que pronto se pueda corregir.

631 «SPDT (data específica de producció): La data que hi consta és la de la còpia del manuscrit o la de la impressió de l'edició incunable)» (Concheff 1985: IX).

la obra (OPDT),[632] de manera que, implícitamente, se inclina por enmarcar el poema en el certamen de 1474, mientras que el propio impreso lo fecha en un arco cronológico entre ese año y el de 1478,[633] probablemente por tratarse del fin del primer período de virreinato de Lluís Despuig. BITECA, que desarrolla la *Bibliography* de Concheff, depende aún de ella al respecto y mantiene esta misma datación temprana del pliego.[634] La asociación de la fecha del certamen a su patrocinador, Lluís Despuig, ha sido una constante bibliográfica, pero no ha ocurrido así a la hora de fechar el pliego, considerándolo, para ello, como su presunto editor, que es lo que encontramos aquí, al menos de manera implícita y, sin duda, errónea, como veremos después.

Al hablar de este pliego, Marià Aguiló sugiere la coincidencia de sus tipos con los de otro impreso, en este caso con colofón completo: «He visto una impresión, en los mismos tipos, de Cristofol Koffman, Valencia, 1502» (1923: 554, nº 2107). El impreso en cuestión no es el *Ave Maria* que, justamente, se encuadernaba en el *Nazareno* precediendo a la *Salve Regina*, con signatura CF/4(11), porque, como él mismo recoge, se presenta «Sin nombre de autor ni de impresor, ni lugar ni año» (1923: 554, nº 2108). No es este, por tanto, el impreso con colofón al que se refería Aguiló, pero también compartiría con aquel y con el pliego que aquí se estudia una misma tipografía: «Está impresa con los mismos tipos que la *Salue regina feta p lo discret en Pere Vilaspinosa notari d' Valencia*» (1923: 554, nº 2108). Otra oración trovada, por tanto, en otro pliego suelto, ejemplares únicos ambos y contiguos en un mismo tomo facticio de impresos, que compartían, además, el modelo de *M* y, de ahí, su asociación tipográfica, también con el impreso datado que Aguiló no explicita.

A pesar de su brevedad, tal sugerencia tipográfica no pasa desapercibida a la bibliografía posterior y, así, Jaume Massó i Torrents sugiere que se trata de un impreso del siglo XVI, sin especificar el año concreto: «*v*^{4}.-València, 15...?» (Massó i Torrents 1932: 62).[635] El catálogo de impresos del siglo XVI de la propia BHUV actúa de manera similar, compartiendo con Massó una prudencia solo aparente, porque, a pesar de considerarlo *sine notis* y no datarlo ni reconstruir otra información de su pie de imprenta,[636] en realidad sí que está apostando por un impreso post-incunable o posterior, al incorporarlo a la

632 «OPDT (Data de producció original): És la data —coneguda o suposada— de la redacció de l'obra catalana original» (Concheff 1985: X).

633 «SPDT 15th (1474 a quo-ad quem 1478)» y «OPDT 15th (c. 1474)» (Concheff 1985: 138, nº 1446).

634 «*Printing*: València: Cristòfol Koffman, 1474 a quo - 1478 ad quem» (BITECA manid 1893).

635 En Massó i Torrents 1913-1914 no se cataloga aún, donde los impresos poéticos solo llegan hasta la *t*.

636 «(S.l., S.i., S.a.)» (Gisbert Terol y Ortells Pérez 1992, II: 456, nº 3594).

colección de ediciones quinientistas, sin duda a partir de la aparente evidencia material de Marià Aguiló. El catálogo en línea de la BHUV da un paso más allá y sí que concreta el año, aunque con interrogante: «[S.l.] : [s.n.], 1501?» (Catàleg *Trobes*). Sin embargo, solo hay que revisar el resto de impresos del *Nazareno* sin datación para comprobar que, en realidad, se ha producido una cierta sistematización o generalización al respecto. De los diez impresos sin datar, tres, predominantemente en prosa, se han aceptado como incunables y tienen una tradición bibliográfica sólida al respecto [CF/4(6), CF/4(19) y CF/4(20)], mientras que, para otros dos, de rasgos evidentemente tardíos [CF/4(9) y CF/4(14)], se mantiene la propuesta de datación de Aguiló.[637] Los otros cinco impresos poéticos [CF/4(4), CF/4(11), CF/4(12), CF/4(15) y CF/4(16)], entre ellos el de Vilaspinosa, regularizan la datación post-incunable más temprana (*c.* 1501), sin considerar las propuestas de Norton (1978), cuando se aportan, mucho más afinadas que las de Aguiló.[638]

De todo ello, queda para Romero Lucas que «Aguiló 2017: lo da c. 1502 por haber visto un ejemplar de Cofman de ese año con esa letrería» (2005a, II: 1119, nº 247), mientras que Antoni Ferrando no advierte que es un impreso *sine notis* y le llega a adscribir la existencia fehaciente de un pie de imprenta completo: «La primera edició de la *Salve* amb data, lloc d'impressió i nom d'impressor correspon a la que Cristòfol Coffman estampà a València el 1502» (Ferrando Francés 1983: 346).

Decía antes que Aguiló atribuía a Cofman una misma tipografía para los pliegos de la *Salve Regina* y del *Ave Maria*, coincidente con la de un tercer impreso, en este caso con colofón completo, salido del taller valenciano en cuestión en 1502. Sí identificaba explícitamente los tipos del *Ave Maria* con los de la *Salve Regina* y los de este último pliego con ese impreso post-incunable datado, sin indicar cuál era; sin embargo, no había remisión a estos pliegos poéticos desde ninguna de sus dos entradas bibliográficas a los dos impresos de Cofman datados ese año: *Sinonima variationum sententiarum* de Stephanus Fliscos, con traducción de Jeroni Amiguet (Aguiló 1923: 533-534, nº 2083; Norton 1978: 415, nº 1156; Martín Abad 2001: 268-269, nº 699) y *La ystòria de Joseph, fill de Elý e spós de la sacratíssima Verge Maria* de Joan

637 El impreso CF/4(9) *c.* 1525 (Aguiló 1923: 588, nº 2229), mientras que para CF/4(14) se propone la datación *c.* 1510 (Aguiló 1923: 587-588, nº 2228), en ambos casos limitándose al primer año de las respectivas horquillas: *c.* 1525-1535 y *c.* 1540-1550.

638 En este caso, tres de los cinco impresos sin datar no presentan propuesta explícita de Aguiló, mientras que, para los dos de una sola hoja [CF/4(15) y CF/4(16)], probablemente por las dudas generadas por su brevedad y por la aglutinación de ambos impresos como uno solo, bajo una misma entrada (Aguiló 1923: 589, nº 2232), se obvia la propuesta tardía de *c.* 1540-1550.

Carbonell (Aguiló 1923: 325-326, nº 1082; Norton 1978: 415, nº 1157; Martín Abad 2001: 179, nº 251). Aunque, en realidad, sería indiferente en cuanto a la tipografía, no tengo la menor duda de que el impreso al que se refería Aguiló era el segundo de ellos, porque, como los otros dos, formaba parte también del *Nazareno*, en este caso con signatura CF/4(18).

Estos tipos, sin embargo, se encuentran, asimismo, en el taller de Cofman también en época incunable. Tenemos constancia de su actividad ya en 1498, al menos, aunque con colofón explícito en el caso del *Regiment de la cosa pública* de Francesc Eiximenis, salido de su taller valenciano el 28 de enero de 1499 (GW M51910; ISTC ix00015000); de *La vida de sancta Catherina de Sena* de Miquel Peres, impreso el 11 de mayo de ese mismo año (GW M50672; ISTC ia00781600); de la *Lectura super primum librum Sententiarum Petri Lombardi* de Gregorius Ariminensis, impreso el 21 de octubre de 1500 (GW 11504; ISTC ig00481000); y del *Segon del Cartoixà* de Joan Roís de Corella, que no recoge impresor, ni día y mes, sino exclusivamente la ciudad y el año de 1500 (GW M19299; ISTC il00351000).

Si consideramos esta circunstancia en paralelo al hecho de que ni Norton (1978) ni Martín Abad (2001, 2007 y 2016) incorporan la *Salve Regina* entre los post-incunables ibéricos, cuando sí que lo hacen en lo que respecta a otros impresos *sine notis* del *Nazareno*, habría que plantearse por qué. Y ese porqué no sería solo en términos cronológicos, como se podría pensar, sino también por cuestiones tipográficas de mayor calado, a las que se dedica el siguiente epígrafe.

3.5.2. Un incunable poético de Hagenbach y Hutz

El diseño de la *M* mayúscula debió de ser el punto de partida de Aguiló para la identificación de una coincidencia de tipos en los impresos de la *Salve Regina*, del *Ave Maria* y de *La ystòria de Joseph, fill de Elý*, que corresponde, en efecto, a un mismo modelo: el establecido por Haebler como M38. Este es, asimismo, el diseño que encontramos en otros impresos de Cofman, como es el caso de sus dos incunables con datación más antigua:[639] el *Regiment de la cosa pública* de Francesc Eiximenis y *La vida de sancta Catherina de Sena* de Miquel Peres.[640]

639 Romero Lucas (2005a, II: 327, nº 71) propone adscribir al taller de Cofman también las *Regulae Grammaticales*, impresas en Valencia en 1498, en cuyo colofón, sin embargo, no se indica el impresor.

640 Todas las imágenes de este epígrafe sobre tipografía provienen de ejemplares custodiados en la Biblioteca Històrica de la Universitat de València. No lo indico en cada ocasión, por tratarse de muestras o detalles muy menores y para no recargar la información de las tablas o pies de fotografía, de manera que pueda seguirse la argumentación más fácilmente.

Salve Regina *Ave Maria* *Joseph* *Regiment* *Sta. Catherina*

Ahora bien, no se trata de un modelo exclusivo de Cofman, ni siquiera de la imprenta valenciana, porque el *Typenrepertorium der Wiegendrucke* lo cataloga en numerosos talleres europeos, entre los cuales hay otros cuatro hispánicos, todos, eso sí, de la Corona de Aragón:[641] los valencianos de Pere Hagenbach y Lleonard Hutz, y de Nicolau Spindeler; y los de Joan Luschner en Barcelona y Montserrat. En cada uno de ellos, como es lógico, se asocia a una tipografía concreta, según la siguiente tabla:

M38

Impresor(es)	**Tipo-GW**	**TW-ID**
Pere Hagenbach y Lleonard Hutz	1:99G	ma11999
Nicolau Spindeler	8:97G	ma12960
	8*:96G	ma13373
	9:99/100G	ma11793
	10:101G	ma13376
Cristòfol Cofman	1:102G	ma13499
	3:76G	ma13501
Joan Luschner (Barcelona)	1:98G	ma12311
Joan Luschner (Montserrat)	1:100G	ma12207

La tipografía gótica de Cofman que Aguiló sugiere que comparten los tres impresos del *Nazareno* sería la primera de ellas (1:102G), habida cuenta de que identifica los tipos de los pliegos del *Ave Maria* y de la *Salve Regina*. De esta manera, a pesar de tener que recurrir en el primero de estos pliegos tan solo a nueve líneas de escritura, al tratarse de un impreso con coplas de diez versos, el resultado es indudable: una medida de *c.* 102 mm,[642] que está lejos de los 76 mm de la otra tipografía de este impresor que incluye la M38 (3:76G). Esta es la misma tipografía que presentan los dos primeros incunables datados de Cofman, el *Regiment de la cosa pública* de Francesc Eiximenis y *La vida*

641 Para el listado de talleres en relación con los diseños de las *M* y, en especial, del amplio alcance del modelo M38, véase la tabla que ofrece el *Typenrepertorium der Wiegendrucke*: https://tw.staatsbibliothek-berlin.de/html/alltypes.xql.

642 Tomo las medidas de h. 1ʳ, col. b., 2ª estr. y de h. 2ʳ, col. b., 2ª estr., que en ambos casos me ofrecen 46 mm, esto es, a partir de la consecuente regla de tres, una medida de 102’2 mm.

de sancta Catherina de Sena de Miquel Peres, que sí que nos ofrecen veinte líneas de escritura para tomar unas medidas no aproximativas, que confirman, en última instancia, las del pliego poético del *Ave Maria*.[643]

Esta sería, por tanto, la tipografía que debería corresponder al pliego de la *Salve Regina*, si diésemos validez a lo propuesto por Aguiló, pero la medida equivalente a las veinte líneas de este impreso entra en conflicto con las de 1:102G de Cofman. El contexto que nos ofrece más líneas de escritura mesurables, nueve en total, es el poema uniestrófico en decasílabos que precede a la oración trovada principal, que alcanzan los 44 mm, esto es, 97'7 mm para 20 líneas extrapolando el dato a esta extensión.[644] Con esto, estaríamos ante una tipografía 97/98G, lejos de la 102G o 102/103G de Cofman.

El resto de tipografías valencianas o catalanas que incorporan la M38 se mueven en una horquilla entre los 96 y los 101 mm, según el GW y el TW, como he podido ratificar sobre varios originales de cada taller. Hay que recurrir, por tanto, a una comparación morfológica de los tipos que permitan afinar aún más el análisis y contemos, así, con datos fehacientes sobre los que fundamentar el estudio. De nuevo, parto del *Typenrepertorium der Wiegendrucke* y remito a él para las letrerías completas de siete de las nueve tipografías hispánicas en cuestión,[645] que son las disponibles de momento en este repertorio,[646] mientras que para el estudio morfológico de los tipos de Hagenbach y Hutz, y los del taller barcelonés de Luschner, ausentes a día de hoy del TW, recurro a los incunables directamente.[647]

643 Del *Regiment de la cosa pública* tomo medidas de las h. $b1^r$, $d3^r$ y $h1^r$, y de *La vida de sancta Catherina de Sena* lo hago a partir de las h. $b1^r$ y $b5^r$, que en todos los casos son 102 mm. o, si acaso, 102/103 mm. Sin embargo, *La vida de sant Honorat*, que precede en el volumen facticio de la BHUV a *La vida de sancta Catherina de Sena*, tiene una medida de 100 mm para veinte líneas, tomada de las h. $c2^r$ y $c5^r$.

644 Del título en prosa y de las estrofas de la *Salve*, podemos obtener siete líneas de medida, que, en ambos casos, corresponde a 34 mm, lo que equivaldría a 97'1 mm en la medida completa o estándar.

645 Más allá de que haya quedado descartada, por evidente diferencia de medidas, la tipografía menor de Cofman (3:76G).

646 Aunque sí que se ofrecen escaneadas las 2.460 placas que, como material complementario al repertorio tipográfico de Haebler, publicó la *Gesellschaft für Typenkunde des Fünfzehnten Jahrhunderts*, que contienen muestras tipográficas y, en ocasiones, con letrerías completas, no es el caso de las otras dos tipografías que aquí nos ocupan y que no desarrolla el TW. En la última columna de la izquierda de cada tipo, en la página dedicada por el *Typenrepertorium* a cada taller, se ofrece el enlace a estos materiales del GfT, cuando existen.

647 Lo he hecho también, para las medidas y la morfología de los tipos, para los de Cofman y Spindeler, a partir de los ejemplares conservados en la BHUV y, en lo que respecta al diseño, he recurrido, de igual manera, a reproducciones digitales, tanto de Biblioteca de Catalunya, como a través de los enlaces a ejemplares concretos de otras bibliotecas que ofrece el GW y el TW.

El punto de partida es, en efecto, la M38, compartida por todos los impresores y las tipografías en cuestión, por lo que hay que recurrir a la comparación de otros tipos, como se ha hecho desde el propio *Typenrepertorium*, para singularizar las letrerías de Spindeler, precisamente en relación con otros de los impresores de esta lista cuyos diseños tipográficos necesitamos delimitar. Para la tipografía 9:99/100G de Spindeler, dice el TW lo siguiente: «Der im gedruckten GW Spindeler zugeschriebene Druck GW07365 ist nach BMC Peter Hagembach und Leonhard Hutz (Valencia, Offizin 5) zuzuschreiben». La referencia GW07365 es, sin embargo, incorrecta, de otro *Confessionale* impreso en Florencia, puesto que al que se refiere esta cita es, en realidad, al salido de unas prensas valencianas el 25 de febrero de 1493, esto es, GW07375, en cuya ficha se recoge esta propuesta del TW: «Valencia: [Nikolaus Spindeler] [vielmehr Peter Hagembach und Leonhard Hutz], 25.II.1493». Además, en la entrada correspondiente a Hagenbach y Hutz nos aporta un matiz morfológico entre la letrería 1:99G de estos y aquella de Spindeler con la que se ha confundido: «ähnlich Type 9:99/100G bei Nikolaus Spindeler (Valencia, Offizin 4), aber A mit Balken und h rund» (TW). En efecto, ambas grafías acercan este *Confessional* de 1493 a la tipografía de los impresos del taller de Hagenbach y Hutz en esas fechas, frente a un tipo de Spindeler, que data el TW en 1498:

Impreso(re)s	A	h
Confessional		
La Istòria de la Passió		
Hores de la Setmana Sancta		
Furs		
Spindeler 9:99/100G		

La metodología comparativa ha de partir, en cualquier caso, del propio pliego de la *Salve Regina*, que, a pesar de sus cuatro hojas, nos ofrece un alfabeto amplísimo, porque tenemos la suerte de que, al ser poesía, cada verso se inicia con mayúscula. De hecho, contamos con toda la letrería mayúscula a excepción de la *X* y de la *Z*. De este ejercicio, se evidencia lo alejados que están los diseños de su letrería respecto de los tipos 8:97G y 8*:96G de Spindeler, que descarto por su obviedad. Algo menos distante es la diferencia entre su letrería 9:99/100G y la del impresor de la *Salve Regina*, pero también muy clara y fácil de observar a simple vista si ponemos en paralelo este juego de tipos de Spindeler y el correspondiente a la tipografía 1:102G de Cofman, prácticamente idéntica a la de Hagenbach y Hutz, como veremos:

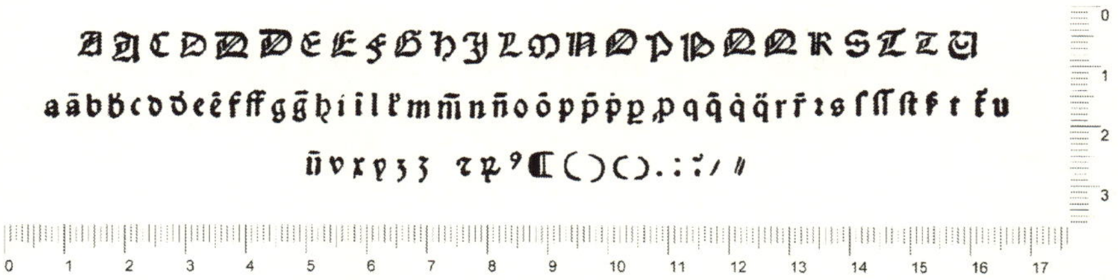

Valencia, Spindeler, 9:99/100G (TW)

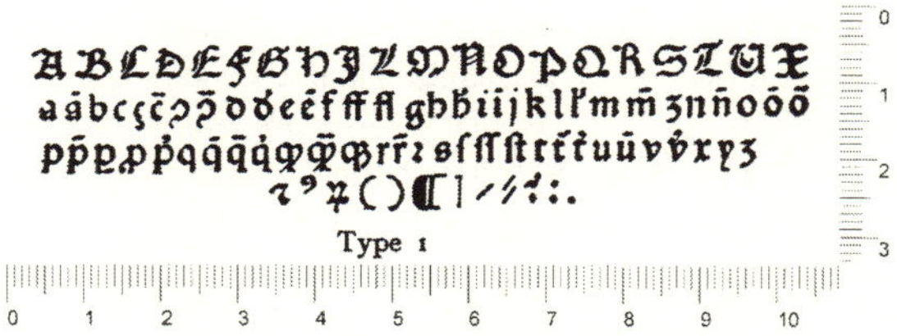

Valencia, Cofman, 1:102G (TW)

El ejercicio es suficiente, por tanto, para descartar a Spindeler como impresor de este pliego poético. Así se sugiere, también, en el caso de Luschner, tanto en su taller de Barcelona, como en Montserrat,[648] que, a pesar de compartir algún diseño con el impresor de la *Salve Regina*, como, por ejemplo, la característica *Q* de ambos, cuenta con tipos muy diferentes a los de este pliego poético, incluso singularizándose ligeramente en ciertos trazos del diseño de la M38. Recurro para este ejercicio a la *A* y la *h*, que había destacado el *Typenrepertorium* para distinguir dos de estas tipografías valencianas, así como la *U*, el doble guion y el calderón, además de la *M*, con esa sutil diferencia del caído derecho, entre otras, más horizontal en Luschner que en el pliego poético de Vilaspinosa, o, en el caso del izquierdo, menos anguloso también en los tipos catalanes:

648 Utilizo el *De Regimine principum* impreso en Barcelona en 1498, de donde extraigo las imágenes de los tipos, porque comparten los diseños en cuestión, así como la letrería completa que el *Typenrepertorium* ofrece para el tipo 1:100G de Luschner en Montserrat.

IMPRESOR	M	A	h	U	//	C
Impresor *Salve*	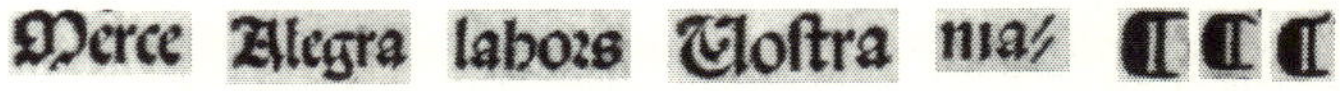					
Luschner						

Quedan, por tanto, dos tipografías que podrían corresponder a aquella con la que se imprimió el pliego de la *Salve Regina*: una de Cofman y otra de Hagenbach/Hutz. No debe pasarnos desapercibido que ambas son valencianas, porque no lo hizo ya entonces a Serrano y Morales al hablar de las semblanzas entre estas letrerías, como un modelo o diseño que se tenía de referencia a la hora de fundir los tipos en Valencia:

> Como no hemos visto ejemplar de este último libro [las *Questiones magistrii*, 1500], nos ha sido imposible comparar los caracteres que en él se usan con los de las obras de Cofman; pero aun suponiéndolos iguales, no probaría esta circunstancia la identidad de ambos impresores, puesto que tanto los libros citados en el artículo de Albert como los impresos á expensas de Jacobo de Vila por Hagembach y Hutz, y otros de aquella época sin nombre de impresor, se hallan estampados con letra igual ó muy semejante, que creemos que era de la que entonces se fundía en Valencia (Serrano y Morales 1898-1899: 78).

En efecto, es una estética determinada y muy característica de la tipografía valenciana, hasta el punto de que ambas letrerías, de Cofman y Hagenbach/Hutz, son prácticamente idénticas, de una proximidad tal que es difícil distinguirlas, al menos desde una perspectiva morfológica. No contamos todavía con una letrería del *Typenrepertorium* para estos tipos de Hagenbach y Hutz, pero sí de Cofman, a la que remitimos, aunque en un caso y otro recurriremos a impresos originales de un taller y otro para la comparación.

La sutileza morfológica es tal, que es difícil declarar a partir de ella que se trata de juegos de letrerías diferentes. A pesar de ello, se llega a observar un remate inferior del redondeado de la *h* —e, incluso, el del alzado o asta superior— y un trazado inferior de la *S* que presenta diferencias ligeras, pero más o menos mantenidas, entre la tipografía de la *Salve* y la de Cofman.[649] No son un argumento definitivo, sin embargo, a diferencia de lo que ocurre, a mi parecer, con las medidas de las veinte líneas de escritura, puesto que la tipografía de la *Salve Regina* y la 1:102G de Cofman llegan a diferir hasta en 5 mm, poco más o poco menos.

649 Los ejemplos están tomados de *La vida de sancta Catherina de Sena*.

Impresor	M	A	h	S	//	C
Impresor *Salve*	Mare	Alegra	labors	Salue	nia⸗	C CC
Impresor *Ave Maria*	Mare	Ans	hom	Serem		CC
Hagenbach/Hutz	Moſtra	Al	ſanch homēs hinc	Siuilla Sed	Suſcepe⸗ dici⸗ Sen⸗ bu⸗	C C C
Cofman	Moſſen Miraua	Ari	parabis humil dōchs	Sena	vo⸗	C

He comprobado esas medidas sobre los dos primeros incunables de Cofman datados y atribuidos explícitamente, cuyas veinte líneas tipográficas confirman los 102/103 mm, como lo hace, incluso, el pliego del *Ave Maria*, a pesar de ser una medida extraída de un número menor de líneas y extrapolada al total mesurable, por aproximación. Si esto es así en este pliego, con tal grado de exactitud, que corresponde con la medida de esta tipografía de Cofman, llama la atención que no ocurra de la misma manera con el impreso de la *Salve Regina*, cuya discrepancia cuantitativa no puede salvarse, en consecuencia, por su carácter aproximativo. No solo porque no lo justificarían los datos del *Ave Maria*, sino porque la otra tipografía idéntica morfológicamente a la de Cofman, esto es, la de Hagenbach y Hutz, sí que presenta estas medidas y lo hace de manera regular. A pesar de ser catalogada como 99G, solo en el ejemplar dels *Furs* que he consultado, del que, en efecto, obtengo esa medida para veinte líneas tipográficas, tal circunstancia debe originarse en el hecho de tratarse de un papel muy arqueado por la humedad, porque, en realidad, se trataría de los 98 mm que confirman los ejemplares de otras ediciones, como ocurre en *La istòria de la Passió* (h. k4^{r} y l2^{r}) o en las *Hores de la Setmana Sancta* (f. CL^{r}).[650] Y no es baladí ni casualidad, por tanto, que estos datos se correspondan con las medidas de la tipografía de la *Salve Regina*, que, en efecto, es una 98G.

Marià Aguiló adscribió al taller de Cofman este impreso por la coincidencia del diseño en toda la letrería, en los términos que hemos visto, pero

650 En el f. CXIII^{r} se obtiene, incluso, la medida de 97 mm.

sus medidas apuntan en sentido contrario, lo que Romero Lucas justifica así:

> Es la primera letrería empleada por Pedro Hagenbach y Leonardo Hutz en Valencia. Aparece en 1491. Comparte aparición con la siguiente gótica. Es la letra de la mayor parte de texto. No obstante, desde 1498, tras un periodo de tres años sin utilizarla, pasa a ser la letrería más frecuente (para la mayoría de texto) de Cristóbal Cofman. Pero las matrices volvieron a abrirse para obtener los tipos y la justificación fue mayor obteniendo un tipo 102-G, que hemos llamado 9B (Romero Lucas 2005a, I: 80).

Ahora bien, que la justificación técnica sea esta para tal grado de coincidencia del diseño —en coherencia con lo sugerido por Serrano y Morales, pero dando un paso más allá— no implica que la tipografía de cuerpo ligeramente menor o con mayor justificación pueda atribuirse al taller de Cofman, quien ofrecerá, años después y sistemáticamente, una tipografía 102G. El pliego poético de la *Salve Regina* es, en definitiva, un impreso incunable[651] salido del taller de Hagenbach y Hutz, en un arco que, para esta tipografía,[652] el *Typenrepertorium der Wiegendrucke* establece entre 1493 y 1495, pero que Vindel sugiere, con razón, que debería iniciarse en 1491, porque ya la utiliza la *Imitació de Jesuchrist i menyspreu de aquest món*, que se data en Valencia el 21 de febrero de 1491.[653]

Las fechas y el impresor son, sin duda, coherentes con el producto y las propias prácticas del taller, en los términos que ilustran, por ejemplo, su episodio con la *editio princeps* del *Quart del Cartoixà* de Joan Roís de Corella (Martos 2014b y 2014e). El editor o editores que imprimen en el taller de

651 En coherencia con lo que ya había intuido Justo Pastor a principios del siglo XIX, al considerar que «parece de fines del siglo XV» (Fuster 1827: 66).

652 A partir de la reciente tesis doctoral de García-Cervigón (2019: 147-149), habría que retrasar hasta 1496 la producción de este taller valenciano —el TW también alarga el arco a ese año, pero sin adscribirle ninguna tipografía concreta—, pues le atribuye también el *Primer del Cartoixà* de Joan Roís de Corella, según me hace ver Fermín de los Reyes, a quien, además, le agradezco la lectura de este epígrafe. Si no amplío el arco cronológico de esta tipografía (98G) es porque, en realidad, este impreso no se imprime con ella, sino, según indica Romero Lucas (2005a, II: 271-275, nº 60), con otras de mayor formato (103G y 150G).

653 Y, por tanto, habría que adscribirla también a este taller: «Desde 1491 hasta 1495 se estamparon con estas letrerías de Hagenbach y Hutz todas las obras que figuran bajo los núms. 34, 39, 41, 46, 50, 51, 54 y 55, y que carecen de impreso, por lo que las atribuimos a los citados tipógrafos» (Vindel 1946: XXIX). En este sentido se expresa también el *Catalogue of Books Printed in the XVth Century now in the British Library* (BMC 1971, X: 20-21) y así lo acepta, de igual modo, Romero Lucas (2005a, II: 151-155, nº 31).

Hagenbach y Hutz[654] sabían bien del éxito editorial de los textos sobre la Pasión, pues de sus prensas salió *Lo Passi en cobles* en 1493 y esa debió de ser, de hecho, la causa de que se alterase el orden editorial del *Cartoixà* de Joan Roís de Corella, por meros intereses comerciales. Este incunable poético de 1493 contenía dos textos de colaboración de Bernat Fenollar con otros dos autores valencianos, Pere Martines y Joan Escrivà, respectivamente, rematados por un poema de cierre de Joan Roís de Corella. Este interés evidente por materiales religiosos emanados de este grupo de poetas no puede pasarnos desapercibido, porque, como hemos visto, el incunable de *Les trobes* tenía relación directa con Fenollar.

La dureza de la peste de 1489-1490 generó mucha literatura penitencial y piadosa de uso privado, que, a menudo, se vehiculó a través de impresos breves, de lo que podemos citar muchos ejemplos, pero destacaría aquí el pliego de ocho hojas de la *Omelia sobre lo psalm De profundis*, de Jeroni Fuster, salido de las prensas de Lambert Palmart el 15 de abril de 1490. Es un pliego incunable que ya incorpora poesía, no lo olvidemos, aunque acompañando a la prosa, como en el caso de la *No poch devota oració de Jhesús, redemptor nostre crucificat*, de idénticas características y quizás anterior, si no poco posterior.[655] Tanto esta *Omelia* construida sobre el salmo *De profundis*, como la de Narcís Vinyoles sobre el *Miserere mei*, que la imita, no solo se conservan en ejemplar único en el *Nazareno*, ni comparten exclusivamente el hecho de tratarse de impresos incunables con poesía valenciana, sino que esta poesía, en realidad, sigue el esquema de las oraciones trovadas, en tanto que los salmos, como plegarias, lo son: encabezan las estrofas los versos en latín, que se desarrollan, a continuación, en coplas esparsas, como remate de las diferentes secciones de las homilías literarias, si no es que, en realidad, se construyen a partir de estas glosas líricas.

Este modelo editorial, no solo temático, sino en cuanto al formato de pliego suelto, conteniendo ya poesía, aunque no exclusivamente en verso, no obliga a remitir, por tanto, al taller de Cofman y al paso del siglo XV al XVI para el impreso de la *Salve Regina*, como parece ser que entendió Aguiló, porque, con ello, anularíamos la evidencia de pliegos valencianos exclusivamente

654 Si bien se documenta, fundamentalmente, a Jacobo o Jaume de Vila como editor de sus primeros impresos.

655 «Los tipos de impresión tienen algo de particular y extraño que hace imposible adivinar la imprenta de que pudo salir. Es indudablemente del siglo X (y quizás de 1480 al 90). No tiene colofón ni dato alguno para adivinar en qué punto se imprimió» (Aguiló 1923: 542-543, nº 2097). Su antigüedad, en cualquier caso, es evidente. Romero Lucas (2005a, II: 209-212, nº 46) propone datarlo *c.* 1494 y atribuirlo a Miquel Albert y Pere Trincher, aunque es una cuestión abierta sobre la que habrá que volver en otro contexto.

poéticos ya en época incunable. Más aún porque la existencia de estos pliegos se debe, de nuevo, a la suerte de haberse incorporado al *Nazareno* [CF/4(6) y CF/4(17), respectivamente], como vía de conservación que resultó muy eficiente para estos formatos editoriales. Imaginemos los que se pudieron imprimir durante la peste y cómo se sumarían a su frágil conservación, derivada de su pobre entidad física, las circunstancias sanitarias, que pudiesen haber contribuido a acabar con buena parte de los ejemplares de este tipo de impresos económicos y de amplio alcance popular. Y a todo esto habría que sumar que, precisamente, ese, quizás, primer pliego valenciano con poesía, que contendría el primer grabado documentado en los talleres de esta ciudad, aquella rica y conocida xilografía de la Virgen del Rosario, había salido de las prensas de Lambert Palmart, el impresor de *Les trobes en lahors de la Verge Maria*, de cuyo certamen, como hemos visto, debió de formar parte la *Salve Regina* de Vilaspinosa.

Y volviendo al propio texto poético en cuestión, recordemos que, en el ejemplar único conservado de este pliego poético, una mano antigua añadió una *tornada* que no debía de ser ajena a él, por sus características técnicas, como el hecho de retomar la rima de la estrofa anterior, entre otras. Pero hay un detalle de mayor interés, si cabe, al objeto de lo que aquí se justifica: el copista de estos versos era el mismo que había transcrito un poema completo en las hojas en blanco añadidas al final del impreso de *La omelia sobre lo psalm del Miserere mei Deus* de Narcís Vinyoles,[656] que seguía el modelo del pliego de Jeroni Fuster impreso por Palmart en 1490.[657]

Pero es que no solo este rasgo paleográfico y lo que implica para su transmisión textual relacionan la *Salve Regina* de Vilaspinosa y este poema manuscrito en los márgenes del *Nazareno*, sino que este último es, asimismo, una oración trovada, en este caso del *Ave Maria* y ambas, de igual manera, singularizadas en común dentro del marco de este género poético.[658] Hay mecanismos que evidencian la misma concepción técnica de ambos poemas: no se trata de oraciones trovadas que traducen el original latino, sino que, propiamente, lo glosan y dedican cada estrofa a hacerlo, no a partir de versos completos, sino de palabras individuales o, raramente, sintagmas muy breves, de manera que cada verso original acaba dando lugar a diferentes estrofas del poema valenciano. En ambos casos, se incorpora la palabra latina no solo

---

656 Como demuestran, entre otras peculiaridades paleográficas, la *T* mayúscula, la *s* larga y la *f* minúscula, que caracterizan e individualizan su escritura.

657 Este de Vinyoles, sin embargo, se imprime en 1499 y sale del taller de Spindeler, otro incunable con poesía, por tanto, a imitación de esos impresos de principios de la última década del siglo xv.

658 Para el estudio y edición crítica de esta *Ave Maria* trovada, véase Martos 2022b.

al inicio del primer verso y, por tanto, de la estrofa propiamente dicha, sino que se reproduce inaugurando todos sus versos impares, como evidencian, a manera de ejemplo, sus dos primeras y respectivas estrofas:

Salve Regina
Salve tu, immaculada,
verge pura sens peccat!
Salve tu, qui·ns has portada
la divinal majestat!
Salve tu, goig de l'Altisme
hon pres carn lo Fill de Déu!
Salve tu, puix El te feu
advocada del prohisme!

Regina de l'alt regisme
e dels cels emperadriu.
Regina sense soffisme,
mare del fill de Daviu.
Regina, mare molt sancta,
il·lustrada de l'Etern.
Regina, dels cels govern
e de quant lo món amanta.

Ave Maria
Ave, flor immaculada,
bellea del Redemptor.
Ave, tu, sanctificada,
estel de gran resplandor.
Ave, ferma esperança
de nosaltres peccadors.
Ave, sola confiança
dels posats en grans tristors.

Maria per Déu eleta,
de les vèrgens la pus noble.
Maria, tu preheleta
per a rembre tot lo poble.
Maria, mare molt digna
de Jhesús omnipotent.
Maria, verge benigna
per qui·ns ve lo salvament.

El estrecho parecido está lejos de ser una coincidencia, porque no es una estrategia habitual en otras oraciones glosadas, que recurren a recursos paralelos, a excepción también de la glosa del *Ave Maria* impresa que precede al pliego de Vilaspinosa en el *Nazareno*, lo que no deja de ser también sintomático, a pesar de que, en este caso, contiene dos versos más por estrofa. No debió de ser casualidad tampoco, por tanto, que fuese una misma mano la que copiase estos dos textos, el *Ave Maria* manuscrita y la *tornada* de la *Salve Regina*, y que los distribuyese en dos lugares diferentes del *Nazareno* y tan *ad hoc*, respectivamente: un extenso espacio en blanco al lado de otra oración glosada en verso, el *Magnificat*, copiada por otra mano anterior, y al final de la *Salve Regina*, completándola, probablemente, porque debía de tener otra copia del poema,[659] quizás en ambos casos tratándose de impresos o, incluso, de otros pliegos sueltos similares.

Sea como fuere, el poema manuscrito en cuestión, muy estrechamente relacionado con Pere Vilaspinosa, se dataría, precisamente, entre 1489 y 1490, durante la peste que azotó Valencia —que generó numerosos productos impresos breves de estas características—, como sugiere Aguiló (1873-1900), con acierto, a partir de los siguientes versos: «*Tu*, puix est la nostr·anpara, / la

659 Ni, quizás, en definitiva, debió de ser fortuito tampoco que se encuadernasen juntos los pliegos CF/4(11) y CF/4(12).

mortaldat fes passar» (vv. 61-62). Vilaspinosa se debió de haber especializado en el género de las oraciones trovadas, lo que justificaría perfectamente la impresión exenta de este pliego suelto, en términos de interés comercial, porque hay evidencias de que, en aquellas mismas fechas, aún producía[660] este tipo de composiciones, que debieron de llegar a la imprenta, de lo que el pliego poético de la *Salve Regina* es solo una muestra, eso sí, la más temprana de las conservadas.

En definitiva, tanto la materialidad del pliego poético de la *Salve Regina* de Pere Vilaspinosa, como los aspectos socioliterarios que enmarcan su impresión, avalan que este impreso poético salió de las prensas valencianas de Pere Hagenbach y Lleonard Hutz *c.* 1491-1495. Fue, por lo tanto, pionero en su formato o, al menos, se trata del primer espécimen conservado de estos pliegos valencianos estrictamente poéticos.

660 No tengo dudas de que, por los rasgos técnicos de ambos poemas y la coincidencia cronológica con la impresión de la *Salve Regina*, este poema manuscrito era también de Vilaspinosa. En el hipotético caso de que no lo fuese, la propia existencia en esas fechas de un poema que lo imitaba no restaría fuerza al argumento.

4. La *Salve Regina* y *Les trobes en lahors de la Verge Maria*

No hay duda de que la *Salve Regina* de Pere Vilaspinosa formó parte de un certamen poético, porque nos lo dice su propio título o rúbrica, que remite a un *consistori*, a una *joia* y a una *sentència*. Por el poema de envío o dedicatoria que la precede, cuyo destinatario es el virrey Lluís Despuig, es muy probable que fuese el de 1474, que dio origen a *Les trobes en lahors de la Verge Maria*. Sin embargo, ni esta composición ni ninguna otra de Vilaspinosa se encuentran en este primer cancionero impreso, ni, como se ha puesto en relieve desde hace más de un siglo, coincide la tipografía de ambos incunables poéticos: «El papel, en ambos impresos, tiene la misma marca; no así los tipos, que en les *Trobes* son redondos, y en éstas de tortis» (Aguiló 1923: 554, nº 2107). Se abre, con ello, una serie de incógnitas, la mayoría de ellas expresadas por Marià Aguiló y Antoni Ferrando, a las cuales intentará dar respuesta este epígrafe conclusivo.

Que se tratase del certamen de 1474 no implica que hubiese que datar también en esa misma fecha el pliego poético de la *Salve Regina*, a pesar de que Aguiló creía haber identificado su mismo papel en la edición de *Les trobes*. No es así, como se ha demostrado en este trabajo, sino que se trata, simplemente, de diseños diferentes del modelo de filigrana de la mano con flor o estrella; sin embargo, Concheff (1985: 138, nº 1446) recoge y destaca este dato en su breve entrada para concluir de él la datación de este pliego entre 1474 y 1478, coherente con la hipótesis de determinar a Despuig como su editor. No obstante, Romero Lucas considera esta última fecha en sentido contrario, como *terminus post quem*.[661] Despuig fue, sin duda, el editor de *Les trobes* y, aunque la *Salve Regina* habría formado parte del mismo certamen, eso no implicaría que el pliego poético hoy conservado fuese de esa

661 «Lo que parece es que es una reimpresión porque Luis Despuig dejó el virreinato en 1478 y antes de esa fecha no se pudo reimprimir; Palau 27 R. 368843» (2005a, II: 1119, nº 247).

fecha, como, de hecho, se ha demostrado aquí, al datar su tipografía entre 1491 y 1495.[662]

Justo Pastor Fuster había destacado, por primera vez, la incoherencia de la primera parte del título del pliego poético, que, en realidad, es un hilo del que tirar para desentrañar el contexto socioliterario del impreso y del poema en cuestión, como suele ocurrir con muchos errores de transmisión textual o con ciertas huellas del proceso editorial:

> *Salve Regina, feta per lo discret en Pere Vilaspinosa, notari de València, la qual el mateix, per honor del loable consistori, lo dia que·s publicà la devall scrita sentència de la demunt dita joya de les lahors de la Verge Maria, aquella spandí e publicà.*[663]

De esta manera, se reconstruye aquí el contexto del certamen en que se leyó, pero también el del propio impreso del que formaba parte, a través de estrategias de referencia, en términos de cohesión, como es la deíxis discursiva, según la cual se remite a una parte anterior del impreso en que se hacía referencia a la *joia* y a otra posterior en la que se había transcrito la *sentència*. Sin embargo, ni una ni otra se encontraban en este impreso, lo que llevó a Fuster (1827: 66) a pensar que este ejemplar único estaba mútilo, pero su integridad, como se ha demostrado aquí, es indudable, por contenido, puesta en página y materialidad. Así lo mantiene aún hoy el GW (M50468), que lo considera una edición dudosa (*Zweifelhafte Ausgabe*) y un fragmento de un incunable más extenso (*Fragment eines umfänglichen Druckes*). Es este último aspecto el que habría que matizar, de nuevo, porque no es lo mismo provenir físicamente de una edición previa, que haberse extraído sus contenidos de ella, como original de imprenta, que es, en realidad, lo que encontraríamos aquí y de lo que no dejaría duda su propio título, con referencias internas provenientes de esa fuente reproducidas literalmente y que no se habrían depurado, así, en la formación del pliego.

Aunque Marià Aguiló se plantea inicialmente la hipótesis de si «estas cuatro hojas, ¿son parte de un libro?», concluye la integridad del pliego suelto a partir de la diferencia entre los tipos de *Les trobes* y la *Salve Regina*: «¿Será que dicho certamen se reimprimiese con esta edición? La ignorancia de toda reimpresión y su falta de signatura, me mueven á creer que este pliego se imprimió suelto» (Aguiló 1923: 554, nº 2107). Pero, ¿de dónde provienen esos materiales si no estaban en *Les trobes*? ¿Cuál es su fuente o su original?

---

662 Y, por tanto, Despuig no pudo haber sido su editor, una premisa que parece implícita en las palabras de Romero Lucas.

663 Cito a partir de mi edición crítica, a la que remito (Martos en prensa).

Al recoger esta conclusión, Antoni Ferrando la resume así: «Segurament té raó Marià Aguiló (*Catálogo*, núm. 2017) quan suggereix que es tracta d'un plec solt totalment independent de l'edició de *Les Trobes*» (1983: 346).[664] Las ediciones de *Les trobes* y de la *Salve* que se nos han conservado son, en efecto, dos impresos diferentes, pero no necesariamente independientes en cuanto a sus contenidos. De hecho, Ferrando vuelve a dejar abierta la hipótesis de un certamen más amplio, del que solo se hubiese imprimido este poema: «Tot i amb això, no podem excloure la hipòtesi que el susdit plec gòtic de la *Salve* fos l'única part impresa d'un certamen no editat, avui perdut» (1983: 346).[665] Sin embargo, la rúbrica que precede al poema doble de este impreso y que funge como título del pliego apuntaría en otro sentido, porque no se explicaría sin una fuente previa de la que proviniesen las referencias internas que se han mantenido en el pliego.

El responsable de su composición se limitó a mantener la rúbrica de una fuente miscelánea, que enmarcaba ambos poemas, entendidos como una unidad, a la manera de los que encontramos, no por casualidad, en el cancionero incunable de *Les trobes en lahors de la Verge Maria*, al menos en dos ocasiones: en el poema, precisamente, de Bernat Fenollar (4/1 y 4/2) y en el de Pere Alcanyís (43/1 y 43/2). En el primero de ellos, además, el poema uniestrófico que precede a aquel con el que Fenollar responde al *Cartell*, aunque sin optar al premio, sigue las mismas características y función que el de Vilaspinosa, como poema de envío y en ambos casos dirigiéndose a Lluís Despuig, como patrocinador del certamen.[666]

No es esta la única coincidencia del pliego con *Les trobes*, además de la presencia de Lluís Despuig, sino que la última sección del cancionero incunable, la que contenía la sentencia del certamen, viene precedida de una extensa rúbrica, de características muy cercanas a esta que precede a la *Salve Regina* y su poema

664 «L'única cosa certa que sabem és que el primer imprés que ens ha arribat de la *Salve Regina* és en lletra gòtica i, per tant, prou posterior al 1474, i que confirma la devoció mariana i l'afecció per la poesia del virrei Despuig» (Ferrando Francés 1983: 165-166).

665 En este sentido había establecido, en unas líneas previas, cierta relación causa-efecto entre la rúbrica y la existencia de un testimonio escrito de un certamen desconocido: «Si observem atentament la rúbrica que la precedeix, on expressament es diu que fou composta "per honor del loable consistori lo dia que es publicà la *davall scrita sentència* de la *damunt dita joya* de les lahors de la Verge Maria" i que el seu autor, Pere Vilaspinosa, la compongué "per manament e consolació del dit spectable senyor Visrey", podrem fàcilment deduir que es tracta segurament de l'edició parcial d'un text, imprés o manuscrit, avui desconegut, que reproduiria les obres trameses a un certamen "en lahors de la Verge Maria", amb el seu cartell i sentència, convocat pel virrei Despuig» (Ferrando Francés 1983: 345).

666 «De moss*en* B*erna*t fenollar / preambol | dreçat al spectable senyor frare | Luis despuig / mestre de Mu*n*tesa | e Visrey en lo Regne de Valencia».

introductorio, por su carácter contextualizador y detallado, pero también porque utiliza, hasta en tres ocasiones, recursos de referencia endofórica similares para referirse a los contenidos del impreso: al mencionar la sentencia y el nombre de los jueces que la dictaron «(fonch donada e promulgada la devall inserta sentència per los demunt dits jutges»); y al hablar de los poetas que, antes de esta rúbrica, habían presentado sus poesías en este certamen («requirents los demunt scrits trobadors o la més part de aquels a qui presents constituïts fonch lesta e ordenada la dita sentència»). Todo apunta, por tanto, no solo al certamen de 1474, sino, incluso, a *Les trobes*, con una construcción discursiva de las rúbricas en términos muy similares y cuyo ejemplar está precisamente mútilo en la sección final, que recogía la publicación de la sentencia. Todo excepto la propia presencia de este poema de Vilaspinosa en este cancionero incunable.

Ha llamado la atención a Antoni Ferrando la ausencia de Pere Vilaspinosa y de otros poetas del círculo de Fenollar,[667] con los que llegó a producir poesía dialógica, como la *Contemplació* con Joan Escrivà, que acompañaba a la *Istòria de la Passió* en el impreso de 1493 de Hagenbach y Hutz, o la *Qüestió moguda per mossén Fenollar, prevere, a mossén Vidal, prevere, a en Verdanxa e a en Vilaspinosa, notaris, la qual qüestió és disputada per tots e d'aquells sentenciat per Miquel Stela*, que encontramos en el *Jardinet d'orats*. Escrivà y Vilaspinosa son, precisamente, dos de los tres autores que destaca Ferrando en este sentido y el tercero es Miquel Estela, el juez que sentencia la *Qüestió moguda*.[668] Sin

667 Martí de Riquer delimita ese círculo en los siguientes términos: «En seguir la producció literària de Mossèn Bernat Fenollar ens hem deturat a considerar la dels seus amics, els escriptors que amb ell col·laboraren o tingueren relació. Tot un diversíssim grup d'escriptors o de senzills amants i conreadors ocasionals de les lletres, centrat a València, entre 1458 i 1514, més o menys, ha aparegut al voltant de Fenollar: Ausias March, Rodrigo Dieç, Joan Roís de Corella, Joan Vidal, Joan Verdanxa, Pere Vilaspinosa, Miquel Estela, Francí de Castellví, Narcís Vinyoles, Joan Moreno, Jaume Gassull, Baltasar Portell, Jeroni d'Artés, Joan Escrivà, Pere Martines, Isabel de Villena, Isabel Suaris, Crespí de Valldaura i Nicolás Núñez. Mossèn Bernat Fenollar fa de pont entre dos móns diferents artísticament i allunyats en el temps: el món d'Ausias March i el món dels valencians que concorren als certàmens religiosos i que, en llur llengua materna o en castellà, són recollits al *Cancionero General* d'Hernando del Castillo i en les seves successives edicions» (1964: 364).

668 «Al llibre de *Les trobes en lahors de la Verge Maria* només figuren quaranta poetes, però el tema marià, en realitat immaculista, tan predilecte de la Corona d'Aragó, la solemnitat que li atorgava la convocatòria i presència del virrei, la participació dels més diversos estaments de la societat valenciana, la inclusió de poetes catalans i castellans, la manca d'altres notables poetes contemporanis, com Pere Vilaspinosa, Miquel Estela i Joan Escrivà i les referències que llegim a la introducció o cloenda de les impressions de diversos certàmens de l'època, ens fa sospitar que el nombre de poetes devia ser probablement major» (Ferrando Francés 1983: 166).

embargo, ni de Joan Escrivà ni de Miquel Estela[669] hay testimonio de participación no solo en *Les trobes*, sino en ningún otro certamen valenciano. Por pura probabilidad y por reconocimiento poético de ambos en los círculos literarios de la Valencia de ese último cuarto del siglo xv, sería extraño que, en todos los impresos derivados o en alguna noticia manuscrita, su sistemática ausencia se explicase por cuestiones de antología y selección.

De Vilaspinosa, no obstante, sí que nos consta que participó en el certamen inmaculista de 1486, con la composición «Lo Verb etern, egual Déu ab lo Pare», que dio lugar al segundo cancionero incunable valenciano, la *Obra de la Sacratíssima Concepció de la intemerada Mare de Déu*, también impresa por Lambert Palmart en Valencia en 1487. Este certamen tuvo cuatro premios, de cuya reorganización nos ha quedado huella, precisamente, en la incoherencia de los cambios que se produjeron durante el proceso editorial del cancionero incunable resultante.[670] El *robí* fue el de mayor valor y el que, de hecho, generó su convocatoria, con el *llibell* más extenso, cuya sección es aquella en la que se incluyen más poetas en este cancionero.[671] Sin embargo, se antepone a ella la correspondiente al premio del *radix Jesse*, materializado en una planta que simboliza la genealogía de María.[672] Vilaspinosa optó a él y,

669 «De qui sabem que provenia de Barcelona i que s'estava a València si més no el 1472. Més d'una vegada s'ha insinuat la possibilitat que participàs també en algun certamen valencià, tot i que no ens haja arribat cap testimoni. No seria gens estrany, ateses les relacions i els recursos que fa servir» (Martínez Romero 2018: 13).

670 «Los dos primeros *llibells*, el correspondiente al *robí* y al del *radix Jesse*, se incorporan en esta secuencia e inmediatamente después de la rúbrica inicial, tras la cual hay un poema en *codolades* que fue el *introit* leído por Ferran Dies para inaugurar el certamen en sí, al final del cual se incluye una copla de doce versos en decasílabos que se ha editado como parte del poema en metro narrativo. No preceden ambos *llibells*, por tanto, a sus correspondientes antologías poéticas, a diferencia de lo que sí que ocurre con los que habían optado al *marçapà* y a la *carta de navegar*, lo que supone una huella material de una cierta improvisación en el programa de premios, cuyo objetivo es, en última instancia, engrandecer el encuentro poético. A ello hay que sumar otro rasgo que desatiende la sistematicidad del impreso: la secuencia de premios de los *llibells* (*robí-radix Jesse*) se invierte en las secciones de poemas (*radix Jesse-robí*), de manera que la primera de ellas es la correspondiente al ganador de la *joia* anunciada por el segundo de los *llibells*» (Martos 2019b: 151).

671 Por ser el premio principal y, probablemente, porque hubo más participantes que en cualquier otro.

672 «Frente a este objeto principal del certamen, contrastan las razones por las que se convocaron el resto de premios. El *radix Jesse* tiene un valor meramente simbólico, a la manera de la sentencia del certamen de 1474, que —aunque quizás por otras razones—, otorgaba el premio no a un poeta, sino a la mismísima Virgen. El árbol de Jesé, el padre de David, representa la genealogía de Cristo, y aquel es la raíz de la cual surgen muchas ramas: una de ellas es la correspondiente a María, en la que nace

por ello, no nos puede pasar desapercibido su carácter simbólico, similar al de aquellos poemas que se presentan *tirant a l'honor*, normalmente incorporados a una sección final de estos cancioneros impresos.[673] Quizás era así porque se recitaban tras presentarse los que sí que concursaban, tal vez formando parte de la *performance* que se generaba alrededor de la publicación de la sentencia, puesto que no dejaba de tener un carácter festivo y un cierto ambiente que lo acercaba a otras manifestaciones socioliterarias de la Valencia de entonces, como las teatrales.[674]

Destaco esta circunstancia porque nos consta que el poema de la *Salve Regina* de Vilaspinosa no optó al premio, pero tampoco, estrictamente, *tirà a l'honor*, sino que tuvo un protagonismo especial en el acto de publicación de la sentencia, recitado por el poeta mismo, tal y como indica su rúbrica y como destaca Ferrando, precisamente por su relación con algunos de sus organizadores.[675] Su participación en ambos certámenes, de 1474 y de 1486, tenía, por tanto, unas similitudes importantes, en términos honoríficos, sin que encontremos ninguna intervención en la que opte a un premio de valor material. Y, en ambos casos, de igual manera, hay un reconocimiento poético a Vilaspinosa, porque el cancionero incunable de 1487 solo incorpora seis poemas que optaron al *radix*, entre los cuales se seleccionó el suyo y, además, se ofreció en tercera posición, justo después del ganador y del belicoso Pere d'Anyó,[676] por delante, incluso, del omnipresente Narcís Vinyoles.

Si esto fue así, ¿por qué no aparece la *Salve Regina* de Pere Vilaspinosa en el incunable poético de *Les trobes en lahors de la Verge Maria*? Ferrando

---

la flor que representa a Jesús. He aquí el simbolismo del *radix Jesse*, de un premio que se convoca con el objeto literario-teológico de elogiarlo, con posterioridad al del *robí*, con un *llibell* solo de catorce versos y con un objetivo tan pragmático como que el certamen aumente notablemente su número de participantes y la fiesta de la Inmaculada sea, de esta manera, un éxito cívico sin precedentes» (Martos 2019b: 152-153). Para el árbol de Jesé y su iconografía, véase Manzarbeitia 2009.

673 Algunos se desplazan junto a otro poema del autor, cuando hay duplicación, o a secciones relacionadas, pero es una práctica constatada la existencia de poemas que no optaron al premio, presentados *a l'honor*, reunidos al final del impreso.

674 En las cuales, como en el caso de los certámenes poéticos, también tenían un cierto protagonismo las cofradías.

675 Quien nos habla de «la possibilitat que a Vilaspinosa, amic, o si mes no contertulià, de Bernat Fenollar i de Joan Vidal, assessors del jurat, hi hagués estat reservat el paper extraordinari de participar-hi de manera extraordinària: només "per honor del loable consistori" i exclusivament "lo dia que es publicà la davall escrita sentència"» (Ferrando Francés 1983: 345-346).

676 Que acabaría generando un grave altercado en el certamen a San Cristóbal de 1488, de lo que quedó una huella importante en el cancionero incunable que se derivó de él. Véase Martos 2016b.

sugiere que hubiese sido por el carácter especial de esta poesía:[677] «Ens inclinem a pensar que si Fenollar no el va incloure en el llibre de *Les Trobes* és perquè la *Salve* de Vilapinosa no constituïa una troba pròpiament dita» (Ferrando Francés 1983: 346).[678] Se trataba, en efecto, de un poema con rasgos técnicos diferentes a los solicitados por el *cartell* o *llibell*, de más de cinco estrofas y sin una función de elogio estricto de María, sino más bien un ejercicio de glosa poética de una oración o antífona, perfecto para ser leído en un contexto festivo y cívico, en los términos descritos antes para este acto de la publicación de la sentencia, donde cabría la recitación de otros textos poéticos de tema mariano, con elogio añadido al propio patrocinador del certamen, el virrey Lluís Despuig.

Ahora bien, la *Salve Regina* sí que pudo haber formado parte de *Les trobes en lahors de la Verge Maria*, por una evidencia material que se ha demostrado en este trabajo y que era desconocida hasta ahora: el ejemplar único conservado de este cancionero incunable es mútilo. Lo es, con seguridad, de la última hoja del cuaderno que hoy lo concluye, pero nada descarta que se pudiese haber perdido, incluso, un cuaderno más, ya que sería a continuación de la *publicatio* de la sentencia[679] donde se encontrarían estos poemas que se habrían leído en este acto. Sabemos que el impreso debió de tener un colofón, similar a los primeros de Palmart, sin atribución a impresor, pero con lugar y año, porque lo vieron Rodríguez y Ximeno, que pudo haber estado en esa h. 60 del impreso original, pero también rematando ese otro hipotético cuaderno. Sería extraño, aunque no imposible, que se reservase la última hoja exclusivamente para el colofón, por lo que este cancionero incunable debería de haber contenido algún texto poético más, en los términos supuestos por Villarroya para

677 Descartando él mismo otro tipo de hipótesis más peregrina: «no és probable que una hipotètica enemistat temporal amb Fenollar, l'encarregat de preparar-ne l'edició de *Les obres o trobes en lahors de la Verge Maria*, hagués pogut prevaler sobre l'esperit integrador del cartell del certamen i sobre la voluntat del mecenas de la impressió, Lluís Despuig, a qui havia adreçat precisament la *Salve Regina* el nostre poeta» (Ferrando Francés 1983: 346). O dejando la puerta abierta, de nuevo, a tratarse de otro certamen desconocido: «O potser la *Salve Regina* revela l'existència d'un altre certamen en "lahors de la Verge Maria" que ens és avui totalment desconegut» (Ferrando Francés 1983: 165).

678 «Això ens indueix a concloure hipotèticament que la *Salve Regina* fou llegida el 25 de març de 1474, després de la celebració del certamen. Però ¿per què no la reproduí Fenollar en el llibre de *Les Trobes*? Potser Fenollar pensà que la *Salve* de Vilaspinosa no tenia res a veure amb el tipus de poesia del certamen. O potser la *Salve Regina* revela l'existència d'un altre certamen en "lahors de la Verge Maria" que ens és avui totalment desconegut» (Ferrando Francés 1983: 165).

679 Al cual Villarroya sugería que faltaba su referencia textual, para justificar su mutilación.

una tercera parte de la sentencia o incluyendo ya el inicio de la *Salve Regina* u otros poemas recitados también en ese acto que concluyó el certamen.

Desde luego la rúbrica del pliego y/o del poema doble de Vilaspinosa justifica que así ocurrió, pero también confirma que la referencia a la propia sentencia es catafórica («la devall scrita sentència»), esto es, se encontraría después de la *Salve Regina* y, sin embargo, no sería así en el incunable de *Les trobes en lahors de la Verge Maria*: si formó parte de él, se incluyó a continuación de esta, porque es donde se produjo la mutilación. Podría ser un error de la rúbrica por reordenación durante el proceso editorial, frecuente en los impresos posteriores, como los derivados de los certámenes de 1486 y 1487 (Martos 2019b y 2022a), pero poco habitual en *Les trobes*. Podría ser eso o, más bien, que esta *Salve Regina* se extrajo, en realidad, de una reedición en gótica de este cancionero incunable, reordenado o ampliado, lo que tendría más sentido, si cabe, si su artífice hubiese sido el propio Lambert Palmart.

Pensemos que del taller de este impresor salieron los tres incunables derivados de los certámenes patrocinados por Ferran Dies entre 1486 y 1488, un año después de su celebración respectiva, de los cuales este último debió de ser también su editor. Y, quizás, Palmart fue también el impresor del cancionero incunable que recogía el certamen de San Cristóbal de 1488, hoy perdido y, sin embargo, reimpreso por Pere Trinxer una década después,[680] lo que evidencia el interés comercial de estos productos poéticos, mantenido en el tiempo.[681] No solo se especializó Palmart en la impresión de incunables originados en certámenes, a cuyo taller, probablemente por esta razón, recurrieron sus diferentes patrocinadores y/o editores, sino que la celebración de los certámenes inmaculistas y ese clima socioreligioso que los generó, así como su propia publicación, debieron de ser un incentivo para reeditar *Les trobes en lahors de la Verge Maria*, ya en tipografía gótica. Aún encontramos a Palmart imprimiendo en 1490, precisamente otro impreso con poesía incorporada y tratándose de un pliego suelto, no solo el primero conservado de la imprenta valenciana, sino, además, con su primera ilustración xilográfica. Pero lo más importante de este pliego de Palmart es, de hecho, que contiene la primera oración trovada impresa en catalán: la glosa poética del

680 A diferencia de lo que expuse en su día en Martos 2016a, que se basaba en cuestiones socioliterarias, sobre todo; sin embargo, no todos los argumentos de materialidad justificaban un error en el colofón de tales características, ni en lo que respecta al orlado de la portada xilográfica, más tardía, ni a las posibilidades tipográficas de error en el colofón.

681 Incluso la sección inicial del *Cancionero General* se inaugura con poemas de Juan Tallante derivados de estos certámenes aún en 1511, los dos primeros, de hecho, datables en la década de los ochenta (1482 y 1486, respectivamente).

salmo *De profundis*, que una década después aún tiene éxito literario y editorial, pues Cofman imprime un impreso de características muy similares, de Narcís Vinyoles, sobre el *Miserere mei*. Si ponemos esto en paralelo con su *Ave Maria* y con otros impresos similares, entenderemos cómo del taller de Cofman salen impresos poéticos que retoman las modas editoriales de principios de los noventa, con productos similares y que aún tienen vigencia comercial.

La eclosión de estos nuevos formatos o soportes editoriales y la posible existencia de una edición en gótica de *Les trobes*, hoy perdida, de la cual se habría extraído la *Salve Regina*, como original de imprenta y sin modificar su rúbrica, explican la génesis de este pliego poético de Hagenbach y Hutz. Es el primero conservado, pero no necesariamente el primero impreso, por las dificultades de transmisión y conservación de este formato, más aún en un contexto de grave epidemia como la sufrida por Valencia, pero la propia copia manuscrita de la tornada de la *Salve Regina* y de un poema sobre el *Ave Maria* tan cercano a ella y atribuible también a Vilaspinosa, transcritos por una misma mano en el *Nazareno*, podría responder probablemente a la existencia de otros pliegos poéticos de similares características.

En definitiva, este pliego poético imprime un poema de Vilaspinosa que formó parte del certamen mariano de 1474, en cuya conclusión se debió de leer, acompañando a la publicación de su sentencia, en un clima festivo que debía de incluir el recitado de otras poesías, como la propia respuesta de la Virgen, compuesta por Fenollar, para agradecer la peculiar concesión del premio. El ejemplar de la *editio princeps* de *Les trobes en lahors de la Verge Maria* esta indudablemente mútilo, de una hoja, al menos, pero quizás con unas pérdidas de alcance mayor. El impreso conservado de la *Salve Regina* es íntegro, con huellas evidentes de rasgos que caracterizan *Les trobes*, en cuanto a las concomitancias con los otros dos poemas dobles y en lo que respecta a los mecanismos de deíxis discursiva o referencia endofórica, casi literales. El texto de este pliego proviene de una edición más amplia, en un ejercicio de composición bastante sencillo, que se limita a reproducir el fragmento seleccionado, adaptándolo a la medida del pliego, sin mayor actuación para resolver la incoherencia mantenida en su rúbrica en el proceso de reutilización. Esta edición pudo ser o no la *princeps* de 1474, porque está mútila y porque sus materiales, en ambos casos, provienen del mismo certamen, pero la ordenación de la sección final no respondería a lo indicado en la rúbrica de la *Salve Regina*, ya que la sentencia se antepondría a ella. La eclosión de certámenes marianos o hagiográficos en el segundo lustro de la década de los ochenta y su impresión a cargo de Palmart son suficientes para justificar un mercado editorial que demandaría o, al menos, explicaría la conveniencia de una edición en gótica de *Les trobes*, más aún porque hay reimpresiones de otros certámenes que así lo avalan, como ocurre con la propia actividad de Palmart en unas fechas en las que Valencia se ahogaba en una peste que, entre otros productos, generó mucha literatura devota y piadosa, experimentando con una brevedad mayor de los impresos, que, no por casualidad, comenzaron a incluir estampas de carácter devocional.

5. Bibliografía citada

Aguilar, Pascual (1894), «Advertencia del Editor» al *Primer libro impreso en España. Les Trobes en lahors de la Verge Maria, publicadas en Valencia en 1474 y reimpresas por primera vez*, ed. Francisco Martí Grajales, Valencia, Librería de Pascual Aguilar.

Aguiló i Fuster, Marià (1873-1900), *Cançoner de les obretes en nostra lengua materna mes divulgades durant los segles xiv, xv e xvi*, Barcelona, Librería de Alvar Verdaguer.

Aguiló i Fuster, Marià (1923), *Catálogo de obras en lengua catalana impresas desde 1474 hasta 1860*, Madrid, Sucesores de Rivadeneyra.

Ainaud de Lasarte, Juan (1962), «Grabado», en *Ars Hispaniae. Historia universal del arte hispánico*, 38, Madrid, Plus Ultra, pp. 245-261.

Allo Manero, Mª Adelaida (1997), «Teoría e historia de la conservación y restauración de documentos», *Revista General de Información y Documentación*, 7/1, pp. 253-295.

Alvar, Carlos (1991), «LB1 y otros cancioneros castellanos», en *Lyrique romane médiévale: la tradition des chansonniers*, ed. Madeleine Tyssens, Liège, Université de Liège, pp. 469-500 [reed. en *De poesía medieval con sus glosas agora nuevamente añadidas*, ed. y coord. Josep Lluís Martos, Alacant, Universitat d'Alacant, pp. 167-197].

Antonio, Nicolás (1788^2), *Bibliotheca Hispana Vetus, sive Hispani scriptores qui ab Octaviani Augusti aevo ad annum Christi MD floruerunt*, Madrid, Apud Viduam et Heredes D. Joachimi Ibarrae Regii Quondam Typographi, 2 vols. [1ª ed.: Romae, Typographia Antonii de Rubeis].

Aparisi Romero, Frederic (2021), «Noves consideracions al voltant de Bernat Fenollar, domer de la Seu de València», *Scripta*, 17, pp. 62-85.

Arronis i Llopis, Carme (ed.) (2007), *«La vida de sancta Catherina de Sena» de Miquel Peres*, Alacant, Universitat d'Alacant.

Askins, Arthur L.-F. (1984), «Dos pliegos góticos del siglo xvi perdidos y dos hallados», *El Crotalón. Anuario de Filología Española*, 1, pp. 863-875.

Askins, Arthur L.-F. (1985), «Notes for the "Diccionario de pliegos sueltos" of Antonio Rodríguez-Moñino», *El Crotalón. Anuario de Filología Española*, 2, pp. 591-600.

Askins, Arthur L.-F. (1986), «The *Pliegos sueltos* of the *Biblioteca Colombina* in the Sixteenth Century», *Romance Philology*, 39, pp. 305-322.

Askins, Arthur L.-F. (1988), «Muestrario de incunables hispánicos extraviados de la Biblioteca Colombina», en *El libro antiguo español. Actas del Primer Coloquio Internacional (Madrid, 18 al 20 de diciembre de 1986)*, ed. María Luisa López-Vidriero i Pedro M. Cátedra, Salamanca/Madrid, Universidad de Salamanca/Biblioteca Nacional de España/Sociedad Española de Historia del Libro, pp. 37-53.

Askins, Arthur L.-F. y Víctor Infantes (2014), *Suplemento al Nuevo Diccionario bibliográfico de pliegos sueltos poéticos (siglo xvi)*, Vigo, Academia del Hispanismo.

Barrera, Jaime (1928), «Roiç de Corella y su versión del Salterio», en *El Psalteri de Roiç de Corella. Edición gótica imitada sobre el incunable veneciano de 1490*, Sant Feliu de Guíxols, Octavi Viader Impressor, pp. I-XXIV.

Bas Carbonell, Manuel (1992), «Historia de los incunables valencianos», en *Bibliofilia Antigua*, 1, Valencia, Vicent García Editores, pp. 13-36.

Beltran, Vicenç (2010), «El *Cancionero general* (Valencia, 1511) y el *Cancionero de la Biblioteca Británica*», en *Da Papa Borgia a Borgia Papa. Letteratura, lingua e traduzione a Valencia*, ed. Nancy De Benedetto e Ines Ravasini, Lecce, Pensa Multimedia, pp. 121-150.

Beltran, Vicenç (2012), «*Quinientos años de Cancionero general*, en *Estudios sobre el Cancionero general (Valencia, 1511). Poesía, manuscrito e imprenta*», 1, ed. Marta Haro Cortés, Rafael Beltrán, José Luis Canet y Héctor H. Gassó, Valencia, Universitat de València, pp. 15-35.

[BETA] Faulhaber, Charles B., *et alii*, *Biblioteca Española de Textos Antiguos*, en *Philobiblon*, Berkeley, The Bancroft Library-University of California Berkeley, http://sunsite.berkeley.edu/Philobiblon/phhmbe.html [consulta: 29/12/2021].

[BITECA] Beltran, Vicenç, *et alii*, *Bibliografia de Textos Antics Catalans*, en *Philobiblon*, Berkeley, The Bancroft Library-University of California Berkeley, http://sunsite.berkeley.edu/Philobiblon/phhmbi.html [consulta: 06/07/2021].

[BMC] (1971), *Catalogue of Books Printed in the xvth Century now in the British Library. Part X: Spain. Portugal*, London, Trustees of the British Museum.

Bohigas, Pedro (1962), *El libro español (ensayo histórico)*, Barcelona, Gustavo Gili.

BOHIGAS, Pere y Amadeu J. SOBERANAS (1976), *Exposició commemorativa del V centenari de la impremta. El llibre incunable als Països Catalans*, Barcelona, Diputació Provincial de Barcelona.

BRIQUET, Jacques M. (1923): *Les filigranes. Dictionnaire historique des marques du papier dès leur apparition vers 1282 jusqu'en 1600*, Leipzig, Karl W. Hiersemann, 4 vols. [1ª ed.: 1907].

BULBENA I TOSELL, Antoni (ed.) (1907), *Cretomatía de la llenga catalana (des del IXè segle al XIXè)*, Barcelona («Biblioteca Clàssica Catalana»).

BUSTOS TÁULER, Álvaro (2009), *La poesía de Juan del Encina: el Cancionero de 1496*, Madrid, Fundación Universitaria Española («Tesis Doctorales Cum Laude. Serie L», 54).

CABEZA SÁNCHEZ-ALBORNOZ, Mª Cruz (1994), «Índice de los manuscritos donados por Pérez Bayer a la Universidad», en *De libros y bibliotecas. Homenaje a Rocío Caracuel*, ed. Sonsoles Celestino Angulo, Sevilla, Universidad de Sevilla, pp. 57-72.

CABEZA SÁNCHEZ-ALBORNOZ, Mª Cruz (2000), *La Biblioteca Universitaria de Valencia*, Valencia, Universitat de València («Col·lecció Cinc Segles», 9).

CABEZA SÁNCHEZ-ALBORNOZ, Mª Cruz (2007), «Manuscritos legados por Onofre Soler a la Universidad de Valencia según disposición testamentaria», en *Derecho, historia y universidades. Estudios dedicados a Mariano Peset*, 1, Valencia, Universitat de València, pp. 295-301.

CABRÉ, Miriam (2002), «Jutges, processos i sentències en la lírica del XV: Joan Ramon Ferrer, mantenidor del gai saber (1475)», *Estudi General*, 22 (=Miscel·lània d'homenatge a Modest Prats, 2), pp. 409-20.

CANET, José Luis (2009a), «Libros escolares-universitarios salidos de las prensas valencianas entre 1473-1525», en *«Litterae humaniores» del Renacimiento a la Ilustración*, ed. Ferran Grau, José Mª Maestre y Jordi Pérez, Valencia, Universitat de València, pp. 169-194 («Anejos de *Quaderns de Filologia*», 69).

CANET, José Luis (2009b), «Algunas reflexiones sobre el proceso de edición en el siglo XVI y la Bibliografía textual», *Edad de Oro*, 28, pp. 59-73.

CARVAJAL GONZÁLEZ, Helena (2017), «Investigar el grabado hispano del siglo XV: balance historiográfico y vías de investigación desde la Historia del Arte», *Titivillus. Revista Internacional sobre Libro Antiguo*, 3, pp. 25-39.

CASANOVA, Emili (2010), «La traducció d'Antoni Canals del *Pater Noster*, *Ave Maria* i *Salve Regina*: edició crítica a partir d'un nou manuscrit», *Revista de Filología Románica*, 27, pp. 377-412.

[Catàleg *Trobes*] *Trobes. Catàleg de les Biblioteques de la Universitat de València*, Universitat de València, http://trobes.uv.es/ [consulta: 22/05/2021].

[CCPB] *Catálogo Colectivo del Patrimonio Bibliográfico Español*, Madrid, Ministerio de Cultura y Deporte, http://catalogos.mecd.es/CCPB/cgi-ccpb/abnetopac/O12344/IDe39d4dae?ACC=101 [consulta: 03/01/2022].

Cerdá y Rico, Francisco (1778), «Notas al Canto del Turia», en Gaspar Gil Polo, *La Diana enamorada, cinco libros que prosiguen los VII de Jorge de Montemayor*, Madrid, Imprenta de don Antonio de Sancha, pp. 267-523.

Chas Aguión, Antonio (ed.) (2017), *La poesía de Álvaro de Cañizares*, Berlin, Peter Lang.

[CICLE] *Corpus de Incunables de Clásicos Latinos en España*, Madrid, UNED, http://www.incunabula.uned.es/cicle.php [consulta: 04-05-2021].

Colón, Hernando (1992), *Abecedarium B y Supplementum. Edición facsímil de los manuscritos conservados en la Biblioteca Colombina de Sevilla*, Madrid/Sevilla, Fundación Mapfre América/Cabildo de la Catedral de Sevilla.

Concheff, Beatrice Jorgensen (1985), *Bibliography of Old Catalan Texts*, Madison, Hispanic Seminar of Medieval Studies.

[*Constituciones*] (1733), *Constituciones de la insigne Universidad Literaria de la ciudad de Valencia*, Valencia, Imprenta de Antonio Bordazar de Artazu.

Crespí de Valldaura, Luis (1995), «La encuadernación textil en España», *Encuadernación de Arte. Revista de la Asociación para el Fomento de la Encuadernación*, 5, pp. 34-47.

Cruselles Gómez, Enrique, José María Cruselles Gómez, Irene Manclús Cuñat y María José Carbonell Boria (2018), «Documentación inquisitorial en los archivos de la ciudad de Valencia (España)», *Revista de Fontes*, 9, pp. 51-69.

Di Stefano, Giuseppe (1972), «Aggiunte e postille al *Diccionario de pliegos sueltos poéticos* di A. Rodríguez-Moñino», *Studi Mediolatini e Volgari*, 20, pp. 141-168.

Di Stefano, Giuseppe (1980), «I *Pliegos sueltos* della Biblioteca Colombina nel Cinquecento. Note a un inventario», *Romance Philology*, 34/1, pp. 78-92.

Dutton, Brian y Joaquín González Cuenca (1994), *Cancionero de Juan Alfonso de Baena*, Madrid, Visor.

Dutton, Brian y Jineen Krogstad (1990-1991), *El cancionero del siglo* xv *(c. 1360-1520)*, 7 vols., Salamanca, Universidad de Salamanca («Biblioteca Española del Siglo xv»).

Ferrando Francés, Antoni (1978), *Narcís Vinyoles i la seua obra*, Valencia, Universitat de València.

FERRANDO FRANCÉS, Antoni (1983), *Els certàmens poètics valencians*, Valencia, Institució Alfons el Magnànim.

FERRANDO FRANCÉS, Antoni (1999), «El paper dels primers editors (1473-1523) en la fixació del català modern», *Caplletra* (tardor), pp. 109-136.

FERRANDO FRANCÉS, Antoni y Curt WITTLIN (2011), «La versión de *La vida de santa Caterina de Sena* (1499), de Miquel Péreç», *Bibliofilia Antigua*, 6, pp. 121-167.

Filigranas Hispánicas, Instituto del Patrimonio Cultural en España, https://www.cultura.gob.es/filigranas/ [consulta: 14/04/2021].

FLORIDABLANCA, conde de (1787), *Plan de estudios aprobados por S. M. y mandado observar en la Universidad de Valencia*, Valencia, Imprenta de Benito Monfort.

FORTEZA OLIVER, Miquela (2011), *Los orígenes de la imprenta en Mallorca*, Palma, Objeto Perdido Ediciones.

FOULCHÉ-DELBOSC, Raymond y Jaume MASSÓ I TORRENTS (eds.) (1912), *Cançoner sagrat de vides de sants*, Barcelona, Societat Catalana de Bibliòfils.

FUSTER, Joan (1968^{2}), «Lectors i escriptors en la València del segle XV», en *Obres completes*, 1, Barcelona, Edicions 62, pp. 317-390 [1ª ed.: en *Poetes, moriscos i capellans*, Valencia, L'Estel, 1962, pp. 11-77].

FUSTER, Justo Pastor (1827), *Biblioteca valenciana de los escritores que florecieron hasta nuestros días, con adiciones y enmiendas a la de D. Vicente Ximeno*, Valencia, Imprenta y Librería de José Ximeno.

GALLARDO, Bartolomé José (1863-1889), *Ensayo de una biblioteca española de libros raros y curiosos*, 4 vols., Madrid, Imprenta y Estereotipia de M. Rivadeneyra-Imprenta/Fundición de Manuel Tello.

GALLEGO GALLEGO, Antonio (1979), *Historia del grabado en España*, Madrid, Cátedra.

GARCÍA CRAVIOTTO, Francisco (1989-1990), *Catálogo general de incunables en bibliotecas españolas*, 2 vols., Madrid, Ministerio de Cultura-Dirección General del Libro y Bibliotecas.

GARCIA SEMPERE, Marinela (ed.) (2002), *Lo Passi en cobles (1493): estudi i edició*, Alicante/Barcelona, Institut Interuniversitari de Filologia Valenciana/Publicacions de l'Abadia de Montserrat («Biblioteca Sanchis Guarner», 60).

GARCIA SEMPERE, Marinela (2016), «*Ordenat per lo discret en Miquel Ortigues, notari de València*: sobre l'autoria i les edicions de *Lo plant de la Verge Maria* fins al segle XXI», en *La literatura medieval hispánica en la imprenta (1475-1600)*, coord. María Jesús Lacarra Ducay, Nuria Aranda García, Valencia, Universitat de València, pp. 95-113.

GARCIA SEMPERE, Marinela, *et al.* (eds.) (2013), *El «Libre de caça». Estudi i edició d'un tractat de falconeria medieval*, Alacant/Barcelona, Institut Interuniversitari de Filologia Valenciana/Publicacions de l'Abadia de Montserrat («Biblioteca Sanchis Guarner», 80).

GARCÍA-CERVIGÓN DEL REY, Inmaculada (2019), *La etapa de esplendor de la imprenta manual toledana. Repertorio tipobibliográfico (1498-1550)*, Madrid, Universidad Complutense de Madrid [tesis doctoral].

GENOVÉS Y OLMOS, Eduardo (1911-1914), *Bibliografía valenciana. Catalech descriptiu de les obres impreses en llengua valenciana desde 1494 fins 1910*, Valencia, Manuel Pau, 4 vols.

GERNERT, Folke (2009), *Parodia y «contrafacta» en la literatura románica medieval y renacentista*, San Millán de la Cogolla, Cilengua, 2 vols.

GIMENO BLAY, Francisco (1992), «El manuscrito II-3096 (*olim* 2.Ll.1) de la Biblioteca del Palacio Real», *Caplletra*, 13, pp. 175-184.

GISBERT TEROL, Ana y Mª Lutgarda ORTELLS PÉREZ (1992), *Catálogo de obras impresas en el siglo XVI de la Biblioteca General e Histórica de la Universitat de València*, Valencia, Conselleria de Cultura, Educació i Ciència-Generalitat Valenciana, 2 vols.

GONZÁLEZ CUENCA, Joaquín (ed.) (2004), Hernando del Castillo, *Cancionero general*, Madrid, Castalia, 5 vols. («Nueva Biblioteca de Erudición y Crítica»).

[*Grabados alemanes*] (1997), *Grabados alemanes en la Biblioteca Nacional (siglos XV-XVI)*, Madrid, Ministerio de Educación y Cultura/Biblioteca Nacional de España.

GUARNER, Luis (1974a), «Prólogo. El primer libro literario impreso en España (Valencia, 1474)», en *Les trobes en lahors de la Verge Maria. Impresas en facsímil del libro original*, Madrid, Espasa-Calpe, pp. 9-47.

GUARNER, Luis (1974b), «El primer incunable español», en *El primer incunable español. Les trobes en lahors de la Verge Maria. Edición facsímil del único ejemplar conocido*, Valencia, Instituto Nacional del Libro Español, pp. IX-XXX.

GUARNER, Luis (1974c), *Les Trobes en lahors de la Verge Maria. Primer incunable español*, Valencia, Patronato Nacional del V Centenario de la Imprenta.

GUTIÉRREZ DEL CAÑO, Marcelino (1913), *Catálogo de los manuscritos existentes en la Biblioteca Universitaria de Valencia*, Valencia, Librería Maraguat, 3 vols.

GUTIÉRREZ DEL CAÑO, Marcelino (1914), *Producción dramática valenciana del siglo XIV. Antoni de Vilaragut. Les Tragedies de Séneca. Examen comparativo de dos códices de las mismas precedido por un estudio bio-bibliográfico*, Valencia, Imprenta de Antonio Lopez y Comp.ª.

[GW] *Gesamtkatalog der Wiegendrucke*, Leipzig, K. V. Hiersemann, http://www.gesamtkatalogderwiegendrucke.de/ [consulta: 15/06/2022].

Haebler, Konrad (1897), *The Early Printers of Spain and Portugal*, London, Bibliographical Society at the Chiswick Press.

Haebler, Konrad (1903-1917), *Bibliografía ibérica del siglo xv. Enumeración de todos los libros impresos en España y Portugal hasta el año de 1500*, Den Haag/Leipzig, Martinus Nijhoff-Karl W. Hiersemann, 2 vols. [Reimpresión facsímil en Madrid, Julio Ollero, 1992].

Hain, Ludovico (1826-1838), *Repertorium bibliographicum, in quo libri omnes ab arte typographica inventa usque ad annum MD, tipys expressi ordine alphabetico vel simpliciter enumerantur vel adcuratius recensentur*, 4 vols., Stuttgart/Paris, J. G. Cottae-Jul. Renouard.

Hamlin, Cinthia María y Ludmila Grasso (2022), «Los poemas en arte mayor castellano de *Les trobes en lahors de la Verge Maria* (74*LV): problemas ecdóticos, interferencias lingüísticas y edición crítica», *Revista de Cancioneros Impresos y Manuscritos*, 11, pp. 148-211.

Huntington, Archer M. (1905), *Catalogue of the Library of Ferdinand Colombus*, New York, [ed. facsímil].

Ibarra y Folgado, José María (1945), *Les trobes en lahors de la Verge Maria. Noticias sobre la impresión del primer incunable español*, Valencia, Hemeroscopea Ediciones.

Infantes, Víctor (1982), *Una colección de burlas bibliográficas. Las reproducciones fotolitográficas de Sancho Rayón*, Valencia, Albatros Ediciones.

Infantes, Víctor (1998), *De las primeras letras: cartillas españolas para enseñar a leer de los siglos xv y xvi*, Salamanca, Universidad de Salamanca.

Infantes, Víctor (2007^2), «Edición, literatura y realeza. Apuntes sobre los pliegos poéticos incunables», en Juan Carlos Conde y Víctor Infantes, *De cancioneros manuscritos y poesía impresa. Estudios bibliográficos y literarios sobre lírica castellana del siglo xv*, Madrid, Arco/Libros, pp. 163-189 [1ª ed. 1989].

Infantes, Víctor (2016), *Una colección de burlas bibliográficas. Las Reproducciones fotolitográficas de Sancho Rayón. Nueva edición*, Madrid, Turpín Editores.

[ISTC] *Incunabula Short Title Catalogue*, London, British Library, http://www.bl.uk/catalogues/istc [consulta: 15/06/2022].

Kurz, Martin (1931), *Handbuch der iberischen Bilddrucke des xv. Jahrhunderts*, Leipzig, Verlag Karl W. Hiersemann.

Lamarca, Montserrat (2015), *La impremta a Barcelona (1501-1600)*, Barcelona, Biblioteca de Catalunya.

[*Liber usualis*] (1942), *Liber usualis Missae et Oficii pro dominicis et festis cum canto gregoriano ex editione vaticana adamussim excerpto et rhythmicis signis in subsidium cantorum a solesmensibus monachis diligenter ornato*, Paris/Tournai/Roma, Typis Societatis S. Joannis Evangelistae Desclée & Socii.

Llorca, Fernando (1933), *La Biblioteca Universitaria de Valencia*, Valencia, Talleres Prometeo.

López i Quiles, Antoni (2007), *Literatura i espiritualitat. Aproximació a l'obra de Corella com a resposta davant Déu i l'home*, València, Institució Alfons el Magnànim («Estudis Universitaris», 110).

López Serrano, Matilde (1974), «Une des originalités de la reliure espagnole: les types populaires», *Bulletin de Bibliophile*, 1, pp. 50-58.

Mahiques Climent, Joan (2021), «Oracions rimades i obres devotes en vers. Textos inèdits o poc coneguts localitzats a través de BITECA», *Ítaca. Revista de Filologia*, 12, pp. 143-186.

Manclús Cuñat, Irene (2013), «L'Arxiu de la Universitat de València, un instrumento para la investigación», *CIAN. Revista de Historia de las Universidades*, 16/2, pp. 141-161.

Manzarbeitia Valle, Santiago (2009), «El árbol de Jesé», *Revista Digital de Iconografía Medieval*, 1/2, pp. 1-8.

Marín Martínez, Tomás (1975), «Presencia de Erasmo en la Biblioteca Colombina de Sevilla», en *Homenaje a D. Agustín Millares Carlo*, 1, Las Palmas de Gran Canaria, Caja Insular de Ahorros de Gran Canaria, pp. 685-708.

Martí Grajales, Francisco (1894), «Introducción» a *Primer libro impreso en España. Les Trobes en lahors de la Verge Maria, publicadas en Valencia en 1474 y reimpresas por primera vez*, Valencia, Librería de Pascual Aguilar, pp. 11-92.

Martí Grajales, Francisco (1927), *Ensayo de un diccionario biográfico y bibliográfico de los poetas que florecieron en el Reino de Valencia hasta el año 1700*, Madrid, Tip. de la «Revista de Archivos, Bibliotecas y Museos».

Martín Abad, Julián (2001), *Post-incunables ibéricos*, Madrid, Ollero & Ramos.

Martín Abad, Julián (2007), *Post-incunables ibéricos* (*Adenda*), Madrid, Ollero y Ramos.

Martín Abad, Julián (2016), *Post-incunables ibéricos* (*2ª Adenda*), Madrid, Ollero y Ramos.

Martín Abad, Julián (2018), *Cum figuris. Texto e imagen en los incunables españoles. Catálogo bibliográfico y descriptivo*, Madrid. Arco/Libros, 2 vols.

Martín, Llúcia (2009), «La paròdia jurídica en *Lo somni de Joan Joan*», *Caplletra*, 46, pp. 89-114.

Martínez Romero, Tomàs (2015), «Escriptors a la València de la segona meitat del segle xv», en *Història de la Literatura Catalana*, 3, ed. i dir. Lola Badia, Barcelona, Enciclopèdia Catalana/Barcino/Ajuntament de Barcelona, pp. 305-355.

Martínez Romero, Tomàs (2018), *Bernat Fenollar i Miquel Estela, poetes de cançoner*, Valencia, Edicions 3 i 4 (Sèrie «La Unitat», 217).

Martínez Vinat, Juan (2018), *Cofradías y oficios. Entre la acción confraternal y la organización corporativa en la Valencia medieval (1238-1516)*, Valencia, Universitat de València [tesis doctoral].

Martos, Josep Lluís (ed.) (2001), *Les proses mitològiques de Joan Roís de Corella: edició crítica*, Alicante/Barcelona, Institut Interuniversitari Filologia Valenciana/Publicacions de l'Abadia de Montserrat («Biblioteca Sanchis Guarner», 55).

Martos, Josep Lluís (2003), «Cuadernos y génesis del Cancionero O[1] de Ausiàs March (Biblioteca Universitaria de Valencia Ms. 210)», en *Cancioneros en Baena. Actas del II Congreso Internacional Cancionero de Baena*, 2, ed. Jesús L. Serrano Reyes, Baena, Ayuntamiento de Baena, 2003, p. 129-142.

Martos, Josep Lluís (2010), «La autocensura en los cancioneros: una justificación impresa en 57CG y otra manuscrita en CT1», *Cultura Neolatina*, 70/1-2, pp. 155-180.

Martos, Josep Lluís (2011a), «Hacia un canon de transmisión textual del cancionero medieval: del impreso al manuscrito», en *Del impreso al manuscrito en los cancioneros*, Alcalá de Henares, Centro de Estudios Cervantinos, pp. 207-212.

Martos, Josep Lluís (2011b), «La copia completa y la restauración parcial: los cancioneros impresos de Ausiàs March en los manuscritos», en *Del impreso al manuscrito en los cancioneros*, Alcalá de Henares, Centro de Estudios Cervantinos, pp. 13-45.

Martos, Josep Lluís (2012), «Josep Maria Torres Belda i la còpia vuitcentista del *Cançoner de Saragossa*», en *Miscel·lània Albert Hauf*, 3, Barcelona, Publicacions de l'Abadia de Montserrat, pp. 125-152 («Estudis de Llengua i Literatura Catalanes», 64).

Martos, Josep Lluís (ed.) (2013), Joan Roís de Corella, *Psalteri: edició crítica*, Valencia, Institució Alfons el Magnànim («Biblioteca d'Autors Valencians», 59).

Martos, Josep Lluís (2014a), «Còpies manuscrites d'impresos renaixentistes a la Biblioteca Universitària de València: el llegat d'Onofre Soler i Rubio», *Caplletra*, 56, pp. 9-41.

Martos, Josep Lluís (2014b), «La poesia de Joan Roís de Corella: textos de rematada», en *Joan Roís de Corella i el seu món*, ed. Antoni Ferrando, Valencia, Institució Alfons el Magnànim, pp. 487-507.

Martos, Josep Lluís (2014c), «El cançoner *G*[2] d'Ausiàs March i l'edició de Baltasar de Romaní», 36, pp. 273-301.

Martos, Josep Lluís (2014d), «La variante de traductor», en *La poesía en la imprenta antigua*, Alacant, Universitat d'Alacant, pp. 105-117.

Martos, Josep Lluís (2014e), «*La vida de la sacratíssima Verge Maria* y el *Cartoixà* de Joan Roís de Corella: datos externos», *Bulletin of Hispanic Studies*, 91/8 (2014), pp. 1005-1014.

Martos, Josep Lluís (2015), «La literatura perdida de Joan Roís de Corella: límites, proceso y resultados de un catálogo», en *Estudios de literatura medieval en la Península Ibérica*, ed. Carlos Alvar, San Millán de la Cogolla, Cilengua, pp. 123-145.

Martos, Josep Lluís (2016a), «Un incunable de Pere Trincher: tipografía, decoración y datación», *Revista de Poética Medieval*, 30, pp. 199-231.

Martos, Josep Lluís (2016b), «Un cancionero incunable valenciano: descripción bibliográfica, estructura y contextos», en *La literatura medieval hispánica en la imprenta (1475-1600)*, ed. María Jesús Lacarra, Valencia, Universitat de València, pp. 173-189.

Martos, Josep Lluís (2016c), «La formación del fondo de la Biblioteca Universitaria de Valencia y la literatura catalana medieval», en *Antes se agotan la mano y la pluma que su historia / Magis deficit manus et calamus quan eius hystoria. Homenaje a Carlos Alvar, vol. 1: Edad Media*, ed. Constance Carta, Sarah Finci y Dora Mancheva, San Millán de la Cogolla, Cilengua, pp. 235-250.

Martos, Josep Lluís (2018), «Fuentes poéticas incunables: el cancionero 87FD y Juan Tallante», en *Poesía, poéticas y cultura literaria*, ed. Andrea Zinato y Paola Bellomi, Como/Pavia, Ibis, 2018, pp. 523-533.

Martos, Josep Lluís (2019a), «Materialitat i errors de composició d'un incunable poètic (b^2/87FD): la rendibilitat ecdòtica», *Magnificat Cultura i Literatura Medievals*, 6, pp. 165-184.

Martos, Josep Lluís (2019b), «Estructura de un incunable poético: la *Obra de la Sacratíssima Concepció de la intemerada Mare de Déu*», *Hispanófila*, 187, pp. 145-162.

Martos, Josep Lluís (2019c), «Los ejemplares del incunable poético 87FD», en *Literatura medieval hispánica. Libros, lecturas y reescrituras*, coord. María Jesús Lacarra, ed. Nuria Aranda, Ana M. Jiménez y Ángela Torralba, San Millán de la Cogolla, Cilengua, pp. 753-768.

Martos, Josep Lluís (2019d), «*Orationes ad laudem purissime conceptiones virginis Marie*: recuperación de un incunable / literatura recuperada», *Revista de Literatura Medieval*, 31, pp. 63-93.

Martos, Josep Lluís (2019e), «La poesia en la prosa de Joan Roís de Corella: delimitació i transmissió del corpus», *Scripta. Revista Internacional de Literatura i Cultura Medieval i Moderna*, 14, pp. 243-260.

Martos, Josep Lluís (2020a), «Baltasar Joan Balaguer y el cancionero 87FD en la bibliografía ilustrada: desatención a lo material y generación de fantasmas», en *«Et era muy acuçioso en allegar el saber». Studia Philologica in Honorem Juan Paredes*, ed. Eva Muñoz Raya y Enrique J. Nogueras Valdivieso, Granada, Universidad de Granada, pp. 541-558.

Martos, Josep Lluís (2020b), «Exemplar(s) d'un incunable retrobat: *Orationes ad laudem Purissime Conceptionis Virginis Marie* (València, Lambert Palmart, 1489)», en *Miscel·lània Antoni Ferrando*, 1, Barcelona, Publicacions de l'Abadia de Montserrat («Estudis de Llengua i Literatura Catalanes», 74), pp. 113-133.

Martos, Josep Lluís (2021), «*Obra en prosa sobre la veríssima inmaculada conceptió de la Mare de Déu* (Valencia, Lambert Palmart, 1488): estudio material de un incunable perdido», *Revista de Literatura Medieval*, 33, pp. 133-161.

Martos, Josep Lluís (2022a), «Contenidos y génesis de un incunable perdido: *Obra en prosa sobre la veríssima inmaculada conceptió de la Mare de Déu*», en *Isabel de Villena i l'espiritualitat europea tardomedieval*, ed. Anna Isabel Peirats Navarro, Valencia, Tirant Humanidades, pp. 135-166.

Martos, Josep Lluís (2022b), «La *Glossa sobre l'Ave Maria molt devota* del *Natzaré*: transmissió textual, *collatio* subjacent i edició crítica», *Scripta. Revista Internacional de Literatura i Cultura Medieval i Moderna*, 19, pp. 241-280.

Martos, Josep Lluís (2022c), «La *Salve Regina* de Juan del Encina i de Miquel Ortigues: la oración como traducción poética», *Specula. Revista de Humanidades y Espiritualidad*, 4, pp. 191-211.

Martos, Josep Lluís (en prensa), «La *Salve Regina* de Pere Vilaspinosa: *collatio* subyacente y edición crítica de un testimonio único», en *Actas del VII Congreso Internacional Convivio*, ed. Cleofé Tato, A Coruña, Universidade da Coruña.

Massó i Torrents, Jaume (1913-1914), «Bibliografia dels antichs poetes catalans», *Anuari de l'Institut d'Estudis Catalans*, 5, pp. 2-276.

Massó i Torrents, Jaume (1932), *Repertori de l'antiga literatura catalana: la poesia*, 1, Barcelona, Editorial Alpha.

Mayans y Siscar, Gregorio (2000), *Epistolario, XVII. Cartas Literarias. Correspondencia de los hermanos Mayans con los hermanos Andrés, F. Cerdá y Rico, Juan Bta. Muñiz y José Vega Sentmenat*, con estudio preliminar, transcripción y notas de Amparo Alemany Peiró, Oliva, Ayuntamiento de Oliva.

McKerrow, Ronald B. (1998), *Introducción a la bibliografía material*, Madrid, Arco/Libros.

Méndez, Francisco (1861^{2}), *Tipografía española ó Historia de la introducción, propagación y progresos del arte de la imprenta en España*, edición corregida y adicionada por Dionisio Hidalgo, Madrid, Imprenta de las Escuelas Pías [1ª ed.: Madrid, Viuda de Ibarra, 1796].

Menéndez Pidal, Ramón (1960), *Pliegos poéticos españoles en la Universidad de Praga*, Madrid, Joyas Bibliográficas, 2 vols.

Mesa Sanz, Juan Francisco (2020), «El pliego poético incunable 90*DC: materialidad y adscripción tipográfica», *Revista de Poética Medieval*, 34, pp. 297-313.

Mesa Sanz, Juan Francisco (2021), «Ecdótica y glosa poética: la tradición textual de los *Disticha Catonis* a partir del pliego incunable de Martín García (90*DC)», *Criticón*, 141, pp. 37-52.

Millares Carlo, Agustín (1982), «La imprenta en Barcelona en el siglo xvi», en *Historia de la imprenta hispana*, Madrid, Editora Nacional, pp. 492-643.

Millás Mascarós, Elisa y Margarita Escriche Soriano (2017), «La biblioteca digital de la Universitat de València. Difusión y preservación de fondos históricos», *RUIDERAe. Revista de Unidades de Información*, 12, pp. 1-11.

Miquel i Planas, Ramon (ed.) (1911), *Cançoner satírich valencià dels segles xv y xvi*, Barcelona, Casa Miquel-Rius.

Miquel i Planas, Ramon (1915-1920), *Bibliofília. Recull d'estudis, observacions, comentaris y noticies sobre llibres en general y sobre qüestions de llengua y literatura catalanes en particular*, Barcelona, Fidel Giró, 2 vols.

Moll, Jaime (1982), «El libro en el Siglo de Oro», *Edad de Oro*, 1, pp. 43-54.

Moll, Jaime (2003), «El impresor, el editor y el librero», en *Historia de la edición y de la lectura en España, 1472-1914*, ed. Víctor Infantes, François Lopez y Jean-François Botrel, Madrid, Fundación Germán Sánchez Ruipérez, pp. 77-84.

Moraleda Díaz, Javier (2009), «Los primeros incunables españoles de Salustio (Barcelona 1475-Valencia 1475)», *EPOS*, 25, pp. 37-58.

Moralejo Álvarez, Mª Remedios (1998), «La Colección Histórica de la Biblioteca Universitaria de Zaragoza», en *El libro antiguo en las bibliotecas españolas*, ed. Ramón Rodríguez Álvarez y Moisés Llordén Miñambres, Oviedo, Universidad de Oviedo, pp. 281-319.

Moreno, Manuel (1997), «Sobre la relación de *LB1* con *11CG* y *14CG*», en *Actas del VI Congreso Internacional de la Asociación Hispánica de Literatura Medieval (Alcalá de Henares, 12-16 de septiembre de 1995)*, 2, ed. José Manuel Lucía Megías, Alcalá de Henares, Universidad de Alcalá, 1997, pp. 1069-1083.

Moreno, Manuel (2012), «Descripción codicológica LB1. Ms. Additional 10431, Biblioteca British Library de Londres», en *Descripciones codicológicas, CIM. Cancioneros Impresos y Manuscritos*, Alacant, Universitat d'Alacant, <http://www.cancioneros.org/adjuntos/LB1.pdf> [consulta: 15/06/2021].

Moreno, Manuel (2014), «Glosa» a Carlos Alvar, «LB1 y otros cancioneros castellanos», en *De poesía medieval con sus glosas agora nuevamente añadidas*, ed. y coord. Josep Lluís Martos, Alacant, Universitat d'Alacant, pp. 198-203.

Morreale, Margherita (1958), «Apuntes bibliográficos para la iniciación al estudio de las traducciones bíblicas medievales en catalán», *Analecta Sacra Tarraconensia*, 31, pp. 271-290.

Morreale, Margherita (1981), «El Ave María de Juan del Encina», *Hispania Sacra*, 67, pp. 275-283.

Morreale, Margherita (1984), «La lengua castellana va al encuentro del Ave María», *Boletín de la Biblioteca de Menéndez Pelayo*, 57, pp. 5-64.

Morreale, Margherita (2002), «El avemaría en la enseñanza de la doctrina cristiana entre c. 1496 y 1596», en *Pulchre, bene, recte. Homenaje al Prof. Fernando González Ollé*, ed. Carmen Saralegui Platero y Manuel Casado Velarde, Pamplona, EUNSA, pp. 971-980.

Morreale, Margherita (2004a), «Apuntaciones sobre cartillas y doctrinas cristianas entre 1496 y 1596», en *Siglos dorados. Homenaje a Agustin Redondo*, 2, ed. Pierre Civil, Madrid, Castalia, pp. 1019-1035.

Morreale, Margherita (2004b), «La "Salve Regina" en las Doctrinas cristianas y Cartillas del s. xvi», *Revista de Filología Española*, 84/1, pp. 129-151.

Nagler, Georg Kaspar (1966), *Die monogrammisten*, Nieuwkoop, B. De Graaf, 5 vols.

Norton, Frederick J. (1973), «Lost Spanish Books in Fernando Colon's Library Catalogue», en *Studies in Spanish Literature of the Golden Age presented to Edward M. Wilson*, ed. R. O. Jones, London, Tamesis Books, pp. 161-171.

Norton, Frederick J. (1978), *A Descriptive Catalogue of Printing in Spain and Portugal, 1501-1520*, Cambridge, Cambridge University Press.

Ortiz, José Mariano (1782), *Descubrimiento de las leyes palatinas y derechos que V. M. tiene como á Rey de Aragon en vuestro Palacio del Real de Valencia*, Madrid, Imprenta y Librería de Andrés de Sotos.

Palanca Pons, Abelardo (1958), *Guía bibliográfica de la Universidad de Valencia*, Valencia, Dirección General de Enseñanza Universitaria.

Palanca Pons, Abelardo (1962), *Incunables valencianos, sus características tipográficas*, Valencia, Gremio de Maestros Impresores de Valencia y su Provincia.

Palanca Pons, Abelardo y María del Pilar Gómez Gómez (1981), *Catálogo de los incunables de la Biblioteca Universitaria de Valencia*, Valencia, Universitat de València.

Palau y Dulcet, Antonio (1948-1977), *Manual del librero hispanoamericano*, Barcelona, Librería Palau, 28 vols.

Pardo Pardo, Luciano (2017), «Proyecto: Cámara de conservación de libros para la Biblioteca Histórica de la Universitat de València», *RUIDERAe. Revista de Unidades de Información*, 12, pp. 1-13.

Pastor Banyuls, Víctor (2017), «El certamen literari de l'Ateneu científic, literari i artístic de València en commemoració de la introducció de la impremta (1874)», en *Actes del Dissetè Col·loqui Internacional de Llengua i Literatura Catalanes: Universitat de València, 7-10 de juliol de 2015*, ed. Manuel Pérez Saldanya y Rafael Roca Ricart, pp. 421-430.

Perea Rodríguez, Óscar (2003), «Valencia en el *Cancionero General* de Hernando del Castillo: los poetas y los poemas», *Dicenda*, 21, pp. 227-251.

Perea Rodríguez, Óscar (2007), *Estudio biográfico sobre los poetas del «Cancionero General»*, Madrid, Consejo Superior de Investigaciones Científicas («Anejos de la *Revista de Filología Española*», 98).

Pérez Bosch, Estela (2011), *Los poetas valencianos del «Cancionero General»*, Valencia, Institució Alfons el Magnànim.

Puerto Moro, Laura (2012), «El universo del pliego poético postincunable (del despegue de la literatura popular impresa en castellano)», *eHumanista*, 21, pp. 257-304.

Puerto Moro, Laura (2021), «Hacia un estudio comparativo de pliegos poéticos en castellano y en catalán (s. xvi): tradiciones materiales, temáticas e iconográficas (con un Apéndice sobre las figurillas celestinescas)», *Boletín de Literatura Oral*, vol. extra 4, pp. 15-54.

Reyes Gómez, Fermín de los (1996), *La imprenta en Segovia*, Madrid, Arco/Libros, 2 vols.

Ribelles Comín, José (1915), *Bibliografía de la lengua valenciana, o sea, catálogo razonado por orden alfabético de autores*, 1, Madrid, Imprenta de la Revista de Archivos, Bibliotecas y Museos.

Riquer, Martí de (1964), *Història de la literatura catalana*, 3, Barcelona, Ariel.

Roca Traver, Francisco, «Joseph Mariano Ortiz Zaragoza», en *Diccionario biográfico electrónico*, Real Academia de la Historia, https://dbe.rah.es/ [consulta: 21/01/2022].

Rodado Ruiz, Ana M. (2020a), «De bibliografía y poesía: Hernando Colón y su legado literario», *Edad de Oro*, 39, pp. 19-42.

Rodado Ruiz, Ana M. (2020b), «Materialidad y estructura de la *editio princeps* del *Cancionero* de Juan del Encina (96JE)», *Revista de Poética Medieval*, 34, pp. 341-374.

Rodado Ruiz, Ana M. (2021), «La poesía de Juan de Viana y de Alonso de Lira: estudio y edición de un corpus de testimonio único», *Criticón*, 141, pp. 55-80

Rodrigo Lizondo, Mateu (ed.) (2011), Melcior Miralles, *Crònica i dietari del capellà d'Alfons el Magnànim*, Valencia, Universitat de València («Fonts Històriques Valencianes», 47).

Rodríguez, Josep (1747), *Biblioteca valentina*, Valencia, Joseph Thomàs Lucas, impressor.

Rodríguez Moñino, Antonio (1958a), «Catálogo de algunos pliegos sueltos fechables, tomados del *Regestrum B* de D. Fernando Colón», en Hernando del Castillo, *Cancionero General (Valencia, 1511)*, Madrid, Real Academia Española, pp. 115-117.

Rodríguez Moñino, Antonio (1958b), «Catálogo de algunos pliegos sueltos fechables, tomados del *Abecedarium B* de D. Fernando Colón», en Hernando del Castillo, *Cancionero General (Valencia, 1511)*, Madrid, Real Academia Española, pp. 118-126.

Rodríguez Moñino, Antonio (1961), «Doscientos pliegos poéticos desconocidos, anteriores a 1540», *Nueva Revista de Filología Hispánica*, 15/1-2, pp. 81-106.

Rodríguez Moñino, Antonio (1970), *Diccionario bibliográfico de pliegos sueltos poéticos (siglo xvi)*, Madrid, Castalia.

Rodríguez Moñino, Antonio (1976), *Los pliegos poéticos de la Biblioteca Colombina (siglo xvi). Estudio bibliográfico*, Berkeley/Los Angeles/London, University of California Press.

Rodríguez Moñino, Antonio (1997), *Nuevo Diccionario bibliográfico de pliegos sueltos poéticos (siglo xvi)*, Madrid, Castalia.

Rodríguez Peinado, Laura (2014), «Púrpura. Materialidad y simbolismo en la Edad Media», *Anales de Historia del Arte*, 24, pp. 471-495.

Rodríguez Peinado, Laura (2017), «Morfología de la encuadernación textil en la Edad Media», en *Doce siglos de materialidad del libro: estudios sobre manuscritos e impresos entre los siglos viii y xix*, coord. Manuel José Pedraza Gracia, Zaragoza, Prensas Universitarias de Zaragoza, pp. 23-33.

Roig Condomina, Vicente (1995), «El Ateneo científico, literario y artístico de Valencia y su aportación a las artes en el último tercio del siglo xix», *Ars longa. Cuadernos de Arte*, 6, pp. 107-114.

Romero de Lecea, Carlos (1974), *La imprenta y los pliegos poéticos*, Madrid, Joyas Bibliográficas.

Romero Lucas, Diego (2005a), *Catálogo gráfico descriptivo de la imprenta en Valencia 1473-1530*, Valencia, Universitat de València, 3 vols. [tesis doctoral].

Romero Lucas, Diego (2005b), «El grabado en los incunables valencianos», en *Actes del X Congrés Internacional de l'Associació Hispànica de Literatura Medieval (Alacant, 16-20 de setembre de 2003)*, 3, ed. Rafael Alemany, Josep Lluís Martos y Josep Miquel Manzanaro, Alacant, Institut Interuniversitari de Filologia Valenciana, pp. 1405-1420.

Romeu i Figueras, Josep (1965), *La Música en la Corte de los Reyes Católicos*. IV-1 y IV-2. *Cancionero Musical de Palacio (siglos xv-xvi)*, Barcelona, Instituto Español de Musicología.

Rossich, Albert (2003), «Els certàmens literaris a Barcelona, segles xiv-xviii», *Quaderns d'Història*, 9, pp. 83-108.

Rossich, Albert (2006), «Els certàmens, de la gaia ciència als Jocs Florals», en *Actes del Tretzè Col·loqui Internacional de Llengua i Literatura Catalanes (Universitat de Girona, 9-12 de setembre de 2003)*, ed. Sadurní Martí, Miriam Cabré, Francesc Feliu Torrent, Narcís Iglésias, David Prats, Barcelona, Publicacions de l'Abadia de Montserrat, vol. 1, pp. 63-90.

Ruiz Vila, José Manuel (2012), «*Oratio luculenta de laudibus Valentie* de Alonso de Proaza. Introducción, edición crítica y traducción», *Liburna*, 5, pp. 155-174.

Salvá y Mallén, Pedro (1872), *Catálogo de la biblioteca de Salvá*, 2 vols., Valencia, Imprenta de Ferrer de Orga.

Sanchis Guarner, Manuel (1974), «Estudi preliminar» a *Les trobes en lahors de la Verge Maria (València, 1474)*, València, Caixa d'Estalvis i Mont de Pietat de València, pp. XI-LII.

Sanchis Guarner, Manuel (1975), «El certamen poètic del 1474, motiu de les *Trobes en llaors de la Verge Maria*, primer llibre literari imprés a Espanya», *Boletín de la Sociedad Castellonense de Cultura*, 51, pp. 331-343.

Sanchis Guarner, Manuel (1979), «Estudi preliminar» a *Les trobes en lahors de la Verge Maria*, València, Vicent García Editors, pp. 5-63.

Serrano y Morales, José Enrique (1898-1899), *Reseña histórica en forma de diccionario de las imprentas que han existido en Valencia desde la introducción del arte tipográfico en España hasta el año 1868 con noticias bio-bibliográficas de los principales impresores*, Valencia, Imprenta de F. Doménech.

Soler, Abel (2014), «Joan Roís de Corella i Miquel Peres», *Revista de Cancioneros Impresos y Manuscritos*, 3, pp. 132-156.

[Somni] *Somni. Col·lecció digital de fons històric*, en *Roderic. Repositori de Contingut Lliure*, Universitat de València, https://roderic.uv.es/ [consulta: 22/05/2021].

Tato García, Cleofé (ed.) (2013), *De amor y guerra: la poesía de Pedro de la Caltraviesa*, Vigo, Editorial Academia del Hispanismo.

Tomàs, Margalida (2016), «El camí cap a la professionalització de Marià Aguiló. Erudició i biblioteca (1851-1861)», *Randa*, 77, pp. 77-115.

Torres Belda, Josep Maria (1874), «El primer libro impreso en España», *Boletín-Revista del Ateneo de Valencia*, VIII/88 (30 de enero), pp. 44-50.

Torró, Jaume (1992), «El MS. 151 de la Biblioteca Universitària de Barcelona (*Jardinet d'orats*): descripció i estudi codicològic», *Boletín Bibliográfico de la Asociación Hispánica de Literatura Medieval*, 6/1, pp. 1-55 [reed. en Romeu Llull, *Obra completa*, Barcelona, Barcino, 1996, pp. 261-295].

Torró, Jaume (1996), «El mite de Caldesa: Corella al *Jardinet d'orats*», *Atalaya*, 7, pp. 103-116.

[*Trobes*] (1894), *Primer libro impreso en España. Les Trobes en lahors de la Verge Maria, publicadas en Valencia en 1474 y reimpresas por primera vez*, edición paleográfica con introducción de Francisco Martí Grajales, Valencia, Librería de Pascual Aguilar.

[*Trobes*] (1945), *Les trobes en lahors de la Verge Maria*, edición facsímil al cuidado de Vicente Escrivá, con introducción de José Mª Ibarra y Folgado, Valencia, Hemeroscopea Ediciones.

[*Trobes*] (1974a), *Les trobes en lahors de la Verge Maria. Impresas en facsímil del libro original*, con prólogo de Luis Guarner, Madrid, Espasa-Calpe.

[*Trobes*] (1974b), *Les trobes en lahors de la Verge Maria (València, 1474)*, edición facsímil con introducción y transcripción de Manuel Sanchis Guarner, València, Caixa d'Estalvis i Mont de Pietat de València.

[*Trobes*] (1974c), *El primer incunable español. Les trobes en lahors de la Verge Maria. Edición facsímil del único ejemplar conocido*, edición facsímil con prólogo de Luis Guarner, Valencia, Instituto Nacional del Libro Español.

[*Trobes*] (1979a), *Les trobes en lahors de la Verge Maria*, edición facsímil con introducción aumentada y transcripción de Manuel Sanchis Guarner, Valencia, Vicent García Editors S. A.

[*Trobes*] (1979b), *Les trobes en lahors de la Verge Maria*, edición facsímil, Valencia, Librerías París-Valencia.

[*Trobes*] (1988), *Les trobes en lahors de la Verge Maria*, edición facsímil con prólogo de Rafael Pérez Contel, Valencia, Conselleria de Cultura, Educació i Ciència.

[*Trobes*] (1997), *Les trobes en lahors de la Verge Maria*, edición facsímil, Valencia, Librerías París-Valencia.

[*Trobes*] (2002), *Les trobes en lahors de la Verge Maria. Primer libro impreso en España en MCCCLXXIV*, edición facsímil con introducción facsimilada de Francisco Martí Grajales (1894) y transcripción de Emili Miedes i Bisbal, Valencia, Imprenta Nácher.

[USTC] *Universal Short Title Catalogue. An open access bibliography of early modern print culture*. University of Saint Andrews, https://www.ustc.ac.uk/ [consulta: 03/01/2022].

Valverde del Barrio, Cristino (1930), *Catálogo de incunables y libros raros de la Santa Iglesia Catedral de Segovia*, Segovia, Imprenta de «El Adelantado».

Vilalta Moret, Diana (2018), «La encuadernación textil: restauración de un libro de terciopelo del siglo xvi», *Pátina*, 20, pp. 31-64.

Villarroya, José (1796), *Disertacion sobre el origen del nobilisimo arte tipografico, y su introduccion y uso en la ciudad de Valencia de los edetanos*, Valencia, Oficina de D. Benito Monfort.

Vindel, Francisco (1946), *El arte tipográfico en España durante el siglo xv: Valencia, Mallorca y Murcia,* Madrid, Dirección General de Relaciones Culturales.

Vindel, Francisco (1951), *El arte tipográfico en España durante el siglo xv. Dudosos de lugar de impresión. Adiciones y correcciones a toda la obra,* Madrid, Dirección General de Relaciones Culturales.

Vives, José (1956), «Exposiciones del *Ave Maria* y *Salve* en traducción catalana de Fray Antonio Canals», *Analecta Sacra Tarraconensia*, 29, pp. 79-94.

Wilkinson, Alexander (2010), *Iberian Books: Books Published in Spanish or Portuguese or on the Iberian Peninsula before 1601*, Leiden, Brill.

Wilkinson, Alexander (coord.) (2018-), *Iberian Books*, Dublin, University College Dublin, https://iberian.ucd.ie/ [consulta: 28/12/2021].

Witten, Laurence (1959), «The Earliest Books Printed in Spain», *The Papers of the Bibliographical Society of America*, 52/2, pp. 91-113.

Ximeno, Vicente (1747-1749), *Escritores del Reyno de Valencia cronológicamente ordenados desde el año MCCXXXVIII de la christiana conquista de la misma ciudad, hasta el MDCCXLVIII*, Valencia, Imp. Josep Estevan Dolz, 2 vols.